오페라의 유령

가스통 르루 장편소설 | 성귀수 옮김

문학세계사

옮긴이 · 성귀수
·

1991년 ≪문학정신≫을 통해 시인으로 등단한 이후,
「흑백언어를 통한 침묵의 반전현상」 등 기상천외한 장시들만
고집스럽게 발표해 오고 있는 문단의 이단아이다.
연세대학교 불문학과와 동대학원에서 박사학위를 취득하고
현재는 시작(詩作)과 번역에 몰두해 있다.
논문으로 「말레르브 작시법에서 구성변환의 효과」, 「죽지 않는 시인들」,
「멀티포엠 실험이 내게 불러일으킨 몇 가지 문제에 관한 고찰」 등이 있고,
번역서로 아폴리네르 소설집 「이교도 회사」와 「일만일천 번의 채찍질」
아멜리 노통의 「적의 화장법」 그리고 「조선기행」 등 다수가 있다.

오페라의 유령
가스통 르루 장편소설
·

초판 1쇄 발행일   2001년 9월 20일
87쇄 발행일   2002년 11월 15일
·

옮긴이 · 성귀수
펴낸이 · 김종해
펴낸곳 · 문학세계사
·

주소 · 서울시 마포구 신수동 345-5(121-110)
전화 · 702-1800, 702-7031~3
팩시밀리 · 702-0084
이메일 · mail@msp21.co.kr www.msp21.co.kr
www.ozclub.co.kr(오즈의 마법사)
출판등록 · 제21-108호(1979.5.16)
·

값 9,200원

ISBN 89-7075-236-6   03860
ⓒ문학세계사, 2001

Le Fantôme de l'Opéra

GASTON LEROUX

유령 같은 면은 없지만,
에릭과 마찬가지로 음악의 천사이신 나의 형 조에게
애정을 듬뿍 담아 이 책을 바친다.

— 가스통 르루

오페라의 유령

* 차 례

프롤로그

이 기이한 작품의 저자는 독자 여러분에게, 오페라의 유령이
실제로 존재했었다는 확신을 갖게 된 경위를
다음과 같이 밝히는 바이다.

오페라의 유령은 정말로 존재했었다. 사람들이 오랫동안 믿어온 것처
럼, 그것은 예술가들이 지어낸 얘기도 아니요, 극장 지배인들의 미신도
아니다. 그렇다고 극장의 수위나 휴대품 보관실의 직원들, 여자 안내원
들, 혹은 여자 무용수들의 방정맞은 머리 속에서 움튼 우스꽝스런 창조
물은 더더욱 아니다.

그렇다, 그는 살아 숨쉬는 몸을 가지고 실제로 존재했었던 것이다. 비
록 겉으로 보기엔 진짜 유령, 즉 순전한 그림자의 면모를 갖추고 있었지
만 말이다…….

나는 일찍이 국립 음악 아카데미의 서고를 뒤지기 시작하면서부터 어
떤 신비스럽고 환상적인 사건 하나와, '유령'의 조화로밖에는 달리 생
각할 수 없을 현상이 서로 기막히게 일치한다는 사실을 발견하곤 여간
놀란 게 아니다.

그때부터 나는 그 사건의 내막을 이른바 '유령 현상'을 통해 합리적
으로 설명해낼 수 있지 않을까 하는 생각을 품게 되었다. 사건이 일어난

때는 고작해야 30여 년 전에 불과하다. 그래서 그런지, 무용수 대기실에는 오늘날까지도, 크리스틴 다에의 납치를 둘러싼 비극적이면서도 신비스런 정황과 샤니 자작의 실종 및 그의 형 필립 백작의 죽음, 그의 시체가 스크리브가(街)의 오페라 극장 지하에 위치한 호수의 제방에서 발견된 사실 등등을 생생하게 기억하고 있는 노인들을 어렵지 않게 찾아볼 수 있다. 다만 그들은 그때 그 사건을 줄곧 이야기해오면서도, 정작 오페라의 유령이라는 전설적인 존재를 떠올리려는 생각만큼은 아직까지 못하고 있을 뿐이다.

누가 봐도 첫눈에 초자연적이라고 할 만한 이 기이한 사건과 힘겹게 씨름을 하는 동안, 그리고 그 어렴풋한 이미지를 부질없이 쫓느라 기진맥진한 나머지 포기할까 수없이 망설이는 동안, 진실은 아주 더디게, 더디게 내 정신 속으로 파고들어왔다. 그러던 어느 날, 나의 예감이 결코 틀리지 않았다는 증거를 잡을 수 있었고, 오페라의 유령이 역시 그림자 이상의 그 무엇이라는 확신이 서자 오랜 나날의 노고가 단번에 보상받는 느낌이었다.

바로 그 날, 나는 『어느 극장 지배인의 회고록』이라는 한 경박한 책자를 조사하며 긴 시간을 보내고 있었다.

몽샤르맹이라고 하는 지나치게 냉소적인 이 책의 저자는 어리석게도 오페라 극장으로 가는 길 내내 유령의 음산한 거취에 관해 아무것도 눈치채지 못했을 뿐더러, '마법의 봉투' 안에서 일어난 흥미로운 금전적 조작의 첫번째 희생자가 된 바로 그 순간에조차, 되는 대로 유령의 현존을 비웃고만 있었다.

결국, 실망스런 마음만 안은 채 도서관을 나오던 나는 우연히 국립 아카데미의 지배인과 맞닥뜨리게 되었다. 평소 나에 대해 호감을 가지고 있던 그는 마침 층계참에서 어떤 키 작고 활기 넘쳐 보이는 멋쟁이 노신사와 수다를 떨고 있다가, 나를 보자 쾌활하게 그를 소개시켜주었다. 지배인 선생은 내가 매달려 있는 조사활동에 대해 잘 알고 있었으며, 그 유명한 샤니 사건의 예심판사인 포르 씨가 은둔해 있는 곳을 찾기 위해 내가 얼마나 안달이 나 있는지도 충분히 이해하고 있었다. 실제로 그 자가 지금은 무엇을 하고 있는지, 죽었는지 살았는지조차 아는 사람이 아무도 없었다.

한데 알고 보니, 그는 지난 15년 동안을 캐나다에서 머물다가 최근에 파리로 돌아와 오페라 극장 비서실에 특혜 자리를 하나 물색중이며, 자기 앞의 그 왜소한 노신사가 바로 포르 씨라는 거였다.

우리 셋이 함께 저녁 시간을 보내는 동안, 포르 씨는 옛날에 자신이 이해한 바 그대로의 샤니 사건에 관해 이야기해주었다. 여러모로 증거가 불충분했으므로, 그는 자작(子爵)의 광기와 그의 형의 사고사(事故死)로 잠정적인 결론을 내리고 말았다고 했다.

그러면서도 그는 아직까지, 그 두 형제와 크리스틴 다에 사이에 모종의 지독한 드라마가 있었음을 확신하고 있었다. 그런가 하면, 크리스틴이 어떻게 되었는지, 자작이 어떻게 되었는지에 대해선 할 말이 없다고도 했다.

물론 내가 문득 유령에 관해 이야기하자, 그는 그저 피식 웃을 뿐이었다. 사건 당시 오페라 극장의 제일 은밀한 구석 어디쯤을 거처로 삼고 웬 기이한 존재가 출몰했었다는 소문이라든가, '봉투'에 대한 이야기는 그 역시 익히 들어 알고는 있었다. 다만, 자신은 샤니 사건을 조사할 책임을 진 법관의 입장에서 관심을 쏟을 만한 여하한 신빙성도 발견하지 못했을 뿐이라는 것이다.

하긴 한 증인이 유령을 봤다는 걸 주장하기 위해 두서없이 둘러대던 황당무계한 말들을 들어주느라 시달려온 그로선 그렇게 판단을 내리는 것도 무리는 아니었을 것이다. 증인이라는 그 작자는 파리 토박이들이 흔히들 '페르시아인'이라고 부르는 류의 인물이었는데, 오페라 극장을 제집 드나들듯 하는 사람들 치고 그를 모르는 사람이 없었다. 예심판사는 그를 그저 정신나간 사람 정도로 보았을 뿐이다.

이쯤에서 독자 여러분도 짐작하시겠지만, 나는 당연히 그 '페르시아인'의 이야기에 엄청난 흥미를 느꼈다. 그래서 시간이 허락된다면, 그 소중하고도 직접적인 증인을 한번 만나볼 생각이 굴뚝같았다. 여느 때처럼 운이 좋았는지, 마침내 나는 사건 이후 그가 한번도 떠나본 적이 없는 리볼리가(街)의 초라한 아파트를 찾아낼 수 있었는데, 내가 방문한 뒤 5개월 후에 그는 바로 그곳에서 죽게 된다.

어쨌든 처음에 나는 반신반의했다. 하지만 그 '페르시아인'이 유령에 관해 개인적으로 알고 있는 모든 사실을 마치 어린애처럼 순수하게 죄다 털어놓고, 그의 존재에 관한 모든 증거물을 내 손에 건네주었을 때, 특히 그 중에서도 자신의 끔찍한 운명을 낱낱이 고백한 크리스틴 다에의 이상한 편지를 맡겼을 땐, 더 이상 의심을 하기가 불가능했다! 그렇다! 유령은 결코 전설이 아니었던 것이다!

물론 이번에도 사람들은 그 편지가 조작된 게 아니라는 증거를 결코 찾을 수 없으며, 아마도 황당한 옛날 이야기에 홀린 어떤 남자가 지어낸 것 같다고 수군거렸다. 그러나 천만 다행으로 나는 이 편지 말고도 다른 서류에서 크리스틴 다에의 동일한 필체를 확인할 수 있었고, 정밀한 비교 검토를 통해 이 편지의 진위에 대한 의심을 깨끗이 털어버릴 수가 있었다.

아울러 그 페르시아인에 관한 서류도 집중적으로 취조한 결과, 법정을 모독할 만큼 교활한 거짓을 꾸며대기엔 너무도 정직한 사람이라는 평가를 내릴 수 있었다.

더구나 내가 그 동안 모아온 모든 자료와 그에 의거한 나의 추론을, 샤니 씨 가문의 친구이자 그 사건에 직·간접으로 관련 있는 고위 인사들에게 공개하고 의견을 구한 결과, 모두가 나와 같은 견해를 피력해주었다.

나는 그들로부터 지극히 고결한 격려를 많이 받았는데, 여기 그 중에서도 D장군의 서명이 적힌 편지 일부를 소개할까 한다.

〈선생님

나는 당신의 조사 결과를 부디 책으로 출판해보시라고 간곡히 권하는 바입니다. 내가 기억하기론 위대한 여가수 크리스틴 다에의 실종과 생-제르맹 외곽 지역을 온통 초상집으로 만든 일대 사건이 일어나기 불과 몇 주 전만 해도 그 유령에 관한 얘기가 무도회의 단골 메뉴였습니다. 아마도 모든 사람의 혼을 빼앗아가 버린 사건 이후에야 사람들의 입에서 그 이야기가 자취를 감춘 것 같습니다.

당신의 말씀을 듣고 나서 생각한 건데, 그 끔찍한 사건의 내막을 유령의 존재로 설명하실 수만 있다면, 주저하지 마시고, 어서 그 유령을 우리 앞에 부활시켜 주십시오. 평생 서로 존경하던 두 형제 사이가 죽음으로 치달을 정도로 갈기갈기 찢겨졌다는 서글픈 이야기를 은근히 즐기려드는 일부 몰지각한 사람들의 억측보다는, 차라리 그토록 신비스런 존재가 홀연히 나타나 모든 걸 해명해준다면 얼마나 속시원하게 우리의 궁금증이 풀리겠습니까……〉

결국 나는 모든 자료를 굳게 움켜쥔 채, 유령의 영역, 그 놀라운 왕국이 펼쳐졌던 기념비적인 사건들을 샅샅이 훑었고, 거기서 내가 본 모든 것과 내 정신이 감응한 모든 현상이 기가 막힐 정도로 페르시아인의 진술과 맞아떨어진다는 것을 확인하게 되었다. 그리고 마침내 기적같이 이루어진 하나의 발견이 그간의 고된 작업에 결정적인 면류관을 씌워주기에 이른 것이다.

여러분도 다 기억하겠지만, 최근 예술가들의 육성 녹음을 보관하기 위해 오페라 극장의 지하를 파들어가던 중, 한 인부의 곡괭이질에 어떤 시체 한 구가 걸려나온 적이 있다.

그런데 나는 그것이 오페라의 유령의 시체라는 것을 단번에 증명할 만한 증거물을 곧바로 손에 넣었던 것이다!

나는 지배인에게 직접 그 증거물을 만져보게까지 했으며, 이젠 신문에서 아무리 그 시체가 코뮌의 희생자 중 한 명이라고 떠들어대도 눈 하나 깜짝하지 않고 있다.

코뮌 시절 오페라 극장 지하에서 학살당한 희생자들은 그 쪽에 매장되지 않았었다. 포위 기간 동안 식량을 쌓아두었던 그 거대한 지하창고에서 아주 멀리 떨어진 곳 어디에 당시 희생자들의 유해가 묻혀 있는지, 필요하면 공개할 수도 있다.

산 자의 음성을 묻는 작업을 하던 중에 정말 보기 드문 우연의 일치로 발굴한 오페라의 유령의 잔해를 추적하면서, 나는 그 코뮌 시절의 희생자들 유해가 묻힌 흔적 또한 발견했던 것이다!

하지만 지금은 유령의 시체에 관한 이야기를 하도록 하자. 그리고 우선 이 머릿글을 마감하면서 이 이야기의 몇몇 단역분들에게 심심한 감사를 표하는 게 좋을 듯싶다.

크리스틴 다에가 실종되었을 때 현장 검증을 했던 경찰서장 미프르와 씨, 전직 비서인 레미 씨, 전직 부지배인인 메르시에 씨, 전직 합창단장인 가브리엘 씨, 그리고 특히 오페라의 유령의 박스 좌석 여자 안내원이었던 지리 부인의 딸이자, 발레단의 촉망받는 스타였던 카스틀로-바르베작 남작 부인 등등…… 그들 모두는 내게 너무도 소중한 도움을 준 인물들이다.

그들이 아니었다면, 나는 지금 이렇게 독자들과 더불어, 순수한 사랑과 공포의 그 시절을 이토록 샅샅이 재현해낼 엄두조차 내지 못했을 것이다.

1
그것은 유령인가?

그 날 저녁, 그러니까 방금 사표를 낸 오페라 극장의 지배인 드비엔느 씨와 폴리니 씨의 퇴임을 앞둔 마지막 특별공연이 있던 바로 그 저녁, 일급 솔로 무용수 중 한 명인 소렐리 양의 의상실 안으로, 방금 「폴리왹트 Polyeucte」(역자주 : 17세기 코르네이유의 희곡)를 선보이고 올라온 대여섯 명의 무용수들이 갑자기 들이닥쳤다. 방안은 전혀 자연스럽지 못한 웃음소리와 시끄러운 수다, 그리고 귀청을 찢을 듯이 날카로운 비명소리로 순식간에 아수라장이 되고 말았다.

드비엔느 씨와 폴리니 씨 앞에서 낭독해야 할 환송문을 점검하느라 혼자 있을 시간이 필요했던 소렐리 양은 난데없이 소란을 몰고 온 이 아가씨들에게 잔뜩 짜증이 났다. 그래서 뭔가 한 마디 해주어야겠다 싶어 휙 돌아선 그녀는 그만 엄청난 충격과 함께 아연실색하고 말았다. 예쁘장한 코에 물망초 빛 눈동자, 장밋빛 볼, 그리고 백합보다 흰 목을 가진 잠므가 몸을 부들부들 떨며 이렇게 소리쳤기 때문이다.

"유령이에요!"

그리고는 얼른 문을 걸어 잠그는 것이었다. 소렐리 양의 의상실은 특별하지는 않았지만 무던하게 우아한 분위기를 갖추고 있었다. 몸 전체를 비추는 체경(體鏡)과 디방(침대 겸용의 긴 의자), 화장대, 그리고 옷장 등등 꼭 필요한 가구들로 채워져 있었으며, 벽에는 옛날 르펠티에가(街)에 있던 오페라 극장의 그 좋던 시절 어머니에 대한 기억을 간직하고 있는 판화 몇 점과 함께, 베스트리스, 가르델, 뒤퐁, 비고티니 등의 초상화가 걸려 있었다. 무대 호출계의 종소리가 울릴 때까지 맥주나 카시스주(酒), 심지어는 독한 럼주를 홀짝거리면서 미용사들과 입씨름을 하거나, 노래를 부르고 수다를 떨며 공동의 방에서 시간을 때워야만 하는 무용단 아가씨들에게 그 방은 마치 궁전과도 같은 곳이었다.

사실 소렐리 양은 꽤나 미신적인 여자였다. 그래서 잠므가 유령 얘기를 입에 올리는 걸 듣자마자 몸서리를 치며 이렇게 내뱉었다.

"이런 멍청이!"

하지만 그 누구보다도 유령에 흥미를 가지고 있고, 더구나 오페라의 유령이라면 사족을 못쓰는 그녀는 금세 호기심을 보였다.

"정말 봤단 말이야?"

"정말이라니까요!"

잠므는 한숨을 크게 내쉬더니, 더는 서 있기도 힘든지 의자에 풀썩 주저앉으며 말했다.

그러자 말린 자둣빛 눈동자와 잉크처럼 짙은 머리에다 거무죽죽한 피부를 한 말라깽이 지리도 이렇게 덧붙이는 것이었다.

"맞아요, 틀림없이 그였어요! 정말 흉측했다구요."

"맞아, 맞아!"

무용수들도 저마다 맞장구를 쳤다.

그러면서 너나할것없이 입을 모아 얘기하기를, 갑자기 검은 신사복 차림의 유령이, 마치 어디로부터 불쑥 솟아나오는 것처럼, 복도에 모여 있는 자신들 앞에 나타났다는 것이었다. 너무도 뜻밖의 일이라, 마치 벽에서 튀어나오는 것처럼 느껴질 정도였다고 했다.

"마구 돌아다니고 있다는 그 유령이었어요!"

이제야 겨우 냉정을 되찾은 듯한 한 무용수가 내뱉듯 말했다.

사실이었다. 벌써 몇 달 전부터 오페라 극장에선 건물 여기저기를 마치 그림자처럼 서성거린다는 검은 옷차림의 유령이 단연 화제였다. 그는 아무와도 말을 나눈 적이 없었을 뿐더러, 사람들 눈에 띄자마자 쥐도 새도 모르게 연기처럼 사라져버리기 일쑤였다. 걸을 때도 소리 하나 없는 것이 영락없는 유령이었다고들 했다. 사교계의 신사나 장의사 같은 복장의 이 유령에 대해 사람들은 처음엔 웃기도 하고 무시하기도 했지만, 유령의 전설은 마침내 무용단원들 사이에서 눈덩이처럼 불어나게 되었다. 저마다 한두 번쯤은 이 초자연적인 존재를 목격했다고 하는가 하면, 그의 저주 때문에 고생했다고 불평하는 사람도 있었다. 그러니 제 아무리 웃고 넘어간 무용수라도 내심 유령의 전설에서 그리 자유롭다고는 할 수 없을 지경이었다. 한동안 눈에 띄지 않는다 싶으면 으레 우스꽝스럽고 망측한 사건들이 꼬리를 물고 일어났고, 사람들의 혹한 마음은 어김없이 유령의 존재를 떠올리곤 했다. 누가 슬픈 일을 당했다거나, 무용수들간에 흔히 있는 장난질, 심지어는 분첩을 잃어버린 경우까지도 그놈의 유령, 그 오페라의 유령 탓으로 여겨졌던 것이다!

그렇다면 과연 누가 진짜 그를 본 것일까? 알다시피, 오페라 극장에는 꼭 유령이 아니더라도 검은 옷 입은 사람 천지다. 다만 유령에게만 있는 특별한 점은, 적나라한 해골 위에 검은 옷을 걸치고 다닌다는 사실이었다.

적어도 무용수 아가씨들 말로는 그랬다.

당연히 얼굴도 죽은 사람의 그것이란다.

글쎄, 진정 믿을 만한 얘기일까? 사실 유령이 해골의 몸을 하고 다닌다는 발상은 그를 직접 보았다는 무대장치 감독 조셉 뷔케의 목격담에서 비롯되었다고 할 수 있다. 그는 풋라이트(foot-light) 바로 앞, 무대 밑으로 직접 통하게 되어 있는 작은 계단에서 그 신비스런 존재와 맞닥뜨렸는데, 아주 잠깐 마주쳤음에도 도저히 지워지지 않을 기억이 각인되었다고 한다.

조셉 뷔케의 그 목격담이다.

"엄청나게 비쩍 말라 보였는데, 해골이나 다름없는 골격 위로 검은 옷자락이 펄럭이고 있었습니다. 눈자위는 푹 꺼져 있어서 눈동자가 움직이는지 아닌지도 분간 못할 정도였죠. 한 마디로 큼직한 구멍만 휑하니 두 개 뚫려 있는 꼴이 죽은 사람의 해골바가지와 다를 게 없었습니다. 뼈대에 축 늘어진 피부는 전혀 하얗지 않고, 기분 나쁘게 누르스름했습니다. 코는 옆에서는 거의 보이지 않을 만큼, 없는 거나 다름없어서 정말 흉하기 그지없었습니다. 그밖에, 이마와 귀 뒤에 서너 가닥 보이는 긴 갈색 머리털이 그나마 머리카락의 구색을 갖추고 있었지요."

조셉 뷔케는 그 괴이한 존재를 쫓아갔지만 허사였다. 마치 마법의 조화처럼 온데간데없이 사라지고는 흔적조차 찾을 수가 없었던 것이다.

이 무대장치 책임자는 황당무계한 상상이나 일삼는 그런 위인은 결코 아니었다. 오히려 무척이나 진중하고 정돈된 사람이었으며, 매사 정도를 지킬 줄 아는 타입이었다. 그런 그가 하는 말이었기에, 사람들은 기겁을 하거나 대단한 흥미를 보였으며, 얼마 지나지 않아 자기들도 검은 옷에 해골의 모습을 한 괴이한 존재를 목격했다는 사람들이 심심치 않게 나오게 되었다.

그런가 하면 이런 류의 이야기들에 코웃음이나 치기 마련인 양식 있는 사람들은 조셉 뷔케가 부하 직원들의 장난기 어린 농담에 휘둘리고 있을 뿐이라고 장담했었다.

하지만 시간이 흐를수록 너무도 신기하고, 도저히 설명이 안되는 사건들이 꼬리를 물고 발생함에 따라, 제아무리 담대하고 영악한 사람들이라 해도 고민에 빠지지 않을 수가 없게 되었다.

예컨대, 보통 소방대장이라 하면 산전수전 다 겪고, 불이건 물이건 두려움이라고는 모르는 용감한 사람이라는 건 다 아는 상식이다.

그런데 이제 앞으로 얘기할 소방대장(역자주 : 극장이나 영화관 등에 상주하는 출장 소방관)께서는 아무래도 그렇지가 못했던 모양이다.[1] 극장 지하를 여느 때와 다름없이 순찰하던 그는, 평상시보다 좀 깊이 들어갔던지 한참 후에야 무대 위로 다시 나타났는데, 그 안색이 흡사 백짓장처럼 하얗게 질린 데다 눈은 휘둥그래 뜬 채 벌벌 떨면서 어린 잠므의 어머니 팔에 의지한 채 거의 실신상태에 빠져 있었다는 것이다. 도대체 무슨 일이 있었기에 그 지경이 되었던 것일까? 알고 보니 갑자기 순찰중에 저 앞에서 *웬 활활 타오르는 머리 하나가 몸도 없이 허공에 둥둥 뜬 채로* 다가오더라는 것이다! 분명 다시 얘기하지만 적어도 소방관이라 하면 불을 겁내서는 안되는 법인데 말이다.

문제의 소방대장은 파팽이라는 인물이었다.

발레단 전원이 공황상태에 빠졌음은 물론이다. 그 불타는 머리는 처음 조셉 뷔케가 유령에 관해 묘사한 바와는 전혀 일치하지가 않았다. 사람들은 자연 소방대장과 무대장치 감독에게 재차 확인을 해보았고, 결국 발레단원들은 그 유령이라는 존재가 하나의 얼굴만 가진 게 아니라, 원하는 대로 바꿀 수 있는 여러 가지의 얼굴을 가졌을 것이라고 믿게 되었다. 당연히 모두가 조만간 큰 화를 입을 것이라고 호들갑을 떨었다. 소방대장조차 정신을 잃는 것을 목격한 발레단원들이, 어둠침침한 복도의 후미진 곳을 지나칠 때마다 걸음아 날 살려라 하고 야단을 떠는 것을 하긴 누가 뭐랄 수 있겠는가!

아무튼 이처럼 지독한 혼란에 휩싸인 극장을 가능한 한 보호하겠다는 심정에서, 무용수들의 우두머리 격인 소렐리 양은 소방대장의 이야기를

---

1) 이 일화 역시 전 오페라 극장 지배인이었던 페드로 가일라르 씨에게서 들은 것으로 그 신빙성엔 의심의 여지가 없음을 밝혀둔다.

들은 바로 다음날, 현관 출입구 옆에 놓인 탁자 위에다 말의 편자를 살짝 올려놓기까지 했다. 정상적인 관객 이외에 누구든 오페라 극장 안에 몰래 발을 들여놓으면 계단을 오르기 전에 그걸 건드릴 수밖에 없도록 말이다. 물론 그렇게 되면 침입자는 지하창고에서 다락방까지 건물 곳곳에 스며 있는 신비한 마력의 희생제물이 될 각오를 단단히 해야만 할 것이었다!

그러나 허무하게도 그 편자는, 안뜰을 통해 수위실을 거쳐 현관으로 들어가는 사람이라면 누구든 어렵지 않게 볼 수 있을 정도로 원래의 탁자 위에 아직까지 멀쩡히 놓여져 있다.

어쨌든 이상과 같은 정황 속에서 그날 저녁 무용수들이 허겁지겁 소렐리 양의 방으로 들이닥쳤던 것이다.

"유령이라구요!"

어린 잠므의 이 외침 한마디가 무용수들의 공포심에 불을 지피는 건 당연했다.

순간, 견디기 어려운 침묵이 온 방 안을 무겁게 내리 눌렀다. 들리는 거라곤 헐떡거리는 숨소리뿐이었다. 마침내 진짜 겁에 질린 표정으로 벽면 한쪽 구석으로 다가간 잠므가 이렇게 속삭였다.

"잘 들어봐요."

아닌게 아니라 문 뒤쪽에서 뭔가가 스쳐지나가는 듯한 소리가 들리는 듯했다. 하지만 누군가의 발소리라고 보기엔 어딘지 모자란 감이 있었다. 그건 차라리 널빤지 위를 가벼운 어떤 비단천이 슬쩍 스치고 가는 소리 같았는데, 그나마 잠시 동안일 뿐, 이내 침묵이 다시 자리잡았다. 소렐리 양은 다른 동료들보다는 조금이라도 담대해지려고 애를 쓰면서, 문 앞으로 다가가 침착한 목소리로 이렇게 물었다.

"거기 누구세요?"

대답은 없었다.

하지만 그럴수록 모두의 시선이 자신에게 쏠려 있는 걸 의식하지 않을 수 없게 된 소렐리 양은 이번엔 더욱 대담해져야겠다고 작심하면서 좀더 목청을 돋우어 말했다.

"거기, 문 뒤에 누가 있습니까?"

그러자 얼굴이 까무잡잡한 멕 지리가 느닷없이 소렐리 양의 치맛자락을 붙들며 조잘대는 것이었다.

"오, 맞아요! 맞다구요! 문 뒤에 누가 있는 게 틀림없어요! 제발 문은 열지 말아요…… 제발요……"

하지만 소렐리 양은 늘 몸에 지니고 다니는 짧은 단검까지 뽑아든 채, 문손잡이를 덥석 붙잡아 열었고, 멕 지리를 포함한 다른 무용수들은 아예 화장실 벽까지 우르르 물러났다.

소렐리 양은 눈을 부릅뜬 채 복도를 내다보았지만, 아무도 없었다. 그저 유리 호롱들 속에서 간들거리는 불꽃만이 희미하고도 불그스름한 빛을 힘겹게 뿌려대고 있었다. 그제서야 소렐리 양은 안도의 한숨을 내쉬며 요란하게 문을 닫았다.

"아무도 없잖아!"

"하지만 틀림없이 우리가 봤다구요!"

잠므는 주춤주춤 소렐리 양 곁으로 다가서며 여전히 강변했다.

"지금 이 근처 어디선가 어슬렁거리고 있을 거라구요! 난 옷 갈아입으러 돌아가지 않을래요! 우리 모두 이대로 곧장 무도회장으로 내려가 일을 마치고 모두 함께 올라와야 할 거예요!"

그러면서 액운을 비껴가게 만든다는 조그마한 산호 조각을 조심스레 만지작거렸다. 그러자 소렐리 양 역시 오른손 엄지손가락의 빨간 손톱 끝으로 왼손 약지손가락에 낀 나무 가락지 위에다 은근슬쩍 성 안드레아의 십자가 문양을 서둘러 그었다.

여기서 한 유명한 연극 평론가가 소렐리 양에 관해 묘사했던 대목을 옮겨보면 다음과 같다.

〈…… 소렐리 양은 마치 버드나무 가지처럼 유연한 몸에다 매력적이고도 기품 있는 얼굴을 한 아름답고도 위대한 무용수이다. 그래서 사람들은 그녀를 두고, '신의 아름다운 창조물'이라고 서슴없이 이야기하는 모양이다. 그녀의 황금과도 같이 순수하고 눈부신 금발머리는 파리한 이마를 왕관처럼 뒤덮고 있으며, 그 아래로는 에메랄드빛 눈동자가 반짝거리고 있다. 그녀는 우아하면서도 당당한 목 위로 이따금 머리를 깃털장식처럼 부드럽게 갸우뚱하곤 하는데, 춤을 출 때는 말로 형용할 수 없는 허리 동작으로 전신에 나른한 떨림을 부여해주기도 한다. 그러다가 팔을 들고 허리를 구부려 상반신의 곡선을 온통 드러낸 채 피루에트 (역자주 : 한쪽 발로 몸을 선회하는 무용동작)라도 시도한다든지 하면 보는 이의 정신을 잃게 만들만한 걸작 그림처럼 황홀기만 하다……〉

'정신을 잃게 만든다'는 표현은 좀 지나치지만, 누구도 그런 필자의 과장을 나무라지는 않았다.

그런 소렐리 양이 지금 어린 무용수들에게 다시 한번 말을 하고 있는 것이다.

"얘들아, 제발 좀 진정해라! 세상에, 유령이라니…… 그런 걸 본 사람은 여지껏 아무도 없을 거야……"

"아니에요! 우리가 정말 보았다구요! 조금 아까 진짜로 봤다니까요! 해골에다, 조셉 뷔케 씨가 보았던 그 저녁때와 똑같은 옷차림이었다구요!"

호들갑을 떠는 동료들 틈에서, 잠므가 또 입을 열었다.

"가브리엘도 보았는걸요! 그것도 어제, 바로 정오쯤에 말이에요…… 훤한 대낮에 글쎄……"

"가브리엘이라면…… 합창단장 말이니?"

"그렇다니까요…… 어머나 세상에! 그것도 모르고 계셨어요?"

"그래 훤한 대낮에 '그 옷차림'을 하고 있었단 말이지?"

"누구요? 가브리엘이요?"

"이런! 그 유령 말이다, 유령!"

"물론이죠! 가브리엘이 직접 얘기해 준걸요…… 그것 때문에 금방 알아보았대요. 글쎄 말이에요, 가브리엘이 무대 관리인 사무실에 있는데 문득 문이 열리더니 그 '페르시아인'이 들어서더라는 거예요. 왜 아시죠? 그 '재수 옴 붙었다는' 페르시아인 말이에요!"

그러자 무용수들은, 페르시아인의 몰골을 떠올리자마자 일제히 검지와 새끼손가락을 쭉 펴서 뿔 모양을 만들며 "그럼, 알고말고!" 하며 화답하는 것이었다.

"……가브리엘은 또 얼마나 미신적인 사람이에요! 그럼에도 불구하고 워낙 예의가 바르다 보니, 평소 페르시아인과 맞닥뜨려도 그저 얌전히 두 손을 주머니에 찔러 넣은 채 열쇠만 만지작거렸다는 거예요…… 한데, 그 날은 문이 활짝 열리고 페르시아인이 나타나자, 그만 의자에서 자기도 모르게 펄쩍 튀어 일어나 찬장의 자물통 있는 데로 쇠를 만지려고 뛰어갔대요. 그런데 마침 웃옷 한켠이 못에 걸려 빼내려고 몸을 돌리는 바람에 모자걸이에 이마를 받아 주먹만한 혹이 났다지 뭐예요. 그런가 하면, 멈칫 뒤로 물러나려다가 또 피아노 옆에 세워둔 칸막이 모서리에 팔뚝이 긁혀 찰과상까지 입었대요. 얼떨결에 피아노를 짚는다는 것이 그만 뚜껑이 닫히는 바람에 손가락이 부러지고 말았다나요! 그리고는 급기야 실성한 사람처럼 문 밖으로 뛰쳐나와 계단을 내려가다가 또다시 재수 없게도 발을 헛딛는 통에 한 층을 온통 굴렀다는 거예요…… 때마침 엄마와 함께 그 앞을 지나가고 있던 나는 얼른 달려가 일으켜주었는데, 그 몰골이…… 얼굴은 피투성이가 되고…… 정말 말이 아니더군요…… 한데 글쎄 그가 벌떡 일어서더니 이렇게 소리치는 것이었어요. '어휴, 이 정도로 끝난 게 얼마나 다행인지…… 하느님, 감사합니다!' 엄마와 나는 하도 이상해서 대체 어떻게 된 거냐 물었죠. 그랬더니 하는 말이, 글쎄 아까 문을 들어서는 페르시아인 바로 뒤에 유령이 따라 들어오더라는 거예요! 조셉 뷔케가 말한 그대로, 해골 모습을 하구요!"

잠므는 마치 유령이 뒤쫓아오기라도 하듯, 숨이 차도록 허겁지겁 말을 마쳤는데, 모두들 이야기가 끝나자마자 기겁을 한 표정으로 웅성댔다. 또다시 어색한 침묵이 흘렀고, 흥분한 소렐리 양이 손톱을 부지런히 문지르고 있는 동안 어린 지리 양이 어중간한 음성으로 이렇게 중얼거렸다.

"조셉 뷔케가 차라리 아무 얘기도 하지 않는 것이 나았어……."

그러자 누군가 반문했다.

"그건 또 왜?"

"우리 엄마 생각이 그래……."

멕 지리는, 마치 그곳에 있는 이들 말고 또 누군가 주위에서 엿들을까 걱정이라도 된다는 듯 두리번거리며, 목소리를 한껏 내리간 채 그렇게 대꾸하는 것이었다.

"그래 너희 엄마 생각이 왜 그렇다는 거냐구?"

"쉿! 엄마 얘기는 유령을 귀찮게 하면 좋지 않다는 거야……."

"그래? 너희 엄마가 왜 그런 말을 했을까?"

"그건…… 그건 말이야…… 쳇, 아무것도 아니야……."

하지만 멕 지리의 이와 같은 아리송한 태도는 오히려 동료들의 호기심만 부채질하는 꼴이 되어서, 모두들 더더욱 바짝 에워싸며 설명을 해달라고 다그쳤다. 무용수들은 서로 바짝 붙어선 채 반은 호기심과 반은 공포심으로 묘한 흥분 상태에 빠져 있었다.

마침내 멕 지리는 단숨에 잘라 이렇게 내뱉었다.

"아냐! 말 안 하기로 한 거니까……."

그러나 동료들은 여전히 보챘고, 결국 멕은 절대로 비밀을 지키겠다는 약속을 받아낸 다음에서야 문에 시선을 고정시킨 채 마지못한 척 이야기를 털어놓기 시작했다.

"사실은 말이야…… 이 모든 게 그 박스 좌석 때문이래……."

"박스 좌석이라니?"

"유령의 좌석 말이야!"

"유령한테 정해진 좌석이 있다는 거니?"

유령이 이 극장 어딘가에 전용 박스 좌석을 가지고 있다는 얘기에 무용수들은 자신들의 흥분 상태에서 짜릿한 즐거움을 더는 느낄 수가 없었다. 대신 저마다 들릴 듯 말 듯한 한숨을 내쉬면서 이렇게 중얼대는 것이었다.

"오, 맙소사! 계속해…… 계속해보라구……."

"다름 아닌 무대 바로 왼쪽 2층의 5번 박스석이 바로 그 유령의 전용 좌석이래……."

"세상에, 그럴 리가!"

"사실이야…… 우리 엄마가 그곳 안내를 책임지고 있으니까 확실한 거야! 대신 너희들 절대로 얘기하지 않기다?"

"물론이지…… 그래서?"

"거긴 예전부터 그 유령의 전용 좌석이었대…… 물론 거기엔 지난 한 달 이상 동안 그 유령 외에는 아무도 들어간 적이 없었는데, 그건 유령이 다른 사람에겐 절대로 그 자리를 내어주지 말라고 극장측에 주문을 했기 때문이라는 거야……."

"그래 유령이 그곳에 오긴 온 거래?"

"물론이지……."

"하지만 누군가 왔다면……"

"글쎄 유령이 그곳에 왔고, 다른 사람은 전혀 발을 들여놓지 않았대두!"

무용수들은 저마다 멀뚱멀뚱 마주보았다. 만약 유령이 박스 좌석에 있었다면 그 검은 의상과 해골을 공연중에 누군가 목격했다는 얘기가 아닌가! 하지만 그곳에서 유령을 보았다는 사람은 아무도 없었다. 바로 이 점을 멕에게 납득시키자, 멕 지리의 반론이 시작되었다.

"사실은 말이야, 아무도 유령을 보지는 못한댔어! 실제로 유령한테는 옷도 얼굴도 없다는 거지! 해골이니 불타는 얼굴이니 하는 모든 얘기들은 그저 헛소리에 불과해. 그는 아무런 형체도 지니지 않아…… 그저 그 박스 좌석에 있을 때 목소리를 듣는 것만으로 그 존재를 알 수가 있다는 거지. 엄마도 본 적은 단 한번도 없지만 목소리만은 몇 차례 들었다는 거야…… 공연 프로그램을 가져다 준 게 엄마 자신이니 못 들을 수가 없겠지……"

순간 소렐리 양은 아무래도 가만 두어서는 안되겠다는 표정으로 불쑥 끼여들었다.

"지리, 지금 우리 모두를 갖고 장난하는 거니?"

그러자 가엾은 소녀는 금방이라도 눈물을 떨굴 표정이 되었다.

"아무 말도 안 할 걸 그랬어요…… 엄마가 이걸 알면 나는…… 하지만 조셉 뷔케 씨가 자신과 상관없는 일에 공연히 관심을 가진 건 정말 큰 실수라구요! 그 일 땜에 결국 불운을 당할 거구요…… 어젯밤에도 엄마가 그랬단 말예요……"

바로 그 때였다.

복도에서 느닷없이 묵직하고도 급한 발소리가 들리는가 싶더니 누군가의 숨이 턱에 찬 목소리가 들려오는 것이었다.

"세실! 세실, 거기 있니?"

"이크, 엄마다!"

잠므는 기겁을 하며 소리쳤다.

"무슨 일이에요?"

안에서 문을 열자, 마치 남자처럼 당당한 체격의 도도한 부인 하나가 들이닥치더니 요란하게 한숨을 내쉬며 안락의자에 털썩 주저앉았다. 그녀의 겁에 질린 듯한 뎅그런 두 눈동자는 구운 벽돌색이 나는 얼굴 속에서 기분 나쁜 빛을 발하고 있었다.

"세상에 이런 일이…… 이런 끔찍한 일이……."

"왜요? 대체 무슨 일이에요?"

"조셉 뷔케가……."

"조셉 뷔케가 어때서요?"

"그가 죽었어……."

일순, 실내는 어지러운 비명소리와 아우성 소리, 설명을 요구하는 떠들썩한 목소리들로 들끓었다.

"방금, 무대 밑에서 목을 맨 채 죽어 있는 걸 발견했다는구나! 한데 그보다 더 끔찍한 건…… 시체를 처음 발견한 무대장치 기술자들 얘기가, 장송곡 같은 노래 소리가 시체 주위를 둘러싸고 어렴풋이 들리더라는 거야!"

순간 지리의 입에서 저도 모르는 사이에 불쑥 말이 새어나오고 말았다.

"유령 짓이야……."

그리고는 얼른 자신의 입을 주먹으로 갖다 막고는 허겁지겁 이렇게 둘러댔다.

"아니…… 난 아냐! 난 아무 말도 안 했다구! 아무 말도……."

하지만 이미 기겁을 한 동료들은 지리를 둘러싼 채 나지막이 수군대기 시작했다.

"맞아, 틀림없어…… 바로 그 유령 짓이라구……."

한편 어느새 소렐리 양의 안색은 백짓장처럼 파리해져 있었다.

"이러다간 아무래도 환송문 낭독은 못 할 것 같아……."

잠므의 어머니는 탁자 위에 있던 독주 한 잔을 단숨에 들이킨 다음, 저 아래 분명 유령이 있을 것이라는 자신의 견해를 주섬주섬 피력했다.

여하튼 조셉 뷔케가 어떻게 죽었는지를 아는 사람은 아무도 없었다. 조사와 탐문이 이어졌지만, 자살이라는 의견 말고는 그 어떤 딱부러진 결론도 나오지 않았다.

좌우간 드비엔느 씨와 폴리니 씨의 후임으로 온 두 지배인 중 한 명인 몽샤르맹 씨는 자신의 저서 『어느 극장 지배인의 회고록』에서 그 사건을 다음과 같이 기록하고 있다.

〈드비엔느 씨와 폴리니 씨가 퇴임을 기념하여 베푼 조촐한 잔치는 그만 어떤 유감스런 사건 때문에 엉망이 되고 말았다. 나는 그 당시 집무실에 앉아 있었는데 부지배인인 메르시에가 느닷없이 들이닥쳤다. 그는 엄청 기겁을 한 표정으로 다짜고짜 한다는 말이, 방금 무대에서—무대 벽면과 「라호르의 왕」 장식 사이— 어떤 기술자의 목 맨 시체가 발견되었다는 것이다. 나는, 그럼 어서 가서 끌어내리자고 버럭 소리를 질렀다. 하지만 계단을 거의 구르다시피 해서 무대 사다리를 내려갔을 땐, 시체의 목에 감겨 있던 노끈이 이미 어디론가 자취를 감춘 뒤였다!〉

결국 몽샤르맹 씨는 이 사건을 매우 평범한 차원으로 보는 데 그치고 만다. 한 남자가 노끈을 이용해 목매달아 죽었고, 사람들이 시체를 끌어내리는 와중에 노끈이 행방불명되어 버렸다는 것이다. 그야말로 간단명료한 설명이 아닌가! 자, 그의 말을 들어보자 : *곧 춤을 출 시간이 되어서, 수석 무용수들을 비롯한 수습 무용수들 전원이 부랴부랴 액운을 막는 나름대로의 대비책을 서둘렀던 것이리라.* 그게 전부다! 독자 여러분은 그러니까 이 대목에서, 무대 사다리를 서둘러 내려온 발레 단원들이 눈 깜짝할 사이에 시체의 목에 감겨 있던 노끈을 저마다 조금씩 잘라가는 광경을 어렵지 않게 머리 속에 그려볼 수 있을 것이다. 뭐 사실 그건 별로 심각한 문제는 아니다. 반면 시체가 발견된 장소를 곰곰이 생각해 볼 때, 노끈이 제 할 일을 다한 다음 그렇게 사라져준 것이 어딘가에 특히 이로울 수가 있다는 상상을 하게 된다. 독자 여러분은 과연 나의 그런 상상이 잘못된 것인지 나중에는 다 알게 될 것이다!

아무튼 이 끔찍한 소식은 조셉 뷔케를 아끼는 오페라 극장 전체를 순식간에 발칵 뒤집어 놓았다. 모든 대기실이며 연습실 등등에서 뛰쳐나온 어린 무용수들은, 마치 겁에 질린 양떼가 목자의 주위로 몰려드는 것처럼, 일제히 소렐리 양 곁으로 모여들고는, 그 분홍빛 앙증맞은 발을 부지런히 놀리면서 어둠침침한 복도와 계단을 통해 무도회장으로 몰려 갔다.

2
새로운 마르그리트의 출연

이층 층계참에서 소렐리 양은 허겁지겁 올라오는 샤니 백작과 맞닥뜨렸다. 그는 평상시 침착하던 태도와는 전혀 딴판이었다.

"그러지 않아도 지금 당신에게 가던 참이었소. 아, 소렐리, 이 얼마나 멋진 저녁이오! 그리고 크리스틴 다에는 또 얼마나 대단하냔 말이오!"

한껏 멋을 부리며 호들갑을 떠는 백작을 보자 멕이 발끈하며 나섰다.

"말도 안되는 소리 마세요! 벌써 여섯달째나 목석처럼 노래를 부르고 있는 사람이 뭐가 대단하다구……"

그리고는 일부러 과장된 예의를 갖추면서 쏘아붙이는 것이었다.

"친애하는 백작 나리, 지금 우리는 목매달아 죽은 어느 가엾은 남자를 보러 가는 중이오니, 제발 길 좀 비켜주시겠나이까?"

한데 바로 그 순간 마침 그곳을 바쁘게 지나치던 부지배인이 그 말을 듣고는 멈춰섰다.

"아니, 아가씨들이 어떻게 벌써 그걸 알지?"

그러면서 노골적으로 퉁명스럽게 말을 이었다.

"좌우간, 입도 뻥긋하면 안돼! 특히나 드비엔느 씨와 폴리니 씨 귀에 들어가면 안된단 말이야! 마지막 길을 떠나는 입장에 얼마나 기분이 찝찝하겠느냐구!"

이윽고 모두 무도회장으로 달려갔을 때는 이미 사람들로 넘쳐나고 있었다.

샤니 백작의 말은 빈말이 아니었다. 그 어떤 파티도 이에 비할 순 없을 것 같았다. 그도 그럴 것이 당시 그곳에 참석했던 유명인사들은 아직까지도 자기 자손들에게 그 날 행사에 대해 찬사를 늘어놓기 일쑤이니 말이다. 한번 생각해보시라! 구노, 레이에, 생상스, 마스네, 기로 그리고 들리브 등등 쟁쟁한 음악가들이 차례대로 오케스트라 악장석에 올라 자신의 곡들을 손수 지휘하는 광경을…… 그밖에도 특히 포르와 크라우스 같은 성악가들이 뛰어난 솜씨를 발휘했지만, 그 무엇보다도 이제 이 책에서 그 신비스런 운명을 공개하게 될 크리스틴 다에가 온통 넋을 잃고 열광하는 파리 시민들 앞에 나섰던 것이다!

구노는 「어느 꼭두각시의 장송행진곡」을 지휘했으며, 레이에는 자신의 더없이 아름다운 걸작 「지구르트」를, 생상스는 「죽음의 춤」과 「동방의 몽상」을, 마스네는 자신의 미발표 곡인 「헝가리 행진곡」을, 또 기로는 「사육제」를, 그리고 들리브는 「실비아」 중의 「느린 왈츠」와 「코펠리아」에서의 「피치카티」를 각각 선보였다. 노래로는 크라우스 양과 드니즈 블로흐가 나서서, 각각 「시실리의 독사」 중 볼레로와 「루크레티우스 보르지아」를 열창했다.

하지만 뭐니뭐니해도 그 날의 압권은 「로미오와 줄리엣」의 몇 대목을 기막히게 소화해낸 크리스틴 다에의 출연이었다! 더구나 이 작품은 마담 카르발로에 의해 옛 서정극 풍으로 작곡된 이래 지극히 오랜만에 오페라-코믹으로 최근 재탄생되었을 뿐, 여지껏 정통 오페라로는 각색된 적이 없었는데 처음으로 구노의 작품을 통해 이 가수가 선보인 것이었다. 아, 줄리엣 역의 크리스틴 다에의 목소리를 한번도 들어본 적이 없는 사람들, 그 청순한 아름다움과 천사 같은 음색에 한번도 전율을 느껴보지 못한 사람들, 그녀의 노래와 함께 베로나의 연인들 무덤 위로 아직 영혼의 비상을 경험해보지 못한 숱한 사람들은 얼마나 불행한 것일까……

하긴 이 모든 것도 「파우스트」의 마지막 삼중창이라든지 감옥 장면에서 크리스틴 다에가 몸이 좀 불편한 카를로타 대신 출연해 들려주었던 초인적인 발성에 비하면 아무것도 아닌 셈이다. 그걸 보고 들었다는 것만으로도 평생 행운이라고 할 수 있을 정도이니 말이다!

그야말로 크리스틴 다에는 나무랄 데 없이 찬란한 빛을 발하는 '새로운 마르그리트' 로서 당당히 자리를 굳히게 된 셈이었다!

장내는 온통 필설로 다 할 수 없는 감동의 물결로 뒤흔들리다시피 했으며 모두가 열화와 같은 찬사로 그녀의 열창을 환호했다. 그리고 그 중심에 선 크리스틴은 그만 동료들의 팔에 안긴 채 감격에 겨워 거의 실신을 할 지경에까지 이르렀다. 결국 사람들이 그녀를 대기실까지 부축해야만 할 정도였으니, 진짜로 정신을 잃었는지도 모르겠다. 그 날의 잊지 못할 열광의 순간에 대해 저명한 평론가인 P. 드 St-V. 씨는 「새로운 마르그리트의 출연」이라는 기사를 통해 절절한 필치로 논평을 한 적이 있다. 수준 높은 예술가적 안목을 가진 그는 그 날 저녁 이 아름답고 우아한 아가씨가 오페라 극장 무대 위에 단순한 기량 이상의 그 무엇, 이를테면 자신의 진실한 혼마저 올려놓는 데 성공했다고 참으로 적절한 찬사를 퍼부었다. 적어도 오페라를 벗으로서 즐기는 사람이라면 크리스틴의 혼이 흡사 열다섯 살 소녀의 순수 무구한 상태 그대로라는 데에 이견이 없었을 것이다. 여기서 잠시 P. 드 St-V. 씨의 논평을 직접 확인해보자.

〈다에 양의 목소리를 듣고 있노라면, 그녀가 분명 처음으로 사랑에 눈을 뜨고 있다고 상상을 해야만 그 진가를 이해하는 게 가능할 정도이다! 물론 좀 지나치게 넘겨짚은 감이 없진 않지만, 그 정도의 엄청난 기적을 연출하려면 사랑만한 감정이 또 어디 있겠는가! 사실 지금으로부터 2년 전쯤, 콩세르바투아르(역자주 : 국립고등음악학교) 콩쿠르에서 크리스틴 다에가 이미 매혹적인 가능성을 선보였다는 것을 우리는 기억하고 있다. 하지만 그것이 오늘날과 같은 어마어마한 광채로까지 빛을 발하리라고 과연 누가 예상할 수 있었겠는가! 만약 그녀의 목소리가 천사의 날개를 타고 저 하늘에서 내려온 것이 아니라면, 우리는 어쩔 수 없이 그 목소리가 지옥으로부터 올라온 것이며, 크리스틴은 저 오프터딩겐(Ofterdiingen)의 음유시인처럼 악마와 모종의 계약을 맺은 게 아닐까 하는 상상이라도 할 수밖에 없는 입장이다! 이에 나는 단연코 자신 있게 말할 수 있다. 크리스틴 다에가 「파우스트」의 마지막 삼중창을 부르는 걸 들어보지 못한 사람은 「파우스트」를 알고 있다 말할 자격이 없노라고. 그 목소리의 광휘와 순수한 영혼이 유발하는 신성한 도취의 끝은 과연 어디일까?〉

　반면 극장의 단골 관객들 가운데선 반론을 제기하는 경우도 만만치 않았다. 크리스틴 다에가 그토록 대단한 존재라면 어떻게 지금까지 그늘 속에 묻어 둘 수 있었겠는가? 그때까지만 해도 크리스틴 다에는 너무 호화스러운 감이 없지 않은 '마르그리트' 역의 카를로타에 비하면 그저 그런 가수에 불과했었다. 그런 그녀가 이 스페인 출신의 디바(diva : 프리마돈나, 인기 여가수)를 대신해 가까스로 자신의 능력을 최대한 발휘할 수 있기 위해선 카를로타의 잘 납득되지 않는 부재상황이 있었기에 가능했던 것이 아니겠느냐 하는 것이 그들의 견해였다! 그렇다면 카를로타가 없는 드비엔느 씨와 폴리니 씨는 과연 어떻게 해서 하필 크리스틴 다에에게 손을 내밀게 된 것일까? 그들이 그녀의 숨은 재능을 알고 있었다는 말인가? 만약 그런 것이라면, 그 동안 왜 쉬쉬하고 있었으며, 그녀 자신은 또 왜 묵묵히 숨어 지냈다는 말인가? 더욱 이상한 일은 그녀를 가르쳤다는 교수를 아무도 알지 못한다는 사실이다. 물론 그녀는 스스로 모든 것을 혼자 터득했노라고 말하고 있긴 하지만…… 이 모든 정황이 아무리 생각해도 설명이 되지 않는다는 것이다…….

한편 샤니 백작은 이 열화와 같은 분위기를 자신의 박스 좌석에 선 채로 지켜보면서, 자신 또한 열광적인 브라보를 연발하며 동참하고 있었다.

샤니(정확히 필립-죠르쥬-마리 드 샤니) 백작은 당시 마흔 한 살이었으며, 고귀한 신분에다 우아한 기품의 소유자였다. 체격은 보통을 약간 넘는 수준이며 다소 완강해 보이는 이마와 차가운 느낌을 주는 눈빛에도 불구하고 호감을 주는 인상인 그는 여성들에게는 세련된 매너를 지킬 줄 아는 반면 남성들에 대해서는 비교적 오만한 태도를 보여, 세간에서 그의 성공을 곱지 않은 시선으로 보는 인사들도 없진 않았다. 아무튼 그가 당당한 마음씨와 고결한 양심의 소유자라는 것만은 틀림없는 사실이었다. 부친인 필리베르 백작이 세상을 뜬 이후, 그는 가문의 역사가 루이 10세에까지 거슬러 올라가는 프랑스 최고의 명가들 중 하나의 수장이 되었다. 당연히 샤니의 재산은 상상을 초월할 정도였는지라, 홀아비였던 부친의 사망 이후, 그 막대한 상속재산을 혼자서 관리한다는 것이 쉬운 일만은 아니었을 것이다. 하지만 그의 두 누이동생들과 남동생 라울은 결코 재산분할의 잡음이 이는 걸 원치 않았으며, 마치 장자권이라는 게 여전히 절대권을 행사하는 것처럼 철저히 모든 것을 맏형 필립에게 일임함으로써 불분할의 원칙을 고수하는 형편이었다. 두 누이동생이 같은 날 결혼을 할 때도, 자신들에게 속한 몫을 당연히 찾아가는 게 아니라, 어디까지나 오빠가 자진해서 주는 고마운 지참금으로서 어느 정도의 재물을 건네받았을 정도였다.

그런가 하면, 필립의 모친인 샤니 백작부인은 형보다 20년이나 아래인 어린 라울을 출산하다가 죽음을 맞이했다고 한다. 그리고 부친인 노

백작이 사망했을 때 라울의 나이는 열두 살이었다. 필립은 어린 동생의 교육에 무척 열정적이었으며, 두 누이동생과 더불어 브레스트가 고향이자 해군 미망인인 덕에 라울에게 특히 바다에 대한 취향을 불어 넣어준 늙은 숙모가 그의 그러한 열정을 적절히 도와주었다. 그 덕분에 젊은 라울은 프랑스 해군장교 후보에 지원했으며 우수한 성적으로 졸업을 한 후, 유유자적하며 세계일주를 한 바 있다. 워낙 든든한 후원자가 버티고 있었기에, 그는 최근 르켕 선(船)의 공식 원정대의 일원으로 임명되어 벌써 3년 동안이나 소식이 두절된 북극 탐험대의 생존 여부를 조사하러 떠날 참이었다. 라울은 출발에 앞서 주어진 6개월 간의 짧지 않은 휴가를 즐기고 있었는데, 도시 근교의 지체 높은 과부들은 그토록 귀엽게 생긴 섬세한 젊은이가 그처럼 고된 임무를 맡아 떠날 것이라는 데에 은근히 안타까운 감정을 내비치곤 하였다.

하긴 이 해군 장교의 수줍은 성격, 아니 순진 무구하다고까지 얘기할 만한 성격은 정말 보기 드문 것이었다. 그를 대하다 보면, 심지어는 돌봐주는 여인네의 손길로부터 바로 어제 벗어난 것 같은 느낌마저 주니 말이다. 실제로 두 누나와 늙은 숙모에게서 극진한 보살핌을 받은 그로서는, 그때까지도 전혀 더럽혀지지 않은 순수하고 여성적인 교훈과 매력을 자신이 받아온 교육으로부터 습득했다 해서 이상할 것이 전혀 없었다. 당시 스물한 살이 조금 넘은 그가 열여덟 살 정도로 보이는 것 또한 마찬가지였다. 용모마저도 가녀린 금빛 콧수염과 푸른 눈동자, 그리고 소녀 같은 혈색이 그렇게 안성맞춤일 수가 없었다.

필립은 라울을 애지중지했다. 동생에 대해 무척 자랑스러워했으며, 해군 계통에서 제독으로까지 이름을 날리던 샤니 드 라 로슈의 명성에 부끄럽지 않은 경력을 이번 원정에서 세워줄 것을 바라마지 않았다. 그는 동생의 휴가를 이용해 파리를 구경시켜줄 참이었는데, 이 풋내기 젊은이로서는 파리의 호화스럽고 예술적인 모든 것이 전혀 생소한 요지경일 수밖에 없었다.

 백작은, 라울만한 나이에는 지나치게 점잖은 것이 결코 현명한 것만은 아니라는 생각이었다. 그렇다고 일에서와 마찬가지로 노는 데 있어서도 균형이 잘 잡힌 필립의 성격상 동생 눈앞에서 무작정 좋지 못한 본보기를 보일 수만도 없는 노릇이었다. 어쨌든 형은 동생을 데리고 파리 시내를 누비고 다녔으며, 심지어는 무도회장에도 선을 보였다. 내가 알기로 백작과 소렐리 양의 사이가 '보통이 아니라는 것'은 누구나 다 아는 얘기였다. 하긴 아무려면 어떤가! 독신인 데다, 특히 두 누이동생마저 결혼해 떠난 이후 남는 건 여유밖에 없는 버젓한 신사로서 그게 무슨 큰 흠이 되겠는가 말이다. 저녁 식사를 하고 나서 한 두어 시간쯤, 그리 품위 있지는 못한 반면 이 세상에서 둘도 없는 아리따운 눈동자를 가진 무용수와 어울리기로서니 그 무슨 대수겠는가! 더구나 당시에는 샤니 백작 정도의 지위를 가진 진짜 파리지엥이라면 의당 드나들어야 마땅한 몇몇 장소가 있었으니, 그 중에서도 오페라 극장의 무도회장은 단연 몇 손가락 안에 꼽을 만한 명소였던 것이다.

 나중 얘기지만, 아무튼 필립은 그 날 저녁 동생이 몇 차례에 걸쳐 은근히 고집스럽게 조르지만 않았어도, 무대 뒤에까지 그를 데리고 가지는 않았을 것이다.

 크리스틴 다에에게 실컷 기립박수를 보내고 난 다음 라울을 힐끗 돌아본 필립은 동생이 기겁을 할 만큼 창백하게 질려 있는 것을 보고 적잖이 놀랐다.

 "아니, 저 여인이 불편해하는 게 안 보인단 말이세요?"

 라울은 안타까운 듯 중얼거렸다.

 실제로 무대 위에서 크리스틴 다에는 누군가의 부축을 받아야 할 정도였다.

 "불편해 뵈는 건 너 같구나…… 대체 무슨 일이야?"

백작은 라울에게 몸을 수그리며 물었다.

하지만 라울은 벌떡 일어서더니, 떨리는 목소리로 이렇게 말하는 것이었다.

"가요!"

백작은 동생이 엄청난 흥분상태인 것을 확인하고 걱정스레 물었다.

"대체 어딜 간다는 거야, 라울?"

"보러 가자구요! 저렇게 노래하는 여인은 난생 처음 봐요!"

백작은 잠시 동생을 물끄러미 응시했고, 이내 엷은 미소를 입가로 흘렸다.

"까짓것! 그래, 그래, 어디 가보자꾸나!"

라울의 태도는 마치 무언가에 톡톡히 홀린 것 같았다.

그들이 관객 출입구까지 왔을 때는 이미 사람들로 혼잡이 극에 달한 상태였다. 할 수 없이 무대까지 가기 위해 좀 기다려야 했는데, 그 동안 안달이 난 라울이 무의식중에 제 장갑을 찢는 것이었다. 하지만 사람 좋은 필립은 그런 동생의 조바심을 모르는 척 덮어두었다. 다만 눈치까지 없는 건 아니었기에, 라울이 얘기 중에 왜 그리도 넋을 잃고 있는지, 그러면서도 오페라에 관한 대화 주제만 나오면 왜 그리도 흥분하는지 대충 짐작은 갔다.

둘은 그럭저럭 무대 위에까지 진입하는 데 성공했다.

검은 정장 차림의 많은 사람들이 무도회장이나 배우 대기실로 몰려들고 있었다. 무대장치 기술자들의 고함소리에다 극장 관리자들의 극성스런 잔소리가 서로 뒤섞여 소란스럽기가 그지없었다. 예컨대, 방금 한 장면을 끝내고 빠지는 무용수들, 사람과 마구 부딪치고도 황급히 지나가버리는 단역배우들, 부랴부랴 교체되는 무대장치들과 무대 안 천장에서 미끄러져 내려오는 배경그림, 망치질로 고정시키는 실물 장치 등등, 잔뜩 점잔을 뺀 실크햇을 엉망으로 건드리거나 방심한 허리춤을 언제 쿡

찌르고 지나칠지 모를 이 극장이라는 곳의 분주한 막간 분위기는 가녀린 금빛 콧수염에 푸른 눈동자, 소녀 같은 안색을 한 젊은이의 혼을 빼놓기에 부족함이 없었다. 게다가 무대 위에서는 크리스틴 다에의 눈부신 성공이, 또 무대 아래에서는 조셉 뷔케의 의문의 죽음이 거의 동시에 발생한 상황 아니던가!

극장으로 보자면 그 날 저녁만큼 혼잡스러웠던 적은 없었고, 라울로 보자면 그 날 저녁만큼 대담했던 적이 또 없었다. 그는 걸치적거리는 것은 무엇이든 어깨로 떠밀며 걸어갔고, 주위에서 들려오는 시끄러운 소음들에도 전혀 아랑곳하지 않았다. 그리고 오로지 자신의 마음을 송두리째 빼앗아간 목소리의 주인공을 가까이 가서 만나보아야겠다는 일념에 온 정신이 쏠려 있을 뿐이었다. 그렇다, 그 연약하던 자신의 심장조차 이제 더는 자기 것이 아니라는 느낌에 사로잡혀 있었던 것이다. 사실 그는 어렸을 적부터 알았던 크리스틴이 몰라볼 정도로 달라진 모습으로 눈앞에 나타난 바로 그 순간부터 어쩌면 자신의 마음을 빼앗기지 않으려고 저항해왔었는지도 모른다. 생각해 보면 그녀를 대할 때마다, 굳게 마음을 다져먹으면서도, 왠지 부드러운 감정이 가슴 저 깊은 곳으로부터 움터온 게 사실이다. 하지만 자신에 대한 자긍심과 신을 향한 신앙심, 장차 정숙한 아내가 될 단 한 사람의 여성 말고는 눈길을 주지 않으리라는 신념 등등으로, 여지껏 극장에서 노래를 부르는 여인과 결혼할 수 있으리라는 가능성은 단 한 순간도 머리 속에 떠올려본 적이 없는 터였다. 그러나 이제 그의 내면에는 부드러운 감정이 점차 견디기 어려운 격렬한 열정으로 변해가고 있었다. 글쎄, 열정인가? 아니면 욕정? 좌우간 몸과 마음 가릴 것 없이 무언가 거부할 수 없는 기운이 무섭게 솟구쳐 오르고 있는 것만은 틀림없었다. 심지어는 누군가 흉곽을 억지로 열고 그 속의 무언가를 끄집어 내가는 것처럼 가슴팍 전체에 극심한 통증이 느껴지기도 했다. 혹은 마음 저 깊은 곳에 어떤 끔찍한 구멍이라든가 텅 빈 공간이 입을 벌리고서 다른 누군가의 마음을 통째로 삼켜버려야만 만족하겠노라고 버티고 있는 것 같기도 했다! 요컨대, 소위 '벼락 맞았다'라고 일컫는, 그런 강력한 사랑의 감정에 휘둘림을 당해본 사람이 아니면 결코 이해할 수 없을 특별한 심리적 사건이 라울의 내면에서 벌어지고 있었던 것이다.

동생을 따라가는 필립 백작은 숨을 헐떡거리면서도, 입가엔 흐뭇한 미소가 번지고 있었다.

문득 무대의 저 뒤편으로 이중의 문이 열리면서 배우 무도회장으로 향하는 계단과, 1층 왼쪽 박스석으로 가 닿도록 된 계단이 각각 눈에 띄었다. 라울은 마침 다락방에서 달려 내려오는 한 무리의 단역 무용수들과 맞닥뜨렸다. 그 중 몇몇 아가씨들이 라울을 보고 가볍게 아양을 떨며 인사를 건넸지만 젊은이는 대꾸도 하지 않고 지나쳤다. 마침내 그는 저 끝에서 극성스런 찬미자들의 시끌벅적한 환호성이 울려오는 어두컴컴한 복도로 들어섰다. 떠들썩한 가운데에서도 하나의 이름이 또렷이 들려오고 있었다.

"다에!"

"다에!"

한편, 어느새 바로 뒤까지 따라온 백작은 숨을 헐떡이면서 이렇게 중얼거렸다.

"이런 엉큼한 녀석, 어떻게 길을 알고 있지?"

하긴 필립 자신이 라울을 크리스틴에게 데려가 소개시켜 준 적은 한 번도 없었으니, 의아한 것도 무리는 아니었다. 그렇다면 평상시 백작이 대기실에서 소렐리 양과 담소를 나누며 붙잡혀 있는 동안 동생 혼자서 여기를 드나들었다고 보는 수밖에 없었다. 하긴 소렐리 양은 보통 자신이 무대 위에 오르기 직전까지 대기실에 같이 있어달라고 백작을 조르기 일쑤였으며, 심지어는 자신의 살색 타이즈와 비단 신발의 광택을 보호하기 위한 각반을 좀 보관하고 있어달라고 억지를 부린 적도 한두 번이 아니었다. 그리고 그럴 때마다 백작이 거절할 수 없도록 들이대는 핑계가 하나 있는데, 그건 엄마가 돌아가셔서 딱히 의지할 곳이 없다는 거였다……

백작은 소렐리 양을 보러 가는 걸 잠시 미루고 다에 양에게로 몰려가는 군중들을 따라가기로 했다. 그러면서 그리로 가는 복도가 오늘 저녁만큼 붐빈 적은 아마도 없었을 거라는 생각이 절로 들었다. 그만큼 온 극장 전체가 새롭게 출연한 '마르그리트'의 매력과 그 실신소동으로 발칵 뒤집어지다시피 한 것이다. 그런가 하면 아직 정신이 깨어나지 않은 크리스틴 다에를 위해 극장 전속 의사가 도착했고, 때마침 그 뒤를 바짝 붙어 달려오던 라울은 잘못해서 의사의 발뒤꿈치를 밟는 실수를 저지르고 말았다.

그렇게 해서 한 여인을 구하려는 의사와 그녀의 마음을 얻으려는 연인이 동시에 크리스틴의 곁에서 간호를 하게 되었고, 전자에게서 응급조치를 받은 크리스틴 다에 양은 마침 후자의 팔에 기댄 채 눈을 뜰 수밖에 없는 상황이 되었다. 백작은 다른 많은 사람들과 더불어 문가에 선 채 숨을 죽이고 그 모든 광경을 지켜보고 있었다.

그런데 문득 라울이 믿기지 않을 만큼 대담한 어투로 이렇게 내뱉는 것이었다.

"의사 선생, 여기 이 사람들 좀 비켜달라고 해야 하지 않겠습니까? 이래서야 어디 환자가 답답해서 숨이라도 제대로 쉴 수가 있겠소!"

"그거 옳으신 말씀이오!"

의사는 즉시 그 말을 받아들여 하녀와 라울만 남기고 모두 문 바깥으로 내몰았다.

하녀는 라울을 눈이 휘둥그래진 채 물끄러미 바라보았다. 하긴 난생처음 보는 낯선 남자가 너무도 당당히 사태를 수습하고 환자를 부축하는 게 당혹스러울 만도 했다.

하지만 감히 누구시냐고 물을 엄두는 나지 않는 모양이었다.

의사 역시 이 정도로 처신하는 젊은이라면 의당 그럴 권리가 있는 사람일 거라 생각하고 문제시하지 않는 눈치였다. 결국 칭찬을 하러 들른 드비엔느 씨와 폴리니 씨조차도 다른 검정색 정장들과 함께 거칠게 복도로 떠밀려나가는 가운데, 젊은이는 아무의 방해도 받지 않고 다에 양이 서서히 정신이 드는 모습을 마음껏 지켜볼 수 있었다. 한편 샤니 백작은 다른 사람들과 복도에 나가 있으면서도 연신 너털웃음을 지으며 이렇게 중얼거리는 거였다.

"아하, 저런 엉큼한 놈 좀 보게나! 저런 엉큼한 놈 좀 봐……."

그러면서 내심 덧붙이기를,

"좌우간 계집애처럼 순진한 척하는 놈이 더 밝힌단 말이거든!"

하지만 그러는 백작의 표정은 더없이 밝았다.

"역시 샤니 가문의 사내야!"

그리고는 곧장 소렐리 양의 대기실로 향해 갔다. 하지만 소렐리 양은 마침 겁에 질린 철부지 무용수 아가씨들을 이끌고 무도회장으로 막 내려오던 중이었고, 바로 그 중간에서, 아까 이야기한 바대로, 백작과 맞닥뜨리게 된 것이다.

한편 대기실에서는 크리스틴 다에가 드디어 깊은 한숨을 내쉬며 눈을 떴고, 고개를 돌려 라울과 눈이 마주치자, 화들짝 놀랐다. 그녀는 다시 의사와 눈이 마주치자 지긋이 안도의 웃음을 지었고, 그 다음 하녀를, 그 다음으로는 다시 라울을 바라보았다.

"실례지만, 누구신지요?"

그녀는 아직은 신음소리가 뒤섞인 목소리로 조심스레 물었다.

"아가씨……."

젊은이는 얼른 무릎을 꿇고 디바의 손등에 열정적인 입맞춤을 퍼부으며 둘러댔다.

"······ 제가 바로 당신의 스카프를 건지러 바다로 뛰어든 소년입니다!'

크리스틴은 의사와 하녀를 번갈아 쳐다보았고, 마침내 세 사람 모두 폭소를 터뜨리고 말았다. 라울은 얼굴이 새빨개져서 벌떡 일어섰다.

"아가씨, 저를 못 알아보시는 척한다면, 저로서도 특별히 아주 중요한 말씀을 올리지 않을 수 없군요!"

"내가 언제쯤 상태가 나아질지 말씀해준다는 뜻이겠죠?"

그렇게 시침을 떼는 다에 양의 목소리도 어딘지 떨리고 있었다.

마침내 의사가 만면에 웃음을 띠며 이렇게 말했다.

"여러분 모두 좀 자리를 피해주셔야겠습니다. 이젠 나 혼자서 환자를 보살필 수 있겠습니다."

"난 더 이상 환자가 아니에요!"

순간 크리스틴은 전혀 예기치 않게 당찬 어조로 잘라 말했다.

그러면서 벌떡 일어나 재빨리 손등으로 눈꺼풀을 문지르며 덧붙이는 것이었다.

"아무튼 고마워요, 의사 선생님! 이제 좀 혼자 있고 싶군요······ 미안하지만 모두 좀 나가주시겠어요? 부탁입니다······ 날 내버려두세요······ 오늘 저녁은 너무도 피곤하군요······."

의사는 뭔가 토를 달려는 눈치였지만, 여인의 불안정한 태도를 보건대, 일단은 자극을 하지 않는 게 최선이라는 판단이 들었다. 어쩔 줄을 몰라하며 함께 복도로 나온 라울을 향해 의사는 던지듯 말했다.

"오늘은 저 아가씨가 정말 이상하네요······ 그토록 참하고 온화하던 여성이······."

그리고는 아무 말 없이 자리를 떠 버렸다.

마침내 라울 혼자가 되었다. 뿐만 아니라 주위 역시 텅 빈 상태였다.

아마 모두들 환송 행사를 진행하러 무도회장으로 간 모양이었다. 라울은, 조금 있으면 다에 양도 몸을 추스려 무도회장에 참석하러 나올 거라 생각하고는, 복도에 선 채 잠자코 기다리기로 했다. 그는 문 한쪽 구석의 어두컴컴한 그늘 속에 조용히 기대 서 있었다. 그런 그의 가슴은 여전히 끔찍한 통증에 시달리고 있었고, 이번만큼은 늦기 전에 다에 양에게 직접 이 사실을 고백하기로 마음먹고 있었다. 문득 문이 열리면서 하녀가 상자 몇 개를 든 채 혼자 나오는 것이 보였다. 그는 덥석 하녀의 팔을 붙잡고 주인 아가씨의 상태는 어떤지 물었다. 대답은, 이제 원기를 되찾았지만 혼자 있고 싶다고 하니 절대로 방해해서는 안된다는 거였다. 멀어져가는 하녀의 뒷모습을 멍하니 바라보는 라울의 열에 들뜬 머리 속에 순간적으로 한 가지 생각이 스치고 지나갔다. '틀림없이 다에 양은 나와 단둘이 있고 싶어, 혼자 있겠다고 한 걸 거야…… 내가 아까 긴히 할 말이 있다고 했으니, 일부러 주변을 물리쳤을 거라구……' 라울은 잔뜩 숨을 죽인 채 천천히 문 앞으로 다가가 귀를 갖다댄 후 노크를 하기 위해 슬며시 손을 들었다. 그러나 그 즉시 저도 모르는 사이에 들었던 손을 떨굴 수밖에 없는 상황이 벌어지고 말았다. 문 저 안쪽으로부터 난데없는 어떤 남자의 음성이 유난히 권위적인 어조로 이렇게 말하는 소리가 새어나오는 게 아닌가!

"크리스틴, 나를 사랑할지어다!"

그러자 틀림없이 눈물범벅이 되었을 크리스틴의 고통에 겨워하는 목소리가 바들바들 떨면서 이렇게 대답을 하는 것이었다.

"어떻게 그런 말씀을 하실 수가 있죠? *지금도 오로지 당신을 위해 이렇게 노래를 부르고 있는 내게 말이에요!*"

순간, 라울은 그만 가슴이 미어지는 것 같아 비틀거리며 벽에 기대 설 수밖에 없었다. 그 동안 휑하니 어디론가 빠져 달아났다고 생각했던 자신의 심장이 다시 가슴 속으로 들어와 찌릿한 충격을 가하는 느낌이었다. 복도 전체가 그의 심장 박동 소리에 반향하는 듯했고, 귀가 다 먹먹해지는 것 같았다. 아마 그렇게 계속 심장이 뛴다면 누군가 그 소리를 들어서 별안간 문을 활짝 열고 시끄러우니 자리를 비켜달라고 할까봐 걱정이 될 정도였다. 대체 어떻게 해야 한단 말인가? 문가에 계속 기대어 엿들어야 할까? 라울은 마치 심장 박동 소리를 새어나가지 않게 하려는 듯, 두 손을 가슴에 갖다대었다. 하지만 심장이 어디 개 주둥이라도 된다던가! 심지어 개의 주둥이를 붙들고 있다 해도 아예 작정을 하고 짖어대는 그 소리를 어찌 막을 수가 있을 것인가!

남자의 목소리는 계속되었다.

"보아하니 무척이나 피곤한가 보오, 크리스틴……"

"아……, 오늘 저녁 난 당신에게 내 영혼을 바친 거나 다름없었어요! 이젠 죽을 지경이라구요……."

"하긴 그대의 영혼은 정말로 아름다웠노라, 내 사랑이여…… 지극히 고맙게 생각하고 있소…… 아마 이 세상 그 어느 황제도 그러한 선물을 받아보진 못했을 거야…… *천사들마저 오늘 저녁엔 감격의 눈물을 흘렸을 테지……*"

남자의 근엄한 목소리는 그것으로 뚝 끊겼다.

라울은 자리를 피하지 않고, 어둔 그늘 속에 몸을 숨긴 채 문제의 남자가 방 밖으로 나오기를 기다리기로 마음먹었다. 그의 마음 속에는 사랑과 미움의 감정이 동시에 물밀듯 밀려왔다. 그는 자신이 사랑에 빠져 있다는 것을 알았고, 그가 증오해야 할 대상이 누구인지 알고 싶었다. 바로 그때였다. 별안간 문이 열리면서 모피를 두르고 얼굴은 베일로 가린 크리스틴 다에가 혼자 걸어나오는 것이었다. 그녀는 문을 닫았지만, 라울이 보기에 열쇠로 잠그는 것 같지는 않았다. 젊은이는 여인이 지나쳐가는 것엔 아랑곳하지 않고, 어둠 속에 숨은 채, 굳게 닫힌 문만을 집요하게 노려보고 있었다. 마침내 다시 복도가 조용해지자, 라울은 즉시 문 쪽으로 다가갔다. 그리고는 얼른 손잡이를 돌려 문을 열고 안으로 들어가 조용히 닫았다. 방안은 가스등이 꺼졌는지 한치 앞도 분간할 수 없는 어둠에 휩싸여 있었다.

"여기 누군가 틀림없이 있었다! 왜 숨는 것인가?"

라울은 부들부들 떨리는 음성으로 외쳤다. 그렇게 말하면서 그는 문에 등을 단단히 갖다대 누구라도 섣불리 열고 뛰쳐나갈 수 없게 지키고 있었다.

어둠과 침묵뿐…… 들리는 거라곤 자기 자신의 거친 숨소리가 전부였다. 흥분할 대로 흥분한 그에게 지금 자신이 취하고 있는 행동이 얼마나 정상을 벗어난 짓인지 머리 속에 떠오를 리 없었다.

"은근슬쩍 방을 빠져나갈 생각이라면 어림없소이다! 당장 떳떳하게 모습을 드러내지 않으면 정말로 비겁한 사람인 줄 알겠소! 그래도 반드시 정체를 밝혀내고야 말겠지만……."

그리고는 얼른 성냥갑을 꺼내 불을 피웠다. 일순 실내가 훤하게 밝아졌지만 사람의 모습은 전혀 보이지가 않았다. 라울은 침착하게 문의 자물쇠를 잠근 다음, 차례차례 램프들에 불을 붙였다. 그리고 나서 화장실 쪽으로 성큼성큼 다가가 옷장 문을 활짝 여는가 하면, 이리저리 두리번거리면서 사방 벽을 더듬어보았다. 그러나 아무것도 이상한 점은 발견되지 않았다.

"아, 이런…… 내가 드디어 미쳐버린 건가?"

그는 이후로도 한 10여분쯤 텅 빈 방의 적막 속에서 가스불 타는 소리에 귀를 기울이고 있었다. 비록 사랑에 눈은 멀었지만, 마음 속의 여인이 풍기는 향기를 자기 것으로 하기 위해 리본 하나라도 슬쩍 품에 넣어 가지고 갈 생각은 하지 않았다. 그는 어디로 가야 할지, 또 무엇을 해야 할지도 모른 채 맥없이 밖으로 나왔다. 그렇게 갈피를 못 잡은 채 잠시 동안 어슬렁거리고 있는데, 문득 얼음처럼 싸늘한 공기가 얼굴을 스치고 지나갔다. 어느새 좁다란 계단 밑에 와 있는데, 몇 명의 일꾼들이 하얀 린네르 천으로 덮은 들것을 짊어지고 황급히 내려오는 것이었다.

"출구가 어디에 있죠?"

라울은 되는 대로 그 중 한 인부에게 물었다.

"어디긴 어디요! 저기 눈앞에 열려 있는 게 안 보이시오? 어서 길이나 비키쇼!"

라울은 계속해서 무의식중에 들것을 가리키며 재차 물었다.

"이건 또 무엇이오?"

한 인부가 대답했다.

"무대 아래에서 발견된 조셉 뷔케 씨의 목매단 시체올시다!"

라울은 아무 대꾸도 않고 간단히 목례만 던지고는 인부들을 지나쳐 밖으로 나갔다.

3
오페라 극장의 비밀

성대한 환송식이 벌어지고 있었다.

이미 얘기한 바와 같이, 이 행사는, 시쳇말로, 떠나는 뒷모습이 아름
답기를 원했던 드비엔느 씨와 폴리니 씨의 오페라 극장 지배인직 퇴임
을 기념하여 베풀어진 것이었다.

행사 참여는 물론 그 준비 과정에 있어서도 당시 내로라하는 사회 예
술계 인사들이 총망라되어 있었다.

모든 사람들이 약속대로 극장 무도회장에 몰려들었고, 그 중에는 소
렐리 양도 한 손엔 샴페인 잔을 들고 혀끝에는 그럴듯한 사교적 인사말
을 준비한 채, 두 명의 퇴임 지배인들을 맞이하고 있었다. 그녀 뒤로는
신참이건 고참이건 동료 무용수들이 한데 모여 있었는데, 신참들은 목
소리를 죽여가며 낮에 있었던 사건에 대해 여전히 쑥덕대고 있었고 고
참들은 남자들과 함께 제법 유식한 체하며 담소를 나누고 있었다. 그리
고는 이내 떠들썩하게 수다를 떨면서, 불랭제 씨가 제작한 「군무(軍舞)」
와 「시골 무용」이라는 작품 사이에 마련된 식탁 주위로 모여들고 있었
다.

몇몇 무용수들은 이미 외출복으로 갈아입은 상태였지만 대부분은 아
직 얇은 망사치마를 걸친 모습이었다. 하지만 그와는 상관없이 모두가

상황에 적합한 표정관리쯤은 해야 한다고 믿는 눈치였다. 다만 아직 열다섯 살에 불과한 잠므만이, 벌써 유령이라든가 조셉 뷔케의 죽음 따위는 깡그리 잊었다는 듯, 까불어대고 조잘거리며 장난을 쳐대고 있었으므로, 보다못한 소렐리 양이 마침 드비엔느 씨와 폴리니 씨가 무도회장 층계에 모습을 나타냈을 때를 틈타 따끔하게 주의를 줘야만 했다.

두 명의 퇴임 지배인들은 누가 보아도 밝고 쾌활한 표정들이었는데, 그런 것이 늘 환영받는 파리가 아닌 시골에서였다면 다소 어색하게 보였을 정도였다. 아마 실제 파리에 사는 사람 중에서도, 자신의 고통을 즐거운 표정으로 감추거나, 자기만의 흥겨운 감정을 슬픔, 고뇌, 무관심 등을 가장한 '가짜 얼굴' 로 그럴듯하게 가릴 줄 모르는 사람은 진정한 파리지엥이라 할 수 없을 것이다. 독자 여러분도 다 알다시피, 어떤 고통에 처한 친구를 대할 때 일부러 위로를 삼가고 있으면 그 친구는 언젠가는 이미 위로가 되었노라고 말해올 것이다. 그런가 하면 친구에게 즐거운 일이 생겼을 때도 축하를 하지 말고 가만히 있어 보라. 그 친구는 조만간 자신의 행운이 너무도 당연한 것으로 여겨져서, 오히려 그걸 가지고 왈가왈부하는 당신을 이상하게 볼 것이다. 자고로 파리에서는 모든 사람이 늘 무도회의 가면을 쓰고 있는 거나 마찬가지이다. 하물며 드비엔느 씨와 폴리니 씨 같은 닳고닳은 사람들이 실제로 느끼고 있는 고통스런 감정을, 그것도 대극장의 무도회장에서 드러내는 일 따위가 어찌 가능하겠는가! 그렇게 두 파리 신사들은 이미 지나칠 정도로 만면에 희색을 띠고 있었고, 소렐리 양도 미리 준비한 환송사를 막 시작하려던 참이었다. 그러나 바로 그 순간, 말썽 많은 잠므의 느닷없는 비명소리가 마침내 두 퇴임 지배인들의 웃는 표정 밑에 숨어 있던 공포와 걱정의 혼란스런 감정상태를 모든 사람들 앞에 여지없이 폭로하고 만 것이었다!

"오페라의 유령이다!"

잠므가 그렇게 소리치면서 손가락으로 가리킨 곳에는 검은 정장들 틈바구니에서 지독히 창백하고 흉측하면서도 음산하기 이를 데 없는 어떤 해골 하나가 있었는데, 퀭하니 파인 두 눈구멍이 오히려 장내 모든 이들의 엄청난 호기심을 불러일으키는 것이었다.

"오페라의 유령이에요! 오페라의 유령이라구요!"

요란한 폭소를 터뜨리는 사람, 공연히 야단법석을 떠는 사람, 심지어는 오페라의 유령에게 술을 한 잔 권하려고 달려드는 사람 등등 각양각색이었다. 그러나 유령은 이내 사라지고 말았다! 그는 자신 때문에 들썩거리는 군중 틈으로 유유히 미끄러지듯 사라졌는데, 도무지 그 흔적조차 찾을 수가 없었다. 그러는 가운데에서도 두 퇴임 지배인들은 어린 잠므를 진정시키려고 호들갑을 떨었고, 지리는 지리대로 날카로운 비명을 질러댔다.

한편 준비한 환송사를 마무리하지 못하게 된 소렐리 양은 화가 날대로 난 상태였다. 드비엔느 씨와 폴리니 씨는 아쉬운 대로 그녀를 포옹해 주고 감사를 표하고는, 유령과 마찬가지로 부랴부랴 자리를 피해버렸다. 하지만 그들이 그 자리를 급히 뜨는 것에 대해서는 아무도 당혹스러운 기색이 아니었다. 두 사람은, 바로 위층인 성악 공연장에서도 있을 이와 똑같은 행사에 다시 또 참석할 수밖에 없는 입장임을 다들 알고 있었던 것이다. 게다가 어차피 몇몇 친한 친구들은 마지막에 가서 지배인의 집무실에서 있을 진짜 파티에 초대될 예정이었다.

거기서는 새롭게 부임한 지배인인 아르망 몽샤르맹 씨와 피르맹 리샤르 씨와도 합석할 것이었다. 퇴임자들과 신임자들은 서로 잘 아는 사이는 아니었지만, 서로 질세라 상대를 치켜세우기에 바빴다. 그 결과 그날 저녁 행사가 다소 흡족하지 못했다고 생각했던 손님들까지 즉시 즐거운 표정을 갖추게 되었다. 파티는 제법 흥겨웠고, 그에 편승해서 건배도 몇 차례 이루어졌는데, 특히 이런 흐름을 잘 이끄는 정부위원이 과거의 영광과 미래의 성공을 적절히 뒤섞어가며 분위기를 주도하는 바람에, 참석자들 모두는 대단한 취흥 속에 휩싸일 수 있었다. 지배인직의 인수인계는 사실 어제 최대한 간편하게 이루어졌었다. 전임자와 후임자 사이에 절충되어야 할 문제들 역시 정부위원의 간명한 중재를 통해 양측 모두에게 너무도 흡족한 방향으로 이루어져서, 이번 파티 중에 네 명 전현직 지배인들이 한결같이 흥겨운 분위기에 녹아든다 해도 전혀 놀랄 일은 아니었다.

드비엔느 씨와 폴리니 씨는 아르망 몽샤르맹 씨와 피르맹 리샤르 씨에게 이미 건물의 모든 문들을 열 수 있는 두 개의 만능 열쇠를 건네준 바 있다. 한데 모든 이의 호기심을 자극하는 이 열쇠들을 손에서 손으로 빠르게 옮겨가며 돌아보던 차에, 문득 일부 참석자들이 식탁 저 끝에 앉아 있는 어떤 인물을 발견하고는 기겁을 했다. 문제의 그 인물은 벌써 한 차례 무도회장에 나타나 어린 잠므로 하여금 난데없이 "오페라의 유령이다!"라고 비명을 지르게 만든, 창백한 안색에 푹 꺼진 눈자위가 말할 수 없이 괴이한 분위기를 자아내는 바로 그 자였다!

그는 전혀 먹거나 마시지 않는다는 것만 빼고는, 보통의 다른 참석자들과 그리 다르지 않은 자연스런 태도로 거기 그곳에 앉아 있었다…….

처음에는 농담도 하고 유쾌하게 웃으면서 그를 바라보던 사람들도 이제는 고개를 돌리고 말았는데, 그만큼 인상이 음산하고 기괴한 느낌을 유발했다. 아무도 무도회장에서처럼 농담을 흘리지 않았고, 누구도 "저기 오페라의 유령이 나타났다!"라고 소리를 지르지 않았다.

미지의 그 남자는 단 한마디도 하지 않았으며, 주위의 어느 누구도 그가 언제 슬그머니 그곳에 와 앉았는지 모르는 인상이었다. 다만 모두들, 설사 죽은 자가 이따금 산 자의 식탁에 몰래 와 앉는 일이 일어난다손 치더라도 저렇게 으스스한 얼굴을 하지는 않을 거라고 생각하는 모양이었다. 재미있는 것은, 피르맹 리샤르 씨와 아르망 몽샤르맹 씨의 친구들은 이 앙상한 몰골의 참석자가 드비엔느 씨와 폴리니 씨의 초대손님일 거라 생각한 반면, 드비엔느 씨와 폴리니 씨는 이 시체 같은 남자가 분명 리샤르 씨와 몽샤르맹 씨의 고객쯤일 거라고 여긴다는 사실이었다. 그래서 다행인지 불행인지는 모르지만, 그 누구도 해명을 요구하거나, 불쾌한 기색을 드러내거나, 혹은 어줍잖은 농담을 건넴으로써 저 저승에서 온 듯한 손님을 집적대지 않았다. 다만 유령에 관한 전설이라든지 무대장치 감독이 그에 대해 묘사한 내용 — 물론 조셉 뷔케의 사망에 대해서는 까맣게 모르고 있다 — 을 들어서 알고 있는 몇몇 사람들은 내심이 탁자 끝에 앉아 있는 신사야말로 누군가의 못 말리는 미신벽에 의해 그럴듯하게 창조된 모조품일 수도 있다고 생각했다. 좌우간, 유령에겐 코가 없다는 전설 내용과는 달리 이 인물은 코를 가지고 있었는데, 그것 역시 나중에 몽샤르맹 씨의 증언을 들어보면 투명한 코였다고 한다. 그러니 내가 생각하기엔 그나마 가짜 코를 붙인 게 아니었나 하는 생각이 들기도 하는 것이다. 몽샤르맹 씨는 약간 번득거리는 모조 코의 광택을 순간적으로 투명한 걸로 착각했을 수도 있으니까 말이다. 알다시피 오늘날의 과학은 자연적으로나 어떤 사고로 코를 잃은 사람들을 위해 얼마든지 근사한 모조 코를 만들어내고 있질 않은가! 아무튼 문제는 그 날 유령이 과연 그 어떤 초대도 받지 않고서 지배인들의 향연에 버젓이 참석할 수 있었을까 하는 점이다. 아니 그때 그 신사가 정말로 오페라의 유령이라고 누가 장담할 수 있겠는가? 그럼에도 불구하고 여기서 이 사건을 언급하는 이유는, 유령이 그처럼 대담한 행동을 일삼았다는 걸 강변하려는 게 결코 아니라, 단지 그런 일도 충분히 있을 수 있었다는 걸 이 책의 독자에게 미리 납득시키기 위함이다.

어쨌든, 그가 오페라의 유령이었을 거라는 데에는 나름대로 이유가 있다. 아르망 몽샤르맹 씨도 자신의 『회고록』에서 분명 이렇게 이야기하고 있다.

〈그 날 처음 가진 만찬을 회상할 때마다, 나는 드비엔느 씨와 폴리니 씨가 그 낯선 *유령* 같은 인물에 관해 우리에게 털어놓은 비밀 이야기를 따로 떼어 생각할 수가 없는 것이다.〉

자, 그럼 그 날 그 자리에서 과연 어떤 일이 일어난 것인지, 본격적으로 살펴보도록 하자.

식탁의 중앙쪽에 자리를 잡은 드비엔느 씨와 폴리니 씨는 해골 모습을 하고 앉아 있는 신사가 이렇게 불쑥 입을 열기 전까지만 해도, 아직 그 존재를 눈치채지 못하고 있었다.

"꼬맹이 무용수들의 말이 옳소이다. 그 가엾은 뷔케의 죽음에는, 그저 생각하는 것과는 달리, 뭔가 부자연스런 점이 보여요⋯⋯."

드비엔느와 폴리니는 펄쩍 뛰며, 그제서야 이렇게 소리쳤다.

"뭐라구? 뷔케가 죽었단 말이오?"

"그렇소이다! 무대 아래에서 목이 노끈에 졸린 채 발견되었지요⋯⋯."

두 퇴임 지배인들은 거의 동시에 자리에서 벌떡 일어서서 상대를 묘한 시선으로 쏘아보았다. 그런 그들의 태도에는 왠지 무대장치 감독의 죽음을 접할 때 보통 예상되는 반응 이상의 어떤 흥분감이 엿보였다. 그들은 서로를 멀뚱하니 바라보았다. 그리고는 안색이 식탁보보다도 점점 더 하얗게 변해가는 것이었다. 잠시 후, 드비엔느 씨가 리샤르 씨와 몽샤르맹 씨에게 모종의 사인을 보냈고, 폴리니 씨는 좌중에게 몇 마디 양해를 구하더니, 네 사람이 함께 옆의 다른 방으로 자리를 옮겨 갔다. 이쯤에서 몽샤르맹 씨의 증언을 직접 들어보자.

〈드비엔느 씨와 폴리니 씨는 갈수록 평정을 잃는 듯했고, 뭔가 엄청 혼란스러운 문제를 이야기하려는 듯 보였다. 먼저 두 사람은 우리에게 탁자 끝에 앉아서 조셉 뷔케의 죽음을 들먹이는 그 자가 아는 사람이냐 물었고, 부정적인 우리의 대답을 듣자, 더더욱 혼란에 빠지는 모습이었다. 그리고는 우리에게서 만능열쇠를 빼앗아 잠시 살펴보더니, 고개를 설레설레 흔들면서 우리더러 새 자물쇠를 준비하는 게 좋겠다고 권했다. 그것도 모든 건물들과 방들, 그 안에 보안을 요하는 모든 사물들을 위해 최대한 비밀리에 만들라는 것이었다. 한데, 그렇게 호들갑을 떠는 그 둘의 모습이 하도 이상하기에, 우리는 그만 웃음을 터뜨리며, 혹시 극장 안에 좀도둑이라도 들었느냐고 물었다. 그러자 그들은 그보다 더 나쁜 일이라며, 유령이 출몰하고 있다는 거였다. 우리는 또다시 폭소를 터뜨리지 않을 수 없었다. 이거야말로 이번 만찬의 대미를 장식하기 위해 기발한 장난거리를 서비스하고 있는 거라 생각했기 때문이었다. 두 사람은 우리더러 좀 진지해줄 것을 요구했고, 우린 그렇다면 어디 한번 정식으로 놀아보자는 심산으로 웃음을 그치고 정색을 했다. 그들은 사실 유령에 관해선 입도 뻥긋하지 않을 생각이었지만, 바로 그 유령으로부터 정식으로 명령을 받은 이상 어쩔 수 없이 말하는 거라며 난색을 표했다. 즉, 유령에게 친절히 대하고 그가 원하는 것은 무엇이든 들어주도록 우리를 설득하라는 명령을 받았다는 것이었다. 그러면서, 사실 그 어둠의 그림자가 지배하는 이곳을 벗어나게 된다는 생각에 들뜬 나머지 마지막 순간까지 시침을 떼고 입을 열지 않으려 했었다고 말했다. 한데 유령은 자신의 요청이 제대로 이행되지 않을 경우, 점점 흉악하고 불길한 사건들이 꼬리를 물 것이라는 점을 이번 조셉 뷔케의 죽음을 통해 확실히 보여주려고 한다는 거였다.

이처럼 예기치 못한 내용의 비밀 얘기가 지극히 진지한 어조로 공개되는 동안, 나는 리샤르를 힐끗 바라보았다. 참고로, 그 친구는 학창시절 둘째가라면 서러워할 만큼 대단한 익살꾼이었으며, 생 미셸 가(街)의 수위들 중에서도 그를 모르면 어리숙하다는 욕을 들었을 정도였다. 아니나 다를까, 그는 '이건 또 웬 맛나는 디저트인가!' 하는 표정으로 열심히 이야기를 듣고 있는 눈치였다. 그러면서 뷔케의 죽음으로 양념이 좀 콕 쏘기는 하지만, 그래도 한 입도 놓치기 싫다는 듯, 잔뜩 장난기 어린 눈빛을 번득이고 있었다. 뿐만 아니라, 상대의 이야기가 깊어짐에 따라 고개를 절레절레 흔들면서, 마치 오페라 극장 안에 유령이 산다는 사실에 무척이나 충격을 받았으며, 유감스러워서 견디기가 어렵다는 표정을 짓는 것이었다. 나로 말할 것 같으면, 그의 그런 태도를 옆에서 어중간하게 흉내내는 수밖에 별 도리가 없었다. 하지만 애당초 장난기가 발동해서 꾸며대는 태도가 얼마나 갈 수 있었겠는가! 우린 그만 드비엔느 씨와 폴리니 씨의 수염에 대고 '푸하!' 하고 막혔던 웃음을 터뜨리지 않을 수 없었고, 두 사람은 그토록 진지하고 수심 어린 표정에서 금세 폭소로 옮겨가는 우리의 얼굴을 멍하니 바라보며, 마치 우리가 돌아버린 건 아닐까 걱정까지 하는 눈치였다.

아무튼 농담이 너무 지나치다보니, 좋은지도 싫은지도 모르게 되었다면서, 리샤르는 "그럼 대체 그 유령이 원하는 게 뭐란 말이오?"하고 던지듯 물어 보았다.

그러자 폴리니 씨는 집무실로 건너가더니 잠시 후, 어떤 계약 규정서 사본을 들고 돌아왔다.

규정서는 이런 말로 시작되고 있었다.

"오페라 극장 지도부는 무대에 오르는 국립 음악 아카데미의 공연물에 대해 프랑스 최고 수준의 무대에 합당한 화려한 대우를 해주어야만 한다."

그리고는 이어서 총 아흔일곱 개의 항목이 나열된 다음, 마지막에 가서 다음과 같은 내용이 명시되어 있었다.

"만약 다음 사항들이 지켜지지 않을시, 현재 누리고 있는 모든 특권이 철회될 것이다.

1. 이 규정서에 명시된 조항들을 위반할 경우. 기타 등등"

그 사본은 그런데 우리가 가지고 있는 것과 대체로 똑같게 검은 잉크로 씌어 있었다.

다만 항목의 끄트머리에 별행으로 붉은 잉크의 글씨들이 씌어 있는 게 다를 뿐이었는데, 그 글씨들은 마치 성냥불 밑에서 되는 대로 휘갈겨 쓴 것처럼, 혹은 제대로 글자를 이어 쓰지 못하는 철부지 아이가 힘겹게 쓴 것처럼 어색하고 불안스럽게 보였다. 그걸 그대로 옮겨보면 다음과 같다.

"5. 오페라의 유령에게 매달 할당된 월사금이 보름 이상 늦어졌을 경우. 월사금의 액수는 별도의 지시가 있기 전까지 매달 2만 프랑, 일년에 24만 프랑이 되도록 한다."

폴리니 씨는 특히 이 엄청난 조항을 부들부들 떨리는 손가락으로 간신히 가리켰다.

한데도 내 친구 리샤르는 더없이 냉정한 태도로, "이게 다인가요? 더 요구하는 건 없나요?"라고 말하는 것이었다.

폴리니 씨는 당혹감을 감추지 못하며 '그렇다'고 대답하고는, 연이어서 서류를 넘기며 계속 읽어내려갔다.

"항목 63번 : 모든 공연에 있어서 무대 우측, 2층의 1번 박스석은 국가 수반의 지정 좌석으로 할 것.

월요일 1층 20번 칸막이 좌석과 수요일과 금요일 2층의 30번 박스석은 장관 지정 좌석으로 할 것.

3층의 27번 박스석은 매일 파리 시 경찰서장의 지정석으로 할 것."

거기까지 읽은 폴리니 씨는 그 항목 마지막에 붉은 잉크로 가필된 내용을 보여주었다.

"모든 공연에 있어서 2층 5번 박스석은 오페라의 유령을 위해 반드시 비워둘 것."

그 대목에 이르자 더는 참고 있을 수가 없었다. 우리는 두 전임자의 손을 와락 붙들고는 왕년의 유머가 아직도 건재하다는 것을 웅변으로 말해주는 이러한 장난을 꾸며낸 데 대해 열정 어린 찬사를 퍼부어주었다. 게다가 리샤르는 한술 더 떠서, 두 분이 극장을 그만둘 수밖에 없게된 진정한 이유를 이제야 알 것 같노라는 말까지 천연덕스럽게 덧붙였다. 그처럼 까다로운 유령과 어찌 사업이 순탄하게 진행될 수 있겠느냐면서 말이다…….

더 가관인 것은, 그럼에도 불구하고 폴리니 씨는 눈썹 하나 까딱 않고이렇게 이야기하는 것이었다.

"두말하면 잔소리지요! 24만 프랑이 무슨 동네 강아지 이름입니까?더구나 그 유령을 위해 매 공연마다 2층 5번 박스석을 비워둔다면 얼마나 손실을 감수해야 하는지 좀 생각해보시라구요! 예약 들어오는 걸 죄다 반려해야 하는 건 둘째치고……, 어휴, 생각만 해도 끔찍합니다! 사실 말이지, 우리가 뭐 유령 수발이나 들려고 이 짓을 하는 건가요? 차라리 관두는 게 낫지, 암……."

"맞아요! 차라리 관두는 게 나아! 관두고말고……."

드비엔느 씨도 맞장구를 쳤다.

한편 리샤르는 자리를 뜨려는 그들에게 이렇게 말했다.

"하지만 내가 보기에 당신들은 그 유령과 그래도 사이좋게 지내온 것같은데요…… 나 같으면 벌써 그놈이 체포되도록 모종의 조치를 취했을텐데 말입니다!"

그러자 두 사람은 입을 모아 소리치기를,

"어디서, 어떻게 말입니까? 그를 본 적도 없는데 무슨 수로 체포한단말인가요?"

"하지만 자신의 지정석에는 나타날 것 아닙니까?"

"글쎄 그 지정석에서조차 본 적이 없다구요!"

"그럼 까짓것 무시하고 다른 사람들 예약이나 받지 그러시오?"

"오페라의 유령 좌석을 다른 사람에게 내준다구요? 허 참! 어디 한번

해보슈……."

거기서 우리 네 명은 대화를 중단하고 방에서 나왔다. 그 때처럼 리샤
르와 내가 배꼽이 빠져라 웃어댄 적도 아마 없을 것이다.〉

4
5번 박스석

아르망 몽샤르맹이 남긴 회고록은 어찌나 방대한지, 특히 그가 공동 운영을 하던 결코 짧지 않은 기간 동안에 과연 거기서 일어나는 일들을 일일이 기록하는 것 말고 오페라 극장 자체에 관해 달리 몰두할 시간이나 가질 수 있었을까 하는 의문이 들 정도이다. 그는 악보를 읽을 줄은 몰랐으나, 문교부 장관과 호형호제하는 사이였으며, 저널리즘계에서 잔뼈가 굵어 상당한 치부를 하기도 했다. 요컨대 그는 수완 좋고 매력 있는 인물로서 일단 오페라 극장에 출자를 하기로 마음먹자, 그 일을 같이 도모하기에 지극히 적당한 인물을 알아볼 줄 알았고, 곧장 피르맹 리샤르를 찾아갔던 것이다.

피르맹 리샤르는 저명한 음악가이자 대단한 호남아였다. 그가 오페라 극장의 새 지배인으로 지명되었을 때의 모습을 《르뷔 데 떼아트르》는 이렇게 스케치하고 있다.

〈피르맹 리샤르 씨는 약 쉰 살쯤 된 남자로 훤칠한 키와 군살 없는 당당한 몸집을 하고 있다. 저명한 사람에게 어울리는 위엄을 갖추었으며, 원기 왕성한 혈색에다 짧게 다듬은 숱 많은 머리카락에, 그와 더없이 잘 어울리는 수염을 기른 용모이다. 또한 매력적인 미소와 담담하고도 적나라한 눈빛이 묘하게 뒤섞일 때는 실제 성격보다 어딘지 좀더 우울한 인상을 풍기기도 한다.

이런 피르맹 리샤르 씨는 매우 이름 있는 음악가이다. 능수능란한 화성학자이자 정교한 대위법 작곡가인 그는 주로 장대한 분위기를 물씬 풍기는 곡들을 만들어내는 걸로 유명하다. 그런가 하면 그의 작품 목록에는 음악애호가들로부터 사랑을 듬뿍 받는 실내악곡들과 피아노 곡들, 독창성 넘치는 소나타와 다른 소품들이 수없이 많다. 예컨대, 콩세르바투아르 음악회에서 연주된 「헤라클레스의 죽음」은 그 장엄한 서사적 호흡으로 자신의 은사이기도 한 글뤽을 연상시킨 바 있다. 그는 또한 글뤽에 못지 않게 피치니도 좋아하며, 그밖에도 마이어베어, 치마로사, 특히 그 누구도 흉내낼 수 없는 베버에 열광하는 걸로도 알려져 있다. 뿐만 아니라, 바그너에 대해서는, 자신이야말로 프랑스 최초로, 아마도 지금까지 유일하게 그를 이해하는 사람이라고 주장하는 데 조금도 주저하지 않는다.〉

잠깐, 이쯤에서 인용을 멈추어야겠다. 이만해도 피르맹 리샤르 씨는 거의 모든 종류의 음악과 음악가들을 좋아하는 사람이라는 결론에 어렵지 않게 도달할 수 있을 테니 말이다. 그러니 그가 내심, 다른 모든 음악가들 역시 자신에게 호의를 가져야 마땅하다고 생각한들 그리 놀랄 일은 아닐 것이다. 한마디로 리샤르 씨는 흔히 말하는 권위주의적인 인물이며, 상당히 고약한 성격을 가진 위인이라고 할 수 있다.

아무튼 두 신임 동업자께서 오페라 극장에 부임한 처음 이틀은 그처럼 장대하고 아름다운 기관을 관장하게 되었다는 뿌듯함을 만끽하는 가운데 지나가 버렸다. 요컨대, 며칠 전 자신들의 배꼽을 빠지게 만들었던 그 익살 아닌 익살이 아직도 끝난 게 아니라는 걸 말해주듯 어떤 뜻밖의 사건이 터지기 직전까지는, 그 유령에 관한 기이한 이야기를 까마득히 잊고 지낸 것이다.

그 날 아침 피르맹 리샤르 씨가 집무실로 출근한 시각은 정확히 11시였다. 비서인 레미 씨는 대여섯 통이 넘는 편지들을 내놓았는데, 하나같이 사적인 서명이 되어 있는 터라 겉봉을 미리 뜯지 않은 상태였다. 한데 그것들 중 유독 한 통의 편지가 리샤르의 관심을 끌었던 것이다. 이유인즉슨, 겉봉에 씌어진 서명이 붉은 잉크로 되어 있을 뿐 아니라, 예전 어디선가 그와 비슷한 필체를 본 듯했기 때문이다. 물론, 그 봉투에 적힌 붉은 필체가 일전에 본 계약 규정서의 수수께끼 같은 가필 글씨의 그것과 일치한다는 걸 깨닫는 데에는 그리 오랜 시간이 걸리지 않았다. 유치하고 뻣뻣한 글자체가 영락없는 그 괴문서의 필체였던 것이다. 그는 지체 없이 봉투를 뜯고 내용을 읽어내려갔다.

친애하는 지배인 선생, 최고 수준의 오페라 단원들의 운명을 결정하고, 그들과의 계약을 갱신 및 종결하시느라 한창 바쁘실 이맘때에 이렇게 귀찮게 해드리게 돼서 죄송한 마음 금할 길 없습니다. 그간 결행하신 작업들은 내가 보기에도 대부분 확실한 전망과 극장의 합의에 근거할 뿐 아니라, 대중의 지식과 취향에도 부합하고 있으며, 나의 경험으로 비추어봐도 거의 혀를 내두를 만한 권위를 갖추고 있는 것으로 사료됩니다. 예컨대, 카를로타 양과 소렐리 양, 고 앙증맞은 잠므 양 및 그밖에도 선생께서 재능과 자질이 출중하다고 생각하는 다른 단원들을 위해 취하신 조치들에 대해 나는 잘 알고 있습니다. — (물론 선생께선 내가 지금 왜 이런 말들을 늘어놓고 있는지 잘 아실 것입니다. 이는 결코 자캥 카페라든가 싸구려 술집에서 벗어나지 말았어야 할, 그 얼간이 같은 목소리의 카를로타 양에 대해 논한다거나, 마차 안에서나 제대로 들릴 만한 성량을 가진 소렐리 양이나, 저 들판의 송아지처럼 춤을 추는 잠므 양을 새삼 이러쿵저러쿵 들먹이려는 의도가 아닙니다. 더구나 재능은 대단하되, 당신의 시기심이 모든 중요 배역으로부터 소외시키고 있는 크리스틴 다에 양에 대한 얘기를 하려는 뜻은 더더욱 아닙니다.) — 요컨대, 당신은 현재 그 알량한 업무를 당신 마음대로 휘두를 수 있는 입장에 있는 것으로 알고 있습니다만…… 안 그런가요? 그럼에도 불구하고 나는 오늘 저녁 당신이 아직 사이벨 역에 크리스틴 다에 양을 출연시켜 그 목소리를 듣고자 다행히 내쫓지는 않았다는 사실을 높이 사고 싶은 심정이랍니다. 비록 마르그리트 역은, 일전에 그녀가 대성공을 거둔 후, 금지시킨 상태일 테지만 말입니다. 아울러 오늘 이후로 내 지정석은 반드시 빈 채로 놔두시길 간절히 바라는 바입니다. 솔직히 요즘 들어 오페라 극장에 왔다가 내 자리가 다른 사람들 차지가 되어 있는 것을 보고 매우 놀랐을 뿐만 아니라, 심히 불쾌했었다는 말씀을 드리지 않을 수가 없습니다. 그것도 당신이 특별히 그렇게 지시했다고 하더군요…….

사실 나는 그에 대해 이러한 항의를 할 생각은 아니었습니다. 왜냐하면 나는 무엇보다 구설수에 휘말리기 싫어하는 성격이며, 나아가 그간 내게 잘 대해주었던 드비엔느 씨와 폴리니 씨가 떠나기 전에 당신에게 아마도 나의 보잘것없는 광기에 관해 충분한 설명을 올리지 않았을지도 모른다고 생각했기 때문입니다. 하지만 드비엔느 씨와 폴리니 씨에게 자초지종을 물어본 결과, 당신이 내가 보낸 계약 규정서를 검토한 바 있다는 대답을 듣게 되었고, 결국 당신이 나를 무엄하게도 우롱하고 있다는 결론에 도달하지 않을 수 없게 되었답니다. 따라서 분명히 말해두건대, 우리가 서로 평화롭게 지내길 원한다면 절대로 내 지정석을 멋대로 빼돌리지 말아야 합니다! 이러한 작은 원칙만 제대로 지켜준다면, 앞으로 나를 지배인 선생의 겸손하고도 원만한 친구로 여겨도 좋을 것입니다.

— 오페라의 유령

편지에는 《르뷔 데 떼아트르》에 실린 자그마한 광고문이 첨부되어 있었는데, 그 내용은 다음과 같았다.

〈오페라의 유령에게 : R(리샤르)과 M(몽샤르맹)의 묵과할 수 없는 과오입니다. 우린 어디까지나 경고를 했었고, 당신의 계약 규정서를 분명 전달한 바 있습니다. 그럼 건강하시길!〉

피르맹 리샤르 씨가 편지를 다 읽었을 때, 별안간 집무실 문이 활짝 열리면서 아르망 몽샤르맹 씨가 똑같은 편지를 손에 쥔 채 황급히 걸어 들어왔다. 둘은 잠시 서로를 멀뚱멀뚱 쳐다보더니 이내 폭소를 터뜨렸다!

"장난이 끝난 게 아니었네! 아쉽게도 좀 썰렁해졌지만 말이야!"

리샤르 씨의 말에 몽샤르맹 씨가 물었다.

"하지만 대체 뭐 하자는 뜻일까? 자기들이 전직 오페라 극장 지배인이었으니 앞으로 지정 박스석 하나쯤은 마땅히 배려해 달라는 말인가?"

그렇게 두 사람은 처음과 마찬가지로 이번에도 두 차례의 문서가 모두 전임자들이 장난스레 고안해낸 교묘한 농담거리로밖엔 생각되지 않았다.

"하여튼 난 왠지 이대로 계속 쓸데없는 장난이나 하고 싶은 생각이 없네!"

피르맹 리샤르가 문득 소리쳤다.

"뭘, 악의가 있는 건 아니지 않은가?"

아르망 몽샤르맹은 손사래를 치며 대꾸했다.

"대체 어쩌자는 거냐구? 오늘 저녁에 좌석을 마련해달라는 건가?"

피르맹 리샤르 씨는 난감한 표정을 지으며 비서에게 만약 자리가 아직 비었거든 2층 5번 박스석을 드비엔느 씨와 폴리니 씨 앞으로 예약해 두라고 지시했다.

마침 좌석은 비어 있었고, 그 즉시 지시는 이행됐다. 한편 드비엔느 씨와 폴리니 씨는 각각 카푸친느 대로의 스크리브가와 오베르가에 거주하고 있었다. 한데 발신인이 오페라의 유령으로 되어 있는 두 장의 편지가 마침 카푸친느 대로에 위치한 우체국에서 발송되었다는 것을 몽샤르 맹은 봉투를 살펴보다 발견했다.

"거 보라구!"

리샤르가 소리쳤다.

두 사람은 어깨를 으쓱하며, 나이도 지긋한 신사들이 어쩌면 그렇게 싱겁기 그지없는 장난을 즐길 수 있는지 한심해 했다.

"아무리 그래도 그렇지, 좀 예의는 갖춰야 하는 거 아니냐구! 자네도 봤지만, 카를로타 양과 소렐리 양, 그리고 잠므 양에 대해 그들이 우릴 어떻게 취급했는가!"

몽샤르맹이 발끈하자, 리샤르는 쓴웃음을 지었다.

"여보게, 저들은 아마도 우릴 보고 배가 아파 안달이 나는가 보이…… 잡지에다 돈주고 광고까지 싣는 걸 좀 보게나…… 그렇게도 할 일이 없을까?"

"좌우간, 저들은 아무래도 고 예쁘장한 크리스틴 다에 양에게 꽤나 관심이 있는 것 같으이……."

"자네도 나만큼 잘 알지 않나, 그녀가 정숙하기로 얼마나 평판이 높은지……."

리샤르의 말에 몽샤르맹은 한쪽 눈을 윙크하며 대꾸했다.

"하하, 그깟 평판이라는 것은 종종 어줍잖게 얻어지곤 하지! 날 보게! 음악에 그럭저럭 조예가 깊다고는 하지만 실제로는 '솔' 음계와 '파' 음계 사이의 차이점도 제대로 모르질 않은가 말이네!"

그러자 리샤르는 혀를 끌끌 차며 이렇게 말했다.

"이것 봐, 자네가 음악에 조예가 깊다는 평판이 있다는 얘긴 처음 들어보는구만…… 그러니 안심하게!"

그리고는 피르맹 리샤르는 수위에게 벌써 두 시간이나 현관 복도에서 기다리고 있는 가수들을 차례차례 들여보내도록 지시했다. 그들은 하나

같이 돈이나 명성, 혹은 해고 결정이 떨어질지를 조바심 어린 마음으로 기다리며 지배인의 집무실 문 밖을 서성이고 있었던 것이다.

　그렇게 하루 나절이 계약의 파기나 성사를 둘러싼 이런저런 면담을 진행하느라 지나갔다. 온갖 짜증과 술수, 청원과 협박, 꾸중과 칭찬으로 점철된 피곤한 하루 업무를 마치자마자 두 지배인은 두말할 것도 없이 5번 박스석에 드비엔느 씨와 폴리니 씨가 과연 앉아서 공연 관람을 잘 하고 있는지는 전혀 확인할 생각 없이 허겁지겁 귀가를 서둘렀다. 이전 지배인들이 퇴임한 이후, 오페라 극장은 단 한 차례도 휴장한 적 없이, 리샤르 씨의 주관하에 필요한 몇몇 조치만 취한 채 유지되고 있었다.

　다음날 아침, 리샤르 씨와 몽샤르맹 씨는 각각 두 통의 우편물을 발견했는데 그 하나는 유령에게서 온 감사 편지였다.

　　친애하는 지배인 선생,
　　우선 멋진 저녁 공연을 베풀어주셔서 감사 드립니다. 역시 다에는 우아하기 이를 데 없었고, 카를로타는 화려하지만 평범한 악기에 불과했습니다. 합창단에는 좀더 신경을 써야겠더군요. 이제 가급적 빠른 시일 내에 내 24만 프랑에 대해 답변을 주셔야 하겠습니다. 정확히는 23만 3천 4백 24프랑 70상팀입니다만. 드비엔느 씨와 폴리니 씨가 내 연봉의 첫 열흘에 해당하는 6천 5백 75프랑 30상팀을 이미 지급해주셨기 때문입니다.
　　그럼 이만……

　　　　　　　　　　　　　　　　　　— 오페라의 유령

　또 다른 하나는 드비엔느 씨와 폴리니 씨에게서 온 편지였다.

　　안녕하신지요?

신경을 써주셔서 감사 드립니다. 하지만 「파우스트」 공연을 다시 듣게 되는 것이 아무리 기분 좋은 일이라 해도, 우리에게 2층 5번 박스석을 차지할 권리가 없다는 사실을 망각할 정도는 아니라는 점을 상기시켜 드리는 바입니다. 그곳은 일전에도 말씀드린 바 있는 분을 위해 남겨 두어야 하는 자리이니까요. 계약 규정서의 제 63번 항목의 마지막 별행 내용을 잊진 않으셨겠죠?

그럼 안녕히 계십시오.

"아! 이 사람들 정말 해도 너무하는구만!"

마침내 피르맹 리샤르는 편지를 거칠게 구기면서 소리쳤다.

그러면서 그 날 저녁 역시 문제의 5번 박스석을 개방했다.

다음날, 집무실에 나온 리샤르 씨와 몽샤르맹 씨는 전날 저녁 2층 5번 박스석에서 벌어진 일과 관련해 제출된 경비원의 보고서를 접하게 되었다. 다음은 그 내용을 요약한 것이다.

〈오늘 저녁 — 보고서는 전날 저녁 때 씌어진 것이다 — 공연 제2막 시작 때와 중간 부분 두 차례에 걸쳐 2층 5번 박스석을 비우기 위해 경찰대의 지원을 받아야만 했다. 그곳에 착석했던 관객들이 — 그것도 2막이 시작될 때 들어온 사람들인데 — 시끄럽게 웃어대면서 말도 안 되는 잔소리를 늘어놓느라 상당한 물의를 일으켰기 때문이다. 물론 주위에선 제발 조용히 좀 하라고 난리였다! 도저히 안되겠다 싶었는지, 마침내 여자 안내원이 도움을 요청했고, 곧장 본인이 가서 필요한 주의조치를 취했다. 한데 그들은 도무지 제정신이 아닌 사람들처럼 횡설수설만 해대는 것이었다. 나는 다시 한번 더 소란을 일으키면 강제로라도 좌석을 비우겠노라고 경고를 했다. 하지만 그곳을 나오자마자 또다시 떠들썩한 웃음소리와 다른 관객들의 항의소리가 들려오는 바람에, 하는 수 없이 경찰의 지원을 받아, 경고했던 대로 강제 퇴실을 시행하게 되었다.

그들은 여전히 히죽거리면서 돈을 도로 환불해주지 않으면 결코 나가지 않겠노라며 고집을 부렸다. 잠시 후, 다시 진정을 되찾은 것으로 보여, 그들을 도로 좌석에 들여보냈는데, 얼마 지나지 않아 다시 웃음소리가 들렸고, 이번엔 단호하게 퇴실 처분을 내렸다.〉

"경비원을 데려오도록 하게!"

리샤르는 그러지 않아도 제일 처음 이 보고서를 읽고 푸른 색연필로 밑줄까지 그어놓은 비서에게 버럭 소리쳤다.

비서인 레미 씨는 — 스물네 살로서, 섬세한 콧수염을 기르고 우아한 인상에 당당한 체격을 갖춘 젊은이인데 — 낮 시간 동안엔 의무적으로 프록코트 차림이어야 했고, 지배인 앞에선 늘 눈치 빠르고 조심성 있는 태도를 갖춰야 했으며, 연봉 2천 4백 프랑을 받는 입장이었다. 그가 하는 일은, 쌓인 신문을 죄다 열람하고, 자질구레한 편지들에 답장을 작성하며, 약속을 조정하고, 대기중인 손님들에게 말상대를 해주고, 어디가 아픈 배우를 데리러 가며, 그래도 펑크가 날 경우 대역을 물색하고, 극장의 각 책임자들과 의견을 조율하는 등등인데, 어느새 미리 연락을 취해놨는지, 즉각 경비원을 들여보내는 것이었다.

리샤르는 머뭇머뭇하는 그에게 퉁명스레 말을 던졌다.

"자, 대체 어찌 된 일인지 좀 들어봅시다!"

경비원은 보고서에 기술된 내용을 빠르게 풀어나갔다.

"한데 그들이 대체 무엇 때문에 그렇게 웃고 난리를 쳤단 말입니까?"

몽샤르맹은 답답하다는 듯 소리를 쳤다.

"지배인 선생님, 그들은 아무래도 저녁을 푸짐하게 먹어놔서 가만히 잠자코 앉아 음악에 귀를 기울이기보다는 마음껏 웃고 떠들 기분이었던가 봅니다. 한 가지 이상한 점은, 그들이 처음 극장 박스석에 들어서자마자 곧장 밖으로 다시 나오더니 여자 안내원을 황급히 찾더라는 겁니다. 그래서 무슨 일이냐고 하자, 다짜고짜 박스석에 아무도 없질 않느냐고 반문하더라는 겁니다. 그래서 안내원이 당연히 아무도 없을 거라고 하자, 그들 얘기가, 자신들이 박스석에 들어가려는데 문득 '여긴 누가 있소이다!' 라고 웬 목소리가 들렸다는 겁니다!"

그 대목에서 몽샤르맹 씨는 나오는 웃음을 가까스로 참으며 리샤르 쪽을 흘낏 보았는데, 친구는 왠지 전혀 웃는 기색이 아니었다. 사실 그는 이런 식의 에피소드에는 아주 '이력이 난 처지' 라, 보통 처음엔 당하는 사람마저 흥겹게 하다가도 급기야는 짜증을 내게 만드는 그 속에 담긴 농간을 간파하지 못할 만큼 아둔하지가 않았다.

한편 경비원은 또 나름대로 몽샤르맹 씨의 웃는 분위기에 보조를 맞추느라, 자신도 웃어야 하는 게 아닌가 망설이고 있었다. 하지만 그건 화를 자초하는 웃음이었다! 리샤르의 이글거리는 시선과 마주치자마자, 어색하게 웃음을 지으려던 경비원의 표정은 허겁지겁 꼬리를 감추고 바짝 경직된 얼굴로 돌아온 것이었다.

"하여튼 그들이 처음 도착했을 때 분명 박스석 안에 사람이 없었던 거죠?"

리샤르는 무시무시하게 일그러진 표정으로 던지듯 물었다.

"아무도 없었습니다, 지배인님! 개미새끼 한 마리도 얼씬하지 않았어요! 오른쪽 박스석도 왼쪽 박스석도 전혀 사람이 없었습니다, 제가 장담합니다! 맹세라도 할 수 있습니다! 그러니까…… 아마도 이 모든 게 그저 하찮은 장난이 아니었나 생각합니다!"

"그 여자 안내원은 뭐라고 하던가요?"

"아, 그 여자 안내원 말이군요…… 그야 별거 아닙니다만…… 그 왜 있지 않습니까? 오페라의 유령이라고 말이죠…… 그게 있었을 거라고 하더군요……."

그러면서 경비원은 히죽히죽 웃었다. 하지만 그는 곧장 웃어야 될 상황이 전혀 아니라는 걸 또다시 깨닫게 되었다. '오페라의 유령' 이라는 말을 입 밖에 내자마자 그저 다소 어둡기만 했던 리샤르 씨의 표정이 돌연 붉으락푸르락 변해가는 걸 보았던 것이다.

"지금 당장 그 여자 안내원을 데려오시오! 지금 당장! 그 여편네를 대령하라구! 그리고 모두 밖으로 나가 있어!"

경비원은 일순 뭐라고 말을 하려 했지만 리샤르가 워낙 악을 쓰며 "닥치시오!"라고 소리치는 바람에 입을 떼지 못했다. 아마 이 대(大) 극장 지배인이 다시 허락을 하지 않는다면 그 가엾은 경비원의 입술은 영원히 떨어지지 않을지도 모를 태세였다.

"대체 그 '오페라의 유령'이라는 것이 뭐요?"

어디 물어나 보자는 투로 리샤르가 질문을 던졌는데도 된통 주눅이 든 경비원은 입도 뻥긋하지 못했다. 하지만 그 난감해 하는 표정 속에는, 그 존재라면 자신 또한 잘 알지도 못할뿐더러, 알고 싶지도 않다는 생각이 충분히 들여다보이는 것이었다.

"그 오페라의 유령, 한번 보기는 본 거요?"

경비원은 이번에는 지나치다 싶을 정도로 씩씩하게 고개를 가로 저었다.

"그럼, 안 됐지만 할 수 없지……."

리샤르는 내뱉듯 싸늘하게 말했다.

경비원은 눈이 휘둥그레지면서 지배인이 대체 무슨 뜻으로 그런 말을 한 건지 의아해 했다.

그러자 리샤르 씨는 단호한 어조로 이렇게 덧붙이는 것이었다.

"앞으로 유령인지 뭔지를 직접 보지도 못했으면서 함부로 주둥아리를 놀리는 자들은 가만두지 않을 작정이오! 누구든 직접 보지 못했다면 놈은 절대로 인정할 수가 없는 법이니까! 각자 자기 일에 충실하기나 할 것이지……."

5
지리 부인의 놀라운 경험담

　그렇게 내뱉고 나서 리샤르씨는 더 이상 경비원에겐 눈길 한번 주지 않고, 마침 들어선 부지배인과 여러 잡다한 일들을 처리하기 시작했다. 이젠 나가봐도 되는 건가 하는 생각에서, 경비원은 천천히, 아주 천천히, 슬금슬금 문쪽으로 뒷걸음질치고 있었다. 한데 별안간 우레와도 같은 목소리로 리샤르 씨는 "누가 움직이라고 했소!"하고 소리치는 것이었다.

　한편 경비원 혼자 당하고 있는 걸 안쓰럽게 생각한 레미 씨는, 오페라 극장에서 엎어지면 코 닿을 데인 프로방스가에 사는 여자 안내원을 호출했고, 그녀는 즉시 모습을 나타냈다.

　"이름이 무엇이오?"

　"지리 부인이라고 불러주십시오. 지배인님도 잘 아시겠지만, 지리 양, 그러니까 이쁜이 멕의 어미 되는 사람입니다."

　근데 그렇게 말하는 목소리가 어찌나 당당하고 투박스러웠던지, 잠시 리샤르 씨를 움찔하게 만들었다. 그는 지리 부인을 찬찬히 뜯어보았다 (색이 바랜 숄을 걸치고 닳고닳은 신발에다, 호박단으로 만든 낡은 옷과 거무튀튀한 색깔의 깃털 달린 모자를 쓴 모습이었다!). 그러는 그의 눈빛 속에는 지리 부인은 물론 지리 양이든 '이쁜이 멕' 이든 전혀 알지도 못하고 안중에도 없다는 심정이 역력히 드러나 있었다. 사실 오페라 극장 안내원으로서의 지리 부인의 자긍심은 대단해서, 그녀 스스로가 모든 사람들이 자신을 알고 있으리라 막연히 상상하는 형편이었다.

마침내 지배인이 퉁명스레 말을 던졌다.

"전혀 모르는 이름이군! 여하튼 난 어제 저녁 당신이 무슨 꼴을 당했기에 경비원 선생과 함께 경찰들까지 이 극장 안에 끌어들여야 했는지를 알아야만 하겠소!"

"그러지 않아도 저는 지배인님을 찾아뵙고 모든 걸 말씀드리려 했습니다. 드비엔느 씨와 폴리니 씨가 당한 험한 꼴을 면하게 해드리려고요…… 그 분들도 처음에는 제 말을 들으려고 하지 않았지요……."

"그딴 얘기를 듣자는 게 아니오! 난 어제 저녁에 일어난 일을 알고 싶단 말이오!"

지리 부인은 부아가 나는지 얼굴이 벌겋게 상기되었다. 여태껏 어느 누구도 자신에게 그처럼 무례한 말투로 얘기한 적이 없었기 때문이다. 그녀는 치마 주름을 부여잡고 의연하게 모자의 깃털 장식을 추스르며 벌떡 일어나 당장이라도 문을 박차고 나갈 태세였다가, 다시 생각을 고쳐먹은 듯, 자세를 바로 하고 앉아 깐깐한 말투로 내뱉듯 말했다.

"어제 저녁 일은 아직도 사람들이 유령을 귀찮게 굴기 때문에 일어난 일입니다!"

순간 리샤르 씨의 감정이 폭발 직전까지 치닫는 것을 보고, 몽샤르맹 씨가 얼른 개입해서 질문을 이끌어갔다. 알고 보니 지리 부인은 아무도 없었던 박스석에서 누가 있다는 목소리가 들려온 것을 지극히 당연하다 생각하고 있었다. 하긴 그녀에겐 별로 새로울 것도 없는 일이지만, 그처럼 말도 안되는 현상은 유령이라는 존재 말고는 도저히 설명이 안된다는 게 그녀의 주장이었다. 박스석 안에서 유령을 목격한 사람은 없지만, 그의 목소리는 들을 수 있다는 거였다. 그녀 역시 한두 번 그 소리를 들은 게 아닌데, 워낙에 거짓말은 못하는 성격이라 모두가 그녀의 그런 경험담을 믿는 편이었다. 그건 드비엔느 씨와 폴리니 씨에게 물어봐도 되고, 그녀를 아는 다른 모든 사람에게 물어도 마찬가지일 텐데, 특히나 유령이 다리를 부러뜨렸다는 이지도르 사크 씨의 말을 들어보는 게 가장 좋을 거라고 그녀는 거침없이 강변했다.

"호오! 그게 정말이오? 그 가엾은 이지도르 사크의 다리를 부러뜨린 게 바로 그 유령이란 말이오?"

몽샤르맹 씨가 믿어지지 않는다는 듯 혀를 내둘렀다.

지리 부인은 어떻게 그 사실을 아직도 모를 수가 있냐며 눈을 휘둥그레 떴다. 그리고는 하는 수 없이 이 두 딱한 남자에게 미주알고주알 일일이 가르쳐주기로 했다.

그 일은 드비엔느 씨와 폴리니 씨가 재임했던 시절, 「파우스트」가 공연되던 날 바로 5번 박스석에서 일어난 것이었다.

지리 부인은 헛기침을 한 번 하고는 목소리를 가다듬었고…… 이내 이야기를 풀어나가기 시작했는데…… 누가 보면 마치 구노의 악곡 하나라도 막 부르려고 준비하는 걸로 여겼을지 모른다.

"그러니까 그게 말이죠…… 그 날 저녁 박스석 맨 앞에 모가도르 가의 보석상인 마니에라 씨와 그 부인이 앉아 있었고, 그 바로 뒤에 그녀의 내연의 남자 친구인 이지도르 사크 씨가 있었습니다. 무대 위에선 메피스토펠레스가 막 노래를 부르고 있었죠. *(그러면서 지리 부인은 목청을 돋우어 노래를 불렀다.)* '잠자는 척하는 그대여!' 그런데 마니에라 씨의 오른쪽 귓가에서(그의 아내는 왼쪽에 앉아 있었구요) 문득 이런 목소리가 들리더래요. '아하, 쥘리는 잠자는 척하는 게 아닌데……' (아내의 이름이 쥘리였거든요). 마니에라 씨는 대체 누가 자기 귀에다 대고 속삭이는지 보려고 황급히 오른쪽으로 고개를 돌렸대요. 한데 아무도 없더라는 거예요! 그는 애꿎은 귀를 문지르면서 이렇게 중얼거렸죠. '내가 꿈을 꾸는 건가? 무대 위에선 여전히 메피스토펠레스의 독창이 이어지고 있구요…… 어, 근데 혹시 제 얘기가 지루하진 않은지요?"

"아뇨! 아뇨! 어서 계속하시오……"

"정말 친절도 하셔라…… (그러면서 지리 부인은 짐짓 감격했다는 표정을 과장했다) 자, 그럼 계속해서 메피스토펠레스의 노래가 이어집니다(지리 부인의 노래가 이어진다.)! '사랑하는 카트린느여 — 어찌하여 외면하시나요 — 이 간곡한 연인의 키스를? —' 그런데 또 다시 마니에라 씨의 오른쪽 귓가에 이상한 목소리가 들리더라는 겁니다. '아하, 이 지도르의 키스를 거부할 쥘리가 아니지……' 깜짝 놀란 마니에라 씨는, 이번에는 오른쪽이 아니라 자기 아내가 앉아 있는 왼쪽으로 고개를 돌렸답니다. 한데 그가 무엇을 보았을까요? 글세 이지도르가 아내의 장갑 낀 손을 뒤에서 붙잡고는 그 손바닥에 열렬히 키스를 퍼붓고 있는 게 아니겠습니까! 이렇게 말입니다…… (그러면서 지리 부인은 자신의 풀솜 실로 짠 장갑 틈바구니로 살짝 드러난 살갗에다 키스를 해댔다.) 자, 짐작하시겠지만 그냥 곱게 넘어갔을 리가 없겠죠! 여기 리샤르 씨처럼 덩치가 당당한 마니에라 씨가, 기품 있는 거만 빼고는 몽샤르맹 씨처럼 가냘픈 몸집과 꼭 닮은 이지도르 사크 씨 따귀를 보기 좋게 따닥! 후려갈겼지 뭡니까…… 정말 난리였죠! 관객석이 발칵 뒤집혔고, '그만들 좀 해요! 이러다 사람 죽이겠어!' 하는 소리가 여기저기서 튀어나오고…… 그 바람에 이지도르 사크 씨는 간신히 도망칠 수 있었죠……."

"아깐 유령이 그 사람 다리를 부러뜨렸다면서, 그게 아니었소?"

몽샤르맹 씨는 내심 자신의 몸집이 이 부인의 눈에 그처럼 보잘것없이 비춰진 걸 은근히 언짢아하면서 다그쳐 물었다.

"웬걸요, 틀림없이 유령이 한 짓입니다! (몽샤르맹 씨의 기분을 눈치챈 지리 부인은 오히려 목소리를 한층 높여서 대꾸했다.) 극장의 중앙 계단을 허겁지겁 달려 내려오던 그의 다리몽둥이를 단번에 부러뜨린 걸요! 결국 웬만해선 다시 그 계단을 오를 수 없을 만큼 호되게 말이 죠……"

"그건 그렇다 치고, 마니에라 씨에게 속삭였다는 그 귓속말을 그래 유 령 자신이 당신에게 이야기해주기라도 했단 말입니까?"

역시 몽샤르맹 씨는 기분이 풀리지 않은 듯 일부러 꼬치꼬치 트집을 잡았다.

"천만에요, 선생님! 그건 마니에라 씨 자신이 직접 내게 얘기해준 겁 니다."

"한데, 당신 말이오, 그래 유령과 얘기를 나눈 적은 없나요?"

"왜요, 있지요…… 지금 이렇게 여러분과 얘기를 나누듯이요……"

"그럼 유령이 당신에겐 뭐라고 하더이까?"

"아, 그거요…… 작은 의자나 하나 갖다달라고 했었죠!"

그 말을 하면서 지리 부인의 얼굴 표정이, 마치 중앙 계단에 열 지어 버티고 선 피레네 산 결무늬 대리석 기둥들처럼, 붉은 핏줄이 도드라지 게 드러나는 누르스름한 빛깔을 띤 채 자못 근엄한 체를 하는 바람에, 이번만큼은 리샤르 씨조차 몽샤르맹 씨와 레미 씨와 함께 실소를 터뜨 리고야 말았다. 다만 경비원은 한번 혼쭐난 적이 있었는지라, 조금도 웃 지를 않았다. 그는 벽에 기대 선 채 호주머니 속의 열쇠 꾸러미를 만지 작거리며, 언제 이 엉뚱한 이야기가 끝날지 기다리고만 있었다. 그러면 서, 지리 부인이 계속해서 그 '깐깐한 말투'로 이야기를 진행할수록 지 배인 선생의 화만 더 돋구게 될 텐데, 하며 걱정하는 눈치였다. 그런데 앞에 있는 사람들이 웃음을 터뜨리는 걸 본 지리 부인은 그야말로 단단 히 약이 오른 듯 험상궂은 인상을 짓는 것이었다!

"그렇게 웃고만 있을 게 아니라, 폴리니 씨처럼 알아서 기는 게 좋을 겁니다!"

마침내 바짝 독이 오른 투로 지리 부인이 이죽거리자, 아직도 웃음을 참지 못하겠다는 표정의 몽샤르맹이 물었다.

"알아서 기다니, 대체 누구한테 말인가요?"

"그야 물론 유령한테죠! 자, 자*(그러면서 마치 이번엔 정말 중요한 얘기라는 듯이 갑자기 목소리를 낮췄다.)*…… 내 얘기를 좀 잘 들어봐요…… 마치 어제 일처럼 기억이 생생하다구요!「유태인 여자」를 공연할 때였어요. 폴리니 씨는 그날따라 유령의 박스석에서 혼자 관람하길 원했었죠. 크라우스 양이 엄청난 성공을 거둔 공연이었어요. 제2막의 노래가 불려지는데…… *(그러면서 지리 부인은 또 나지막이 노래를 부르기 시작했다.)*

> 내 사랑하는 이 곁에서
> 한평생 살다 죽고 싶네
> 그러면 죽음이 온다해도
> 우린 헤어지는 게 아니리!

"그만 됐어요, 됐어! 알겠다구요!"

시큰둥한 미소를 지으며 몽샤르맹 씨가 끼여들었다.

하지만 지리 부인은 모자의 깃털 장식을 이리저리 흔들며 계속해서 나지막한 목소리로 흥얼거리는 것이었다.

> 떠나자! 떠나자꾸나! 이 세상 떠나 하늘 나라로
> 똑같은 운명이 이제 우리 두 사람을 기다리누나!

"제발 그쯤 해두고…… 그 다음, 그 다음 말이오!"

또다시 안달이 나기 시작한 리샤르가 다그쳤다.

"아마 그쯤이죠, 레오폴드가 '도망치자!' 라고 외치는 게? 그런데 바로 그때 엘레아자르가 두 사람을 붙잡고는 이렇게 묻죠, '어딜 그리 달려가세요?' 네, 바로 그 대목에서였어요! 마침 제가 바로 옆의 빈 박스석 구석에서 지켜보고 있었는데, 폴리니 씨가 갑자기 벌떡 일어서더니 목석처럼 뻣뻣하게 자리를 뜨는 거였어요! 내가 가까스로, 마치 엘레아자르처럼, '어딜 그리 달려가세요?' 라고 물었지만, 대답은커녕 흡사 죽은 사람처럼 안색만 하얗게 변하더라구요! 그가 다급하게 계단을 내려가는 걸 봤는데, 다행히 넘어지지는 않더군요…… 하지만 걷는 폼이 마치 무슨 악몽을 꾸고 있는 것처럼 위태위태하게 보였어요. 어디로 가고 있는 건지 자신도 모르는 것 같더라구요…… 오페라 극장 구조를 그 누구보다도 훤히 꿰뚫고 있다는 그 분이 말이에요!"

거기까지 이야기한 후, 지리 부인은 잠시 말을 멈추고 자신의 애기가 어떤 반응을 불러일으키는지 가만히 살펴보았다. 한데 몽샤르맹 씨만 고개를 설레설레 흔들고 있었다.

"도대체 지금 하는 애기와 그 유령이 당신에게 무엇 때문에, 어떻게 작은 의자 하나를 부탁했는지가 무슨 상관이 있는지 모르겠소!"

"글쎄요…… 하여튼 그런 일이 있었던 바로 그 날 저녁 이후로 더는 아무도 우리의 유령을 귀찮게 하지 않았단 말입니다…… 더 이상 그의 지정 박스석에 시비를 걸지 않았다구요! 드비엔느 씨와 폴리니 씨가 직접 따로 지시를 내려 그 박스석을 유령에게 매 공연마다 제공하도록 했단 말입니다. 그런 다음에 유령이 그 박스석에 와서 나더러 작은 의자 하나를 부탁한 거구요……."

"허허, 그러니까 작은 의자를 부탁했다면, 그 유령이 여자이겠구만?"
몽샤르맹이 비꼬듯 물었다.

"아뇨, 유령은 남자예요!"

"어떻게 그걸 알죠?"

"남자 목소리를 가졌으니까요, 오! 그것도 얼마나 그윽한 목소리인지…… 그러니까 이렇게 된 겁니다…… 유령은 대개 제1막 중간쯤 돼서야 극장에 나타나는데, 5번 박스석 문을 간명하게 딱 세 번만 두드리곤 했지요. 한데 거기가 비어 있는 걸로 알고 있던 나로서는 그 소리를 처음 들었을 때 얼마나 당황했겠습니까! 문을 활짝 열어보았지만, 물론 아무도 없었지요. 그런데 바로 그때 어떤 목소리 하나가 이렇게 들리는 거였어요. '마담 쥘르(죽은 남편의 성이 쥘르였다), 미안하지만 작은 의자 하나 부탁하오……' 말이 좀 뭐하지만, 나는 그만 홍당무처럼 새빨개지고 말았어요…… 목소리는 계속 들려왔죠. '마담 쥘르, 두려워하지 마시오. 나는 오페라의 유령이라오!!!' 언뜻 목소리가 나는 쪽 구석을 바라보았는데, 그 목소리가 워낙 점잖고 우호적이라 저절로 두려움이 가라앉더라구요. 내 장담하건대, 지배인 선생님, 그 목소리의 주인공은 분명 *오른쪽에서 제일 첫번째 열의 첫 안락의자에 앉아 있었습니다.* 말하자면, 눈에 보이지 않는다는 것만 빼고는, 누구라도 그 위에 어떤 점잖은 사람이 앉아서 이야기하고 있다 생각했을 거란 말입니다!"

"혹시 5번 박스석이 아니라, 그 바로 오른쪽 박스석에 사람이 있었던 건 아니구요?"

"아뇨, 그 왼쪽의 3번 박스석이나 마찬가지로 바로 오른쪽인 7번 박스석은 그때 텅텅 비어 있었죠. 아직 공연이 시작된 지 얼마 안됐을 때이니까요……"

"그래, 어떻게 했소?"

"그냥 작은 의자를 갖다주었죠. 한데 틀림없이 그건 자기 자신을 위한 게 아니라, 아내를 위해 주문한 거였을 겁니다! 물론 그녀 역시 눈에 보이지 않았고, 소리마저도 듣지 못했지만요……"

아니, 그럼 유령한테 마누라까지 있었단 말인가! 그 순간, 리샤르 씨와 몽샤르맹 씨의 시선은 지리 부인을 떠나 천천히 경비원에게로 옮겨갔다. 아까부터 여자 안내원 뒤에 서 있던 그가 두 사람의 주의를 끌려고 손을 흔들고 있었던 것이다. 그는 검지손가락으로 자신의 이마를 톡톡 두드리는 시늉을 하며 두 지배인들에게 지리 부인이 아무래도 제 정신이 아닌 것 같다는 신호를 보내고 있었다. 하지만 그런 그의 제스처는, 정신 나간 여자를 애를 쓰고 비호하려 하는 경비원 따윈 정말 질색이라는 생각만 리샤르 씨에게 불러일으켰을 뿐이다. 좌우간 이 넉살 좋은 여성은 이제 아예 유령의 관대함을 떠벌이면서까지 이야기를 늘어놓고 있었다.

"공연이 끝나면 그는 항상 내게 40수짜리 동전 한 닢을 주곤 했는데요, 어떨 때는 100수를, 심지어 가끔 오랜만에 올 때는 10프랑까지 주기도 했답니다. 아무것도 주지 않게 된 건, 최근 다시 사람들이 그를 귀찮게 군 다음부터지요……"

"잠깐만, 잠깐만요, 아줌마…… (이런 함부로 대하는 말투에 부인의 모자 깃털이 바르르 또 한번 떨렸다). 제발요! 대체 눈에 보이지도 않는다는 그 유령이 어떤 식으로 당신에게 40수를 주었단 말인가요?"

몽샤르맹이 발끈하며 물었다.

"내 참! 박스석 안의 작은 탁자에 놓아두었지요! 늘 내가 가져다 주던 프로그램과 함께 있었다구요! 심지어는 함께 온 아내의 옷에서 떨어진 게 분명한 장미꽃송이가 박스석 안에 뒹굴던 저녁도 꽤 됐어요. 아참, 한번은 부채를 놔두고 간 적도 있었답니다!"

"아하, 유령이 부채를 놔두고 갔다, 이 말인가요? 그래 그건 어쨌소?"

"그야 나중에 돌려주었죠."

그 때 경비원이 불쑥 끼여들었다.

"이것 보세요, 지리 부인! 그렇다면 극장 규칙을 어겼군요! 벌금을 내셔야겠습니다!"

"닥치시오! 바보 같으니라구……."

즉각 리샤르의 나직한 목소리가 가차없이 튀어나왔다.

"그래 부채는 돌려주었다 치고, 그 다음은?"

"당연히 그들이 도로 가져가버렸죠. 공연이 다 끝나고 가보니 탁자 위에 부채는 없고, 그 대신 내가 무척 좋아하는 영국산 봉봉 사탕이 한 상자 놓여 있더라니까요! 얼마나 친절한 유령인지······"

"좋소, 지리 부인······ 이제 그만 가봐도 좋소······"

지리 부인은 여전히 위엄은 잃지 않으면서 되도록 공손하게 인사를 하고 방을 나갔다. 두 지배인은 그 즉시 경비원에게 저런 미친 여자는 더 이상 일을 시킬 수가 없다고 하고는, 이제 나가봐도 좋다고 말했다.

경비원이 마지막으로 극장을 위해 자신이 얼마나 헌신적으로 일하는지 두서 없이 늘어놓은 다음 방을 나가자, 두 지배인은 이번엔 부지배인에게 경비원을 알아서 처리하라고 일렀다. 마침내 단 둘이 남게 된 지배인들은 지금 당장 5번 박스석을 좀 둘러봐야겠다는 생각이 거의 동시에 머리 속에 떠올랐다.

이제 잠시 후, 독자 여러분은 그들을 따라가 볼 것이다.

6
신들린 바이올린

    나중에 다시 언급하겠지만, 일련의 음모에 희생된 크리스틴 다에는 그 날 저녁 공연에서와 같은 대단한 성공을 극장 안에서는 다시 경험하지 못하고 있었다. 다만 그 이후 시내의 취리히 공작부인 댁에 초청을 받는 기회가 생겨, 자신의 레퍼토리 중 가장 아름다운 몇 곡을 선보일 수 있었다. 다음은 그곳에 초대받아 참석했던 유명인사들 중 저명한 비평가인 아무개 씨가 그녀에 대해 논평한 내용이다.

    "그녀가 「햄릿」의 한 대목을 부르는 걸 듣자니, 셰익스피어가 직접 이곳 샹젤리제로 납셔서 그녀로 하여금 오필리아를 재현하도록 한 게 아닐까 하는 생각이 들 정도이다…… 또한 그녀가 밤의 여왕처럼 반짝거리는 왕관을 쓰고 노래를 부를 땐, 죽은 모차르트마저 저 피안의 세계에서 뛰쳐나와 그것을 들으러 지상에 내려올 것만 같은 게 사실이다. 아니, 그게 아니다. 모차르트가 굳이 자리를 옮길 필요가 없다. 「마적(魔笛)」을 신들린 듯 불러대는 이 가수의 가늘고도 떨리는 음성이 직접 하늘나라로 그를 찾아가 노래를 들려줄 테니 말이다!"

    하지만 취리히 공작부인 댁에서의 그 날 저녁 이후, 크리스틴은 더 이상 사교계에서 노래를 부르지 않았다. 실제로 그녀는 모든 초청을 일언지하에 거절했고, 여하한 사례금도 받지 않았다. 뿐만 아니라, 예전에 참석을 약속했던 자선파티에조차 이렇다 할 이유도 없이 불참하는 것이었다. 요컨대 그녀는 마치 자신의 운명을 방기하고, 새로운 성공을 두려워하는 것처럼 행동했다.

그녀는 샤니 백작이 동생을 기쁘게 해주기 위해서 리샤르 씨에게 자신에 대해 매우 적극적으로 칭찬을 해주었다는 사실은 알고 있었다. 그래서 그에게 고맙다는 편지를 썼고, 그와 아울러 더는 지배인에게 자기 얘기는 하지 말아주었으면 좋겠다는 부탁도 곁들였다. 물론 사람들은 대체 그녀가 왜 그런 이상한 태도를 취하는지 알 길이 없었다. 혹자는 터무니없는 오만이라고 꼬집는가 하면, 그야말로 신성한 겸손이라며 찬사를 퍼붓는 이들도 있었다. 하지만 누구든 무대에 오르는 입장이라면 그토록 겸손할 수만은 없는 법이다. 사실 나로선 이 단어를 굳이 써야 할지 판단이 서지 않지만, '질겁했다'는 말로 그녀의 상태를 표현하고 싶은 마음이다. 그렇다, 크리스틴 다에는 그 당시 자신에게 벌어진 일로 인한 엄청난 두려움에 사로잡혀 있었으며, 그녀 주변의 다른 모든 사람들과 마찬가지로 어안이 벙벙한 상태였을 것이다. 어안이 벙벙하다……글쎄, 어디 한번 보자! 마침 여기 당시의 사건에 대해 크리스틴이 직접 남긴 편지가 한 장 있다(페르시아인의 소장품이었다). 그것을 되풀이해 읽어보면, 크리스틴이 자신의 성공에 대해 어안이 벙벙하거나, 심지어는 질겁하는 차원을 훌쩍 뛰어넘어, *소름이 끼치기까지* 했다고 능히 말할 수 있을 정도이다. 그렇다, 소름이 끼치는, 그런 상태…… "노래를 부르면서 더 이상 제정신을 차릴 수 없을 정도랍니다!"라고 말하고 있질 않은가!

가엾고도, 순수하고도, 아름다운 아가씨!

그녀는 어디에도 모습을 드러내지 않았고, 샤니 백작의 동생인 샤니 자작은 그녀와 마주칠 만한 장소를 배회하며 속절없이 애만 태우고 있었다. 그는 제발 집에 한번이라도 방문할 수 있도록 허락해달라고 조르는 편지를 써보낸 후, 목이 빠져라 답장을 기다린 끝에, 겨우 이런 쪽지를 한 장 받았을 뿐이었다.

〈선생님, 저는 아직도 제 스카프를 건지러 바다로 뛰어든 귀여운 소년을 잊지 않고 있습니다. 오늘 저는 신성한 의무를 다하러 페로(역자주 : 페로기렉 Perros-Guirec으로, 프랑스 북서부 브르타뉴 지방의 지명 이름)로 떠날 예정이기에 이렇게 편지를 쓰지 않을 수가 없었습니다. 내일이 바로 우리 가엾은 아버지 기일이기 때문입니다. 당신도 잘 알죠, 아버지는 어린 당신을 무척이나 아꼈지요. 아버지는, 어렸을 적 우리가 그토록 뛰놀았던 언덕 어귀 자그마한 교회를 에워싸고 있는 공동묘지에 생전에 애지중지하시던 바이올린과 함께 묻혀 계십니다. 그리로 가는 길가에서 우린 서로 마지막 작별 인사를 했었지요…….〉

크리스틴 다에가 보내온 이 쪽지를 읽자마자, 샤니 자작은 열차시간 표부터 후닥닥 뒤진 다음, 곧장 옷을 갈아입고 형에게 전하기 위해 휘갈겨 쓴 메모를 하인에게 맡기고 나서, 부랴부랴 마차에 몸을 실었다. 그러나 애석하게도 목표했던 오전 기차를 타기에는 몽파르나스 역 개찰구에 너무 늦게 도착하고 말았다.

라울은 하루 종일 우울한 심정으로 보냈고, 오로지 저녁에 탈 기차를 기다리는 마음 말고는 삶에 어떤 의욕도 느낄 수가 없었다. 기차에 타고 나서도 여행 내내 크리스틴이 남긴 쪽지만을 읽고 또 읽었으며, 거기서 우러나오는 향내에 코를 파묻고 있기도 했다. 그러면서 머리 속으로는 어린 시절의 감미롭던 장면 하나하나를 떠올리며 음미하는 것이었다. 덜커덩거리는 한밤의 기나긴 기차여행길을 그는 단지 처음과 끝 모두 크리스틴 다에만이 존재하는 들뜬 꿈에 사로잡힌 채 견디고 있었다. 마침내 동이 틀 때쯤 되자, 기차는 라뇽에 도착하고 있었다. 그는 기차에서 내리자마자 페로기렉 행 합승마차로 달려갔다. 승객은 그 혼자였다. 마부에게 물어보니, 전날 저녁 행선지가 페로인 어느 파리 출신처럼 보이는 아가씨가 〈석양〉이라는 이름의 여관 앞에서 내렸다는 것이다. 틀림없이 크리스틴일 것이었다. 그녀도 혼자 온 것이 분명했다. 라울은 그제서야 안도의 한숨을 내쉬었다. 이제 만나기만 하면 누구의 방해도 받지 않고 호젓하게 얘기를 나눌 수 있으리라고 생각했다. 크리스틴을 향한 그의 사랑은 거의 숨이 막힐 정도로 강렬했다. 세계일주까지 한 바 있는 이 장성한 소년은 엄마의 집을 채 벗어나지 못한 아이처럼 순수하고 순결했던 것이다.

점점 그녀에게 가까이 다가갈수록 그에겐 이 스웨덴 출신 여가수의 사연이 가슴 저미게 떠올랐다. 따지고 보면 그녀에 대해 대중은 아직 얼마나 모르는 것이 많은가!

옛날, 웁살라 근처의 어느 작은 마을, 가족과 함께 한 주일 내내 땅을 일구며 열심히 살다가 일요일이면 성가대에서 노래를 부르는 어떤 농부가 살고 있었다. 그 농부에겐 어린 딸이 하나 있었는데, 글을 배우기 훨씬 전부터 아비는 딸에게 악보 읽는 법부터 가르쳐주었다. 바로 크리스틴 다에의 아버지인 이 농부는, 아마 자신은 잘 의식하지 못했을진 몰라도, 훌륭한 음악가였음이 틀림없다. 그는 바이올린을 곧잘 연주했는데, 마을 잔치나 결혼식 때마다 스칸디나비아를 통틀어 둘째가라면 서러울 만큼 빼어난 솜씨를 자랑하곤 했다. 그의 그런 명성은 사방으로 퍼져나가서 이웃 마을에서도 크고 작은 행사 때면 어김없이 그를 찾아와 연주를 부탁하는 형편이었다.

한편 다에 양의 어머니는 몸이 불편한 가운데 어린 딸이 여섯 살 되는 해에 세상을 떠났다. 오로지 사랑하는 딸과 음악만 덩그러니 남게 된 아버지는 즉시 얼마 안되는 땅을 팔아 치운 다음 행운을 붙잡으러 웁살라로 떠났지만, 가난과 비참함만을 맛보아야 했다.

급기야 다시 시골로 돌아온 그는 이 장터 저 장터를 떠돌며 스칸디나비아의 토속적인 멜로디를 켜댔고, 어린 딸은 아버지의 곁을 한시도 떠나지 않고 그 모든 것을 황홀한 표정으로 귀담아 들으며 노래를 흥얼거리기도 했다. 그러던 어느 날, 림비라는 마을의 장터에서 둘의 연주와 노래를 우연히 듣게 된 발레리우스 교수가 그들을 고텐부르그로 데리고 갔다. 아버지는 단연 세계 최고 수준의 바이올리니스트이고 딸은 위대한 성악가의 자질을 갖추었다는 게 교수의 주장이었다. 그때부터 다에 양에 대한 집중적인 교육과 훈련이 시작되었다. 그러자 그녀의 천부적인 재능과 아름다움, 날로 제 모습을 갖추어가는 기품이 주위의 모든 사람들에게 경탄을 불러일으키는 것이었다. 그녀는 하루가 다르게 성장해 갔다. 그러던 중 발레리우스 교수 부부는 프랑스에 정착해 살게 되었고, 다에 부녀 역시 그들을 따라 파리로 오게 되었다. 발레리우스 부인은 크리스틴을 마치 친자식처럼 대했다. 한편 아버지인 다에 영감은 몸이 쇠약해졌으며 풍토병까지 앓게 되었다. 그런고로 그는 파리에 살면서부터는 전혀 바깥출입도 하지 않았다. 그는 오로지 자신의 바이올린만을 부둥켜안고 일종의 몽환적인 상태에서 삶을 연명해갔다. 그렇게 하루 온종일 딸과 함께 방안에 틀어박혀 있는 날이면, 아주 아름답고 그윽한 바이올린 소리와 노래 소리가 한데 어울려 문밖으로 쉼 없이 새어나오곤 하는 것이었다. 그런가 하면 이따금 발레리우스 부인이 그 소리를 들으며 문가에 한참을 서 있다가는, 눈물을 쓱 훔치며 돌아서서 깊은 한숨과 함께 발뒤꿈치를 들고 총총히 돌아간 적도 여러 번 있었다. 그럴 때엔 아마 그녀의 가슴속에도 스칸디나비아의 하늘을 그리워하는 얄궂은 향수병이 도지는 모양이었다.

다에 영감의 기력이 가까스로 회복된 것은 여름이 되어서였고, 온 가족이 모처럼 시간을 내어, 파리 사람들에게는 아직 잘 알려지지 않은 브르타뉴 한쪽 구석의 페로기렉으로 휴양을 떠나게 되었다. 그는 그곳의 바다를 특히 좋아했는데, 해변에서 기분이 좋아지면 심금을 울리는 바이올린 멜로디를 연주했고, 그러면 바다가 잠자코 거기에 귀를 기울인다고 말하곤 했다. 좌우간 영감의 성화에 못 이겨, 발레리우스 부인은 이 노 악사의 변덕스런 생각에 일일이 동조를 해주어야만 했다.

그는 순례제(역자주 : 브르타뉴 지방의 축제 중 하나) 기간 동안, 옛날과 마찬가지로 바이올린과 딸을 데리고 일주일 동안 마을 잔치판에 뛰어들기도 했다. 역시 사람들은 부녀가 들려주는 음악을 기꺼이 경청하고 환호를 보냈다. 아버지와 딸은 아무리 보잘것없는 촌락에서도 혼신의 힘을 기울여 연주를 했으며, 그 옛날 스웨덴에서 춥고 배고팠던 시절 그랬던 것처럼, 여관 침대를 굳이 마다하고 헛간의 짚더미 속에서 서로 손을 꼭 붙든 채 밤을 보내곤 하였다.

그들의 행색은 당연히 말이 아니었는데, 주위에서 건네는 돈을 한사코 사양했으며 뭐든 구하려고 하는 법이 없는지라, 사람들은 천사 같은 목소리를 가진 예쁜 딸을 데리고 그처럼 고생길을 자초하는 괴이한 바이올리니스트의 행각을 도무지 이해할 수가 없었다. 그러면서도 두 부녀의 행로를 따라 이 마을에서 저 마을로 일부러 찾아다니는 사람들도 적지 않았다.

하루는 한 도시 소년이 소녀의 너무도 순수하고 아름다운 목소리에 반해 도무지 떨어지지 않으려는 바람에 자신의 가정교사를 된통 골탕먹인 적이 있었다. 그들은 요즘도 트레스트라우라 불리는 어느 작은 포구 마을에 다다랐는데, 당시에 그곳은 오로지 푸른 하늘과 바다, 그리고 인적 드문 백사장이 거의 전부였다. 또 하나, 바람이 무척 거센 편이었는데, 해변을 거닐던 크리스틴의 스카프가 그만 바람에 날려 바다에 떨어진 일이 있었다. 크리스틴은 깜짝 놀라 비명을 지르며 팔을 뻗었지만 이미 스카프는 파도에 실려 저만치 멀어져가고 있었다. 바로 그때였다, 웬 목소리 하나가 이렇게 들려왔다.

"걱정 마십시오, 아가씨. 제가 바다로 들어가 당신의 스카프를 건져오 겠습니다!"

문득 소리나는 쪽을 돌아본 소녀의 시야엔 어떤 소년 하나가, 검은 옷을 입은 가정교사의 만류를 뿌리치고 바다 쪽으로 맹렬히 달려가는 모습이 들어왔다. 소년은 옷을 입은 채 바다로 뛰어들었고, 마침내 물이 뚝뚝 떨어지는 스카프를 들고 되돌아왔다. 물론 소년도 스카프도 흠뻑 젖었을 뿐 둘 다 무사했다. 검은 옷을 입은 여인은 노발대발했지만, 크리스틴은 그만 웃음을 터뜨리면서 소년을 따뜻하게 포옹해주었다. 그 소년이 다름 아닌 라울 드 샤니 자작이었던 것이다. 그 당시 라울은 숙모와 함께 라농에 거주하고 있었다. 그렇게 해서 그 한 철 내내 두 소년, 소녀는 거의 매일 만났고 시간 가는 줄 모르고 뛰어 놀았다. 한편, 소년의 숙모로부터 제의도 있었고, 발레리우스 교수의 권유도 있고 해서, 다에 영감은 어린 자작에게 바이올린을 가르치는 데 동의했다. 그 결과 라울은 크리스틴의 어린 시절을 지배했던 바로 그 곡조를 자신도 좋아하게 된 것이었다.

둘은 거의 같은 정도의 몽환적이고 조용한 영혼을 가지고 있었다. 그들은 브르타뉴 지방의 옛 요정 이야기를 듣는 걸 제일 즐거워했으며, 집집마다 돌아다니며 마치 구걸이라도 하듯, 열심히 이야기를 해달라고 조르는 걸 가장 재미있는 놀이로 여겼다. "아줌마, 아저씨, 뭐 좀 재미나는 이야기 해줄 거 없나요?" 그러면 으레 옛날이야기 한두 가지쯤 얻어듣고 돌아오는 게 보통이었다. 하긴 브르타뉴 출신 아줌마 치고 휘영청 달밤에 떨기나무 위에서 요정과 흐드러지게 춤을 춰본 경험이 평생 한두 번쯤 없는 여자가 어디 있겠는가!

하지만 뭐니뭐니해도 가장 신나는 일은, 해가 바다 속으로 막 지고 난 직후, 어스름한 저녁의 평온 속에서, 다에 영감이 두 소년, 소녀와 나란히 길가에 앉아, 마치 진짜로 이야기 속 유령들을 깨울까봐 조심조심하는 것처럼, 나지막한 목소리로 북유럽의 아름답고도 무시무시한 옛 전설들을 구성지게 들려줄 때였다. 때로 그 이야기들은 안데르센의 동화들처럼 감미롭기 그지없었고, 때로는 위대한 시인 루네베르크의 노래들처럼 슬프기가 한량없었다. 그렇게 하던 이야기 하나가 끝나기라도 하면, 소년, 소녀는 영락없이 "더요! 더요!"를 외쳐대곤 하였다.

그 중에는 이렇게 시작되는 이야기도 있었다.

"옛날 옛날에 어떤 임금이 노르웨이 첩첩산중, 마치 반짝이는 눈동자처럼 열려 있는 깊고 고요한 호수 위 한 작은 쪽배에 다소곳이 앉아 있었단다……"

그런가 하면 이렇게 시작되는 이야기도 있었다.

"어린 로테는 매사에 소홀함이 없으면서도 어느 것 하나 집착하는 법이 없었단다. 여름날의 새처럼 그녀는 금발머리 위에 꽃으로 엮은 관을 쓰고 태양의 황금빛 햇살을 받으며 뛰어다니곤 했지. 그녀의 영혼은 그녀의 눈동자처럼 맑고 푸르렀어. 그녀는 어머니에겐 철부지 애교덩어리였지만, 자기 인형만큼은 엄마와 다를 바 없이 자상하게 돌보아주었지. 그런가 하면 옷이며 빨간 신발, 바이올린 등등 자기 물건도 소중히 다루었는데, 그 중에서도 제일 소중히 여기는 것은 '음악의 천사'를 들으며 곤히 잠이 드는 것이었단다."

영감이 하는 얘기를 들으며 라울은 크리스틴의 푸른 눈동자와 눈부신 금발머리카락을 하염없이 바라보곤 했었다. 그리고 크리스틴은 '음악의 천사'를 들으며 잠이 드는 어린 로테는 얼마나 행복할까 하는 생각에 잠기는 것이었다. 아무튼 다에 영감의 옛날 이야기 속에 '음악의 천사'가 등장하지 않는 경우란 거의 없었는데, 아이들은 그 천사에 대해 보다 많은 설명을 원했고, 이야기를 끝내지 말아달라고 조르는 것이었다. 다에 영감 얘기로는, 이 세상 모든 위대한 음악가라든지 가수들 치고 평생 단 한번만이라도 '음악의 천사'의 방문을 받지 않는 사람은 없을 거라고 했다. 이따금 그 천사의 방문이 아이가 요람 속에서 곤히 잠들어 있을 때 일어나는 일도 있는데, 그게 바로 어린 로테의 경우라는 것이었다. 그러면서, 나이가 여섯 살인 어린 아이가 쉰 살의 노련한 음악가보다 훨씬 멋진 바이올린 연주를 들려주는 기적 같은 일이 가능한 것도 다 그와 같은 천사의 방문 때문이라는 게 다에 영감의 설명이었다. 그런가 하면 천사의 방문이 좀 뒤늦게 이루어지는 경우도 있는데, 그건 아이가 그만큼 명민하지 않다든가, 연주를 게을리 하고, 음계를 소홀히 다루기 때문이다. 물론 전혀 천사의 방문이 이루어지지 않는 경우는 그 사람의 마음이 순수하지 못하든지 정갈한 의식을 지니지 못할 경우이다. 천사는 눈에 보이지는 않지만 천성적으로 점지된 영혼에게 자신의 목소리를 들려주는데, 그것도 가장 예기치 않은 순간, 심지어는 제일 서글프고 낙담해 있을 때 들려준다는 것이다. 그러나 일단 귓가에 천상의 화음, 그 신성한 목소리가 들리는 날이면 평생 그것을 잊지 못한다. 그렇게 천사의 방문을 받은 사람들은 마치 열에 들뜬 듯 그의 포로가 되고 말며, 보통의 인간이 감지할 수 없는 경련을 온몸으로 경험하게 되는데, 바로 그 순간부터 악기를 만지거나 노래를 부르려고 입술을 열 때마다 다른 모든 인간의 소리가 부끄러워 고개를 숙일 만큼 더없이 아름다운 음악을 창출해낸다는 것이었다. 천사의 방문에 대해 까맣게 모르고 있는 사람들은 그러한 음악을 접할 때 소위 천재적인 재능이라고 말하곤 하는 것이다.

어린 크리스틴은 눈동자를 말똥말똥 빛내면서 아빠도 천사의 음성을 들었느냐고 물었다. 다에 영감은 쓸쓸한 표정으로 고개를 젓더니, 마찬가지로 눈빛을 빛내며 이렇게 말하는 것이었다.

"얘야, 하지만 너는 말이다, 언젠간 꼭 그걸 듣고야 말 거야! 내가 먼저 하늘나라로 가면, 내 반드시 천사를 네게 보내주마, 약속할게……"

아무튼 그 즈음부터 유독 다에 영감의 기침이 잦아졌다.

가을이 되자 라울과 크리스틴은 서로 헤어지게 되었다.

그리곤 3년 후에 둘은 다시 만났는데, 그땐 어느덧 어엿한 젊은이들이 되어 있었다. 이제 할 얘기도 역시 페로에서 일어난 일인데, 라울은 그로부터 어찌나 깊은 인상을 받았는지 이후 평생을 그 여운에 시달리게 된다. 어느덧 발레리우스 교수는 저 세상으로 떠났고 그 부인은 프랑스에 그대로 남았다. 부인은 다에 영감과 그 딸이 들려주는 아름다운 화음에 완전히 매료되어 이제 더는 그 음악 없이는 살아갈 수 없을 정도가 되었다. 한편 청년 라울은 혹시나 하는 마음에 페로를 방문하여, 그 옛날 예쁜 여자 친구가 살던 집에 불쑥 들어섰다. 때마침 의자에 앉아있던 늙은 다에 영감은 라울을 보자마자 벌떡 일어나, 눈물이 그렁그렁 맺힌 채, 반갑게 포옹을 하면서 옛 추억을 하나도 잊지 않고 있노라 말하는 것이었다. 실제로 크리스틴이 라울 얘기를 하지 않고 그냥 지낸 날이 단 하루도 없었다면서 말이다. 노인이 이런저런 얘기를 계속하고 있는데, 별안간 문이 활짝 열리며 젊은 딸이 쟁반에다 김이 모락모락 나는 찻잔을 담고 들어섰다. 그녀는 단박에 라울을 알아보고는 슬며시 쟁반을 내려놓았다. 일순 발갛게 달아오르는 열꽃이 그녀의 매력적인 얼굴에 피어올랐다. 그녀는 잠시 아무 말도 못하고 머뭇거리기만 했다. 아버지도 말없이 두 사람을 번갈아 바라보기만 했다. 마침내 라울이 가만히 다가가 그녀를 포옹하며 볼에 입을 맞추었고, 그녀도 굳이 피하지 않았다. 곧이어 몇몇 일상적인 담소를 나눈 다음, 그녀는 쟁반을 가지고 조용히 방을 나갔다. 그리고는 그 길로 정원에 나가 벤치에 홀로 앉았다. 사춘기에 돌입한 그녀의 마음은 난생 처음 두근거리는 이상한 감정을 느끼고 있었다. 잠시 후, 라울이 다가와 앉았고, 둘은 가슴 떨리는 감정을 다독이며 저녁 늦도록 오순도순 이야기를 나누었다. 하지만 두 사람 모두 어렸을 적 함께 뛰놀 때와 많이 변해 있었으며, 뭔가 중대한 자리를 차지하고 있는 서로의 개성에 대해 그다지 많은 것을 알아보지는 못하였다. 둘은 마치 신중한 외교관처럼 조심스레 행동했고, 진정 가슴속에 품고 있는 감정과는 하등의 관계가 없는 무난한 이야기들을 조용히 나누었다. 마침내 길가로 나와 둘이 작별을 고하는 자리에서, 라울은 크리스틴의 떨리는 손 위에 반듯한 키스를 하면서 이렇게 말했다.

"아가씨, 절대로 당신을 잊지 않겠습니다."

그는 사실 길을 떠나면서 그런 대담한 말을 한 걸 다소 후회했다. 크리스틴 다에 양이 결코 샤니 자작의 부인은 될 수 없다는 것을 잘 알고 있었기 때문이다.

한편, 크리스틴은 아버지에게 돌아와 이렇게 말했다.

"아버지, 라울이 예전만큼은 다정하지 않다는 거 보셨어요? 하긴 나도 그를 그 이상으로 좋아하진 않아요!"

그러면서 그녀는 더는 그 사람 생각을 하지 않으려고 애썼다. 그렇게 가까스로 마음을 다잡은 크리스틴은 거의 모든 시간을 자신의 예술에 쏟아 부었다. 그녀의 솜씨는 놀라운 속도로 발전했다. 누구든 그녀의 노래를 들으면 하나같이 이 세상 최고의 성악가가 될 것이라고 칭찬을 아끼지 않았다. 그러던 중 갑자기 아버지가 사망했고, 그와 더불어 크리스틴은 영혼도 재능도, 목소리도 잃은 듯했다. 그럼에도 불구하고 그녀에게 남은 일은 콩세르바투아르에 들어가는 것뿐이었는데, 그마저 간신히 들어갔다. 거기서 그녀는 별로 두각을 나타내지 못했고, 수업에도 별 열의 없이 임하곤 했는데, 그나마 함께 사는 늙은 발레리우스 부인을 기쁘게 해드리기 위해 상이나 이따금 타 가는 게 고작이었다.

그래서 그런지 라울이 처음 오페라 극장 무대에서 크리스틴을 보았을 때, 그 눈부신 아름다움과 그 옛날의 아련한 이미지에 매혹되었으면서도, 어딘지 모르게 그녀의 예술에서 풍겨 나오는 메마른 분위기에 흠칫 놀랐었다. 그녀는 주위의 모든 것에 무관심한 듯 보였다. 그는 그녀의 노래를 들으러 자주 극장에 들렀으며, 무대 뒤까지 따라가기도 했다. 무대장치 뒤에서 한참을 기다리면서 주의를 끌어보려고 한 적이 한두 번이 아니었으며, 대기실에까지 쫓아가기도 했었지만 그녀는 의식을 하지도 못하는 듯했다. 아니 그뿐만이 아니라 다른 누구도 보지 못하는 듯했다. 그건 보통의 무관심이라고 하기에는 어딘지 지나친 감이 있었다. 그럼에도 불구하고 그런 그녀의 아름다움에 라울은 미칠 지경이었다. 하지만 워낙에 수줍은 성격이라, 자신의 감정을 스스로 감히 인정하는 것조차 어려워했다. 그러던 중 그 날 있었던 특별공연에서 마치 벼락이라도 맞은 것과 같은 충격을 받은 것이다! 하늘이 갈라지고, 그야말로 천사의 목소리가 지상에 내려와 모든 인간과 한 청년의 가슴을 송두리째 앗아가 버렸다고나 할까…….

그리고…… 그리고 나서 바로 그 문 뒤의 웬 남자 목소리가 들려온 것이다. "나를 사랑할지어다!" 아무도 아닌, 누구인지도 모를 그 목소리 말이다…….

그녀가 정신을 차리고 눈을 떴을 때, 왜 내게 웃음을 보인 걸까? "제가 바로 당신의 스카프를 건지러 바다로 뛰어든 소년입니다!"라고 말한 내게 말이다! 어찌 그 소년을 못 알아볼 수가 있단 말인가! 그리고 쪽지는 왜 보낸 걸까?

아, 이 길은 왜 이다지도 지루한고…… 눈에 보이는 모든 것이 십자가의 고행길과도 같구나…… 이 황량한 광야, 을씨년스러운 초목들, 창백한 하늘 아래 꼼짝도 하지 않는 저 풍경들…… 요란하게 흔들리는 창틀은 이 가슴마저 산산조각 내는 것 같구나…… 이처럼 더디게 가면서도 이 합승마차는 왜 이다지도 시끄럽게 흔들리는고! 저 오두막들, 담장들, 비탈길들, 길 옆의 가로수들…… 모든 게 그리 낯설지가 않다…… 이제 저 길모퉁이만 돌아가면 내리막길이 나올 것이고, 그러면 바다가 펼쳐지겠지…… 페로의 탁 트인 해변이 말이다……

마침내 라울이 탄 합승마차는 〈석양〉이라는 여관 앞에 당도했다. 그래, 혼자 왔다고 했지. 너무 잘 된 일이 아닌가! 여기서 재미있는 옛날 이야기를 참 많이도 들었었지. 심장이 마구 두방망이질 한다! 만나면 뭐라고 할까?

연기가 부옇게 들어찬 낡은 여관으로 들어섰을 때 처음 마주친 건 트리카르 아줌마였다. 그녀는 라울을 알아보고는 반가워하며 덕담을 던졌다. 그리고는 무슨 일이냐며 물었다. 그는 덜컥 얼굴이 상기되었다. 그리고는 라농에 용건이 있어 왔다가, '내친 김에' 안부라도 여쭐 겸 찾아왔노라고 둘러댔다. 아줌마는 점심 대접을 하겠다고 했으나, 라울은 '나중에요'라고 사양했다. 당연히 무언가, 혹은 누군가를 기다리는 게 빤히 보이는 태도였다. 그때 문이 열리고, 의자에서 벌떡 일어선 그는 내심 쾌재를 불렀다. 문으로 들어서는 사람은 다름 아닌 그녀였던 것이다! 그는 뭔가 말하려고 하다가는 그만 의자에 도로 털썩 주저앉았다. 하지만 지긋이 미소를 짓는 그녀는 전혀 놀라지 않는 눈치였다. 그러면서도 얼굴은 마치 그늘 속에 잠긴 딸기 마냥 상큼한 분홍빛으로 물들었다. 분명 여인은 빠른 걸음으로 달려와 다소 흥분을 한 게 틀림없다. 그 다소곳한 마음을 가두고 있는 가슴도 은근히 들썩이고 있다. 창백한 빛깔의 천상거울과도 같은 눈동자는 저 북쪽 나라를 조용히 꿈꾸는 호수의 빛깔로 그 순수한 영혼의 반영을 은은하게 드리우고 있다. 입고 있는 모피 외투는 젊은 여인의 우아한 몸매와 기막힌 조화를 이루며 허리춤에서 살짝 열려 있다. 그렇게 크리스틴과 라울은 한참을 서로 마주보고 있었다. 트리카르 아줌마는 슬며시 웃으면서 은근슬쩍 자리를 피해주었다. 마침내 크리스틴이 입을 열었다.

"오셨군요…… 사실 전 별로 놀라지 않았어요…… 미사에서 돌아오면서 왠지 이곳 여관에서 당신을 다시 만나게 될 것 같은 예감이 들었거든요. 누군가 제게 나지막한 목소리로 말해주었어요. 네, 맞아요, 누군가 당신이 올 거라고 말했어요……"

"누가 말입니까?"

라울은 크리스틴의 작은 손을 덥석 잡으며 물었다.

"글쎄요, 돌아가신 가엾은 아버지가 아니었을까요?"

잠시 두 사람 사이에 침묵이 흘렀다.

라울은 용기를 내어 말했다.

"당신 아버지께서 내가 그동안 당신을 사랑해왔다는 말씀을 하시던 가요? 당신 없이는 살 수 없다는 말씀도요?"

순간, 크리스틴은 머리카락까지도 붉게 상기되는 듯하더니, 얼른 고개를 돌렸다. 그리고는 떨리는 목소리로 이렇게 말했다.

"저를요? 제정신이 아니군요…… 우린 친구잖아요……."

그녀는 일부러 태연한 척하려는 듯 크게 웃음을 터뜨렸다.

"웃지 말아요, 크리스틴! 나는 심각하단 말이에요!"

그러자 그녀는 진지한 어조로 이렇게 대꾸했다.

"그런 말씀을 듣자고 이곳에 오게 한 건 아니에요."

"하지만 당신이 분명 나를 '이곳에 오도록' 유도한 건 사실이잖습니까! 당신 편지가 나를 가만히 놔두진 않을 것이고, 이처럼 페로로 한걸음에 달려오게 만들리라는 걸 당신이 모를 리가 없질 않소! 만약 내가 당신을 사랑하고 있다는 걸 생각하지 않았다면, 어찌 그런 쪽지를 쓸 수가 있었단 말입니까?"

"나는 단지 당신이 아버지도 함께 했던 우리의 어린 시절 놀이를 추억하리라고 생각했을 뿐이에요. 하여튼, 글쎄요…… 내가 정말 무엇을 생각했는지는 나도 잘 모르겠군요…… 아마 그런 쪽지를 보낸 게 잘못이었을 수도 있겠지요…… 일전에 제 대기실에 갑자기 나타나셨던 바로 그 순간이 아마도 저를 아득한 과거로 데려가버렸나 봐요. 그래서 그런 쪽지를, 그저 옛날 어린 소녀의 마음으로 썼던 거구요…… 가뜩이나 슬프고 외로운 와중에 어렸을 적 동무를 곁에서 다시 보게 된다면 얼마나 좋을까 하는 생각을 한 모양이에요……."

잠시 둘 사이에 정적이 감돌았다. 크리스틴의 태도 속에는 무언가 라울이 보기에 부자연스러운, 하지만 뭐라고 딱 꼬집어 얘기할 수 없는 부분이 있었다. 그럼에도 불구하고 적대적이라는 느낌은 안 들었다. 그보다는 뭐랄까, 구슬픈 애정이랄까, 뭐 그런 게 눈동자 속에서 묻어났다. 하지만 하필 왜 '구슬픈' 애정일까? 바로 그 점이 벌써부터 젊은이의 마음을 괴롭혔던 것이며, 이제부터 그 정체를 알아내야 할 문제이리라…….

"그 때 대기실에서 보았을 때, 처음으로 나를 알아본 건가요, 크리스틴?"

여인은 거짓말을 하지 못했다.

"아뇨! 형님과 함께 박스석에 계셨을 때도 몇 번이나 알아 보았었죠. 무대 위에 올라오셨을 때도요……."

"내 그럴 줄 알았어요!"

라울은 입술을 깨물며 소리쳤다.

"그러면서 대체 왜, 당신의 대기실에선 내가 스카프를 건져준 소년이라고 했는데도, 모르는 척 시침을 떼고 웃기까지 한 겁니까?"

그렇게 다그치는 라울의 어투가 자못 거칠었는지라, 깜짝 놀란 표정으로 크리스틴은 아무 대답도 하지 않고 남자의 눈만을 빤히 쳐다보았다. 하긴 젊은이 자신도 덜컥 내뱉은 이런 질문에 스스로 놀란 눈치였다. 만나기만 하면 온갖 부드러운 밀어를, 사랑에 굴복당한 한 남자의 마음을 털어놓으리라던 바로 그 순간에, 하필 이처럼 거친 태도를 보이다니…… 이건 그야말로 보통의 남편이나 연인이 자기 마누라나 정부가 약을 올렸을 때 쉽게 내뱉을 수 있는, 그런 말투가 아닌가! 라울은 자신의 실수를 안타까워하면서 스스로 바보 같다고 자책했다. 하지만 일단 상황이 우스꽝스럽게 꼬인 이상, 과감하게 속내 얘기를 털어놓는 게 유일한 해결책이라는 생각이 들었다. 그는 일부러 부아가 난 불행한 남자 티를 물씬 풍기면서 말했다.

"대답을 못하는군요! 그럼 내가 대신 대답해드리죠! 바로 그 대기실에 누군가 있어서 께름칙했던 겁니다, 크리스틴! 누군가 그 앞에서는 다른 남자에게 관심이 있어 보이면 안되는 그런 사람 말이지요!"

순간 크리스틴은 쌀쌀한 어조로 말을 가로막았다.

"누군가 께름칙한 사람이 있다면…… 누군가 그런 사람이 있었다면, 그건 바로 당신이었어요! 그 날 저녁 그래서 나는 당신을 바깥으로 내몰 았던 거예요!"

"네! ……그리고 나서 다른 남자와 함께 있으려구요!"

"대체 무슨 말을 하는 거죠? 다른 남자라니, 무슨 말이에요?"

크리스틴은 거의 숨을 헐떡이고 있었다.

"당신이 이렇게 말한 사람 말입니다! '오늘 저녁 난 당신에게 내 영혼을 바친 거나 다름없었어요! 이젠 죽을 지경이라구요……' 라고 말이죠……"

크리스틴은 갑자기 라울의 팔을 와락 붙들었다. 그리고는 이런 연약한 여인의 것이라고는 상상도 할 수 없는 완력으로 잔뜩 움켜쥐는 것이었다.

"그, 그럼…… 문 뒤에서 엿들었단 말인가요?"

"그렇소! 왜냐하면 난 당신을 사랑하고 있고…… 네, 그래요, 모두 다 들었습니다……"

"대체 무엇을 들었나요?"

크리스틴은 다시금 평정을 되찾은 듯 묘하게 가라앉은 어조로 물으며, 슬그머니 팔을 놓았다.

"'나를 사랑할지어다!' 라고 하더군요!"

그 말이 라울의 입가를 새어나오자마자 크리스틴의 낯빛이 별안간 시체처럼 변하면서 눈자위에 거무튀튀한 음영이 드리워졌다. 뿐만 아니라 비틀거리더니 금방이라도 쓰러질 것 같았다. 라울은 얼른 몸을 날려 부축했지만, 크리스틴은 이내 어찔한 기운을 추스르고는 거의 한숨이나 다름없는 어조로 나지막이 속삭였다.

"말해보세요! 모두 다…… 그때 들은 얘기를 모두 다 말해보세요!"

"당신이 영혼을 바쳤다고 하니까 이렇게 대꾸하더군요. '하긴 그대의 영혼은 정말로 아름다웠노라, 내 사랑이여…… 지극히 고맙게 생각하고 있소…… 아마 이 세상 그 어느 황제도 그러한 선물을 받아보진 못했을 거요…… 천사들마저 오늘 저녁엔 감격의 눈물을 흘렸을 테지……' 라고 말입니다!"

크리스틴은 가슴에 손을 가져다댔다. 라울을 바라보는 그녀의 눈동자 속엔 뭐라 규정할 수 없는 감정이 휘몰아치고 있었다. 그 시선이 너무도 강렬하고 날카로워서 마치 신들린 여인의 눈빛과도 같았다. 라울은 속으로 기겁을 했다. 한데 갑자기 크리스틴의 두 눈이 축축해지면서, 상아빛 양볼로 두 개의 진주알 같은 눈물, 참으로 굵은 눈물방울이 뚝뚝 떨어지는 것이었다…….

"크리스틴!"

"라울!"

라울은 크리스틴을 붙들려 했지만, 그녀는 남자의 벌린 팔을 날쌔게 벗어나서 황급히 자리를 피하는 것이었다.

크리스틴이 자기 방에 틀어박혀 있는 동안, 라울은 자신의 무례함을 탓하고 또 탓했다. 그러면서도 한쪽으로는 열화와 같은 질투심이 혈관 속을 마구 휘돌아 다니는 느낌이었다. 비밀을 들키자 저 정도로 흥분을 감추지 못하는 걸 보면, 분명 상대는 엄청 중요한 존재일 것이다! 물론 라울은 자신이 엿들은 대화내용에도 불구하고 추호도 크리스틴의 순결함을 의심치 않았다. 정숙하기로 유명한 크리스틴의 평판을 그가 모를

리 없었으며, 여류 예술가로서 때로는 뭇사람들의 흠모와 구애 공세에
시달리는 경우도 종종 있을 수 있다는 것을 이해 못할 만큼 순진하지도
않았다. 그녀는 분명 자신의 영혼마저 바쳤다고는 했지만, 그건 틀림없
이 노래와 음악에만 한정된 얘기였을 것이다. 아니…… 과연 그런 게 틀
림없을까? 그렇다면 아까 그처럼 당혹스러워한 건 왜일까? 맙소사, 라
울은 정말 불행한 마음이 들었다! 다른 무엇을 떠나, 상대가 남자라는
것, 즉 *남자의 목소리*에만 집착한다면, 도저히 명확한 해명을 요구하지
않을 수가 없는 심정인 것이다!

그나저나 크리스틴은 왜 저리도 황급히 자리를 피한 걸까? 왜 다시
나타나지 않는 걸까?

그는 점심 식사도 사양했고, 완전한 낭패감에 사로잡혔다. 그토록 달
콤하게 보내기를 원했었던 바로 그 시간이 이처럼 사랑하는 여인에게
등을 돌린 채 덧없이 흘러가고 있다는 사실 자체가 못내 고통스러웠던
것이다. 함께 공유하는 숱한 추억을 되새기며 이곳저곳을 둘러보려고
이곳에 왔다고 하지 않았던가! 보아하니 페로기렉에 특별히 할 일이 있
는 것도 아닌 듯하고, 실제로도 홀로 우두커니 소일하고 있으면서 왜 당
장이라도 파리행 기차를 타고 돌아가지 않는 것일까? 그는 아침에 크리
스틴이 다에 영감의 명복을 빌기 위해 미사에 참석했으며, 소성당에서,
그리고 떠돌이 악사의 쓸쓸한 무덤 앞에서 오랜 시간을 기도하며 보냈
다는 사실을 전해들었다.

서글프고 낙담한 마음에 라울은 즉시 성당을 에워싸고 있는 공동묘지
쪽으로 달려갔다. 묘지 문을 열고 안으로 들어선 라울은 한동안 묘비명
들을 둘러보며 무덤들 사이를 외롭게 거닐고 있었다. 그런데 성당 건물
을 돌아서 뒤쪽에 도달하자, 문득 무언가 폭발할 듯한 느낌에 휩싸인 채
무성한 꽃들이 화강암 묘석 위로 향기를 내뿜으며 하얀 땅 위로까지 만
발해 있는 것을 알게 되었다. 꽃들은 이 브르타뉴 지방의 혹독한 겨울

한 구석을 열심히 자신의 향기로 채우고 있었다. 아침 눈발 속에서 봉오리가 열린 듯한 그 붉은 장미꽃들은 정말이지 기적의 꽃과도 같아 보였다. 장소가 장소이니만큼 그것은 죽음 속에 깃든 생명처럼 여겨졌다. 죽음은, 심지어는 시체를 더 이상 묻을 데가 없어 밖으로 뱉어놓은 듯한 땅 이곳저곳에 가득 넘쳐나고 있었다. 수백 개의 해골들과 뼈다귀들이 성당의 벽 한 귀퉁이에 아무렇게나 쌓인 채, 단순한 철조망으로 가려져 있어, 훤히 들여다보이도록 방치되어 있는 것이었다. 마치 온갖 새하얀 유골들이 가지런히 쌓이고 쌓여 마치 벽돌들처럼 단단하게 다져진 토대 위에 성당의 제의실을 올리기라도 한 듯 보였다. 하긴, 그와 같은 납골당 한가운데에 제의실 문이 활짝 열려 있는 그로테스크한 분위기는 브르타뉴의 낡은 성당 건물들에서 어렵지 않게 볼 수 있는 광경이기도 하다.

라울은 잠시 다에를 위해 기도했다. 그러나 주위에 널려 있는 해골들의 을씨년스런 웃음들이 왠지 그런 자신을 조롱하는 듯 여겨져, 얼른 묘지를 나와 언덕 위 바다를 굽어보는 곳에 올라가 앉았다. 바람은 모래사장 위로 심술궂게 불어대고 있었고, 천천히 기울어가는 소심한 하루의 햇살을 쫓아 사납게 울부짖고 있었다. 그리고는 얼마 지나지 않아 그 가냘픈 햇살마저 한줄기 칙칙한 실구름 속에 섞여들면서 저 수평선 멀리 사라져가는 것이었다. 저녁이 되자 바람마저 잠잠했다. 라울은 차가운 그늘 속에 꼼짝 않고 앉아 있었지만, 추위를 전혀 느끼지 못했다. 그의 머리 속 생각은 이 황량한 풍광을 헤집으며 오로지 옛 추억을 따라다니고 있었다. 바로 이곳, 이 장소에서 그는 어린 크리스틴과 더불어 해가 지고 달이 뜨는 대로 요정이 어떻게 춤을 추는지 보기 위해 숱하게 헤매고 다녔었다. 한데 라울 자신은 시력이 괜찮은 편이었는데도 전혀 보고 싶은 것을 본 적이 없는 데 반해, 크리스틴은 약간 근시였음에도 불구하고 종종 신기한 것을 보았다고 했다. 그런 추억을 떠올리면서 라울은 자기도 모르게 미소를 지었다. 그런데, 다음 순간, 문득 소름이 끼치는 것을 느꼈다. 웬 사람 모양의 그림자 하나가, 언제 그곳에 있었는지도 모르게, 발소리 하나 없이 곁에 와 우두커니 서 있는 것이 아닌가! 그리고는 이렇게 말하는 것이었다.

"요정들이 오늘 저녁에 올 것 같아요?"

그림자는 다름 아닌 크리스틴이었다. 그는 뭐라고 말을 하려 했으나, 크리스틴이 장갑 낀 손으로 살며시 그의 입을 막았다.

"잘 들으세요, 라울. 저는 당신에게 아주 중요한, 정말로 아주 중요한 일을 말씀드리기로 작정했어요……"

그녀의 목소리는 떨리고 있었고, 라울은 숨죽인 채 가만히 듣고 있었다.

그녀는 가슴이 갑갑한 듯, 힘겹게 다시 말을 이었다.

"라울…… 기억하세요, '음악의 천사'에 관한 전설을?"

"기억하고말고요! 당신 아버님께서 그 이야기를 처음 이곳에서 해주셨지요."

"그리고 여기서 또 이런 말씀도 하셨지요. '애야, 내가 하늘나라로 가면 너에게 그 천사를 보내줄 거다'라고 말이죠. 그래요, 라울…… 아버지는 하늘나라로 가셨고, 약속대로 '음악의 천사'가 저를 방문했어요……"

"나도 그렇게 생각합니다!"

젊은이는, 이 여인의 순수한 머리 속에서 아버지에 대한 애틋한 기억과 자신이 최근에 거둔 무대에서의 화려한 성공이 그럴듯하게 뒤섞이고 있는 것이라 생각했기에, 별 생각 없이 대꾸했다.

크리스틴은 샤니 자작이 자신에게 일어난 신비스런 일을 너무도 덤덤하게 수긍하는 것을 보고 다소 놀라는 표정이었다.

"대체 어떻게 생각하신다는 거죠, 라울?"

젊은이는 그녀가 자신의 창백한 얼굴을 너무도 바싹 갖다대며 속삭이는지라, 혹시 키스라도 하려는 게 아닌가 생각했다. 하지만 크리스틴은 단지 어둠 속에서도 그의 눈동자를 통해 속내 마음을 들여다보고 싶었을 뿐이었다.

"내가 생각해도, 인간으로서 그 날 저녁 당신이 불렀던 것처럼 노래를 잘 부를 수는 없을 것 같다는 말입니다. 그러니까 어떤 기적이랄까, 하늘의 도움 없이는 불가능하단 얘기죠. 당신이 가지고 있는 솜씨를 전수해주었을 만한 뛰어난 선생도 이 세상에 있을 것 같지 않고…… 그러니까 당신이 그 '음악의 천사'의 방문을 받았으리라고 나 역시 생각하는 겁니다."

"맞아요, 바로 그 대기실에서요…… 그는 날마다 그곳으로 나를 찾아와 음악을 지도한답니다!"

그렇게 말하는 그녀의 어조가 어찌나 기이하고도 절절했는지, 라울은 마치 병든 뇌의 혼란 속에서 악착같이 어떤 환상이나 망상에 집착하는 사람을 바라보듯, 크리스틴을 걱정스레 바라보았다. 하지만 그녀는 얼른 뒤로 물러섰고, 이제 움직이지만 않으면 어둠 속에서 거의 분간이 되지 않을 정도로 그늘에 가려진 채 서 있었다.

"당신의 그 대기실에서요?"

라울은 멍청한 표정으로 반문했다.

"네, 바로 거기서 그의 음성을 들었어요. 그리고 나만 들은 것도 아니에요…….

"그럼 또 누가 들었단 말입니까, 크리스틴?"

"바로 당신이요……."

"나라구요? 내가 '음악의 천사'가 하는 말을 들었단 말입니까?

"네. 그 날 저녁 당신이 대기실 문 밖에서 엿들은 목소리의 주인공이 바로 그였어요. '나를 사랑할지어다!'라고 한 그 남자 목소리 말이에요.

사실 나는 그의 목소리를 알아들을 수 있는 사람이 나밖에 없다고 알고 있었어요. 한데 오늘 아침, 당신이 그 목소리를 들었다고 하니 내가 얼마나 놀랐을지 한번 생각해보세요!"

라울은 갑자기 웃음을 터뜨렸다. 어느새 밤의 어둠이 흩어지면서 황량한 들판 위로 휘영청 달빛이 두 사람을 감싸기 시작했다. 크리스틴은 라울을 째려보았다. 평소에는 부드럽기 그지없던 눈에서 번쩍 하고 불꽃이 이는 듯했다.

"왜 웃는 거죠? 그럼 여전히 한낱 남자의 목소리를 들었다고 생각하시는 거예요?"

"이봐요, 아가씨……."

젊은이는 순간, 크리스틴의 호전적인 태도에 생각이 흔들리기 시작함을 느끼면서 우물쭈물했다.

"아니, 라울, 당신이 어쩜 나한테 이러실 수가 있죠? 나의 어린 시절 단짝 친구였던 당신이…… 내 아버지도 잘 알고 있는 당신이! 아무래도 이젠 당신을 더는 못 알아볼 것 같네요. 대체 무슨 생각을 하고 계시는 거죠? 이봐요, 샤니 자작님! 나는 정숙한 여자입니다! 대기실에서 남자 목소리와 쑥덕거리며 틀어박혀 있을 그런 여자가 아니란 말입니다! 만약 그때 문을 열었다면 나 말고는 아무도 없다는 걸 알게 되었을 텐데……."

"그건 그렇습니다! 당신이 방을 나간 다음 문을 열어보았더니 역시 아무도 없더군요!"

"그럼 잘 아실 텐데…… 도대체 왜?"

자작은 문득 심술에 가까운 오기를 부리며 입을 열었다.

"글쎄요, 크리스틴, 아마도 당신을 놀리고 싶어하는가 봅니다!"

순간, 그녀는 버럭 외마디 소리를 지르더니, 그대로 달아나는 것이었다. 그는 얼른 뒤쫓아갔지만, 매몰차게 내치면서 그녀는 신경질적으로

소리쳤다.

"이거 놔요! 날 내버려두라구요!"

그리고는 마구 뛰어가 버렸다. 여관으로 돌아온 라울은 무척이나 우울하고 축 처진 기분이었다.

크리스틴이 방금 2층 방에 올라가면서 저녁은 먹지 않겠다는 말을 남겼다고 했다. 혹시 어디 아픈 건 아니냐고 묻자, 사람 좋은 아줌마는 좀 불편한 것 같지만 그리 심각하진 않은 것 같다면서, 두 사람의 심상치 않은 분위기가 못내 걸리는 듯, 어깨를 으쓱하며 자리를 피해버렸다. 그러면서 아줌마는, 하느님이 이 세상을 열심히 살라고 허락해준 시간을 젊은이들이 하찮은 사랑싸움이나 하면서 낭비하는 걸 보면 딱해죽겠다는 말을 슬쩍 흘리는 것이었다.

라울은 우중충한 난로 옆에서 쓸쓸하게 혼자 저녁 식사를 했다. 그리고는 자신의 방에서 책을 읽으려고 애썼고, 잠을 청해보려고도 애썼다. 여관은 쥐죽은 듯 고요했다. 크리스틴은 무엇을 하고 있을까? 자고 있는 걸까? 자고 있지 않다면 무슨 생각을 하고 있을까? 그러는 자신은 대체 무슨 생각을 하고 있는 걸까? 아니, 대체 어쩌자고 그런 말을 내뱉었을까? 좌우간 크리스틴과 나누었던 가당찮은 대화가 라울의 심기를 몹시 어지럽혀 놓은 상태였다. 그는 크리스틴이라는 인간 그 자체보다도, 그녀를 둘러싼 주변에 대한 생각에 더 몰입되어 있었다. 한데 그 '주변'이라는 것이 너무도 애매모호하고 갈피를 잡을 수가 없어서, 라울은 한편으론 궁금해 죽겠으면서도 무척 심기가 불편했다.

그렇게 시간은 무척이나 더디게 흘러갔다. 밤 11시 반쯤 되었을까, 바로 옆방에서 발소리가 뚜렷이 들렸다. 가벼우면서도 빠른 걸음걸이였다. 그렇다면 크리스틴은 아직 잠자리에 들지 않고 있었단 말인가? 이것저것 차분히 생각할 겨를도 없이 라울은 될수록 소리를 죽여가며 부랴부랴 옷을 챙겨 입었다. 그리고는 만반의 준비를 갖추고 기다렸다. 하지만 무엇을 기다린단 말인가? 그의 심장은 크리스틴의 방문이 경첩 삐걱거리는 소리를 내며 움직이자 무섭게 두방망이질 했다. 모든 사람이 잠든 이 시각에 대체 어디로 가려는 걸까?

문을 살며시 열자, 달빛 속에서 크리스틴의 희미한 윤곽이 조심스럽게 복도로 빠져나가는 게 보였다. 그녀는 곧장 계단을 내려갔고, 라울은 난간에 살며시 기댄 채 그 모습을 지켜보고 있었다. 순간, 서로 속닥거리는 두 목소리가 들려왔다. 그 중 한 목소리는 여주인 아줌마의 것이었다. "열쇠 잃어버리지 마슈!" 그리고는 포구 쪽으로 난 문이 슬며시 열렸다가는 곧 닫혔다. 그리고는 적막……

라울은 서둘러 방으로 돌아가 얼른 창문을 열었다. 크리스틴의 하얀 윤곽이 인적 없는 나루터에 오롯이 서 있는 게 눈에 들어왔다.

〈석양〉이라는 여관의 2층은 그다지 높지 않은 데다, 화단에 심어진 나무줄기가 손만 뻗으면 닿을 만한 곳에 위치해 있어서, 라울은 여주인 몰래 나무를 타고 밖으로 나올 수가 있었다. 여기서 미리 결과부터 얘기하자면, 그 마음씨 좋은 여주인 아줌마는 다음날 아침 시체처럼 싸늘하게 식은 젊은이의 몸을 사람들이 업고 들이닥치자 기절초풍을 할 지경이었다. 웬 젊은이 하나가 페로 성당의 주제단에 얌전히 뻗어 있더라는 게 사람들의 말이었다.

아줌마는 득달같이 크리스틴에게 달려가 이 사실을 알렸고, 혼비백산해 달려온 그녀의 혼신을 다한 간호가 이어졌음은 물론이다. 결국 그리 오래지 않아 눈을 뜬 젊은이는 바로 눈앞에 아름다운 연인의 얼굴이 내려다보고 있는 걸 보자마자 기적처럼 기운을 차리게 된다.

그럼 대체 그날 밤 무슨 일이 일어난 걸까? 그로부터 수주 후, 경찰서장 미프르와 씨는 오페라 극장에서 일어난 불상사에 대해 검찰의 처리 과정이 따르는 것을 기화로, 샤니 자작을 상대로 페로에서의 그날 밤에 있었던 일에 관해서도 심문을 벌인 바 있다. 다음은 그 때 작성된 조서

에 나타난 그 날의 사건 내용이다.(정리번호 150)

질문 — 당신이 그 독특한 방법으로 2층 방에서 내려오는 것을 다에 양이 못 보았다는 얘긴가요?

답변 — 그렇습니다. 분명히 보지 못했습니다. 하지만 나는 별반 조심성 없이 발소리를 내며 그녀 뒤로 다가갔습니다. 당시엔 그저 그녀가 돌아보고는 나를 알아보았으면 하는 생각뿐이었으니까요. 문득 이런 식으로 남을 미행하는 것은 옳지 않으며, 지금 대체 내가 무슨 짓을 하는 건가 하는 생각이 들었던 겁니다. 한데 그녀는 왠지 내 발소리를 전혀 듣지 못하는 것 같았고, 내 존재를 전혀 의식하지 못하는 것 같았습니다. 그녀는 나루터를 벗어나더니 바쁘게 길을 거슬러 오르기 시작했습니다. 그 때 갑자기 성당의 시계 종소리가 밤 11시 45분을 알렸는데, 그녀는 마치 그 시계 종소리에 맞춰 길을 서두르는 것 같았습니다. 걸어가다 말고 별안간 거의 뛰다시피 했으니까요. 그렇게 해서 결국 도착한 곳이 성당 묘지 문 앞이었습니다.

질문 — 문은 열려 있었습니까?

답변 — 네. 그래서 저는 놀랐습니다만, 다에 양은 그렇지 않아 보이더군요.

질문 — 묘지에 다른 사람은 없었나요?

답변 — 아무도 보이지 않았습니다. 누가 있었다면 아마 눈에 띄었을 겁니다. 워낙에 달빛도 밝았을 뿐 아니라, 하얀 눈이 쌓여 있어 빛이 반사되는지라, 평상시의 밤보다 훨씬 환한 편이었으니까요.

질문 — 혹시 묘석 뒤라든지, 어딘가에 숨어 있었을 수도 있지 않을까요?

답변 — 그렇진 않습니다. 묘석이라고 해봐야 다 닳아버려 눈에 파묻힐 정도였고, 그나마 납작한 십자가들만 열 지어 늘어서 있었으니까요. 어디 숨을 데도 마땅치 않았습니다. 그림자라고는 그 십자가들과 우리 두 사람에 의해 생긴 것뿐이었습니다. 한데, 성당건물이 유난히 밝게 빛나고 있었습니다. 그 때까지만 해도 밤에 그렇게 빛나는 건물을 보지 못했습니다. 정말 아름답고, 투명하며, 차가워 보이는 빛이었습니다. 글쎄요, 예전에는 밤에 공동묘지에 가본 적이 없었기 때문인지, 그런 곳이 그렇게 밝게 빛나는 건 참으로 의외였습니다. 그야말로 '현실일 것 같지 않은 빛'이었습니다.

질문 — 혹시 미신을 믿으시나요?

답변 — 아뇨. 전 신자입니다.

질문 — 그 당시 기분이 어땠습니까?

답변 — 지극히 정상이고 안정되어 있었습니다. 물론 다에 양이 갑자기 밖으로 나서는 바람에 처음엔 다소 불안하긴 했지만, 성당 묘지로 향하는 걸 보고는, 아마도 죽은 아버지의 무덤에 가서 기도라도 올리려나 보다 생각했기 때문에, 곧장 이해가 되었고, 이내 안정을 되찾았습니다. 다만 눈 위로 내 발소리가 선명하게 들렸을 텐데도 전혀 눈치채지 못하는 점이 좀 이상하긴 했습니다. 하지만 그것도 한참 종교적 감정에 몰두해 있다고 생각하면 그리 이해 못할 일도 아니죠. 나는 마침내 방해를 하지 않는 게 좋다고 판단했고, 아버지의 무덤에 다다른 그녀에게서 몇 발짝 떨어져 조용히 지켜보기로 했습니다. 그녀는 눈 위에 무릎을 꿇고 성호를 긋더니 곧장 기도를 하기 시작했습니다. 바로 그 때 자정을 알리는 종소리가 울렸죠. 한데 열두번째 종소리가 울리자마자 갑자기 그녀가 고개를 번쩍 치켜드는 것이었습니다. 그녀는 시선을 하늘에 고정시킨 채 별들을 향해 두 팔을 쭉 뻗었습니다. 흡사 어떤 황홀경에 빠진 듯 보였고, 나는 대체 무엇 때문에 그리도 급작스러운 상태에 처하게 된 건지 어리둥절했습니다. 그때였습니다, 난데없이 어디선가 음악을 연주하는 소리가 들려온 것은! 나는 머리를 바짝 들고 미친 듯이 주변을 두리번거렸지만, *음악은 분명 어떤 보이지 않는 존재에 의해 연주되고 있는*

느낌이었습니다! 나는 덜컥 긴장하지 않을 수 없었죠. 정말이지 대단한 연주였습니다! 하지만 귀에 익은 곡조였죠. 크리스틴과 내가 어렸을 적에 자주 듣던 음악이었으니까요. 다만 다에 영감이 바이올린으로 들려주었을 때는 그처럼 신성한 느낌을 주지는 못했습니다. 나는 크리스틴이 얘기한 '음악의 천사'를 문득 머리 속에 떠올릴 수밖에 없었고, 그 불멸의 곡조가 설사 글자 그대로 하늘에서 직접 내려오는 것은 아니라 해도, 적어도 이 진부한 세상에 속한 것이 *아님*은 분명하다는 생각을 하게 되었습니다. 거기엔 악기도 없었을 뿐더러, 설혹 있었다 해도 우리 두 사람이 그걸 다룰 만한 실력을 갖춘 것도 아니었습니다. 오, 아직도 그 경탄할 만한 곡조가 그대로 머리 속에 남아 있어요! 그건 「라자로의 부활」이라는 곡으로, 다에 영감이 마음이 서글프거나 신앙심이 복받쳐 오를 때 들려주곤 하던 곡이었습니다. 크리스틴의 그 천사가 존재할 수도 있겠지만, 아마 그날 밤, 죽은 떠돌이 악사의 바이올린을 가지고 이보다 더 잘 연주하지는 못했을 거라는 생각이 들더군요. 예수가 기도하는 대목에서는 완전히 정신이 혼미할 정도였는데, 맙소사! 이러다가 크리스틴의 아버지 무덤 묘석이 번쩍 들리는 건 아닐까 하는 우려까지 하게 되더군요! 다에 영감이 자신의 바이올린과 함께 안장되었다는 생각이 하필 그 순간에 퍼뜩 머리를 스쳤던 것이죠. 하긴 그처럼 눈부시면서도 을씨년스런 한밤중에, 그것도 한적한 성당묘지에서, 가뜩이나 해골들이 악다문 입에 미소를 지어가며 한창 분위기를 괴이하게 몰아가는 마당에, 도무지 내 망상이 어디까지 치달을지 장담할 수 없는 상황이었습니다.

다행히 음악은 곧 그쳤고 그제서야 나도 정신을 차리게 되었습니다. 한데, 뼈다귀더미에 뒤섞여 있는 해골들 근처에서 무슨 소리가 나는 게 아니겠습니까!

질문 — 오호, 그러니까 뼈다귀를 쌓아 놓은 데 근처에서 소리가 들렸단 말이죠?

답변 — 그렇습니다. 그건 마치 그 속에 있는 해골들이 킬킬거리는 소리 같았고, 나는 온몸에 소름이 확 끼치지 않을 수가 없었습니다.

질문 — 하면, 바로 그 뼈다귀더미에 당신을 그토록 정신 없게 한 천상의 음악가가 숨어 있을 수도 있다는 생각은 안 들던가요?

답변 — 왜 안 했겠습니까? 퍼뜩 그 생각부터 들었죠…… 심지어는 그 생각을 하느라, 다에 양이 일어나 묘지 문 쪽으로 다가가는 것을 뒤따를 겨를조차 없었답니다. 그녀는 정신이 무언가에 온통 쏠려 있었는지, 그 때까지도 내 존재를 알아차리지 못하는 게 별로 이상하지 않을 정도였습니다. 나는 꼼짝도 하지 않은 채, 뼈다귀더미만을 노려보고 있었습니다. 대체 이 모든 기이한 일들이 어찌된 것인지, 그 끝까지 가볼 작정이었지요.

질문 — 그럼 도대체 무슨 일을 당했기에, 그 다음날 아침 주제단 계단에 정신을 잃은 채 쓰러져 있었던 겁니까?

답변 — 오, 정말 눈 깜짝할 사이에 일어난 일입니다…… 웬 해골 하나가 내 발치로 굴러오더니, 또 다른 해골이 연이어 굴러왔고…… 그 다음으로 또 하나가…… 마치 나를 겨냥하고 해골들이 저절로 굴러오는 것처럼 마구잡이로 굴러오는 것이었습니다! 그래서 문득 뭔가가 잘못 움직이는 바람에 그 수수께끼 같은 음악가가 숨어 있는 뼈다귀더미가 무너지기 시작하는 줄만 알았지요. 한데 때마침 어떤 그림자 하나가 재빨리 제의실의 새하얀 벽 위로 미끄러지듯이 지나가는 거였습니다. 나는 득달같이 그쪽으로 달려갔죠. 그림자는 어느새 문을 밀치고 성당 안으로 들어가더군요. 나도 꽤 날쌨지만, 그림자도 망토를 펄럭이며 제법 날렵하게 움직였습니다. 하지만 결국 나는 손을 뻗어 그 망토 끝자락을 움켜쥐게 되었죠. 바로 그 순간, 나와 그 그림자는 주제단 바로 앞에 있었고, 채광창을 통해 들어온 달빛이 우리 앞으로 곧장 내리꽂히듯이 비치는 것이었습니다. 나는 악착같이 망토를 붙들고 있었는데, 그림자가 획 돌아보면서 망토가 살짝 걷히는 찰나, 오, 분명히 말하건대, 난데없는 해골이 지옥불처럼 뜨거운 시선으로 나를 똑바로 쏘아보는 게 눈에 들어오더란 말입니다! 그건……, 그건 마치 사탄과 직접 대면하는 느낌이었습니다…… 내가 아무리 강심장이었다 해도, 일단 그런 저승사자 같은 존재와 맞닥뜨리자, 갑자기 팔다리에 힘이 빠지면서 그만…… 정신이 들었을 땐, 이미 〈석양〉 여관의 내 작은 방이었습니다…….

7
5번 박스석을 조사하다

자, 이쯤에서 다시, 5번 박스석을 둘러보기로 결정한 피르맹 리샤르 씨와 아르망 몽샤르맹 씨에게로 이야기를 돌려보자. 두 사람은 사무실 현관을 벗어나 중앙 계단을 뒤로 하고 무대와 그에 딸린 내실들로 향하고 있었다. 무대를 가로질러 예약권 관객들의 출입구로 들어선 그들은 극장의 왼쪽 첫번째 복도를 거쳐 칸막이 좌석으로 들어갔다. 그런 다음 오케스트라석의 첫째 열 사이를 지나 드디어 문제의 5번 박스석을 올려다보았다. 한데 그 위치가 워낙에 반쯤 그늘 속에 자리잡고 있는 데다, 팔걸이의 붉은 빌로드 천 위로 좌석의 커버가 거창하게 늘어뜨려져 있어서, 그 너머 내부는 잘 보이지가 않았다.

어두침침하고 넓은 공간 안에 단둘이 서 있게 된 두 사람은 문득 무거운 적막함의 한가운데 고립된 느낌이 들었다. 때마침 무대장치 기술자들이 한잔하러 간 시각이라 더욱 조용했다.

무대 위에는 반쯤 설치된 장식물들 외에는 텅 비어 있었다. 흡사 을씨년스런 별빛과도 같은 어슴푸레한 빛줄기 몇 가닥이 어디서 새들어오는지, 무대 위의 판지로 만든 낡은 탑 장식의 총안(銃眼) 모양을 희끄무레하게 비추고 있었다. 이처럼 어두컴컴한 극장의 내부에선 모든 사물들이 괴이한 형상을 취하기 마련이다. 텅 빈 오케스트라석을 널찍이 뒤덮고 있는 천은 마치 광막한 대양 같아 보였고, 그 청록색 파도가, 예컨대 폭풍우를 몰고 다니는 거인 아다마스토르(역자주 : 그리스 신화의 거인족 중 하나로 제우스에 반란을 일으켜 올림포스 신들에게 산을 던지며 공격했다가, 오히려 신들이 던진 산에 깔려 죽었다)의 신비스런 명령에 의해 잠시 그 요동을 멈추고 있는 듯했다.

그러고 보니 몽샤르맹 씨와 리샤르 씨는 바로 그 청록색 천의 정지된 격랑(激浪) 한가운데에서 속절없이 난파당한 조난자들처럼 보였다. 헤엄을 치듯 허우적거리며 좌측 박스석으로 나아가는 두 사람의 모습은 마치 배를 버리고 안전한 기슭을 찾아 헤매 다니는 선원들 꼴이었다. 반들거리는 석회석 기둥 여덟 개가 우중충한 그늘 속에 떡 버티고 선 채, 위협적인 절벽을 떠받치듯 제 1, 2, 3열의 박스석 발코니를 지탱하고 있는 가운데, 현란하게 구불구불한 아라베스크 문양이 그 전면을 수놓고 있었으며, 깎아지를 듯이 치솟은 천장의 갖가지 장식 형상들은 몽샤르맹 씨와 리샤르 씨의 불안감을 비웃기라도 하듯, 오만가지 표정을 짓고 있었다. 그러나 사실 그 형상들은 무척 진지한 표정들이었으며, 이시스, 암피트리테(역자주 : 바다의 여왕으로 해신 포세이돈의 아내가 됨), 헤베(역자주 : 제우스와 헤라의 딸로 청춘의 여신), 플로라(역자주 : 꽃의 여신), 판도라, 프시케, 테티스(역자주 : 바다의 요정으로, 아킬레스의 어머니), 포모나(역자주 : 과일나무의 여신), 다프네, 클리티에(역자주 : 물의 요정으로, 아폴론을 흠모하여 해바라기가 됨), 갈라테아(역자주 : 바다의 요정), 아레투사(역자주 : 물의 요정으로 강의 신의 구애공세에 쫓기다 못해 샘이 됨) 등등 이름만 들어도 쟁쟁한 존재들이었다. 그 중에서도 특히 아레투사와 상자로 유명한 판도라는, 두 신임 극장 지배인이 가까스로 '기슭'에 닿아 5번 박스석의 첫째 열을 숨죽여 바라보는 모습을 물끄러미 지켜보고 있었다.

앞서 그들이 불안감을 느끼고 있다는 암시를 비춘 바 있지만, 적어도 몽샤르맹 씨가 훗날 다음과 같이 적나라하게 고백하는 걸로 봐서, 그랬을 거라는 얘기이다.

"우리가 드비엔느 씨와 폴리니 씨의 뒤를 이어 이 극장의 운영을 맡은 이래로 사람들이 그토록 둘러보라고 자상하게 권해온 바로 그곳, 오페라의 유령께서 즐겨 납신다는 그 '귀빈석'에 막상 들어서 보니, 아닌게아니라 내 상상력, 아니 결국에는 내 시각의 균형을 여지없이 뒤흔들어버리는 일이 벌어지고 말았다. ─ 혹시 극장 전체를 뒤덮고 있는 과도한 장식들 속에서 너무도 적막한 분위기에 압도당한 나머지, 헛것을 본 것일까? 저 5번 박스석을 지배하고 있는 음울하고도 어슴푸레한 음영의 장난에 의해 환각의 노리개가 되었던 것일까? ─ 아무튼 나와 리샤르는 거의 동시에 5번 박스석 안에 있는 어떤 형체를 분명 목격한 것이었! 우리는 누가 먼저랄 것도 없이 덥석 서로의 손을 붙잡았고, 그대로 꼼짝않고 한곳만을 응시한 채 서 있었다. 그러자 그 형체는 슬그머니 사라지는 것이었다. 잠시 후, 복도로 나온 우리 두 사람은 그 형체에 대해 이야기하며 서로의 느낌을 나누었다. 한데 딱하게도 내가 보았다고 생각한 형체가 리샤르가 생각하는 그것과 일치하지 않는 것이었다. 나는 박스석 가장자리에서 해골을 목격한 반면, 리샤르는 지리 부인하고 비슷하게 생긴 웬 노파의 얼굴을 보았다는 것이다. 우린 정말로 뭔가 환각증상에 놀아났을 수도 있다는 생각에서, 다시 미친 사람처럼 히죽거리며 달려가 5번 박스석에 들이닥쳤고, 결국 아무 형체도 그곳에 없다는 결론에 합의를 보고 말았다."

어쨌든 두 사람은 그 날 분명 5번 박스석에 들어갔다. 사실 그곳은 여느 2층 박스석과 별반 다를 게 없는 평범한 객석이었다.

몽샤르맹 씨와 리샤르 씨는 일부러 거들먹거리고 히죽히죽 웃으면서 이것저것 집기들을 들었다놨다 하고 의자 커버를 들추는가 하면, 특히 *그 목소리가 앉아 있다고* 얘기되는 곳을 주의 깊게 살펴보았다. 하지만 아무리 봐도 별로 신비할 것 없는 그저 점잖은 의자에 불과했다. 다시 말해 붉은 장식융단과 의자들, 양탄자와 붉은 빌로드의 팔걸이 등등 5번 박스석의 모든 것은 다른 평범한 박스석과 하나도 다르지가 않았다. 그래도 다시 한번 더 세심하게 바닥 양탄자를 더듬어보고, 그래도 아무 이상을 발견하지 못하자, 두 사람은 5번 박스석 바로 아래에 위치한 1층의 칸막이 좌석으로 내려왔다. 그렇게, 오케스트라석의 좌측 첫번째 출구와 맞닿아 있는 5번 칸막이 좌석도 샅샅이 훑어보았으나 결과는 마찬가지였다.

결국, 피르맹 리샤르 씨는 이렇게 소리쳤다.

"모두가 우릴 가지고 논 거야! 좋아, 이번 토요일, 「파우스트」를 공연할 때, 우리 둘이서 직접 5번 박스석에서 관람을 해보자구!"

8
끔찍한 결과

토요일 아침, 출근을 한 두 극장 지배인의 책상 위에는 오페라의 유령으로부터 날아온 두 장의 똑같은 편지가 놓여 있었다.

그러니까, 전쟁을 하자 이 말씀입니까?

만약 그게 아니라 평화를 아직도 원한다면, 여기 최후통첩을 보내니 명심하시길 바랍니다.

앞으로 평화는 다음 네 가지 조건하에서만 가능할 것입니다.

1. 내 지정석을 돌려줄 것. 지금 이 순간 이후 언제든 내가 필요할 때 사용할 수 있도록.

2. 오늘 저녁 마르그리트 역은 크리스틴 다에가 할 수 있도록 할 것. 카를로타는 아플 테니 개의치 말 것.

3. 나의 안내인인 지리 부인을 당장 복귀시켜, 앞으로도 그녀의 충실하고 친절한 서비스를 받을 수 있게 할 것.

4. 나에게 지급될 월별 수당과 관련한 계약 규정을 당신들의 전임자들과 마찬가지로 충실히 이행하겠다는 편지가 지리 부인을 통해 내게 전달될 수 있도록 할 것. 그 지급을 어떤 방식으로 할까 하는 문제는 추후에 따로 통보하겠음.

위의 조건들에 따를 용의가 없으면, 오늘 저녁 「파우스트」 공연을 저주받은 객석에서 어디 한번 잘 감상해보시길……

그럼 이만!

— 오페라의 유령

"이거 정말 짜증나게 만드는군…… 짜증나게 만들어!"

리샤르는 소리를 빽 지르면서 주먹으로 책상을 내리쳤다.

그러는 와중에 부지배인인 메르시에가 들어왔다.

"라슈날이 두 분 중 한 분을 뵙자고 하는데요, 굉장히 급한 일이라고 합니다!"

"라슈날이 누굽니까?"

리샤르가 내뱉듯 반문하자 부지배인은 멀뚱하니 대답했다.

"극장 전속 마부장입니다."

"뭐요, 극장 전속 마부장?"

"그렇습니다…… 이곳 오페라 극장엔 마부가 여럿 있고 라슈날 씨가 그 책임자인 셈이지요."

"그 마부가 하는 일이 뭡니까?"

"마사(馬舍)를 총괄하는 일입니다."

"마사라뇨?"

"그야 오페라 극장 소속의 마구간이지요."

"극장에 소속된 마사가 따로 있단 말이오? 이런…… 난 까맣게 모르고 있었는데……"

"매우 중요한 임무를 맡고 있습니다. 말도 모두 열두 마리나 되고요."

"열두 마리나? 세상에, 뭐 하러 그렇게 많답니까?"

"「유태인 여자」나 「예언자」를 비롯한 몇몇 공연에서 분열장면에 동원되거든요. 그렇기 때문에 잘 훈련되고, 소위 '무대감각'이 있는 말이어야 합니다. 마부들은 바로 그들의 훈련을 책임지고 있지요. 라슈날 씨는 그 방면에 달인이구요. 그는 전직 프랑코니 마사 감독직을 역임한 바도 있답니다."

"좋군요…… 그래 무슨 일로 보자고 합디까?"

"그건 모르겠습니다만…… 좌우간 그렇게 흥분한 모습은 처음 봅니다."

"들어오라고 하시오!"

라슈날 씨가 들어왔다. 그는 손 채찍을 거머쥔 채 장화 한쪽을 신경질적으로 두드리고 서 있었다.

리샤르는 다소 긴장한 표정으로 입을 열었다.

"말씀 많이 들었소, 라슈날 씨…… 그래 무슨 일로 나를 찾아온 겁니까?"

"지배인님, 우리 마사 식구들을 몽땅 내쫓아 달라는 청을 드리려고 이렇게 왔습니다!"

"뭐, 뭐? 말들을 몽땅 내쫓아 달라는 겁니까?"

"말들이 아니라, 마부들 얘깁니다."

"라슈날 씨, 대체 마부가 모두 몇 명이나 있습니까?"

"여섯입니다!"

"여섯 명의 마부라…… 적어도 둘쯤은 없어도 될 인원이로군……"

그러자 갑자기 메르시에가 끼여들었다.

"그게 바로 보자르(Beaux-Arst, 역자주 : 오늘날의 국립미술학교와는 차원이 좀 다르다. 19세기 당시에는 파리의 건축·예술활동 전반에 걸친 양식을 결정하고 감독하는 국가적 기관이었다.)의 사무차장에 의해 억지로 만들어진 자리입니다. 그러니까 결국 정부의 비호를 받는 인원을 소화하기 위해 만들어진 자리지요. 뿐만 아니라……"

"쳇, 잘들 하는구만! 우리의 열두 마리 말을 위해 필요한 마부는 넷이면 족할 텐데……."

리샤르가 내뱉듯 말하자, 마부장이 즉각 수정했다.

"열한 마리입니다!"

"으흠, 열두 마리 말이오!"

"그게 아니라, 열한 마리라니까요!"

라슈날이 질세라 반복하자, 리샤르는 놀란 눈으로 말했다.

"엉? 부지배인이 모두 열두 마리라던데……"

"열두 마리였죠…… 하지만 지금은 세자르를 도둑맞았으니, 모두 열한 마리입니다!"

그렇게 말하면서 라슈날 씨는 손 채찍으로 장화를 한 차례 후려쳤고, 옆에 있던 부지배인이 허겁지겁 덧붙였다.

"맞습니다! 세자르를 도둑 맞았어요! 「예언자」에 출연하는 백마 말입니다."

"둘도 없는 말이었죠. 제가 프랑코니 가(家)에서만 십 년 동안 말들을 돌보며 지내왔지만, 세자르만한 말은 보지 못했답니다. 그런 녀석을 그만 도둑 맞고 말았단 말입니다!"

마부장은 칼칼한 말투로 잘라 말했다.

"아니, 어떻게 그런 일이?"

"글쎄 귀신이 곡할 노릇이 아닐 수 없습니다! 그래서 저희 마부들을 모두 모가지 잘라달라고 말씀드리는 겁니다!"

"모두 뭐라고 합니까?"

"멍청한 소리들뿐입니다…… 누구는 단역배우들 짓이라고 하는가 하면, 또 누구는 수위가 의심스럽다고 주절대고들 있습니다."

"사무실 수위 말이오? 그 사람은 아닙니다! 내가 보증하지요."

별안간 메르시에가 발끈하자, 리샤르가 더욱 목청을 돋우며 소리쳤다.

"하면, 마부장 개인으로서도 무슨 생각이 있을 텐데요?"

"물론 있지요! 있구말구요…… 이제 그걸 말씀드리려는 겁니다! 저로선 너무도 확실한 생각입니다만……"

그리고는 두 지배인에게 바싹 다가간 마부장은 재빨리 귀엣말로 이렇게 속삭이는 것이었다.

"드디어 유령이 한방 먹인 겁니다!"

순간 리샤르가 펄쩍 뛰었다.

"아, 이런…… 당신마저도!"

"네? 저마저라뇨…… 너무도 당연한 생각 아닙니까?"

"아니 도대체…… 라슈날 씨! 이봐요, 마부장 선생! 뭐가 당연하단 말이오!"

"……글세, 이 두 눈으로 목격까지 했으니 그렇게 생각하는 게 당연한 거 아닙니까?"

"대체 뭘 봤단 말이오?"

"웬 검은 그림자 하나가 세자르와 똑같이 생긴 백마에 올라타 있는 모습을 이 두 눈으로 똑똑히 보았습니다!"

"그런데 뒤를 쫓지도 않았단 말이오?"

"왜 안 그랬겠습니까! 쫓아 달려가며 소리쳐 부르기까지 했지요! 한데 워낙에 바람같이 내달리더니 회랑의 어둠 속으로 자취를 감추는 거였습니다……"

리샤르는 벌떡 일어섰다.

"알겠소, 라슈날 씨. 이제 그만 물러가도 좋소…… 그 유령에게 한번 따져보기로 하지요……"

"그럼 우리 마부들을 모두 내쫓는 겁니까?"

"물론이오! 잘 가시오!"

라슈날 씨가 뒤로 돌아 나가자마자 리샤르는 노발대발하기 시작했다.

"저 멍청한 자식을 당장 처치하도록 하시오!"

"하지만, 그는 경찰서장의 친구인데요……"

메르시에가 머뭇거리며 중얼거리자, 몽샤르맹도 거들었다.

"뿐만 아니라, 토르토니에서 라그레네라든가, 숄, 사자 사냥으로 유명한 페르튀제 등등 쟁쟁한 인사들과 아페리티프를 마시는 사이라네. 자칫 잘못 건드렸다간 온갖 신문에서 욕을 얻어먹고 말 거야. 그는 유령 얘기를 떠벌리고 다닐 테고, 그럼 사람들이 우릴 놀림감으로 맘껏 씹을 게 분명해. 그건 정말이지 생각만 해도 아찔하네……"

"에잇, 할 수 없군…… 그럼 없었던 얘기로 하지……"

리샤르는 무언가 다른 생각에 잠긴 표정으로 우물거렸다.

한데, 별안간 문이 활짝 열리더니, 지리 부인이 편지 한 통을 움켜쥔 채 후닥닥 뛰어들어오며 다짜고짜 이렇게 소리치는 것이었다.

"죄송합니다, 지배인님! 다름이 아니라 오늘 아침 오페라의 유령으로부터 편지 한 통을 받았는지라…… 편지를 보니, 지배인님께서 저를 다시금……"

하지만 그녀는 문득 말문이 막혀버렸다. 피르맹 리샤르의 얼굴 표정이 너무도 험상궂게 일그러져 있었던 것이다. 오페라 극장의 점잖은 지배인은 이제 막 폭발 직전까지 가 있었다. 하지만 아직은 화끈 달아오른 진홍빛 안색에다 이글거리는 눈빛 너머로까지 그 격분이 터져나오지는 않은 상태였다. 그는 아무 말도 하지 않았다. 아니 한마디도 제대로 입 밖에 낼 수가 없었다. 그러나 그런 폭풍 전야라 할 상태도 잠시뿐, 드디어 돌출행동이 터져나오고 말았다. 리샤르 씨의 우악스런 왼팔이 쑥 뻗어나오더니 순식간에 들뜬 지리 부인의 몸을 휙 돌려세웠고, 놀라 비명을 지르는 그녀의 엉덩이를 냅다 오른쪽 발로 걷어차는 것이 아닌가! 지리 부인의 검은 호박단 치마의 그 부위는, 물론 난생 처음 그와 같은 무례한 대접을 받아보았을 거였다.

너무도 갑작스럽게 벌어진 일이라, 회랑으로 내쫓겨난 지리 부인은 한동안 얼떨떨한지, 대체 영문을 모르겠다는 표정이었다. 그러나 잠시 후, 아니나 다를까, 오페라 극장 전체가 지리 부인이 고래고래 질러대는 비명소리와 닥치는 대로 뱉어내는 험악한 욕설로 떠나갈 듯했다. 마침내 세 명의 사내와 두 명의 경찰관들이 달라붙어서야 겨우겨우 진정된 그녀를 거리까지 데려다 놓을 수 있었다.

그런 일이 벌어지던 바로 그 시각, 포부르-생프-오노레 가의 한 작은 아파트에 거주하는 카를로타 양은 종을 울려 하녀를 부른 다음, 배달된 우편물들을 침대로 가져오라고 시켰다. 한데 그 중 익명으로 된 편지 하나에 이렇게 적혀 있는 것이었다.

"오늘 저녁 만약 그대가 노래를 부르면, 상상도 못할 불행이 노래하는 그대의 머리 위로 떨어질 것이다! 죽음보다 더한 불행이 말이다……"

이런 섬뜩한 협박은 어딘지 망설인 듯한 필체에 붉은 잉크로 씌어 있었다.

편지를 유심히 훑어본 카를로타는 갑자기 식욕이 떨어지는 것을 느꼈다. 그래서 하녀가 김이 모락모락 나는 코코아를 쟁반에 받쳐들고 왔는데도, 전혀 거들떠보지 않고 물리쳤다. 그녀는 침대 위에 걸터앉아, 깊은 생각에 잠겼다. 사실, 이런 류의 편지를 지금 처음 받는 건 아니었지만, 그 어떤 것도 이 정도까지 노골적인 협박은 아니었다.

스스로 불특정 다수의 질시 대상이 되고 있다고 생각한 그녀는 누군가 자신의 실패를 바라는 은밀한 적이 있다고 늘 입버릇처럼 조잘대곤 했었다. 무언가 고약한 음모가 진행중이며, 언젠가는 백일하에 그 전모가 드러나고야 말 거라고 주장하곤 했다. 그러면서도 자신은 그 어떠한 획책에도 벌벌 떨, 그런 아녀자는 아니라고 덧붙였다.

그러나, 만약 음모라는 것이 있다면 그건 저 가엾은 크리스틴을 상대로 카를로타 자신에 의해 추진되고 있었다 해야 옳을 것이다. 카를로타로선 크리스틴이 최근에 거둔 성공을 도무지 인정하기가 싫었던 것이다.

자신의 역할이 대체될 정도로 엄청났던 관객의 반응에 대해 이야기를 전해들었을 때엔, 당시 막 앓기 시작하던 기관지염도 단박에 회복된 것처럼 굴었고, 평소 극장 행정에 대한 발작적인 거부감마저 눈 깜짝할 사이에 훌훌 털어버리고는, 기존의 자기 배역을 조금도 포기하지 않으려고 발버둥쳤다. 그리고 나서는 자신의 라이벌을 내리누르기 위해 죽어라고 노력을 함과 동시에, 힘 있는 주변 친구들을 닥치는 대로 동원하여 극장측에서 크리스틴에게 또다시 그런 성공의 기회를 주지 않도록 백방으로 손을 썼던 것이다. 그 결과, 처음에는 크리스틴의 재능을 칭송하기 시작하는가 싶던 일부 신문들조차 점점 카를로타의 명성에만 지면을 할애하게 되었고, 극장 안에서는 크리스틴에 대한 이 유명한 디바의 독설과 행패가 날로 심해지고 있었다.

카를로타 양은 한마디로 양심도 영혼도 올바로 가지고 있지 못한 인물이었다. 글쎄, 단지 악기라고나 할까? 물론 꽤 성능 좋은 악기 말이다! 그녀의 레퍼터리는 과연 위대한 예술가로서의 야심을 내세워 볼만큼 든든했으며, 독일의 거장들에서 시작해, 이탈리아와 프랑스 쪽을 자유자재로 넘나들 정도로 풍부했다. 이 날 이 때까지 카를로타 양이 뭔가를 잘못 부른다든가, 자신의 방대한 레퍼터리 중 어느 한 대목의 해석에 있어서조차 결코 성량의 부족을 드러낸 적은 단 한 번도 없었다. 요컨대 강력하고도 정확한 테크닉을 갖춘, 버젓한 '성악 악기'인 것만은 틀림없는 사실이었다. 다만, 로시니가 독일어로 〈어둔 숲〉을 부른 크라우스를 두고 이렇게 한 말을 그 누구도 카를로타 양에게는 하지 않을 거라는 게 문제였다. "당신은 영혼을 가지고 노래를 부르고 있습니다! 당신의 그 영혼이 아름답습니다!"

오, 카를로타여, 그대가 바르셀로나의 매음굴에서 춤을 추던 당시, 그대의 영혼은 어디에 있었는가? 더 나중에는 파리의 초라한 이동식 무대 위에서, 뮤직홀의 술 취한 여자나 부를 시니컬한 단가들을 불러댈 때, 그대의 영혼은 어디에 있었는가? 그대의 연인들 중 한 명의 집에 모인 유명인사들 앞에서, 숭고한 사랑이든 저열한 욕망이든 똑같이 완벽하게 소화하는 게 최대의 강점인 그대의 그 말 잘 듣는 악기를 울려댈 때, 그때 그대의 영혼은 어디에 있었는가? 오, 카를로타, 그대에게도 영혼이라는 것이 있긴 있었는데, 그걸 잃어버린 것이라면, 그대가 정녕 줄리엣이 되고, 엘비르가 되며, 오펠리아와 마르그리트가 될 때 다시 그 영혼을 되찾았을 것을! 왜냐하면 그들은 그대보다 더 깊은 곳에서 우러나오는 무엇이며, 사랑과 결합한 예술의 정화작용을 거쳐야만 진정한 생명을 부여받는 것이기에…….

사실 말이지, 그 당시 크리스틴 다에가 카를로타 때문에 치러야 했던 온갖 치사스런 대접과 악의에 찬 행패를 생각하노라면 지금도 치밀어오르는 분노를 참기가 쉽지 않다. 그러니 카를로타의 찬미자들이 결코 재미를 못 볼 예술 전반, 그 중에서도 특히 성악에 관해 광범위하게 통찰할 때마다 그러한 나의 분개심이 고개를 든다 해도 그리 놀랄 일은 아니다.

어쨌든 카를로타 양은 방금 읽은 괴이한 편지에 대해 한참을 생각하던 끝에, 드디어 벌떡 일어섰다.

"좋아, 어디 두고 보자……"

그렇게 중얼대면서, 그녀는 단호한 어조의 스페인어로 무언가 주문을 외우는 것이었다.

그리고 나서 문득 창문을 내다보자 제일 먼저 눈에 띈 것이 하필 영구차였다. 영구차와 편지의 내용은 오늘 저녁 자칫 굉장한 액운을 당할지도 모른다는 불안감을 그녀의 내부에 일깨웠다. 더럭 겁이 난 그녀는 즉시 무작정 친구들을 불러모았고, 자신은 지금 크리스틴 다에가 꾸미는 음모 때문에 오늘 저녁 있을 공연에서 대단한 봉변을 당하고 말 거라 제 멋대로 떠벌리면서, 객석을 자신의 팬들로 가득 채움으로써 그년에게 본때를 보여주어야만 한다고 우겨댔다. 적어도 숫적으로는 일단 우세하지 않겠는가! 팬들이 자기 편이라면 그 어떤 우발상황에서도 의연하게 대처할 수 있을 것이고, 설사 일부 시끄럽게 구는 관객들이 소동을 일으킨다 해도 무지막지하게 압도해버릴 수 있을 거라는 말이었다.

한편 디바의 건강상태를 살피러 왔던 리샤르 씨의 개인 비서는 그녀가 멀쩡하며, 설사 마음은 좀 불편하다 하더라도, 그 날 저녁 마르그리트 역을 충분히 소화해낼 수 있을 것이라는 확신을 갖고 돌아갔다. 그러면서 비서는, 지배인님의 뜻이라면서, 절대 경솔한 짓은 하지 말 것이며, 외출을 삼가고 아무쪼록 공기 쐬는 것도 조심하라는 당부를 여러 번 했다. 카를로타는 그가 가버린 다음에, 오히려 그처럼 이례적인 충고가 혹시나 방금 읽은 편지의 협박과 무슨 관련이 있는 건 아닐까 하는 의구심에 휩싸였다.

오후 다섯시가 되자, 우편 배달부가 첫번째 것과 동일한 필체의 익명의 편지를 새로 가져왔다. 이번엔 내용이 보다 간결했다. "그대는 감기가 들었소. 그대가 어리석지 않다면 오늘 저녁 그 상태로 노래를 부른다는 게 얼마나 정신 나간 짓인지 잘 알 것이오."

카를로타는 콧방귀를 뀌고는 당당하기 이를 데 없는 어깨를 으쓱하며 기분 전환에 도움이 되는 곡조를 몇 마디 흥얼거렸다.

그녀를 추종하는 친구들은 약속을 지켰다. 그 날 저녁 거의 모두가 빠짐없이 오페라 극장에 나타난 것이다. 그러나 정작 혼내주기로 되어 있는 못된 무리들은 전혀 보이지가 않았다. 몇몇 음악의 초보자들이나 이미 오래 전부터 좋아했던 곡조 몇 개를 다시 들으려는 의도 외엔 그 어떤 특별한 기색도 보이지 않는 편안한 표정의 말쑥한 부르주아들을 제외하면, 늘 우아하고 단정하며 평화적인 태도가 무슨 집단적인 시위하고는 거리가 먼 그 극장의 단골 고객들이 전부였다. 단 하나, 평소와 다른 점이라면 리샤르 씨와 몽샤르맹 씨가 웬일인지 5번 박스석에 모습을 드러내고 있다는 사실뿐이었다. 그것을 보고 카를로타의 친구들은 지배인들도 역시 소란이 일 거라는 예상하에, 만약의 사태에 대한 준비를 갖추고 있는 것이리라 생각했다. 하지만 독자 여러분도 다 알다시피, 그건 터무니없는 억측일 따름이었다. 리샤르 씨와 몽샤르맹 씨의 머리 속엔 오로지 유령에 대한 생각밖에는 없었으니까……

나는 이 치열한 밤샘 속에서 부질없는 질문만을 던지노라
이 세상과 조물주에 대하여
오, 단 하나의 목소리도 내 귓가를 맴돌지 않는구나
단 한 마디 위로의 말도!

그 유명한 바리톤 가수 카롤루스 폰타가 이제 막 파우스트 박사의 첫 대사를 읊는 동안, 피르맹 리샤르 씨는 바로 유령의 좌석에 앉은 채 — 제1열의 맨 오른쪽 자리 — 더없이 흐뭇한 기분으로 몸을 기울여 자신의 동업자에게 말을 건네고 있었다.

"어떤가, 자네 귓가에는 무슨 목소리가 맴도는가?"

"좀더 기다려보자구! 급하게 굴 거 없잖은가! 이제 막 공연이 시작되었네. 자네도 알다시피, 유령은 보통 제1막 중간쯤 돼서야 나타난다고 하지 않는가……"

아르망 몽샤르맹 씨 역시 마찬가지의 느긋한 기분으로 대꾸했다.

그럭저럭 제1막은 아무런 사고 없이 지나갔고, 카를로타의 친구들은, 아직은 마르그리트가 노래하는 장면이 없으니 별일이 일어나지 않은 게 당연하다고 생각했다. 제1막이 내려지는 모습을 보면서 두 명의 지배인도 서로 미소를 지으며 마주 보았다.

"이제 하나는 지나갔고……"

몽샤르맹이 중얼거리자, 피르맹 리샤르도 히죽거리며 맞장구를 쳤다.

"그렇군…… 유령 선생이 오늘은 좀 늦나보지!"

"한마디로 오늘 객석은 *저주받은 객석이 되기엔* 너무 그럴듯하게 단장되었나봐!"

몽샤르맹은 자신의 농담에 스스로도 즐거워하는 기색이었다.

이제 리샤르는 껄껄 소리내어 웃기까지 했다. 그러면서 그는 웬 상스러워 보이는 검은 의상 차림의 뚱뚱보 부인이 모직으로 된 프록코트 차림의 촌스러운 사내 두 명을 양쪽에 꿰어차고 객석 한가운데에 앉아 있는 모습을, 동료의 옆구리를 쿡 찔러가며 손가락질했다.

"저게 누군데?"

몽샤르맹이 묻자 리샤르는 즐겁다는 듯 연신 히죽거리며 대답했다.

"우리 집 관리인이야. 남자들은 그녀의 동생과 남편."

"저들에게 표를 주었나보지?"

"글쎄, 그렇게 되었네…… 여지껏 오페라 구경을 단 한번도 못했다는 거야! 난생 처음으로 구경 온 셈이지…… 하지만 이제는 매일 저녁 이곳에 와야만 할걸세. 앞으로 평생 다른 사람들 자리를 잘 잡아주느라 동분서주해야 할 테니, 그 전에 한번 자신도 좋은 자리에 앉아볼 수 있도록, 내가 조치했지……"

그리고는, 무슨 말인지 잘 이해가 안된다는 표정의 몽샤르맹에게, 리샤르는 자신이 크게 신뢰하고 있는 저 부인을 조만간 지리 부인의 후임으로 고용할 생각이라 귀띔해주었다.

"하지만 그 지리 부인의 항의가 만만치 않으리라는 점도 고려해야 될걸세!"

몽샤르맹의 말에 리샤르는 시침을 떼고 이렇게 대꾸했다.

"누구에게 말인가? 그 유령에게?"

아참, 그렇지! 유령…… 몽샤르맹은 유령에 대해 거의 잊을 뻔하고 있었다. 그 정도로, 아직까지 두 지배인의 뇌리에 자신의 존재를 환기시킬 만한 그 어떤 움직임도 유령은 전혀 보이지 않고 있었던 것이다.

그런데…… 순간, 느닷없이 박스석 문이 활짝 열리더니 무대감독이 사색이 된 채 서 있는 게 아닌가!

"무슨 일이오?"

지금 하필 이곳에 엉뚱하게도 무대감독이 들이닥친 것에 적잖이 놀라며 두 지배인은 거의 동시에 소리쳤다.

"지금 크리스틴 다에의 친구들이 카를로타에 대해 무슨 음모를 책동한 것 같습니다! 카를로타는 아주 노발대발하고 있어요!"

"아니 이게 대체 무슨 소리야?"

리샤르는 눈썹을 잔뜩 찌푸리며 소리쳤다.

하지만 때마침 제2막의 저자거리 광경 위로 막이 올라가는 바람에 지배인은 무대감독에게 일단 나가 있으라고 손짓했다.

몽샤르맹은 곧장 리샤르의 귀에 대고 속삭였다.

"다에에게 친구들이 있다니?"

"있지."

"누구 말인가?"

리샤르는 대답 대신 눈짓으로, 두 남자만 덩그러니 앉아 있는 2층의 어느 객석을 가리켰다.

"샤니 백작이?"

"그렇다네. 그가 내게 크리스틴을 추천하더구만…… 그것도 하도 절절하게 추천하는지라, 그가 과연 소렐리의 연인이 맞는지 헷갈릴 정도였다구……"

"저런! 저런! ……그럼 그 옆에 앉아 있는 저 창백한 사내는 또 누군가?"

몽샤르맹은 호들갑을 떨며 다그쳤다.

"그의 동생인데, 자작이라네……"

"저 친구는 얼른 들어가 자리 깔고 누워야 할 것 같네 그려. 어디 아파 보여……"

어느덧 무대 위에선 쾌활한 곡이 울려퍼지고 있었다. 이른바 술잔을 높이 치켜들고 노래 부르는 취흥의 장면이었다.

포도주든 맥주든
맥주든 포도주든
나의 잔이여
가득 차고 넘치거라!

학생, 부르주아, 군인, 아가씨 그리고 중년부인네 할 것 없이 모두가 들뜬 마음으로 주막 앞에 모여 바쿠스 신의 기치 아래 흥청망청 어울리는 장면이었다. 그때 사이벨이 등장했다.

크리스틴 다에는 분장한 가운데서도 매력적이었다. 그 상큼한 젊음과 멜랑콜리한 우아함은 언뜻 보아도 사람의 마음을 끌어들이는 데가 있었다. 카를로타의 친구들은 즉각 어떤 갈채가 쏟아져나와 크리스틴과 그 일당이 미리 짜놓았을 음모가 시작되리라 예상하고 있었다. 하지만 극히 미미한 박수소리조차 객석에서는 튀어나오지 않았다.

반면, 마르그리트로 분장한 카를로타가 무대를 가로질러 나와 제2막의 다음 두 구절을 읊조리자 오히려 난데없는 브라보가 터져나오는 것이었다.

신사분들, 저는 그리 아름답지도 못한 처녀올시다,
그러니 제게 손을 내밀어 주실 필요가 없답니다!

그건 그야말로 전혀 예기치 못한, 공연한 함성과도 같았기에, 사정을 모르는 대부분의 사람들은 이게 웬일인가 하는 표정으로 그저 멍하니 서로를 마주볼 뿐이었다. 그리고 마침내 제2막도 별 탈 없이 끝나자 사람들은 저마다 이렇게 수군대는 것이었다. "아무래도 다음 순서에서 결판을 내려나봐!" 그런가 하면 보다 눈치가 있다고 자부하는 자들은 예상되는 소란행위가 〈북쪽나라 왕의 잔〉에 이르러 개시될 거라고 호언장담하면서 그것을 카를로타에게 경고하려고 예약석 입구로 몰려갔다.

한편, 두 지배인은 무대감독이 얘기했던 그 음모에 대해 알아보려고 박스석을 나갔다가, 잠시 후 별 하찮은 짓거리도 다 보겠다는 듯, 떨떠름한 표정으로 어깨를 으쓱하며 돌아왔다. 한데 박스석에 들어서자 제일 처음 눈에 띈 건 팔걸이용 탁자 위에 달랑 얹어져 있는 영국식 봉봉 사탕 상자곽이었다. 누가 이걸 갖다놓았을까? 즉시 여자 안내원들에게 일일이 물어보았으나 모두 모른다고 했다. 그리고는 다시 박스석에 돌아왔는데, 이번에는 상자곽 바로 옆에 아까는 없던 웬 오페라글라스가 있는 게 아닌가! 두 지배인은 멀뚱하니 서로를 마주 보았다. 이건 도무지 웃을 기분이 아니었다. 문득 지리 부인이 한 얘기가 뇌리를 스치고 지나갔다…… 그리고…… 주위에서 왠지 스산한 공기가 슬쩍 훑고 지나가는 느낌이 들었다…… 둘은 그만 기겁을 한 채 그 자리에 털썩 주저앉고 말았다.

무대에선 마르그리트의 정원 씬이 전개되고 있었다.

그 이에게 내 마음을 가져가다오
이 내 수줍은 고백을 전해다오……

손에 장미와 라일락 꽃다발을 든 채 크리스틴이 처음 두 구절을 부르면서 문득 올려다본 곳에는 샤니 자작의 모습이 있었다. 그러자 왠지 그녀의 목소리가 평소와는 달리 그리 청명하지도, 단아하지도 못한 느낌이었다. 무언가……, 꼭 짚어서 얘기할 수 없는 무언가가 그녀의 노래를 덮어 누르고 있는 듯했다…… 그리고 그 속에서 불안과 두려움이 벌벌 떨고 있었다.

오케스트라석에 있던 카를로타 양의 친구 한 명이 그것을 보면서 거의 모든 사람의 귀에 들릴 만큼 큰소리로 외쳤다.

"저것 봐라! 일전엔 그럴싸하게 부르더니, 오늘은 마치 염소처럼 '메메~' 거리잖아! 경험 부족이야, 경험 부족…… 뭘 부를 줄을 모르는 거라구!"

내가 믿는 것은 너희들뿐
나를 위해 말해다오.

노래는 계속 이어졌고, 자작은 아예 얼굴을 손에 파묻고는 흐느끼기까지 했다. 뒤에 앉은 백작은 콧수염 한쪽 귀퉁이를 잘근거리면서 어깨를 으쓱하거나 눈썹을 실룩거리며 안절부절 못하고 있었다. 동생이 그토록 호들갑을 떨어가며 감정을 낭비하는 것을 보자, 평소엔 침착하고 냉정하기로 유명한 백작조차도 슬슬 부아가 났던 것이다. 며칠 전 짧고도 수수께끼 같은 여행에서 난데없이 건강이 말이 아닌 상태로 돌아온 동생을 보고 그러지 않아도 심기가 불편하던 터였다. 도대체 어찌된 일인가 하고 물어보았지만 영 대답이 시원치 않자, 기어이 자초지종을 알아야겠다고 생각한 백작은 크리스틴 다에와의 면담을 요청한 바 있었다. 한데 그녀는 무례하게도 아무런 설명 없이, 백작도, 그 동생도 만날 수 없다고 일언지하에 거절을 하였던 것이다. 이는 무언가 파렴치한 속셈이 숨어 있는 거라고 단정할 수밖에 없었다. 백작으로선 크리스틴이 라울을 괴롭게 하는 것도 용납이 안됐지만, 그보다도 라울이 크리스틴 때문에 고통을 당하고 있다는 걸 도저히 인정할 수가 없었다. 아, 이럴 줄 알았다면, 애당초 의문의 하룻저녁 성공에 들떠서 그 얄궂은 아가씨 한테 한순간이나마 관심을 표명하는 것이 아닌데……

그의 입술 위에 머문 꽃송이가
부드러운 입맞춤이 되어줄 수 있다면.

"저, 저런 교활한 계집 같으니……"
백작은 나직이 이죽거렸다.

그러면서 속으로, 과연 그녀가 원하는 게 무얼까…… 무얼 바라고 이러는 걸까 곰곰이 생각했다. 그녀는 순수한 여자라고 했지…… 하지만 사람들 얘기론 아무도 돌봐주는 사람 없고, 친구도 없다고 했겠다…… 저 여자 아무래도 천사의 얼굴을 한 사기꾼 아닐까?

한편 라울은 어린애처럼 줄줄 흘러내리는 눈물을 간신히 손등으로 가리면서, 머리 속에는 온통 어떤 편지 한 장에 대한 생각밖에 없었다. 파리에 돌아오자마자, 몰래 페로를 빠져나와 먼저 파리에 와 있던 크리스틴으로부터 날아든 편지 말이다.

〈다정스런 나의 옛 친구분께…… 저를 다시는 보지 않고, 얘기도 하지 않으시려면 용기가 필요하겠죠…… 하지만 조금이라도 절 사랑하신다면 저를 위해 그런 용기를 가져주세요. 그래도 저는 당신을 잊지는 않을 것입니다. 라울, 무엇보다도 저의 무대 대기실로 불쑥 찾아오는 일만은 말아주세요. 그거야말로 저와 당신의 인생 모두가 걸려 있는 일입니다. 당신의 연약한 크리스틴으로부터……〉

별안간 우레와 같은 박수소리가 터져나왔다…… 다름 아닌 카를로타가 무대 위에 등장한 것이었다.

정원 씬은 사소한 일상사들을 둘러싸고 전개되고 있었다.

마르그리트 역의 그녀가 「북쪽나라 왕」의 곡조를 무사히 불러내자 아니나다를까 극성스런 친구들의 환호성이 터져나왔다. 뿐만 아니라, 다음과 같이 보석의 노래를 끝낼 때도 마찬가지의 환호가 뒤따랐다.

아! 거울 속의 내 모습
그 아름다움에 난 미소짓네

자기 자신은 물론, 객석을 메우고 있는 친구들, 자신의 목소리와 성공에 대한 확신에 사로잡힌 나머지 카를로타는 이젠 전혀 두려울 게 없다는 듯, 들끓는 열정과 도취감을 한껏 드러내며 노래에 몰입해 있었다. 그러다 보니 그녀의 연기에는 더 이상 수수함이라든지 어떤 절제가 묻어나지 않았다…… 그건 이제 마르그리트가 아니라, 차라리 카르멘의 모습이었다. 그래도 사람들은 여전히 환호를 멈출 줄 몰랐고, 마침내 파우스트와의 이중창에 접어들어 결정적인 공연 대성공을 코앞에 두는 듯했다…… 뭔가 끔찍한 일이 일어난 건 바로 그 순간이었다!

무릎을 꿇은 파우스트가 이렇게 읊조리자,

그대의 얼굴을 가만히 들여다보게 해주오
그 창백한 광채가
마치 구름 속의 밤 별들이
그대의 아름다움을 어루만지려 어른대는 것 같구려

마르그리트가 이렇게 화답하는 대목이었다.

오 침묵이여! 오 행복이여! 그 어마어마한 신비여!

감미로운 우수여!
나는 듣고 있어요! 네, 알아듣고말고요,
내 마음 속에서 노래부르고 있는 이 외로운 목소리를!

바로 그 순간…… 무언가가 일어났다…… 무언가 끔찍한 일이……
…… 불현듯 객석 전체가 들썩하는 것 같았고…… 박스석의 두 지배
인 역시 일순 튀어나오려는 외마디 소리를 끝내 억제하지 못했으며……
객석의 모든 관객들은 남녀 가릴 것 없이 눈앞에 펼쳐진 황당한 상황에
대해 서로가 설명을 구하려는 듯, 마주보며 술렁대는데…… 카를로타의
얼굴 표정이 갑자기 극심한 고통으로 일그러지면서, 두 눈은 광기에 사
로잡힌 듯 휘둥그래지는 것이 아닌가! 그 가엾은 여인은 전신이 뻣뻣하
게 굳은 채, 입은 반쯤 헤벌어진 상태로, "내 마음 속에서 노래부르고
있는 이 외로운 목소리를!"까지 부른 다음, 그만 어쩐 일인지 노래는커
녕 한마디 대사도 입 밖으로 내뱉지 못하는 것이었다.

그러더니…… 단 한번도 실수한 적 없는 날렵한 악기인 그녀의 입술,
너무도 완벽한 음조와 억양, 열정에 가득 찬 리듬감을 유감 없이 발휘해
서, 이제 영혼을 고양시키고 감정의 보다 진정한 울림을 얻기 위해선 오
로지 천상의 신령스런 불길밖에는 더 이상 구할 게 없는 듯 보이던 그
기막힌 입술 밖으로 난데없이 이런 말이 슬그머니 튀어나오는 게 아닌
가!

"…… 두꺼비 같은 목소리!"

아뿔싸! 끔찍하고, 징그럽고, 끈적거리고, 우악스럽고, 독기 어린 두
꺼비라니!

대체 어디서 그런 말이 튀어나온 걸까? 어쩌다가 그것이 저 여인의
혓바닥 위에 웅크리고 있었던 것일까? 이거야말로, 놈의 퉁퉁한 뒷다리
가 잔뜩 구부리고 있다가…… 마치 더 높이, 더 멀리 도약을 하기 위한

준비 자세처럼 그러고 있다가……, 별안간 목구멍으로부터 울컥 튀어나온 것이 아닌가! 한데, 그게 다가 아니었다!

"꾸엑! 꾸엑!……"

아, 저건 또 무슨 소리인가!

아마 지금까지도 '두꺼비라니, 설마……' 하는 마음을 가지고 있던 독자 여러분께선, 한번 더 기겁을 하지 않을 수 없을 것이다. 무대 위에서 설사 진짜 두꺼비가 나타난 건 아니라 해도, 카를로타의 목구멍을 통해, 세상에나…… 영락없는 두꺼비의 '꾸엑!' 소리가 적나라하게 터져나오고 있으니 말이다!

객석은 온통 그 소리 하나로 흙탕물을 튀긴 것처럼 아수라장이 되고 말았다. 제아무리 떠들썩한 진창 속의 양서류라 하더라도 아마 방금 한 여인의 목구멍 속에서 튀어나온 '꾸엑!' 소리만큼 밤의 공기를 짓찢어 놓지는 못할 것이었다.

전혀 예상치 못한 사태라 더더욱 충격이 큰 건 당연했다. 심지어는 소리의 장본인인 카를로타조차 자신의 목구멍도 두 귀도 도저히 믿을 수가 없었다. 아마 자신의 발 앞에 당장 마른 벼락이 떨어졌다 해도, 지금 자기 입에서 튀어나온 두꺼비의 '꾸엑!' 소리만큼 놀라게 하지는 않았을 것이다…… 더구나 자신에게 벼락이 떨어졌다고 해서 수치심을 느낄 필요는 조금도 없을 것임에 반해, 혓바닥에 험상궂은 두꺼비 한 마리를 숨겨가지고 다니다 들통이 난 여가수라면 문제는 전혀 다르지 않겠는가! 이건 완전히 죽을 노릇인 것이다…….

그 누가 짐작이나 했겠는가! 그토록 조용하고 구성지게 부르고 있었지 않은가! "내 마음 속에서 노래부르고 있는 이 외로운 목소리를!"이라고…… 그것도 전혀 힘들이지 않고, 마치 "안녕하세요? 요즘 별고 없으시죠?" 하며 보통 인사를 건네는 것처럼, 지극히 자연스럽게 말이다.

자고로 이 세상에는 자신의 분수를 모르고 공연히 기고만장해서 허영을 부리는 여가수가 늘 있는 법이다. 대개 그들은 이미 하늘이 저버린 보잘것없는 성량을 가지고 어떤 비범한 효과를 내려고 악을 쓰는가 하면, 애당초 타고난 능력을 훨씬 초월하는 경지를 함부로 넘보려고 무리를 하기도 한다. 바로 그러한 경우, 하늘은 어김없이 그들의 목구멍 속에 이처럼 '꾸엑' 거리는 두꺼비를 한 마리씩 몰래 들여놓음으로써 벌을 내리시는가 보다. 생각해 보면 그리 이해하기 어려운 일은 아니나, 사람들은 그래도 하필 두 옥타브를 넘나드는 카를로타 같은 여자가 그런 두꺼비에 혼쭐나리라고는 감히 상상하지 못했던 것이다.

「마적」을 공연할 때 그녀가 선보인 오금을 저리게 하는 높은 파(fa)음과 현란한 스타카토의 기억을 사람들은 아직 잊지 않고 있었다. 뿐만 아니라 그녀가 엘비르로 나서 대성공을 거둔 「동쥬앙」에서는 동료 가수인 도나(Dona) 안나가 엄두도 내지 못할 멋들어진 시 플랫을 자유자재로 구사하지 않았던가! 그런데 아주 감미로운 소리로 "내 마음 속에서 노래부르고 있는 이 외로운 목소리를!" 하고 읊조린 끝에, 그 고요하고 평화로운 여운 끄트머리에, 난데없이 튀어나온 이 "꾸엑!"을 과연 어떻게 설명할 수 있단 말인가!

이건 결코 예사로운 일이 아니었다. 말하자면, 뭔가 사악한 마법 같은 것이 작용했을 것이다. 아무래도 낌새가 심상치 않다. 오, 저 가엾고 비참한 카를로타의 몰골을 좀 보라!

이윽고 객석은 여기저기서 들려오는 웅성거림으로 가득 찼다. 그나마 그런 꼴을 당한 자가 카를로타였으니 망정이지, 다른 여가수였다면 대번에 무자비한 야유를 보냈을 관객들이었다. 하지만 상대가 너무도 완벽한 악기라고 다들 알고 있는 그녀였기에, 사람들은 기겁을 하거나 당혹스러워할지언정 결코 분노하지는 못했다. 아마도 밀로의 비너스가 두 팔을 그렇게 잃은 재앙을 당했을 때에도 그 당시의 사람들은 이런 당혹감을 느꼈을 것이다. 그리고는 눈앞에서 벌어진 이변을 순순히 받아들였으리라……

하지만 이 두꺼비는 그보다 더 심했다. 사람들은 도무지 이해가 가지 않았다.

잠시 그녀는 자신의 입에서 차마 그런 소리가, ― 도대체 그것도 소리라고 할 수 있다면 말이지만 ― 그런 끔찍한 소음이 정녕 튀어나왔는지, 정신을 가다듬을 시간이 필요했다. 생각 같아선, 결코 목청에서 뭐가 잘못된 게 아니라, 단지 청각의 혼란 때문에 엉뚱한 소리가 섞여 들어온 거라고 믿고 싶었다.

그녀는 여기저기를 황망한 눈빛으로 두리번거렸다. 일종의 피신처, 혹은 보호처, 아니 자신의 목소리를 기꺼이 믿어줄 만한 표정이나 시선을 찾아 객석과 무대를 가리지 않고 두리번거렸다. 그러면서 바짝 긴장한 손가락을 모아 자신의 목을 감싼 채 두려움에 부들부들 떨었다. 아니야! 절대 그럴 리가 없어! 이 '꾸엑' 소리는 내 입에서 나온 게 아니라구! 옆에 있던 카롤루스 폰타의 생각도 그런지, 도저히 말로 다할 수 없을 황당하고 안타까운 표정으로 그녀를 빤히 바라보고 있었다. 그는 적어도 그녀 바로 옆에 선 채, 도망치지 않고 버텨주고 있었다. 도대체 어찌된 일이냐고 물어볼 만도 할 것을, 그는 입을 굳게 다문 채, 그저 마법사의 무궁무진한 모자만을 뚫어져라 쳐다보는 순진한 어린아이처럼, 카를로타의 입술만을 골똘히 바라보고 있었다. 그렇게 자그마하고 예쁘장한 입안에 어떻게 그처럼 큼직한 두꺼비가 숨어 있을 수 있었을까, 의아하다는 듯이…….

아무튼 무대 위아래를 막론하고 지금까지 묘사한 기가 막힌 상황들이 한동안 벌어지고 있었다.

한편, 저 위 5번 박스석에서 파랗게 질린 얼굴로 어쩔 줄 몰라하는 두 지배인에게는 그 동안이 수 시간은 되는 것처럼 느껴졌다. 이런 유례가 없는 불가해한 사건 앞에서 몽샤르맹 씨와 리샤르 씨는 어찌나 불안한 마음이 들었던지, 방금 전부터는 스스로 그 유령의 포로가 된 듯한 불길한 느낌마저 들었다.

유령의 숨결까지 느껴지는 듯했다. 몽샤르맹 씨는 자신의 머리카락 몇 올이 유령의 숨길에 약간 흩날린다는 생각마저 했다. 리샤르 씨도 얼른 손수건을 꺼내 이마의 땀방울을 훔쳤다. 그렇다, 그가 있는 것이다…… 이곳, 바로 옆 아니면 뒤에…… 보이지는 않아도 그 존재가 느껴진다…… 그의 호흡 소리가 들린다…… 이렇게, 이렇게 가까이서…… 자고로 '인기척'이라는 게 있질 않은가! 이제는 알겠다! 지금 이 박스석에는 모두 세 사람이 들어와 있는 것이다…… 몽샤르맹 씨와 리샤르 씨는 온몸이 부들부들 떨렸다. 도망갈 생각도 해봤다. 하지만 감히 그럴 엄두가 나지 않는 것이었다…… 도망은커녕 손가락 하나 까딱하지도 못했으며, 유령의 존재를 눈치채고 있다는 걸 들키게 될까봐, 둘이 뭐라 말도 못하고 있었다! 대체 어떻게 되는 건가? 무슨 일이 벌어질 것인가?

두꺼비의 '꾸엑' 소리가 객석의 웅성거림을 뚫고 똑똑히 들려왔고, 유령의 위협을 실감하는 가운데, 두 지배인은 5번 박스석 난간에 고개를 내밀고 마치 처음 보는 사람처럼 카를로타 양을 내려다보고 있었다. 현재 지옥의 구렁텅이에 빠진 거나 다름없는 그 여가수의 꾸엑거림은 필경 또 다른 재앙의 신호탄과도 같다는 것을 그들은 이제 어렴풋이 감지하고 있었다! 그렇다, 재앙! 유령이 호언장담한 게 바로 그것 아니었던가! 두 지배인의 가슴은 하나같이 앞으로 닥칠 미지의 일에 대한 공포심으로 두근거리고 있었다. 순간, 카를로타를 향한 리샤르의 목 메인 듯한 외침 소리가 어수선한 분위기를 가르고 치솟았다.

"좋아…… 계속하시오!"

하지만 카를로타 양은 그냥 계속하지는 않았다…… 그녀는 용감하게도, 끄트머리에서 난데없이 두꺼비 우는 소리로 중단되고 말았던 구절을 다시 제대로 해보겠다는 심정이었던 것이다.

온갖 소란이 가라앉고 다시금 긴장된 침묵이 흘렀다. 장내에는 오로지 카를로타의 목소리만이 빈 공간을 채우기 시작하고 있었다.

나는 듣고 있어요!……

그건 객석도 마찬가지였다……

……네, 알아듣고 말고요(꾸엑!),
꾸엑!…… 내 마음 속에서 노래부르고 있는 이 외로운 목소리를!…… 꾸엑!

아마 두꺼비도 다시금 제대로 해볼 생각이었나 보다.

이제 객석은 엄청난 혼란에 휩싸이고 말았다. 의자에 무너지듯 주저앉은 두 지배인들은 차마 고개를 돌려볼 엄두도 내지 못한 채 부들부들 온몸을 떨고 있었고, 유령은 그런 그들을 향해 은밀한 미소를 짓고 있었다. 그리고는 두 사람 다 오른쪽 귓가에서 절대로 불가능한 소리, 있을 수 없는 소리가 다음과 같이 속닥이는 것을 들었다.

"오늘 저녁, 그녀는 샹들리에를 떨어뜨리려고 노래하는 거야!"

두 지배인은 거의 동시에 고개를 치켜들면서 끔찍한 비명을 질렀다. 굉장한 크기의 샹들리에가 그 악마 같은 목소리에 반응을 하듯 슬슬 미끄러져 내려오기 시작하는 것이었다! 그러더니 급기야는 객석의 천장 꼭대기에서 오케스트라 석의 한가운데를 향해 그대로 곤두박질쳐 내려오고 있었다. 극장 안은 그야말로 총체적인 궤멸이었다! 나는 지금 여기서 굳이 당시의 끔찍했던 순간을 낱낱이 되살리고 싶은 생각은 없다. 정 궁금한 사람은 그때의 신문들을 직접 들추어보면 될 것이다. 수많은 사람들이 부상을 당했고, 한 명의 여자가 사망했다.

샹들리에는 그 날 난생 처음으로 오페라 극장에 와본 한 가엾은 여성의 머리통을 박살내고 말았던 것이다. 그녀는 마침 리샤르 씨의 결정에 따라, 유령의 전담 안내원인 지리 부인의 뒤를 이어 극장의 여자 안내원으로 근무할 예정이었다. 사건 당시 그녀는 즉사했고, 그 다음날 아래와 같은 표제와 함께 신문 지상에 그녀의 죽음이 대서특필되었다.

관리인 여자의 머리 위에 유성(流星)과도 같은
샹들리에가 떨어지다!

요컨대 한 여자의 부음(訃音) 치고는 여간 요란한 게 아니었다.

9
수상한 사륜마차

그 날의 비극적인 저녁은 모든 이에게 좋지 않은 결과를 가져왔음은 물론이다. 우선 카를로타 양은 아예 몸져 누워버렸다. 크리스틴 다에로 말하자면, 공연이 끝난 이후 행방불명이 되었다. 극장 안팎을 망라해서 2주 동안이나 그녀의 모습을 보았다는 사람이 없었다.

미리 말해두자면, 그 어떤 말썽도 일으키지 않고 종적을 감춘 이번의 경우와, 얼마 지난 다음, 상당히 불가사의하고도 처절한 상황에서 벌어지게 될 이후의 행방불명은 그 성질이 달랐다.

물론 라울은 크리스틴이 사라진 것을 그 누구보다도 받아들일 수가 없었다. 급한 마음에 발레리우스 부인 주소로 편지를 써보았지만 묵묵부답이었다. 사실 처음에는, 왜 그런지는 몰라도 자신과의 모든 관계를 끊으려는 그녀의 마음 상태를 알고 있었기에, 종적을 감추었다 해서 크게 놀라지는 않았었다.

하지만 아니나다를까, 날이 갈수록 그의 괴로움은 더해만 갔고, 급기야는 모든 프로그램에 그녀가 출연하지 않는 것에 안달이 나 못 견딜 지경이 되었다. 「파우스트」마저 그녀 없이 공연이 이루어졌다. 하루는 오후 다섯시경 무렵, 지배인의 집무실로 무턱대고 달려가 크리스틴 다에의 모습이 보이지 않는 것에 대해 따지기도 했었다. 한데 두 극장 지배인은 그 즈음 거의 넋이 나간 상태였다. 심지어는 그들의 친구들조차 저런 모습은 처음이라며 혀를 내두를 정도였다. 도무지 인생의 모든 기쁨과 활기를 상실한 듯 보였다. 그렇게 머리를 푹 떨군 채, 창백한 몰골에다 수심 가득한 표정으로, 마치 무언가 지긋지긋한 생각에 쫓기거나 사람을 아주 못 쓰게 만들어버리고 마는 운명의 장난에 희생되기라도 한 것처럼, 극장 여기저기를 힘없이 거니는 그들의 모습을 사람들은 어렵지 않게 목격하곤 했다.

물론 샹들리에 추락 사건의 여파가 크기는 했지만, 그렇다고 해서 두 지배인들에게만 전적인 책임을 묻기도 어려운 상황이었다.

조사 결과 그것은 샹들리에를 지탱하는 연결장치의 마모가 원인인 사고로 결론이 났다. 결국 마모 상태를 미리 파악하고 적절한 보수를 해서 재난을 미연에 방지하지 못한 점은 전 · 현직 지배인들 모두의 과실인 셈이었다.

어쨌든 분명한 사실은 요즘 들어 리샤르 씨와 몽샤르맹 씨가 사뭇 변했다는 것이다. 왠지 멍한 듯 보였고, 현실과 동떨어진 채, 종잡을 수 없는 태도를 일삼는 바람에, 사람들은 샹들리에 추락 사건 말고도 보다 끔찍한 어떤 일이 그들의 정신상태를 송두리째 뒤바꿔놓은 게 아닐까 하는 생각을 할 정도였다.

일상적인 대인관계에 있어서도 그들은, 사건 이후 다시 복귀한 지리 부인을 제외한 모든 사람에 대해 상당히 각박한 태도로 일관했다. 그러니 샤니 자작이 크리스틴의 근황에 대해 물으려고 찾아왔을 때도 어떤 식으로 대했을지 충분히 짐작이 가는 노릇이다. 크리스틴은 그저 휴가 중이라고만 짤막하게 대답했던 것이다. 휴가 기간이 어느 정도냐는 물음에도, 크리스틴 다에 자신이 건강상 이유로 무기한 휴가를 요청했노라는 대답뿐이었다.

"그럼 지금 아프다는 말인가요? 무슨 병이랍니까?"

라울은 갑갑하다는 듯 다그쳐 물었다.

"그건 우리도 모르오!"

"그럼 극장 전속 의원이라도 보내지 않았단 말입니까?"

"그녀 자신이 원치 않았기 때문입니다! 우린 그녀를 신뢰하고, 그녀가 하는 말을 그대로 믿을 수밖에 없는 입장입니다!"

하는 수 없이 라울은 온갖 우울한 생각에 사로잡힌 채 오페라 극장을 나서긴 했지만, 도무지 석연치가 않았다. 결국 이판사판이라는 마음에, 발레리우스 부인의 집으로 쳐들어가기로 작정했다. 물론 자신을 찾으려는 그 어떠한 시도도 하지 말아줄 것을 강력히 요구한 크리스틴의 편지를 머리 속에 떠올리지 않은 건 아니었다. 하지만, 페로에서 있었던 일이나, 대기실 문 밖에서 들었던 말소리, 여행중에 들판에서 크리스틴과 나누었던 대화 등등을 생각해볼 때, 무언가 기괴하면서도 어딘가 수상쩍은 인간관계가 개입된 말못할 사연이 있으리라는 예감을 떨칠 수가 없었다. 젊은 아가씨 특유의 들끓는 상상력, 다정다감하면서도 속기 쉬운 정신 상태, 케케묵은 옛 전설들을 줄줄이 꿰어차고 이루어진 어린 시절의 교육 환경, 그리고 죽은 아버지에 대한 줄기찬 회상, 무엇보다도 특히 예외적인 상황 속에서 걷잡을 수 없이 빠져들고 마는 음악에의 황홀경 상태 — 성당 묘지에서 그랬던 것처럼 — 등등 그 하나하나가 라울이 보기에는 누군가 악의에 차고 무모한 사람이 맘먹고 나서서 못된 일을 꾸미기에 더없이 좋은 정서적 토양들이라는 생각이 드는 것이었다. 대체 크리스틴 다에를 노리는 자가 누구란 말인가? 라울은 이처럼 스스로 생각하기에 일리가 있는 의문점을 마음에 품고서, 발레리우스 부인의 집으로 득달같이 달려가고 있었다.

그러고 보면 자작은 어디까지나 나무랄 데 없이 건강한 사고방식을 가진 남자였다. 물론, 그는 시인의 감성을 가졌고, 음악에 매료될 줄 알았으며, 요정들이 춤을 추는 브르타뉴 옛 민담의 대단한 애호가이기도 했다. 하긴 크리스틴 다에라는 요정 같은 여성에게 몸과 마음이 잔뜩 달아 있으니 더 말해 무엇하랴! 하지만 그럼에도 불구하고, 초자연적인 것은 오로지 종교의 테두리 내에서만 가능하다고 생각하며, 제아무리 황당무계한 이야기에 심취하는 가운데에도 결코 2 더하기 2가 4라는 진리를 잊을 리가 없는 합리적인 사람이 또한 그였다.

과연 발레리우스 부인에게서 무얼 얻어내겠다는 것일까? 라울은 노트르담 데 빅투아르 가의 작은 아파트 초인종을 누르는 동안 가슴이 두방망이질하고 있었다.

잠시 후, 일전에 크리스틴의 무대 대기실에서 본 적이 있는 하녀가 뛰어나와 문을 열어주었다. 라울은 발레리우스 부인을 뵐 수 있는지 물었고, 지금 몸이 아파 누워 있으므로, 손님을 맞을 수 없다는 대답이 돌아왔다.

"그럼 제 명함이라도 좀 전해주시겠습니까?"

그제서야, 안으로 들어갔다가 다시 돌아온 하녀는 라울을 아담한 거실로 안내했다. 다소 어둠침침하고 최소한의 가구만 놓여 있는 곳이었는데, 발레리우스 교수와 다에 양의 아버지 초상화가 서로 마주보고 벽에 걸려 있는 게 이채로웠다.

"부인께선 직접 나와 자작님을 맞이하지 못해 죄송하다는 말씀을 전해드리랍니다. 다리가 워낙에 불편하셔서 아예 방으로 모시라는 분부입니다."

하녀의 말에, 한 5분쯤 대기하다 들어간 방은 상당히 어둑했다. 하지만 이내 저 구석 한쪽에서 크리스틴의 마음씨 좋은 후원자를 알아볼 수 있었다. 발레리우스 부인의 머리는 완전한 백발이었지만, 눈동자만큼은 생기를 잃지 않고 있었다. 아니, 오히려 예전 그 어느 때보다도 청명하고 순수했으며, 어린아이 같은 느낌마저 주었다.

"샤니 씨, 아, 하늘이 당신을 보내셨군요! 이제야 그 애에 관해 얘기를 나눌 수 있게 되었습니다……"

발레리우스 부인은 두 팔을 반갑게 내뻗으며 소리쳤다. 한데 그 마지막 말이 왠지 불길하게 들려서, 라울은 다짜고짜 질문했다.

"부인…… 대체 크리스틴은 어디 있습니까?"

노부인은 담담하게 대답했다.

"선량한 정령과 함께 있지요……"

"선량한 정령이라니요?"

라울은 더더욱 안달이 나서 다그쳐 물었다.

"음악의 천사 말입니다!"

그 대답을 듣는 순간, 샤니 자작은 기겁을 하며 의자에 털썩 주저앉았다. 정녕 크리스틴이 그 음악의 천사와 함께 있단 말인가! 발레리우스 부인은 문득 손가락을 입술에 갖다대며, 이렇게 덧붙였다.

"물론 그 얘긴 다른 누구에게도 해선 안됩니다!"

"절 믿으십시오…… 절 믿으셔도 됩니다……"

라울은 그렇게 되뇌면서도 자신이 지금 무슨 말을 하는지 정신이 없었다. 이미 크리스틴에 대한 가뜩이나 혼란스런 생각이 지금은 아예 부옇게 혼탁해진 채, 백발과 어울리지 않게 벽공의 하늘빛 눈동자를 반짝이고 있는 이 당당한 노부인을 에워싼 모든 것이 빙글빙글 돌아가는 느낌이었다.

그녀는 흐뭇한 미소를 지으며 서둘러 대꾸했다.

"압니다! 알아요! 자, 그럼 당신이 어렸을 때처럼, 어디 이리 가까이 와보세요! 그리고 다에의 아버지가 얘기해줬다며 내게 로테 소녀에 관한 옛 이야기를 들려줄 때처럼, 어서 손을 내밀어 보세요. 라울 선생, 아시겠지만, 난 당신을 아주 많이 아낀답니다. 우리 크리스틴도 마찬가지로 당신을 생각하지요……"

"……그녀가 저를……"

젊은이는 맥없이 한숨을 내쉬었다. 그의 머리 속에선 지금 발레리우스 부인이 내뱉은 그 '선량한 정령'이라든가, 크리스틴이 수수께끼처럼 남긴 천사에 관한 이야기, 페로의 성당 계단에서 악몽처럼 힐끗 보았던 그 해골의 모습, 그리고 조셉 뷔케가 죽기 전에 얘기했다는 그 오페라의 유령의 끔찍한 몰골 등등 숱한 생각과 이미지들이 도무지 서로 갈피를 잡지 못한 채 마구 떠다니고 있었다.

마침내 나지막한 목소리로 그가 물었다.

"부인, 무슨 근거로 크리스틴 양이 저를 아끼고 있다는 말씀을 하시는 겁니까?"

"근거라뇨? 그 애는 늘 당신 얘기뿐이었습니다……"

"정말입니까? 그래 무어라고 하던가요?"

"당신이 결국 절교 선언을 하게 만들었다더군요!"

그리고 나서 이 노부인은 얄밉게도 가지런히 간수하고 있는 하얀 이를 활짝 드러내며 넉살 좋게 웃어대는 것이었다. 라울은 얼굴이 빨개진 채 잔뜩 기분이 상해 벌떡 일어섰다.

"허허…… 어디를 가시려는 거요? 그만 앉으세요…… 그런 식으로 훌쩍 떠나깁니까? 내가 주책없이 웃는 바람에 화가 나신 모양인데, 용서하시구려…… 어쨌든 이번에 일어난 일이 당신 책임은 아닙니다…… 당신은 까마득히 모르고 있었겠죠…… 아직 나이도 젊고…… 그러니 크리스틴이 자유의 몸이라 생각하고 있어도 무리는 아니에요……"

"그럼, 크리스틴이 결혼이라도 한 몸이라는 겁니까?"

그렇게 묻는 라울의 목소리는 애처롭게 갈라져 있었다.

"천만에요! 별 말씀을…… 당신도 알다시피, 아마 크리스틴 자신도 그걸 원하는 바겠지만, 결혼 같은 건 할 수 없는 처지입니다!

"무슨 말씀이신지…… 저는 아무것도 모릅니다! 도대체 크리스틴이 왜 결혼할 수가 없다는 말인가요?

"바로 음악의 정령 때문이지요……"

"아…… 또 그……"

"네, 그가 결혼을 금하고 있기 때문입니다……"

"금하다니…… 음악의 정령이 그녀의 결혼을 금하고 있다니!"

라울은, 마치 물어뜯기라도 하려는 듯, 턱을 앞으로 잔뜩 내밀며 발레리우스 부인에게로 별안간 몸을 굽혔다. 이전엔 생각할 수도 없을 만치 사나운 눈빛을 이글거리면서 그는 당장에라도 노부인을 집어삼킬 것만 같았다. 때론 지나치게 순진한 발상이나 사고방식이 너무도 기괴하게 보여, 여간 밉살맞지가 않은 경우도 더러 있는 법이다. 지금 라울의 눈엔 발레리우스 부인이 그렇게 보였다.

하지만 정작 부인은 자신을 찍어누를 것처럼 내리쏘는 라울의 사나운 눈빛을 전혀 의식하지 못하는 듯했다. 그녀의 어투는 지극히 자연스러웠다.

"오! 말하자면 금하지 않으면서 금한다고나 할까요…… 그는 단지 그녀가 결혼을 하면 자신의 음성을 더는 듣지 못하게 될 거라 말했을 뿐이니까요…… 그게 전부입니다! 결혼과 동시에 자신은 그녀를 떠나게 될 거라 이거죠…… 그러니, 아시겠죠? 크리스틴은 음악의 정령과 헤어질 생각이 없는 겁니다…… 당연한 일이죠……."

"네, 네, 그렇겠지요! 여부가 있겠습니까?"

라울은 한숨 섞인 소리로 맞장구를 쳤다.

"내가 알기로는, 크리스틴이 그 선량한 정령과 함께 페로에 갔을 때, 그곳에서 당신을 만나 이런 얘기를 죄다 했을 텐데……"

"아, 그러니까, 그때 그녀가 선량한 정령과 함께 갔던 건가요?"

"말하자면 그 정령이 페로에 있는 다에 씨 성당 묘지에서 우리 크리스틴과 만날 약속을 했던 것이죠. 그녀 아버지의 바이올린을 가지고 「라자로의 부활」을 연주해주겠노라고 약속했던 겁니다!"

참다못한 라울 드 샤니는 마침내 자리에서 벌떡 일어나며 단호한 어조로 이렇게 내뱉었다.

"부인, 지금 당장 그 정령인가 뭔가 하는 작자가 어디에 있는지 알아야만 하겠습니다!"

한데 노부인은 이런 당돌한 질문에도 별로 놀라지 않는 기색이었다. 그저 눈을 들어 청년의 얼굴을 빤히 쳐다보며 이렇게 대답하는 것이었다.

"하늘나라에 있습니다……."

자고로 도가 넘는 천진난만함은 사람을 어리둥절하게 만드는 법이다. 매일밤 하늘나라에서 내려와 예술가들의 숙소를 맘대로 드나든다는 정령에 대한 그토록 순진무구한 믿음은 라울을 당혹스럽게 하기에 충분한 것이었다.

그는 미신에 사로잡힌 떠돌이 악사와 소위 '계시를 받은' 노부인의 손에서 길러진 젊은 여자가 과연 어떤 정신상태에 있을지 이제야 알 것 같았다. 동시에 그로 인해 초래될 결과를 생각하니 몸서리가 쳐졌다.

"크리스틴은 언제나 정숙했나요?"

답답한 마음에서 불쑥 내던지다시피 한 라울의 질문에 노부인은 다소 심기가 상한 듯 발끈하며 대답했다.

"내 양심을 걸고 단언하건대, 그렇소이다! 당신이 그걸 의심한다면 도대체 여기까지 무엇 하러 왔는지 난 그게 의심스러워요!"

하지만 라울은 장갑을 거칠게 벗으면서 더욱 다그쳐 물었다.

"대체 그녀는 얼마 전부터 그 정령과 알게 된 사이입니까?"

"한 석 달은 되었지요…… 네…… 그의 교습이 시작된 지 그 정도는 되었을 겁니다……."

자작은 부아가 나는 마음을 주체 못하겠다는 듯 두 팔을 마구 휘젓더니 갑작스레 내려뜨리며 내뱉었다.

"정령이 그녀에게 교습을 해주었다, 이 말이로군요! 좋아요…… 그래 어디서 그 잘난 교습을 했다는 말입니까?"

"지금은 둘이 함께 자취를 감췄으니 잘 모르겠고…… 한 일주일쯤 전에는 크리스틴의 대기실에서 했었지요. 여긴 너무 비좁아서 힘들구요…… 건물 전체에 다 들릴 테니까 말이오! 반면 오페라 극장은 오전 여덟시 정도면 사람이 없는 시각이니 아주 적당하지요. 그 누구의 방해도 받지 않을 겁니다! 이제 아시겠죠?"

"알겠습니다! 알다마다요!"

그렇게 소리치며 부리나케 방을 뛰쳐나가는 자작의 등뒤에다 노부인은 기분이 상했느냐며 혼잣말처럼 질문을 던졌다.

거실을 가로질러 나가다가 라울은 문득 아까 봤던 하녀와 마주쳤다. 무언가 질문을 해볼까 생각이 들었으나, 왠지 그녀의 입가에도 알 듯 모를 듯 미소가 머무는 것을 눈치채고는 그럴 기분이 싹 가셨다. 라울은 그 애송이 하녀마저 자신을 비웃는다고 느꼈다. 그는 도망치듯이 그 집을 빠져나왔다. 이렇게 될 줄 각오한 게 아니었던가? 대체 더 어떤 꼴을 당해야 한단 말인가! 그는 불쌍해서 더는 못 볼 꼴을 한 채 형의 집으로 터덜터덜 걸어갔다.

그는 머리를 벽에 부딪쳐서라도 스스로를 나무라고 싶었다. 그토록 철석같이 순수함과 정숙함을 믿었건만! 단 한순간이나마 때묻지 않은 단순한 마음으로 모든 걸 이해하려고 애썼건만! 아, 그 음악의 정령이라는 자! 이제야 그 정체를 똑똑히 알게 되다니! 놈은 틀림없이 그럴듯하게 생긴 외모에다 아녀자 마음깨나 홀리는 뻔뻔한 테너 가수일 것이다! 아, 이 가련하고도 어리석은, 초라하기 이를 데 없는 젊은이, 샤니 자작이여! 그리고 그 여자는 또 얼마나 가증스럽고도 악마적인, 교활하기 그지없는 계집이란 말인가! 라울의 생각은 걷잡을 수 없이 번져나갔다.

어쨌든, 거리를 그런 식으로 한참을 쏘다니다 보니, 머리 속의 화끈거리는 열기가 다소 식은 느낌이었다. 방으로 올라간 그는 침대에 머리를 파묻고 조용히 흐느껴야겠다는 생각뿐이었다. 하지만 때마침 그곳에서 자신을 기다리고 있던 형을 보자, 그만 아이처럼 와락 안겨 울음을 터뜨리고 말았다. 백작은 아버지와 같은 태도로 동생을 달래기만 할 뿐, 어떤 질문도 하지 않았다. 라울 역시 그 음악의 정령이라는 존재에 대해서는 형에게 뭐라 이야기를 꺼내는 것조차 영 내키지 않았다. 이 세상엔 드러내놓고 자랑하기에 좀 그런 문제들이 있는 한편, 어디 하소연하기에도 차마 부끄러워 쉬쉬할 만한 다른 문제들도 있는 법이다.

백작은 동생의 마음도 풀어줄 겸 저녁을 먹으러 카바레로 데려갔다. 사실, 동생의 마음을 다잡아주기 위해, 백작이 전날 밤 불로뉴 숲 오솔길에서 웬 남자와 함께 있는 문제의 그 여자를 목격했다고 귀띔해주지만 않았어도, 라울은 떠들썩한 음식점에 따라나설 마음이 안 생겼을 것이다. 처음엔 결코 믿을 수 없다며 손사래를 쳤지만, 도저히 부정할 수 없을 만큼 자세하게 얘기를 하는지라 곧이듣지 않을 수가 없었다. 결국, 그처럼 하찮은 연애질에 불과한 거였단 말인가! 창문이 내려진 사륜마차를 타고 가는 그녀의 모습을 분명 보았다는 것이다! 그녀는 서늘한 밤 공기를 한껏 들이마시고 있었다 한다. 아주 휘영청한 달밤이었기 때문에 그녀를 똑똑히 알아볼 수 있었고 말이다. 함께 있던 남자는 그늘에 가려 실루엣만을 어렴풋이 분간할 수 있었다. 마차는 롱샹 경마장(역자 주 : 파리 북서쪽에 위치한 불로뉴 숲에 있는 경마장)을 뒤로 한 채 인적이 드문 오솔길을 도보와 같은 속도로 천천히 움직이고 있었다.

라울은 이미 괴로움을 내던져버린 듯, 순식간에 후닥닥 옷을 갈아입고 흔히들 말하는 '광란의 밤'을 즐길 태세를 갖췄었다. 하지만 어쩌랴, 그는 저녁을 먹으면서도 영 서글픈 표정을 떨치지 못했고, 급기야는 백작과 일찌감치 헤어진 후, 저녁 여섯시쯤엔 순환 마차에 몸을 실은 채 롱샹 뒷켠을 배회하고 있었다.

날씨는 꽤 매서운 편이었다. 길에 인적은 없었고, 달빛이 무척이나 훤했다. 라울은 마차꾼에게 인접한 오솔길 구석에 잠시 마차를 대고 기다리라 명한 다음, 가능한 한 몸을 숨긴 채 하염없이 발을 동동 구르고 있었다.

그렇게 한 반시간쯤 지났을까, 파리 시가 쪽에서 오는 마차 한 대가 조용히 길모퉁이를 돌아 나타나더니, 이리로 다가오는 것이었다.

즉각적으로 그녀라는 생각이 스치고 지나갔다! 갑자기 심장이 두방망이질하기 시작했다. 언젠가 그녀의 대기실 문 밖에서 우연히 남자의 목소리를 들었을 때와 똑같이 걷잡을 수 없는 심장의 박동 소리가 귀를 때리는 것이었다. 이런 젠장…… 그래도 그녀를 포기 못하겠다는 말인가!

마차는 천천히 다가오고 있었다. 그는 꼼짝도 하지 않고 기다렸다. 만약 진정 그녀라면, 이대로 저 말들 앞에 불쑥 달려나갈 테다! 그리하여 어떠한 희생을 치르더라도 그 음악의 천사와 결판을 내고야 말리라!

이제 조금만 더 다가오면 바로 앞까지 오게 된다…… 그는 저 마차 안의 승객이 그녀라는 사실을 조금도 의심하지 않았다. 실제로 웬 여성이 창가에 머리를 기대고 있었던 것이다…….

문득 달빛이 여인의 창백한 얼굴을 비추었다!

"크리스틴!"

사랑하는 여인의 신성한 이름이 저도 모르게 자작의 입술과 심장에서 동시에 새어나왔다. 하긴 어찌 참을 수가 있었겠는가! 그러나 그 이름이 밤의 공기를 가르고 솟구치는 걸 신호로, 마치 기다렸다는 듯 마차는 쏜살같이 속력을 내기 시작했고, 미처 계획했던 대로 마차를 세우지 못한 자작은 허겁지겁 그 뒤를 따라 달리기 시작했다. 어느새 마차의 창문이 올라가 있었고, 젊은 여인의 모습은 보이지가 않았다. 순식간에 마차는 헐떡거리는 자작을 저만치 따돌리고 새하얀 길 위의 한 점으로 멀어져 가고 있었다…….

그는 다시 한번 소리쳐 불렀다.

"크리스틴!"

물론 대답이 있을 리 없었다. 그는 마침내 아무도 없는 적막한 길 한 가운데에서 우뚝 멈춰 섰다.

그는 황망한 눈길을 들어 밤하늘의 별들을 쳐다보았다. 그리고는 미친 듯이 주먹으로 가슴을 두드렸다. 이토록 애절한 마음이 그녀에게 전해지지도 못하고 있다니!

멍한 눈동자 속엔 싸늘하게 버려진 길과 창백하게 죽어가는 밤하늘이 한데 뒤엉켜 아물거렸다. 하지만 그 어느 것도 자신의 마음보다 싸늘하게 죽은 것 같지는 않아 보였다. 그가 사랑했던 건 여자가 아니라 하나의 천사였을 뿐…… 이제는 여자라면 경멸감밖에는 남아 있을 것 같지 않았다.

북구의 어느 어린 요정이 농락하고 내버린 가엾은 라울…… 아, 저 호화스런 사륜마차에 수상쩍은 애인과 함께 파묻혀 이 고즈넉한 밤을 보내기 위해, 여차하면 청순한 베일을 뒤집어쓸 준비를 하고 그토록 싱싱한 볼과 수줍은 표정을 할 필요까지는 없었지 않은가! 거짓과 위선에도 넘어서는 안될 한계가 있어야 하는 게 아닌가! 교태로 얼룩진 영혼을 가졌으면서도 그토록 어린아이 같은 청명한 눈빛을 굴리고 다닐 필요까지는 없었지 않은가!

…… 그녀는 이렇게 애틋한 외침을 뒤로 한 채 눈길 한번 주지 않고 멀어져 갔다……

하긴 나는 또 왜 여기까지 휘청대며 온 것일까?

오로지 잊어주기만을 바라고 비난받아도 상관없다는 여자 앞에 이렇게 불쑥 나설 권리가 과연 내게 있단 말인가!

"꺼져버려라! 사라져버려! 하등의 쓸모없는 여인아……"

그는 죽음을 생각을 해보았다…… 나이 갓 스무 살에 말이다…….

다음날 아침, 침대에 걸터앉아 있는데 하인이 불쑥 들어왔다. 외출복을 그대로 입고 있는 그의 표정이 하도 절망적이어서 하인은 여간 놀란 게 아니었다. 라울은 하인의 손에 들린 우편물을 아무 말 없이 낚아챘다. 거기엔 쉽게 알아볼 수 있는 크리스틴의 서명이 있었다.

모레 자정에, 오페라 극장에서 있을 가면무도회에 참석해주세요. 로통드(역자주 : 유명한 카페 이름)에 면한 문 바로 옆에 서 계세요. 이번 약속에 대해선 그 누구에게도 발설해선 안됩니다. 얼굴은 가려주시고, 흰색의 도미노 복장(역자주 : 두건 달린 법의)을 하고 오세요. 절대로 남이 알아차리지 못하게 주의하시구요. 크리스틴.

10
가면 무도회

　온통 진흙얼룩 투성이인 봉투에는 우표가 없었고, 다만 "라울 드 샤니 자작님께 전달 요망"이라는 글자와 주소가 적혀 있을 뿐이었다. 아마도 누군가 길가는 행인이라도 주워서 주소대로 전달해주기를 바라고 아무 데나 던져놓았음이 틀림없었다. 그도 그럴 것이 편지가 발견된 장소는 오페라 광장의 어느 보도 위였다는 것이다. 라울은 열에 들뜬 채 다시 한번 편지를 찬찬히 읽어보았다.

　그의 처량한 가슴 한켠에 다시금 희망의 불을 지르기엔 그것만으로도 충분했다. 처신을 올바로 하지 못하는 경망스런 크리스틴으로 굳어가던 어둔 이미지는 애당초 그녀에 대해 상상했던 감수성 예민하고 순결하기 그지없는 불행한 소녀의 이미지에 금세 자리를 내주었다. 대체 지금쯤 그녀는 얼마나 힘들어하고 있는 것일까? 누구에게 붙들려 있기에 이런 식으로밖에는 연락을 취하지 못하는 것일까? 그 어떤 구렁텅이에 빠져 헤어나오지 못하고 있는 것인가? 가슴이 찢어지는 듯한 고통을 느끼며 라울은 곰곰이 생각에 생각을 거듭했다. 하지만 아무리 고통스럽다 해도, 위선적이고 허위로 가득 찬 크리스틴을 생각하면서 걷잡을 수 없이 빠져들었던 광란상태에 비하면 훨씬 견딜 만했다! 도대체 무슨 일이 일어난 것일까? 어디에, 무엇에 사로잡혀 있는 것일까? 그 어떤 괴물이 그녀의 마음을 호리고 있는 것일까?

…… 괴물이 휘두르고 있는 무기가 만약 음악이 아니라면? 생각하면 생각할수록, 그 점만큼은 반드시 진실을 규명해야 하겠다는 결심이 확고해졌다. 그런 걸 보면, 페로에서 그녀가 천상의 존재로부터 방문을 받았다고 이야기할 때의 그 진지한 어조를 라울은 아마도 까마득히 잊어버린 듯했다. 크리스틴의 입에서 나온 바로 그 이야기야말로 이처럼 알 수 없는 의문점들과 고된 씨름을 벌이고 있는 라울에게 한줄기 빛을 뿌려주어야 할 것이 아니겠는가! 아버지의 죽음 이후 그녀를 사로잡았던 절망감이라든가, 인생이건 예술이건, 모든 것에 대해 무관심으로 일관하던 그녀의 서글픈 모습을 그는 벌써 잊었단 말인가! 파리의 음악학교 시절에도 그녀는 영혼 없이 그저 기계적으로 노래를 부르는 초라한 악기에 불과했었다. 그러다가 어느 날 갑자기, 마치 신의 숨결이 불어넣어진 것 마냥, 활짝 피어나지 않았던가! 그렇다, 정녕 음악의 천사가 방문했는지도 모른다! 「파우스트」의 마르그리트 역을 그렇게 멋지게 소화해내는 게 어디 쉬운 일인가! 그렇다면 대체 누가…… 누가 그녀의 눈에 그처럼 신비스런 정령으로 비쳐질 수 있을까? 대체 누가, 다에 영감의 단골 이야기 메뉴였던 전설을 흉내내어, 크리스틴이 속수무책으로 따를 수밖에 없도록 만들어버린 것일까?

라울은 결국 그러한 시나리오가 그리 대단한 것도 아니라는 데까지 생각이 미쳤다. 그러면서 남편과 사별한 뒤 거의 바보가 되어버릴 정도로 상심을 한 벨몬테 공주의 일화가 머리 속에 떠오르는 것이었다. 고작 한 달 전까지만 해도 공주는 말도 못하고 울지도 못할 정도로 상태가 심각했었다. 그 같은 육체적·정신적 마비상태는 날이 갈수록 심해졌고, 정신력의 약화는 결국 생존력의 약화로까지 이어져가고 있었다. 주위 사람들 역시 속수무책으로 환자에게 정원 산책을 시키는 것이 할 수 있는 일의 전부였다. 물론 공주는 정원을 거닐면서도 어디에 와 있는지 전혀 의식을 하지 못했다. 그러던 어느 날, 독일 최고의 남자 가수인 라프가 우연히 나폴리에 들렀다가, 아름답기로 명성이 자자한 그 정원을 둘러보게 되었다. 마침 공주의 시녀들 중 한 명이 지푸라기라도 붙들어보자는 심정으로, 그 유명한 가수에게, 공주가 자주 쉬는 덤불숲 속에 숨어서 노래를 불러달라고 청했다. 라프는 선뜻 수락했고, 신혼시절 공주의 남편이 즐겨 들려주었던 귀에 익은 단순한 곡조 하나를 구성지게 읊어주었다. 그 곡조는 당연히 공주의 귓가를 그저 스쳐 지나가지는 않았다. 가수의 음성이라든가, 가사 내용, 멜로디 모두가 한꺼번에 어우러져 공주의 황폐한 영혼을 뒤흔드는 데 성공했던 것이다. 급기야 공주의 메마른 눈에서 샘 같은 눈물이 쏟아져 내렸다…… 흐느껴 울면서 그녀는 막막한 마비상태로부터 구원을 받은 셈이었으며, 그 날 저녁 죽은 남편이 하늘나라로부터 내려와 옛 노래를 들려주었다고 언제까지나 믿고 살았다는 얘기이다!

"그래…… 그 날 저녁이었어! 단 하루저녁일 뿐이었다구…… 제아무리 감미로운 상상에 젖었다 해도, 그 경험이 반복되다 보면 온전히 지탱될 수가 없었을 거야……"

결국 그게 라울의 생각이었다. 만약 그 후에도 벨몬테 공주가 최소한 석달을 매일 저녁 그곳에 나와보았더라면 마침내 덤불숲 속에서 라프가 노래를 부르고 있는 걸 발견하고 말았을 것이다……

하지만 음악의 천사는 석달 동안을 한결같이 크리스틴에게 음악 교습을 해왔다. 아! 그 얼마나 꼼꼼한 교습이었을까!…… 그리고 이제는 함께 숲속으로 산책을 나오기에 이른 것이다!

라울은 벌어진 옷깃 속으로 경련을 일으키는 손을 넣고 질투심에 괴로워하는 가슴을 쥐어짜고 있었다. 이미 쓰디쓴 환멸을 맛본 터라, 그는 그녀가 이번 가면무도회를 빌미로 자기에게 또 어떤 농간을 부리려는 건지 곰곰이 자문해보지 않을 수 없었다. 한낱 오페라 여배우로서 연애에 문외한인 한 젊은 남자를 과연 어디까지 조롱할 수 있는가를 말이다. 아, 한심한지고……

라울의 생각은 그렇게 극단으로 치달을 뿐이었다. 그는 더 이상 크리스틴을 동정해야 할지, 아니면 저주해야 할지 모를 지경이 되었다. 그러면서 번갈아 가며 그 두 가지를 모두 섭렵하는 것이었다. 어찌되었든 간에, 라울은 흰색 도미노 복장을 차려입고 있었다.

마침내 약속 시간이 되었다. 얼굴에 길고 두터운 레이스가 달린 검은 가면을 뒤집어쓴 자작의 모습은 한층 과장된 낭만주의적 분위기로 우스꽝스럽기 그지없었다. 적어도 어엿한 사교계 인사라면 오페라 극장의 무도회에 갈 때 이런 식의 분장은 하지 않는다. 그랬다면 단박에 웃음거리나 되기 안성맞춤일 것이다. 하지만 한 가지 위안이 되는 점도 없진 않았다. 적어도 사람들이 얼굴을 알아보지는 못할 것이 아니겠는가! 게다가 이런 복장과 가면에는 또 한 가지 이로운 점이 있었다. 무도회가 아니라, 어디를 가든 마음 속의 슬픔과 영혼의 고뇌를 안은 채, 남의 시선엔 아랑곳하지 않고 이리저리 배회할 수가 있을 거라는 점이 바로 그것이다. 그러니까 공연히 체면을 차리고 표정을 관리할 필요가 아예 없다는 점이다. 하긴, 표정을 꾸미는 것 또한 가면일 터이니, 차라리 진짜 가면을 착용한들 무슨 대수이겠는가!

육식일(역자주 : 사순절 중에서 특별히 육식이 허용되는 3일간)을 앞두고 개최된 이번 무도회는 좀 특별한 의미가 있었다. 다름 아닌 어떤 유명화가의 생일을 기념하는 무도회였는데, 그는 주로 옛 시절의 환희를 되살려내는 걸로 명성이 자자했으며, 사육제의 떠들썩한 흥취라든가 술집들이 즐비하게 늘어선 쿠르티유(역자주 : 옛날 포도밭이 있던 곳에 술집들이 늘어선 파리 북부의 구지역)의 내리막길 정경을 기막히게 묘사해내는 솜씨가, 능히 저 가바르니(역자주 : 19세기의 유명한 캐리커처 화가로 당대의 사회풍속에 대한 풍자화로 유명함)에 필적한다는 인물이었다. 따라서 보통의 가면 무도회보다 더욱 떠들썩하고, 방탕하며, 유쾌한 분위기가 될 수밖에 없었다. 당연히 수많은 예술가들이 운집했고, 그에 덩달아 모델들과 애송이 화가 지망생들도 꾸역꾸역 모여들어, 자정께부터 이미 대단한 법석을 떨기 시작했다.

라울은 자정에서 한 15분 가량 못 미쳐 극장의 중앙계단을 오르고 있었다. 대리석 층계 여기저기 각양각색의 복장을 차려입고 늘어선 군상(群像)에는 전혀 신경을 쓰지 않고, 그 어떤 익살스런 가면에도, 온갖 농담과 덕담에도 아랑곳하지 않은 채, 공연히 친근한 인사를 건네 오는 인파 사이를 무작정 헤치며 계단을 오르고 있었다. 그는 홀을 가로질러갔고, 순간적으로 휩쓸려 들어갔던 파랑돌 춤(역자주 : 프로방스 지방의 춤)에서도 간신히 빠져나와, 마침내 크리스틴이 지정한 응접실 안으로 들어서는 데 성공했다. 그 비좁은 공간도 이미 대책 없이 들뜬 사람들로 그득했다. 그도 그럴 것이, 로통드로 야참을 먹으러 가는 사람들과 다시 샴페인이나 한 잔 더하러 거기서 돌아오는 사람들이 모두 이곳을 지나쳐야만 했던 것이다. 열기와 흥취가 요란의 극을 달리는 건 당연했다. 라울이 보기에도, 남의 시선을 끌지 않기 위해선 어딘가 호젓한 구석보단 오히려 이처럼 혼잡한 장소가 나을 거라는 크리스틴의 생각에 일리가 있었다. 더구나 가면까지 썼겠다, 군중 속에 파묻혀 있으면 더욱 안전할 테니 말이다.

라울은 약속된 문가에 서서 기다리기 시작했다. 아니나다를까, 그리 오래지 않아 웬 검은 도미노 복장을 한 사람이 스쳐 지나가면서 라울의 손가락 끝을 지긋이 쥐었다. 그녀라는 것이 느껴졌다.

라울은 지체 없이 따라나섰다.

"당신 맞죠, 크리스틴?"

잇새로 웅얼거리듯이 묻자, 검은 도미노는 재빨리 고개를 돌리더니 얼른 손가락을 입술에 갖다댔다.

라울은 입을 다문 채 묵묵히 뒤를 따랐다.

이렇게 어렵사리 재회했는데, 어리석게 다시 그녀를 잃을 수는 없는 노릇이었다. 더 이상 그녀에 대한 증오심은 찾아볼 수도 없었다. 그녀의 지금 행동이 아무리 어색하고 이상해 보여도 결코 비난받을 만한 짓은 아닐 거라는 데에 추호의 의심도 가지 않았다. 이제부터는 어떠한 관용도, 그 어떠한 용서도, 아니 더 나아가 비굴함까지도 치를 마음의 준비가 된 듯했다. 그토록 사랑하는 여인이 눈앞에 있질 않은가! 더구나 이제 조금 있으면 그녀 자신의 입으로 갑작스럽게 자취를 감춘 이유에 대해 찬찬히 설명을 해줄 것이다……

검은 도미노는 이따금 하얀 도미노가 제대로 따라오고 있는지 보기 위해 고개를 돌렸다.

라울은 앞서 가는 검은 도미노를 따라 극장 홀을 다시 가로질러 가면서, 소란스런 군중 틈에 일견 색다른 태도를 보이는 일군의 사람들을 주목하지 않을 수 없었다. 저마다 과도한 취기를 발산하느라 극성인 군중 틈에서 그들은 유독 어느 한 사람 주변에 몰려 있었는데, 그 자의 섬뜩한 분장과 기괴한 분위기가 예사롭지 않았다……

그는 해골 위에 큼직한 깃털 모자를 쓰고 온통 진홍빛의 복장을 하고 있었다. 정말이지 그보다 더 절묘한 해골 분장은 본 적이 없을 정도였다! 특히 애송이 화가지망생들이 그의 주위를 겹겹이 에워싼 채, 도대체 어느 대가의 아틀리에에서 그토록 정교한 해골분장을 하고 나온 것인지 귀찮게 질문공세를 퍼붓는 것이었다. 라울을 안내하던 '들창코' 분장의 검은 도미노조차도 잠시 걸음을 멈추었을 정도였다.

해골 머리에 깃털 모자, 진홍빛 의상의 그 남자는 길다란 빌로드 망토를 걸치고 있었는데, 붉은 화염 같은 그 색조가 바닥을 근사하게 물들이는 듯했다. 한데 그 망토자락을 자세히 보니 금실로 무슨 글자가 수놓아져 있었는데, 그것을 알아본 주위 사람들이 일제히 소리 높여 읽어보는 것이었다.

"…… 내 몸에 손대지 마시오! 나는 지나가다 들른 붉은 죽음이외다!……"

문득 누군가 호기심 어린 손길을 가져다 대려는 찰나…… 해골 분장의 자줏빛 옷소매로부터 뼈만 앙상한 손이 불쑥 튀어나오더니, 그 경망스런 자의 손목을 와락 낚아채는 것이 아닌가! 난데없는 죽음의 막강한 완력을 손목뼈마디까지 느끼게 된 희생자는 그 으스러질 것 같은 고통에 찢어질 듯한 비명을 질러댔다. 잠시 후, 붉은 죽음이 손목을 놔주자, 불쌍한 인간은 왁자지껄한 야유 속에 실성한 사람처럼 내빼는 것이었다. 그런데 그 음산한 분위기를 물씬 풍기는 해골 분장과 때마침 마주치게 된 라울이 하마터면 이렇게 소리를 지를 뻔했다.

"……페로기렉에서 본 그 해골이다!"

라울은 그 순간 크리스틴조차 잊어버리고 당장 달려들려고 했다. 하지만 그 또한 이상한 흥분감에 사로잡힌 듯한 검은 도미노가 별안간 팔을 붙들고 억지로 끌고 가는 바람에, 라울은 자신도 모르는 새, 흥청대는 군중으로부터 멀리 홀을 가로질러 발걸음을 옮기고 있었다……

검은 도미노는 두 번에 걸쳐 뒤를 돌아다보았는데, 그때마다 무언가에 흠칫 놀라는 눈치였다. 왜냐하면 그럴 때마다 마치 누군가에 쫓기는 것처럼, 자신은 물론 라울의 발길도 사납게 재촉하는 것이었다.

그렇게 해서 허겁지겁 두 개의 층을 올라가자, 이제 겨우 계단이나 복도에 인적이 드문드문했다. 검은 도미노는 어떤 방 문을 밀고 들어서더니 자기 뒤를 따라 들어오라는 손짓을 했다. 크리스틴은(그렇다, 이젠 목소리로도 그녀라는 게 분명해졌는데 무얼 망설이겠는가!) 곧장 문을 닫은 다음, 나지막한 목소리로 저쪽 뒤에 가서 되도록 모습을 숨기고 있으라고 말했다. 라울은 얼른 가면을 벗었지만, 크리스틴은 그대로 있었다. 라울이 제발 그것 좀 벗어볼 수는 없겠냐고 말하려는데, 검은 도미노는 느닷없이 벽에 바싹 붙어 귀를 기울이는 것이었다. 그리고는 살짝 문을 열고 복도를 살피며 역시 나지막한 음성으로 이렇게 속삭였다.

"틀림없이 그가 저 위쪽으로 올라갔을 텐데……"

그리고 다음 순간,

"다시 내려온다!"

하며 어쩔 줄을 몰라하는 것이었다.

라울은 얼른 문을 닫으려는 그녀의 손을 제지했다. 얼핏, 위층으로 통하는 계단의 제일 꼭대기에 웬 붉은 신발이 보이는가 싶더니, 이윽고 천천히…… 엄숙한 걸음걸이로…… 다름 아닌 **붉은 죽음**, 바로 그가 진홍빛 의상을 너울거리며 한 발 한 발 내려오고 있었던 것이다! 그리고는 잠시 후, 페로기렉에서 본 그 해골의 모습을 다시 볼 수가 있었다……

"그 자야…… 이번에는 결코 그냥 보내지 않을 테다!"

라울은 잇새로 중얼거렸다.

그러나 젊은이가 불쑥 뛰쳐나가려는 순간, 크리스틴은 황급히 문을 닫아버렸다. 당연히 약간의 실랑이가 벌어졌다.

"도대체 누구 말이에요? 누굴 그냥 보내지 않겠다는 건가요?"

크리스틴의 목소리가 아까와는 전혀 딴판이었다.

라울은 만류하는 손길을 거칠게 뿌리치려 했지만, 젊은 여인의 기세는 예상외로 악착같았다. 그 정도로 말리려는 여자의 마음을 간파하자, 라울은 더더욱 길길이 날뛸 수밖에 없었다.

"누구냐구요? 누구긴 누굽니까, 저 혐오스런 가면을 뒤집어쓴 녀석이죠…… 페로의 공동묘지에서 배회하던 그 사악한 정령 말입니다! 그 **붉은 죽음**인가 뭔가 하는 놈 말이오! 아하, 그 자가 바로 당신의 남자 친구이기도 하지…… *당신의 그 잘난 음악의 천사 말이오!* 놈을 붙잡아, 지금 나처럼 정정당당하게 가면을 벗으라고 할 작정이오! 아무것도 숨기는 것 없이 남자답게 말이오! 이번에야말로 당신의 연인이 대체 어떤 존재인지 내 이 두 눈으로 확인해봐야겠소!"

그렇게 내뱉고 나서 미친 듯이 웃어대는 라울 앞에서, 가면을 쓴 크리스틴은 괴로운 듯 한숨을 내쉬었다. 그러면서도 그녀의 새하얀 두 팔이 문을 가로막는 가련한 빗장처럼 버티고 있었다.

"라울, 제발이지 우리의 사랑을 걸고 말하지만…… 여기서 나가면 안 돼요……"

아니 방금 뭐라고 말했지? ……라울은 순간 멈칫하지 않을 수 없었다. '우리의 사랑을 걸고' 말한다고? 이 여인은 여지껏 나를 사랑한다는 말을 입밖에 낸 적이 없지 않았는가! 그렇다고 지금까지 그런 말을 해줄 기회가 없었던 것도 아니었다! 자기 앞에 눈물로 범벅이 된 채 온갖 불행을 짊어진 가련한 남자로서 제발 희망의 말 한 마디만 해달라고 그토록 간청했건만, 듣고 싶은 그 말은 해주지 않았었다…… 그날 밤 페로의 공동묘지에서 극심한 공포와 오한으로 쓰러진 후, 죽을 것처럼 앓았을 때도 그저 묵묵히 지켜보기만 했을 뿐, 심지어는 아무 말 없이 떠나가버리지 않았던가! 그런데…… 그런데 이제 와서 사랑한다니…… 틀림없이 '우리의 사랑을 걸고'라고 말했다! 아니야…… 그저 잠깐동안이라도 날 묶어두려는 속셈일 거야…… 저 붉은 죽음이 빠져나갈 시간을 벌어주기 위해서겠지…… 쳇, 사랑이라고? 거짓말!

라울은 마침내 어린애처럼 짜증과 오기로 뒤범벅된 어투로 입을 열었다.

"아가씨, 당신은 지금 거짓말을 하고 있습니다! 지금도, 과거에도 당신은 나를 사랑한 적이 한번도 없습니다. 그나마 나처럼 어리석고, 불쌍한 젊은이니까 당신에게 그토록 휘둘림을 당하고 속아왔던 겁니다! 우리가 처음 눈이 마주친 이래로 당신이 그 자태와 눈빛, 심지어는 침묵을 동원하면서까지 나를 혹하게 만들어온 이유를 이젠 도저히 모르겠소! 당신이 나를 조롱할 생각뿐이었을 때도 나는 당신에게 반듯한 감정만을 원했었소! 왜냐하면 나는 점잖은 남자이고, 당연히 당신도 정숙한 여인이라고 생각했었기 때문이오! 맙소사, 그런데 당신은 모든 사람들을 농락하고 만 거요…… 그러니까 당신의 후원자 마님께서 당신의 성실함을 철석같이 믿고 있는 지금 이 시각에도 오페라 극장 가면무도회를 핑계로 저 붉은 죽음과 놀아날 궁리만 하고 있는 것 아니겠소? 오…… 이제 난 당신을 경멸하오……"

말을 마치자마자 라울은 울음을 터뜨렸다. 크리스틴은 그런 라울이 제멋대로 자신을 욕하도록 내버려두었다. 그녀에겐 오로지 이 남자를 어떻게든 제지해야겠다는 생각밖엔 없는 것 같았다.

그러면서 그녀는 이렇게 중얼거렸다.

"라울…… 언젠가는 당신이 지금 한 모든 욕설에 대해 제게 사과할 날이 올 거예요…… 물론 저는 모두 용서해드릴 거구요……"

라울은 고개를 마구 저으며 말했다.

"이런 제길…… 그게 아니오! 그게 아니란 말이오…… 내 인생에 오직 하나, 오페라의 한 여배우에게 나의 모든 걸 바칠 생각뿐이었을 때 당신은 나를 미쳐돌아가게 만들었소……"

"오…… 라울…… 가엾은 사람 같으니……"

"창피해서 죽을 지경이오……"

"아니에요, 살아야지요! 자, 그럼 이만……"

몸부림을 치는 연인을 향한 크리스틴의 어투가 일순 엄해져 있었다.

"……그래요…… 잘 있으시오, 크리스틴……"

"안녕, 라울……"

젊은이는 비틀거리며 몇 발짝을 떼어놓다가, 다시금 오기가 발동했는지, 이렇게 빈정거렸다.

"오, 그래도 가끔은 여기 와서 당신에게 바보처럼 박수를 쳐대도 괜찮겠습니까, 아가씨?"

"라울, 난 더 이상 노래하지 않을 거예요……"

그러자 젊은이는 더더욱 비꼬는 투를 더해가며 이죽거렸다.

"아하, 그렇겠군요…… 당신에겐 그것 말고도 여흥거리가 많을 테니까…… 축하합니다! 그럼 조만간 블로뉴 숲길에서 뵈올 수 있겠군요……"

"숲이든 그 어디든 우린 다시는 서로 보지 못할 거예요……"

"호오, 그렇다면 최소한 어느 심연 속으로 또 잠적하시려는지 조금 알려주실 순 없겠는지요? 또 어느 삼삼한 지옥 속으로 떠나시려는 건가요, 신비스런 아가씨? 아니면 근사한 낙원 유람이라도 나서시나?"

"사실 오늘 만나자고 한 건, 작별인사를 하기 위해서였어요…… 하지만 더는 말씀드릴 수가 없군요…… 말해도 믿지 않으실 테니까요! 당신은 나에 대한 믿음을 완전히 잃었어요, 라울…… 이제 끝이 난 거죠……"

'끝'이 났다고 말하는 그녀의 어조가 어찌나 비장했던지, 젊은이는 몸서리를 치지 않을 수 없었고, 이내 자신의 매몰찬 태도에 대해 영혼을 들쑤실 정도의 후회가 치밀어 올랐다.

그는 안타까운 듯 외치기 시작했다.

"이것 보시오! 도대체 이 모든 게 무얼 뜻하는지 속 시원히 해명해 줄 순 없겠소? 당신은 어디에도 매이지 않은, 자유스런 몸입니다! 시내를 마음껏 활보할 수도 있고, 이처럼 도미노 복장을 한 채 무도회에 나다닐 수도 있어요…… 한데 왜 집에는 들어가지를 않는 겁니까? 대체 지난 2주일 동안 어디서 무얼 하며 지낸 거요? 발레리우스 부인에게 말한 그 음악의 천사 이야기는 또 뭡니까? 지금 누군가 당신을, 당신의 그 순진함을 이용하고, 농락하고 있는지도 모릅니다! 페로에서 이 내 두 눈으로 똑똑히 확인하지 않았습니까! 하지만 이제 보니 자신이 무언가에 집착하고 있다는 걸 본인 스스로도 잘 알고 있는 것 같군요…… 정신은 멀쩡한 것 같아요, 크리스틴…… 스스로 하는 행동을 잘 알고 있어요…… 그런데도 발레리우스 부인은 '선한 정령' 운운하며 그런 당신을 한결같이 바라보고 있단 말입니다…… 대체 무슨 일이오, 크리스틴! 뭐라 말 좀 해봐요! 이 모든 희극이 뭐란 말입니까?"

크리스틴은 가면을 홀떡 벗더니 그저 이렇게 말하는 것이었다.

"희극이 아니라, 비극이에요, 라울……"

순간, 그녀의 얼굴을 본 라울은 소스라치게 놀라지 않을 수 없었다. 상큼하기만 했던 그녀의 혈색은 온데간데없이 사라지고, 문득 죽음의 창백한 기운만 얼굴 전체를 뒤덮고 있었던 것이다. 얼굴 여기저기에 고통의 치열한 흔적이 고스란히 드러나 있었다. 애처롭기 그지없는 주름살마저 언뜻언뜻 보였고, 호수처럼 청명하기 이를 데 없던 두 눈동자도 침울하고 음울한 음영을 드리운 채 깊이를 알 수 없이 퀭하게 열려 있을 뿐이었다.

"오, 당신…… 나를 용서해주겠다고 했지요?……"

라울은 떨리는 두 팔을 천천히 내밀며 우물거렸다.

"언젠가…… 네…… 언젠가는 그럴 거예요……"

크리스틴은 그 말만을 남긴 채, 얼른 가면을 도로 쓰고 나서, 따라오려는 라울을 손짓으로 제지하며 자리를 떴다.

젊은이는 그래도 무턱대고 쫓아가려 했으나, 이번엔 보다 엄한 동작으로 작별을 고하는 그녀에게 어쩐지 더는 한발짝도 다가갈 수가 없었다.

그는 또다시 멀어져가는 그녀를 속수무책으로 바라볼 수밖에 없었다. 자신이 어디로 무얼 하러 가는지도 의식하지 못한 채, 마구 뛰는 관자놀이와 찢어지는 듯한 가슴을 간신히 다스리며 계단을 따라 군중 틈으로 걸어 내려갔다. 라울은 홀을 가로질러 가면서 닥치는 대로 사람들을 붙잡고 혹시 붉은 죽음이 지나가는 걸 못 보았느냐고 물어댔다.

"붉은 죽음이라뇨? 그게 누군데요?"

"왜 있지 않소, 해골 분장을 하고 붉은 망토를 걸친 사내 말이오!"

그러자 너도나도 바로 그 자가 망토를 휘날리며 방금 자기 앞을 지나쳐 가더라는 것이었다. 하지만 그 어디에서도 그의 모습을 볼 수는 없다. 새벽 두시쯤 되었을까, 라울은 지친 발걸음을 이끌고 크리스틴 다에의 대기실로 통하는 무대 뒤 복도로 돌아왔다.

결국 무의식중에 발걸음이 제일 처음 모든 고통의 발단이 된 장소로 주인을 이끌어 간 셈이었다. 마구 문을 두드렸으나 아무런 반응도 없었다. 라울은 낯선 남자의 목소리를 찾아서 무턱대고 들이닥쳤을 때와 마찬가지로 문을 박차고 들어섰다. 방은 텅 비어 있고, 가스등의 불꽃만 가녀리게 떨고 있었다. 문득 자그마한 탁자 위를 보니 편지지가 여러 장 놓여 있었다. 크리스틴에게 글이나 남길까 생각하는데, 갑자기 복도로부터 발소리가 들려왔다. 라울은 급한 김에 얇은 커튼 하나로 격리되어 있는 내실로 얼른 몸을 숨겼다. 문을 쓱 밀고 들어선 건 다름 아닌 크리스틴이었다!

라울은 숨을 죽였다. 잠자코 기다리며 지켜보기로 한 것이다. 왠지 가만히 지켜보노라면 여지껏 모르고 있던 새로운 비밀을 목격하고, 모든 걸 이해하게 되리라는 생각이 들었던 것이다!

크리스틴은 방안에 들어오자마자 나른한 동작으로 가면을 벗어서 탁자 위에 던지듯 내려놓았다. 그리고는 깊은 한숨을 내쉬면서 얼굴을 두 손으로 감쌌다. 대체 무슨 생각을 하는 것일까? 혹시 라울 생각을?……

그러나 그건 착각이었다. 이렇게 중얼거리는 소리를 커튼 뒤에서도 똑똑히 들을 수 있었던 것이다.

"가엾은 에릭……"

라울은 순간 잘못 들은 것 같았다. 당연히 저 여인으로서 가엾게 여겨야 할 사람이 있다면 그건 라울, 자신일 뿐이라고 생각했던 것이다. 지금까지 서로간에 있었던 일을 보더라도 그녀의 입에서 "가엾은 라울!" 쯤을 기대할 만하지 않은가! 대체 에릭이 누구길래 저 여인의 입에서 저런 기막힌 한숨이 나오게 한단 말인가? 정작 불행한 남자는 여기 이렇게 팽개쳐 둔 채 말이다……

아직도 자신이 부당하게 무시당했다고 생각하는 라울은 크리스틴이 지극히 침착하고도 고요한 태도로 무언가를 긁적이기 시작하는 걸 보고, 내심 부아가 치밀어오름을 느꼈다.

"어쩌면 저리도 냉정할 수 있단 말인가……"

라울이 속으로 그렇게 중얼거리면서 조용히 지켜만 보는데, 네 장의 종이를 꼼꼼히 메워가던 그녀가 별안간 고개를 번쩍 쳐들더니 부랴부랴 편지를 블라우스 앞섶에 숨기는 것이었다. 그리고는 뭔가에 귀를 기울이는 듯했다. 라울도 덩달아 귀를 기울였다. 이 어렴풋이 들려오는 소리는? ……웬 노래 소리가 마치 벽 속으로부터 새어나오는 것처럼 희미하게 들려오고 있었다! 그렇다, 누가 들어도 벽 속에서 새어나오고 있다 생각했을 것이다! 노래 소리가 점점 뚜렷이 들리기 시작하고…… 가사도 알아들을 수 있을 만큼 분명해지면서…… 목소리…… 지극히 아름답고 감미로운 목소리가 들려오는데…… 놀랍게도 도저히 여성의 목소리 같지는 않은 것이었다! 그렇게 점점 가까이 들려오는 목소리…… 저 벽을 그대로 통과해 나오는 듯한…… 그래서 결국엔 바로 곁에서 들리는 듯한 웬 남성의 목소리…… 그래, 도저히 믿어지지 않을 만큼 그윽하고 나른한 남성의 목소리가 이제는 완전히 방안에…… 그것도 크리스틴 바로 앞에서 들리기 시작하는 것이었다! 그리고 그와 더불어 크리스틴은 슬며시 일어서더니, 마치 바로 코앞에 사람을 두고 이야기하는 것처럼, 그 목소리에 대꾸를 하는 것이 아닌가!

"에릭, 보다시피 저는 이렇게 준비되었어요…… 당신이 좀 늦은 거예요……"

커튼 뒤에서 잔뜩 긴장한 채 모든 것을 지켜보고 있던 라울은 지금 벌어지고 있는 광경을 도저히 이해할 수가 없었다.

크리스틴의 얼굴이 갑자기 화사하게 피어나고 있는 것이었다! 그리고는, 가까스로 병마를 물리칠 희망이 생긴 회복기의 환자 얼굴에나 있을 법한 아련한 미소가 그 파리한 입술 위에 서서히 자리잡는 게 아닌가!

얼굴 없는 목소리는 또다시 노래를 부르기 시작했다. 그것은…… 그것은 분명 라울이 지금까지 평생 들어본 적이 없는…… 기가 막힌 목소리였다…… 넉넉하면서도 웅장한 부드러움과 당당하면서도 섬세한 뉘앙스, 강렬하면서도 우아하기 이를 데 없는 여운을 단 한번 발성 속에서 그토록 한꺼번에 발휘하는 목소리는 처음이었다! 거기엔 스승의 음성으로서 충분한 자격을 가진 악센트가 있었으며, 음악을 사랑하고 느낄 줄 아는 사람이라면 단 한번 들려주는 것만으로도 그 사람의 성량을 한층 발전시킬 수 있을 만한 역량이 담겨 있었다. 누구라도 거기에서 마음놓고 음악의 매력을 한껏 들이마시고 싶어할 만큼 그 목소리는 하나의 깊고도 은은한 소리의 샘 같은 느낌을 주었다. 마치 손만 갖다대도 영혼을 송두리째 변화시키는 신의 옷깃처럼, 그 소리는 모든 가수들이 흠모해 마지않을 그런 목소리였다. 열에 들뜬 채 귀를 기울이고 있던 라울은 크리스틴 다에가 그 날 저녁 수많은 관객들이 넋을 잃고 지켜보는 가운데 어떻게 그처럼 황홀한 노래를 부를 수 있었는지 서서히 이해가 가기 시작했다. 게다가 그 기적 같은 목소리가 실제로 부르는 곡조 자체는 그다지 대단한 곡조가 아니라는 데에 라울은 놀라지 않을 수 없었다. 그러니까 그 목소리는 진흙 덩어리를 가지고 창공빛 보석을 빚어내고 있는 것이나 다름없었다. 아무리 저울질을 해봐도 평범하고, 통속적이기까지 한 시구와 멜로디가 숭고한 음색과 광활한 성량에 실려 저 하늘 높이 훨훨 들어올려짐으로써 더없이 신성한 곡조로 변해가고 있다고 해도 과언이 아니었다. 아, 천사의 목소리가 이교의 송가를 부른들 이와 같을까……

그 목소리는 「로미오와 줄리엣」 중 「결혼의 밤」을 부르고 있었다.

크리스틴은 페로의 공동묘지에서 「라자로의 부활」을 연주하던 보이지 않는 바이올린에게 그랬던 것처럼, 목소리를 향해 나른한 두 팔을 내밀었다.

다음과 같이 읊조리는 목소리에 담긴 열정은 이 세상 그 무엇과도 비교할 수가 없을 것 같았다.

돌이킬 수 없는 운명이 그대를 내게로 오게 하네……

라울은 심장이 관통당하는 느낌이었다. 그는 모든 의지력과 기력, 그리고 명징한 판단력을 한순간에 모조리 빼앗아갈 것 같은 목소리의 마력에 악착같이 저항하면서, 커튼을 홱 젖히고는 크리스틴을 향해 뚜벅뚜벅 걸어갔다. 때마침 크리스틴은 벽면의 커다란 거울을 향해 천천히 다가가고 있었고, 공교롭게도 정확히 등뒤에서 자신을 향해 다가오는 라울을 전혀 보지 못하고 있었다.

돌이킬 수 없는 운명이 그대를 내게로 오게 하네……

크리스틴은 거울에 비친 자신의 이미지를 향해 다가가고 있었고, 마찬가지로 거울 속 그녀의 이미지는 다가오는 크리스틴을 향해 점점 가까워지고 있었다. 그렇게 두 여인이 — 그러니까 몸과 이미지가 — 서로 닿아 하나로 합쳐지려는 찰나, 라울은 마치 그 둘을 모두 붙잡으려는 듯 크리스틴을 향해 팔을 내뻗었다.

바로 그 순간, 웬 얼음장 같은 바람 한줄기가 라울의 얼굴을 후려치는가 싶더니, 그만 비틀비틀 뒤로 물러서게 하는 게 아닌가! 그러더니 바로 눈앞에 있던 크리스틴의 모습이 갑자기 둘, 넷, 여덟, 스물로 불어나면서 마치 바람에 흩날리는 풀씨 마냥 주위를 어지러이 맴돌며 라울을 비웃는 것이었다. 그것들은 어찌나 빠르게 맴돌던지 라울이 아무리 팔을 휘저어봐도 어느 것 하나 만질 수조차 없었다. 그리고는 어느 한 순간 그 모두가 별안간 정지하더니 라울의 눈앞엔 그저 넋을 잃은 듯한 자신의 모습만 거울 속에 덩그러니 남겨져 있는 것이었다. 크리스틴은 온데간데 없었다.

라울은 거울 앞으로 와락 달려들었다. 하지만 역시 자신의 황망한 모습뿐, 다른 어느 누구도 보이지 않았다! 그러면서 아까 들렸던 그 곡조가 아스라이 멀어지면서 방 안을 마지막으로 울리게 하고 있었다.

돌이킬 수 없는 운명이 그대를 내게로 오게 하네⋯⋯

라울은 진땀으로 얼룩진 이마를 요란스레 훔치고는, 마치 정신을 깨어나게 하려는 듯, 얼굴 여기저기를 두드렸다. 그리고 어스름한 방안을 더듬어 가스등 심지를 한껏 돋우었다. 분명 꿈을 꾸고 있는 것 같지는 않았다. 이건 마치 혼자 힘으론 도저히 감당할 수가 없는 무지막지한 육체적 정신적 유희 속에 빠진 채 속수무책으로 휘둘리는 느낌이었다. 라울은 막연하게 자신이 무슨 동화에 나오는 무모한 왕자라도 된 듯한 착각마저 들었다. 무수한 마법을 오로지 사랑의 힘만으로 물리쳐왔고, 그래서 제아무리 수수께끼 같은 현상 앞에서도 결코 주눅이 들지 않는 용감한 왕자 말이다⋯⋯

도대체 크리스틴은 어디로 사라져버렸단 말인가?

다시 되돌아오기는 할 것인가?

되돌아오다니⋯⋯ 맙소사, 그리고 보니 아까 모든 게 끝났다고 하지 않았던가! 벽 속으로부터는 더 이상 아무런 목소리도 흘러나오지 않고 있다! "돌이킬 수 없는 운명이 그대를 내게로 오게" 하다니…… 도대체 누구에게 오게 한다는 말인가?

　마침내 기진맥진한 라울은 머리가 멍한 상태에서 조금 전까지만 해도 크리스틴이 앉아 있던 의자에 쓰러지다시피 걸터앉았다. 그리곤 그녀와 마찬가지로 두 손에 얼굴을 파묻었다. 잠시 후, 얼굴을 들었을 땐 보기에도 안쓰러울 만큼 굵은 눈물방울들이 하염없이 두 볼을 흘러내리고 있었다. 그것은 어떤 불가해하고 신비스런 불운의 희생자가 흘리는 눈물이라기보단, 이 세상 평범한 연인이라면 한번쯤 흘려봄직한, 질투심으로 뒤범벅된 치기 어린 마음의 눈물이었다.

　"도대체 그 에릭이라는 자가 누구란 말인가?"

　그는 그렇게 중얼거리고 있었다……

11
목소리의 정체

도저히 정상적인 두 눈을 의심하지 않을 수 없게 만들며 크리스틴이 사라져버린 바로 다음날, 샤니 자작은 또다시 발레리우스 부인의 집을 찾아갔다. 한데 뜻하지 않은 광경에 맞닥뜨리고는 그만 소스라치게 놀라고 말았다.

조용히 앉아 뜨개질을 하고 있는 노부인의 침대 머리맡에서 크리스틴이 다소곳이 레이스를 만들고 있는 게 아닌가! 그 더없이 우아한 얼굴 윤곽과 더없이 순수한 이마, 더없이 부드러운 시선, 그리고 상큼하기 이를 데 없는 혈색이 그렇게 다시 돌아와 있는 것이었다. 눈자위를 애처롭게 하고 있던 푸르죽죽한 그림자는 온데간데없었고, 언제 그랬냐는 듯 어제의 음울한 모습은 씻은 듯이 가셔 있었다. 단지 이 신비스런 여인에게 휩쓸아쳤던 폭풍의 마지막 잔해처럼 희미하게 남아있는 멜랑콜리한 분위기만 무시한다면, 도저히 지금 눈앞의 이 아름다운 크리스틴을 수수께끼 같은 비극의 여주인공이라고는 생각할 수 없을 것 같았다.

자작이 주춤주춤 다가서자 그녀는 아무렇지도 않은 듯 자리에서 일어나 손을 내밀었다. 라울은 어안이 벙벙해서 도무지 말도 행동도 나오지가 않았다.

"어허, 저런…… 샤니 씨, 이젠 우리의 크리스틴도 알아보지 못하시는 건가요? 그 '선량한 정령' 께서 이 아이를 돌려보내주셨다구요!"

발레리우스 부인이 호탕하게 소리치자, 얼굴이 금세 홍당무처럼 변하며 크리스틴이 말을 막았다.

"어머니! 또 그 얘기시군요…… 음악의 천사 같은 건 없다는 걸 잘 아시면서……"

"애야, 하지만 지난 석달 동안 그가 네게 교습을 해주었지 않느냐?"

"어머니, 제가 그 문제는 언젠가 죄다 설명해드리겠다고 약속했잖아요! 하지만 그때까지는 그에 대해 왈가왈부하지 않기로 했죠?"

"그러면 앞으로 다시는 내 곁을 비우지 않겠다고 약속해라! 네가 먼저 약속을 어겼지 않니?"

"…… 하여간 지금 그런 얘긴 샤니 씨가 재미없어 할 것 같으니 그만하기로 해요……"

순간 라울은 일부러 당당하고 강건하게 보이도록 목에 힘을 주었지만 그럴수록 떨리기만 할 뿐인 목소리로 이렇게 끼여들었다.

"그건 아가씨가 잘못 생각하는 겁니다! 언젠간 아시게 되겠지만, 당신과 관련된 모든 얘기는 제게 대단히 중요합니다. 솔직히 말씀드려서, 오늘 당신이 양모(養母)님 곁에 그렇게 서 있는 모습을 보고 저는 기쁜 마음 못지 않게 깜짝 놀랐습니다! 어제 우리 사이에서 있었던 일이나 당신이 한 말, 그리고 내 머리 속의 생각들로 미루어 당신이 이렇게 금세 다시 나타나리라고는 상상도 할 수 없었단 말입니다! 제발이지 이제라도 그 위험천만한 비밀을 훌훌 털어버리고 속 시원히 모든 걸 밝혀만 준다면 나는 덩실덩실 춤이라도 추고 싶은 심정이랍니다! 오, 나 역시 오랜 친구로서 발레리우스 부인 못지 않게 당신 일이 궁금한 사람입니다…… 더구나 지금 당신이 겪고 있는 일은 그대로 방치하면 어떤 희생을 치를지 알 수 없을 만큼 위험하고 불길한 예감이 들어요, 크리스틴……"

자작의 난데없는 말에 발레리우스 부인은 침대 위에서 몸을 뒤척이며 양녀를 다그쳤다.

"이게 대체 무슨 말이냐? 크리스틴, 네가 위험에 처하다니? 희생이 되다니?"

라울은 크리스틴이 난처한 표정으로 신호를 보내는 것도 일부러 무시한 채, 더욱 목에 힘을 주며 소리쳤다.

"그렇습니다, 부인!"

순진하기 그지없는 노부인은 이제 숨까지 헐떡이며 외쳤다.

"하느님 맙소사! 크리스틴, 당장 털어놓거라! 왜 날 안심시키려고만 드는 거니? 샤니 씨, 대체 위험이라니, 그게 무슨 말씀인지요?"

"웬 사기꾼 하나가 지금 아가씨의 착한 마음을 유린하고 있답니다!"

"그럼 음악의 천사가 사기꾼이란 말입니까?"

"음악의 천사라뇨, 아가씨 자신의 입으로 그런 건 없다고 하지 않았습니까?"

"그럼 대체 무어란 말이오? 이것 참, 가슴이 답답해 죽을 지경이로군……"

가엾은 노부인은 어쩔 줄을 몰라했다.

"부인, 지금 유령이나 정령들은 저리 가라 할 정도로 경계를 해야 할 지극히 세속적인 위험이 크리스틴과 저, 그리고 부인의 주변을 배회하고 있답니다!"

발레리우스 부인의 사색이 다 되어가는 얼굴이 크리스틴을 돌아보자, 그녀는 양모 무릎에 털썩 엎어지며 두 팔을 와락 부여잡았다.

"어머니, 저 사람 말은 믿지 마세요! 신경 쓰시지 마세요!"

땅이 꺼질 것 같은 한숨을 내쉬는 노부인을 크리스틴은 두 손으로 어루만지며 어떻게든 진정시키려고 애를 썼다.

교수의 미망인은 연약하기 이를 데 없는 목소리로 거의 하소연하다시피 중얼거리고 있었다.

"그럼…… 더 이상 내 곁을 떠나지 않겠다고 말해다오…… 응?"

크리스틴이 아무 말도 못하자, 라울이 불쑥 끼여들었다.

"그래요, 크리스틴 어서 약속을 하세요! 그것만이 당신 양모님과 나, 그리고 당신 자신을 위하는 길입니다! 앞으로 우리를 다시는 떠나지 않겠다고 약속만 하면, 지난 과거는 더 이상 묻지도 신경 쓰지도 않겠다고 우리도 약속하죠!"

그러자 크리스틴은 갑자기 단호한 태도로 라울을 향해 내뱉듯 말하는 것이었다.

"이것 보세요, 나는 그런 약속을 당신에게 요구하지도 않을뿐더러, 나 또한 약속은 하지 않을 겁니다! 나는 얼마든지 자유롭게 행동할 수가 있는 몸입니다. 샤니 씨께서는 제게 이래라 저래라 할 권리가 없는 줄 압니다. 앞으로도 저의 행동에 대해 관심을 거두어 주세요. 지난 2주 동안 제가 해온 일들에 관해서 왈가왈부 따져 물어야 할 사람이 있다면 그건 제 남편일 텐데, 전 결혼을 안 한 몸이고, 앞으로도 그럴 것이니, 아무런 문제가 될 게 없습니다!"

그렇게 힘주어 말하면서 크리스틴은 좀더 단호해 보이려는 듯 팔을 내뻗었는데, 라울은 방금 들은 말보다는 그 내민 손에서 언뜻 금반지를 보았기 때문에, 얼굴이 하얗게 질려버렸다.

"남편은 없다면서…… 결혼반지는 끼고 있군요……"

더듬거리면서 여자의 손을 붙들려 했으나, 크리스틴은 내민 손을 냉큼 거두었다.

"이건 그저 선물일 뿐이에요!"

크리스틴은 일순 얼굴이 확 달아오르는 걸 애써 감추려 했다.

"크리스틴, 그렇다면 필경 남편이 되기를 희망하는 누군가가 그 선물을 주었겠군요…… 도대체 언제까지 우리를 기만할 겁니까? 왜 나를 이다지도 괴롭히는 거냐구요? 그 반지는 틀림없는 언약의 증표입니다! 당신과 그 누군가가 서로 나눈 언약 말입니다!"

"내 말이 바로 그 말이오, 젊은이……"

노부인이 끼여들자, 기고만장해진 라울이 내뱉듯 말했다.

"그래 크리스틴은 뭐라던가요?"

크리스틴은 더는 못 참겠다는 듯 버럭 소리쳤다.

"이것 보세요, 라울! 너무 지나치다고 생각지 않으시나요? 정 이러시면 나도……"

라울은 문득 돌이킬 수 없는 절교의 선언이 튀어나오지 않을까 더럭 겁이 나서 부랴부랴 말을 가로막았다.

"말이 좀 심했다면 용서하십시오…… 나와는 별로 상관없어 보이는 이런 일들에 이토록 안달을 하는 내 마음이 결코 부질없고 점잖지 못하다고는 생각지 말아주십시오. 내가 어떤 심정에서 이러는지 잘 알지 않습니까? 다만 나는 크리스틴 당신이 생각하는 것보다는 더 많은 것을 이미 보았다는 걸 아셔야 합니다! 아니, 이런 종류의 일에서는 대개 자신의 눈을 의심하기 마련이니, 내가 보았다고 생각하는 거라 해두죠……"

"그래요? 그래 대체 무엇을 보았다는 말입니까? 무얼 보았다고 생각하시는데요?"

"그 목소리 때문에 황홀경에 잔뜩 취해 있는 당신 모습을 보았습니다! 벽에서, 아니면 옆방이든, 옆 건물이든, 좌우간 어디선가 스며나오는 그 소리에 당신이 취해서 들떠 있는 모습 말입니다! 바로 그 점이 나를 질겁하게 만드는 겁니다! 당신은 지금 가장 위험천만한 주술에 걸려든 것 같아요! 게다가 오늘 당신이 '음악의 정령 따위는 있지 않다고' 하는 걸 보니, 지금 속임수에 유린당하고 있다는 것도 당신 스스로 의식하고 있는 것 같습니다. 그래서 묻겠는데, 크리스틴, 도대체 이번에는 또 왜 그를 따라간 겁니까? 왜 진짜로 천사의 음성을 듣는 것처럼 그렇게 홀연히 따라나섰느냔 말입니다! 아, 크리스틴…… 그 목소리는 정말로 위험하더군요…… 나 역시 그걸 들으면서 정신이 몽롱해지는 바람에 당신이 어디로 사라졌는지도 모른 채 한동안 멍하니 서 있었으니까요…… 크리스틴! 오, 제발, 크리스틴! 하늘이 보고 계십니다…… 하늘로 올라간 당신의 아버지가 보고 있어요…… 당신을 그토록 사랑했고, 나 역시도 무척이나 아껴주셨던 당신 아버지가 말입니다…… 그러니 부디 당신의 후원자와 내 앞에서 그 목소리의 정체를 속 시원히 밝혀주실 수는 없겠습니까? 그럼 나머지는 우리가 도울 수 있을 겁니다! 자, 대체 그 남자가 누굽니까? 감히 당신의 그 청순한 손가락에 금반지를 끼워준 남자의 이름이 대체 뭐냐구요?"

그러자 크리스틴은 싸늘한 어조로 대꾸했다.

"샤니 씨, 당신은 그를 결코 알 수 없을 겁니다……"

순간, 자작을 향해 번뜩이는 크리스틴의 적의에 찬 눈빛을 언뜻 본 발레리우스 부인이 양녀를 편들려고 날카롭게 소리치고 나서는 것이었다.

"자작님, 이 애가 그 남자를 사랑하고 있다면, 그건 이제부터 당신과는 상관없는 일인 겁니다!"

"오, 부인…… 제 생각에도 크리스틴은 제가 아닌 그 남자를 사랑하는 것 같습니다…… 아무리 모든 걸 되짚어봐도 그래요…… 하지만 단지 그 이유 때문에 괴로워하는 건 아닙니다…… 다만 제가 미심쩍은 것은, 크리스틴의 사랑을 독차지하고 있는 그 남자가 과연 그럴 만한 자격을 갖춘 인물인가 하는 점이랍니다!"

거의 울먹이는 가운데 우물우물 가까스로 말을 이어가는 라울의 얼굴을 크리스틴은 눈 하나 깜짝하지 않고 똑바로 쳐다보며 내뱉었다.

"여보세요, 그건 어디까지나 저 자신이 판단할 문제입니다!"

라울은 기운이 빠져나가는 걸 느끼면서도 계속해서 말을 이었다.

"하지만 젊은 여자의 환심이나 사려고 그렇게 로맨틱한 수단들을 동원하는 걸 보면 필경……"

"그래요, 남자가 비열한 인간이든지, 아니면 여자가 멍청하든지 둘 중 하나겠죠?"

"크리스틴!"

"라울, 도대체 당신은 한번도 보지도 못했고, 그에 대해 아무것도 알지 못하면서 그 사람에 대해 왜 그렇게 나쁘게만 말하려고 하는 거죠? 당신이 그 사람에 대해 아는 게 뭔가요?"

"오, 적어도 그토록 당신이 감싸려드는 그 남자의 이름은 나도 알고 있소! 당신의 소위 음악의 천사는 에릭이라는 이름을 가지고 있지요?"

순간, 크리스틴은 얼굴이 마치 성당의 제대보처럼 하얗게 질리면서 온몸을 부들부들 떨었다. 그녀는 더듬대며 간신히 입을 열었다.

"그, 그걸 대체 어떻게……?"

"당신 입으로 말했지 않소!"

"제가 언제……?"

"가면 무도회가 있던 날 저녁에 혼자 흐느끼면서 말이오! 당신 대기실에 들어가자마자 '가엾은 에릭!' 하며 칭얼대지 않았소? 바로 그때 어디선가 이 '가엾은 라울'이 엿듣고 있었다는 건 전혀 몰랐을 거요……"

"샤니 씨, 그렇다면 벌써 두 번이나 남의 대기실 문밖에서 엿들었던 셈이군요!"

"문밖이 아니었소…… 그 날은 대기실 안에 있었소. 옷 갈아입는 내실에 있었단 말이오……"

그 말을 듣자, 크리스틴은 갑자기 기겁을 한 표정으로 탄식을 내뿜는 것이었다.

"저런 딱한 양반 같으니라구! 도대체 죽고 싶어서 어떻게 되신 것 아닌가요?"

"아마도 그런가 보오……"

그렇게 중얼거리는 라울의 표정에는 누가 보더라도 한 여인을 향한 애틋한 애정과 절망의 빛이 역력했다. 크리스틴은 도저히 속에서 복받쳐 오르는 흐느낌을 참을 수가 없었다.

그녀는 남자의 손을 살며시 쥔 채 더없이 그윽한 눈길로 바라보았고, 젊은이는 그것만으로도 이미 모든 고통이 잠잠해지는 걸 느꼈다.

"라울, 제발 그 남자의 목소리는 잊어버리세요. 더 이상 그 이름을 머리 속에 떠올려선 안돼요…… 그 남자의 목소리를 둘러싼 비밀을 더는 캐들어가려 하지 말아야 해요……"

"그게 그렇게 무서운 거요?"

"이 세상에 그보다 더 두려운 건 없을 정도예요……"

두 사람 사이에 잠시 침묵이 흘렀다. 라울은 완전히 탈진한 사람처럼 힘들어했다.

크리스틴은 조금도 물러설 기색이 아니었다.

"더 이상 캐지 않겠다고 맹세해요! 제가 부르지 않는 한 다시는 대기실에 들어오지 않겠다고 맹세하란 말이에요!"

"그럼 가끔은 그리로 날 불러주겠다고 약속할 수 있소?"

"약속할게요……"

"언제쯤 말이오?"

"내일요……"

"좋아요, 그럼 맹세하리다!"

그 날의 대화는 거기서 끝났다.

라울은 크리스틴의 손등에 입을 맞춘 다음, 여전히 에릭이라는 이름을 저주하면서 조금만 더 인내심을 가져보자고 스스로를 다독이며 자리를 떴다.

12
달콤한 밀월

다음날 라울은 오페라 극장에서 크리스틴과 재회했다. 그녀는 역시 손가락에 금반지를 착용하고 있었지만, 모습만큼은 여전히 아름답고 선량해 보였다. 둘은 라울이 세운 앞으로의 계획과 미래에 쌓아갈 이력에 관해 대화를 나누었다.

라울은 극지방 원정대의 출발 날짜가 앞당겨졌다며, 늦어도 3주에서 한 달 안에는 프랑스를 떠날 것이라고 말해주었다.

크리스틴은 이번 원정 여행이 보람 있을 것이라고 추켜세우며, 장래의 명예에 큰 도움이 되리라 믿는다고 명랑한 어조로 말했다. 하지만 라울이 사랑 없는 명예는 자기에게 하등의 매력도 없어 보인다고 하자, 크리스틴은 그를 어린애처럼 토닥이면서 마음의 고통은 곧 스쳐지나가고 말거라 위로하는 것이었다.

"크리스틴, 당신은 어쩌면 그다지도 가볍게 이야기할 수가 있습니까? 우린 서로 더 이상 만나지 못할지도 모릅니다! 이번 여행에서 살아 돌아올지도 잘 모른단 말입니다!"

"그건 저 역시 마찬가지예요……"

그렇게 말을 흘리는 그녀의 표정 어디에도 장난이나 미소 따위의 기색은 찾아볼 수 없었다. 마치 머리 속에 처음으로 떠오른 어떤 생각 하나에만 골몰한 인상이었다. 그래서인지 그녀의 시선은 잔뜩 달아올라 번뜩이고 있었다.

"크리스틴, 무슨 생각을 하는 겁니까?"

"우리가 서로 더는 만나지 못할 거라 생각하고 있어요……"

"하필 그 생각에 그리 몰두해 있단 말이오?"

"한 달 안에 당신과 영원한 작별을 고해야 할 거예요……"

"우리가 서로의 믿음에 언약을 하고, 서로를 끝까지 기다려주겠다는 약속을 하지 않는다면, 그래야 하겠죠……"

크리스틴은 라울의 입술에 손을 갖다대며 속삭였다.

"입을 다무세요, 라울! 지금 그런 얘기하자는 게 아니잖아요! 우리는 서로 결혼하지 못할 거라는 걸 잘 아시면서……"

한데 그렇게 말하다 말고, 문득 그녀의 얼굴에 뭔가 넘쳐 올라오는 기쁨을 가누기 힘들어하는 표정이 번져 올랐다. 심지어는 어린애처럼 가벼운 박수를 치기까지 하는 것이었다…… 라울은 그런 그녀를 도무지 이해 못하겠다는 표정으로 물끄러미 바라보았다.

"하지만…… 하지만 말이에요……"

크리스틴은 젊은이를 향해, 흡사 방금 막 선물이라도 하기로 작정한 사람처럼 두 손을 쭉 내뻗으며 이렇게 덧붙였다.

"결혼은 설사 못하게 된다 해도 우리는…… 우리는 약혼은 할 수가 있을 거예요…… 아무도 모르고 우리 둘만 알게 말이에요! 왜 비밀리에 결혼을 하는 경우도 있잖아요! 그러니 약혼인들 비밀리에 못하라는 법이 없죠! 한 달 동안 약혼자로서 지내는 거예요! 그러면 한 달 후에 당신이 떠난다 해도 나는 평생 당신과 함께 보낸 그 한 달을 마음 속에 되새기며 언제까지나 행복에 잠길 거예요!"

잠시 황홀한 감상에 잠기던 크리스틴은 이내 진지한 표정이 되었다.

"그 행복만큼은 누구에게도 해를 끼치지 않을 거예요……"

라울은 그런 크리스틴의 심정을 충분히 공감하고 있었다. 그 역시 생각만 해도 행복에 겨워 온통 황홀할 지경이었던 것이다. 라울은 당장에라도 그것을 현실로 만들고 싶어 안달이 났다. 그는 더없이 비굴해 보일 정도로 납죽 허리를 숙이며 이렇게 말하는 것이었다.

"아가씨, 당신의 손을 붙들 수 있는 영광을 제게 허락해주십시오!"

"오, 당신은 이미 내 두 손을 모두 갖고 계신걸요…… 오, 라울, 우린 얼마나 행복할까요! 서로 새색시, 새신랑처럼, 오순도순 소꿉놀이를 하며 말이에요……"

하지만 라울은 내심 이렇게 되뇌고 있었다. 글쎄, 과연 맘먹은 대로만 그렇게 될까? 앞으로 한 달이라는 시간 동안, 나는 어떻게 해서라도 당신이 그 남자의 **목소리**를 깡그리 잊게 만들거나, 아니면 내가 직접 나서서 그 목소리 자체를 완전히 제거해버릴 텐데…… 그럼 당신은 어쩔 수 없이 그 한 달뿐만 아니라, 앞으로도 영원히 내 아내가 되는 거야…… 자, 일단 그때까지는 당신 말대로 놀이만으로도 만족하는 수밖에…….

둘의 소꿉놀이는 두 사람 다 글자 그대로 어린 시절로 완전히 돌아간 듯 더없이 예쁘고 즐겁게 진행되었다. 아, 그 얼마나 많은 사랑의 밀어 (密語)들과 영원한 맹세가 오고갔던가! 앞으로 얼마만 지나면 그 맹세와 밀어를 책임질 그 누구도 없을 것이라는 생각에, 유희의 시간은 눈물과 웃음 속에서 처연한 여운을 남긴 채 흘러가고 있었다. 둘은 다른 사람들이 무도회에서 진이 빠지게 노는 것처럼, 둘만의 유희에 흠뻑 빠져들면서도, 서로에게 상처를 주지 않기 위해 무척이나 조심을 해야만 했다. 그러던 어느 날, 문득 가슴이 미어지는 걸 참지 못한 라울이 그만 게임을 망칠지도 모르는 이런 말을 내뱉고야 말았다.

"난 북극으로 떠나지 않겠소!"

순진한 나머지 라울이 그렇게 나올 가능성을 전혀 예상치 못했던 크리스틴은, 그제서야 유희의 맹점에 눈을 떴고, 그것을 제안한 자신을 호되게 자책했다. 그녀는 라울에게 한 마디도 대꾸하지 않고서 집으로 돌아갔다.

그 돌발적인 상황은 그 날 오후, 항상 둘이 만나 몇 조각의 비스킷과 두 잔의 포르투갈 산 포도주, 그리고 오랑캐꽃다발과 더불어 정겨운 밀회를 나누던 여가수의 대기실에서 발생했다.

그 날 저녁 그녀는 노래를 부르지 않았다. 그리고 한 달 내내 어느 때든 마음이 내키는 대로 서로 주고받기로 한 편지도 그 다음날까지 전혀 오지 않았다. 다음날 아침, 라울은 발레리우스 부인 댁으로 쳐들어갔고, 크리스틴이 벌써 이틀 동안이나 집에 부재중이라는 말을 들어야 했다. 사정인즉, 어제 오후 다섯시쯤 집을 나가면서 모레 이전까지는 돌아오지 않을 거라고 했다는 것이다. 라울은 어찌해야 할지를 몰랐다. 그러면서 그런 얘기를 아무렇지도 않게 자신에게 하고 있는 발레리우스 부인이 몹시도 꼴보기가 싫었다. 문득 좀더 추궁을 해볼까도 생각했지만, 선량한 노부인이 그밖에 뭔가를 더 알고 있는 것 같지는 않았기 때문에 그만두었다. 하긴 무엇을 다그쳐 물어도 그녀는 이 쩔쩔매는 젊은이의 다급한 질문에 그저 이런 식으로 대꾸를 할 뿐이었다.

"그건 크리스틴만의 비밀이지요……"

그러면서 노부인은 점잖게 손가락을 들어 진정하고 안심하라는 뜻의 제스처를 그럴듯하게 해 보이는 것이었다.

라울은 할 수 없이 미친 사람처럼 요란스레 계단을 내려오며 심술궂은 어조로 이렇게 소리쳤다.

"아, 알겠어요! 알겠습니다! 늘 그런 식으로 철없는 어린 아가씨들을 이리저리 거두시는군요!"

대체 크리스틴은 이틀 동안이나 어디로 간 거란 말인가? 우리의 그토록 짧은 밀월 기간이 이틀이나 날아가버리지 않았는가! 하긴 라울에게 잘못이 있었으니 어쩌랴…… 그래도 그렇지, 북극으로 떠나지 않겠다는 말을 그녀가 곧이들었단 말인가? 만약 정말로 그럴 뜻이었다면 뭐 하러 그렇게 일찍 얘기를 했겠는가? 라울은 자신의 경솔함을 신랄하게 탓하는 가운데, 크리스틴이 돌아오기로 한 그 순간까지의 마흔여덟 시간을 이 세상에서 가장 불행한 남자라도 되는 듯 비탄 속에 지냈다.

마침내 크리스틴 다에가 돌아왔을 때는 대단히 화려한 성공의 무대가 또 다시 펼쳐졌다. 예전에 한번 경험했던 그런 대성공이었다. 한편 카를로타는 지난번 끔찍했던 '두꺼비' 사건 이후, 더는 무대에 설 수가 없었다. 언제 어느 때 그 '꾸엑'이 불쑥 튀어나올지 몰라, 늘 마음을 졸였기 때문에 도저히 노래를 부를 엄두가 나지 않았던 것이다. 그처럼 처절한 자신의 꼴을 낱낱이 목격했던 무대와 객석 모두가 그녀에게는 이제 더 없이 끔찍한 장소가 된 것이다. 계약을 중도에서 파기할 핑계는 그걸로 충분한 셈이었다. 그 대신 크리스틴 다에가 잠시나마 공백으로 남은 역할을 맡았던 것이고, 마침내 「유태인 여자」에서 엄청난 열광을 불러일으킨 것이었다.

공연이 있던 날 당연히 그곳에 있었던 자작은 아마 그러한 성공의 떠들썩한 환호성 속에서 유일하게 괴로움을 곱씹은 사람이었을 것이다. 왜냐하면 유독 그의 시선은 크리스틴의 반지 낀 손가락에 고정되어 있었던 것이다. 아득한 어떤 목소리가 젊은이의 귀가에서 이렇게 맴돌고 있었다.

"……오늘 저녁에도 그녀는 반지를 끼고 있다. 그리고 그건 자네가 선물한 것이 아니야. 오늘 저녁 그녀는 또다시 영혼을 바쳤는데, 그게 자네에게 바친 게 아니란 말이야……"

목소리는 계속해서 얄궂게 중얼거리고 있었다.

"……지난 이틀 동안 그녀가 어디서 무얼 했는지 끝끝내 말해주지 않는다면, 그걸 에릭한테 직접 가서 따져 물어야 하지 않을까?……"

라울은 득달같이 무대 위로 달려갔다. 한데 때마침 크리스틴도 눈길로 라울을 더듬어 찾고 있었는지라, 그를 금세 발견하고는 부랴부랴 소리쳐 부르는 것이었다.

"어서요! 어서! 이리로 와요!"

그리고는 손목을 붙잡고 대기실 안으로 들어가, 밖에서 이렇게 수군대는 속물들에겐 아랑곳하지 않고 문을 쾅 닫는 것이었다.

"저것 좀 봐! 두 사람 어떤 사이야?"

라울은 안으로 들어서자마자 털썩 무릎을 꿇고는, 반드시 약속한 시간이 오면 떠날 테니, 제발 둘만의 행복한 밀월을 더 이상 중단하지 말아달라고 애걸하기 시작했다. 어느덧 그녀의 볼에서도 주르륵 눈물이 흐르고 있었다. 두 사람은 무슨 똑같은 슬픈 일을 당해 너나할 것 없이 서로를 애도해주는 두 오누이처럼, 부둥켜안고 흐느껴 울었다.

그러다가 문득 젊은이의 소심하고도 여린 포옹에서 벗어난 크리스틴은 뭔가 알 수 없는 소리에 귀를 기울였다. 그리고 즉시 간명한 동작으로 라울에게 문 쪽을 가리키며 길지 않은 재회의 시간이 다 되었다는 표정을 지었다. 하는 수 없이 라울은 문 앞까지 걸어갔고, 거기서 크리스틴이 나직이 속삭이는 것을, 들었다기보단, 거의 짐작으로 느꼈다.

"그럼 내일 봐요…… 그리고 행복하세요, 라울…… 오늘 저녁에는 당신을 위해서 노래를 부른 거예요……"

하지만 다음날 대기실에서 다시 재회한 두 사람 사이의 밀회는 이전처럼 자연스럽지가 못했다. 아뿔싸, 어쩌면 좋으랴…… 지난 이틀 간의 시간이 둘 사이의 잘 나가던 밀월의 달콤함을 이미 흐트러뜨린 모양이었다. 둘은 서글픈 시선으로 아무 말도 못한 채 서로를 물끄러미 바라보았다. 라울은 이렇게 튀어나오려는 절규를 간신히 억누르고 있었다.

"정말이지 질투가 나서 못 견디겠소! 질투가 난단 말이오!"

하지만 왠지 크리스틴은 그런 라울의 마음 속 절규를 다 듣고 있는 듯한 얼굴이었다.

그녀는 조용히 입을 열었다.

"그럼 우리 잠시 산책이라도 해요…… 바람을 쐬면 좀 나아질 거예요……"

라울은 그녀가 바깥 소풍이라도 제안하는 줄 알았다. 잠시나마 이 지긋지긋한 건물을 훌훌 벗어나 멀리! 벽 속마다 그 가증스런 감옥지기 에릭이 어슬렁대는 이 혐오스런 건물 밖으로 멀리, 멀리 말이다…… 그러나 정작 그녀의 손에 이끌려 간 곳은 무대 위였다. 라울은 그녀가 인도하는 대로, 다음 장면을 위해 인공적으로 조성된 상큼하고 평화로운 전경(前景)의 연못가 나무 격자 장식 위에 다소곳이 앉았다. 그리고 보니 어느 날 그녀는, 마치 극장 이외의 진짜 공기, 진짜 하늘, 진짜 꽃, 그리고 진짜 흙에 접근하는 게 숙명적으로 금지된 여인처럼, 무대 장치가가 주도면밀하게 다듬어놓은 정원의 어지러운 오솔길을 라울의 손을 붙잡고 정처 없이 헤매 다니기도 했다. 젊은이는 아무리 사소한 질문도 하기가 망설여졌다. 그녀가 대답하기 곤란할 게 뻔한 질문을 함으로써 공연히 괴로움만 주고 싶지 않았던 것이다. 이따금 극장 소방관이 멀찌감치서 이 두 연인의 음울한 산책을 걱정 어린 눈길로 바라보며 지나쳤다. 대담하게도 그녀는 인간에게 허상을 불러일으키기 위해 고안된 이 틀의 거짓 아름다움에 자신과 더불어 라울도 적극적으로 동참하도록 유인하곤 했다. 언제나 활기 넘치는 그녀의 상상력 속에서 이 인공적인 무대장치는 자연이 결코 견줄 수 없는 생생한 색채와 현실감으로 가득 찬 세계였던 것이다. 라울이 서서히 진땀나는 손을 쥐어짜고 있는 동안에도 그녀는 마냥 황홀한 상태였다.

크리스틴은 이렇게 말하는 것이었다.

"보세요, 라울! 이 담장들하며 덤불숲들, 장미넝쿨들과 이 화폭 위의 이미지들을요…… 이 모든 것들에 둘러싸여 얼마나 숭고한 사랑 이야기가 숱하게 펼쳐졌는지 아세요? 인간의 운명을 저만치 따돌리는 위대한 시인들의 머리 속에서 창조된 놀랄 만한 사랑 이야기들 말이에요……
나의 라울, 우리의 사랑도 그 속에 있는 거예요! 슬프게도 그 사랑 역시
한낱 환상일 뿐이니까요……"

너무도 참담한 기분이 들어 뭐라 할 말을 잃은 라울에게 그녀는 또다
시 이렇게 말했다.

"우리의 사랑은 이 세상에서는 너무도 서글퍼요…… 그러니 우리 그
것을 하늘나라로 데리고 가요…… 보세요, 여기에서는 사랑이 얼마나
쉬운지!"

어느덧 그녀는 구름 장치보다 훨씬 높은 위치에 어지럽게 가로질러
교차되어 있는 거창한 격자 선반들(역자주 : 대도구(大道具)를 조작하는 무대 천
장의 철제 선반) 위에까지 젊은이를 이끌고 올라가 있었다. 그리고는 현기
증으로 눈이 휘둥그래진 남자 앞에서 마치 희롱하듯이 무대 안 천장을
가로지르는 아슬아슬한 다리 위를 이리저리 뛰어다니는 것이었다. 각종
도르래와 권양기(捲揚機)와 여러 가지 크기의 실린더를 제각각 엮고 있
는 무수한 밧줄들, 그 사이사이에서 깎아지를 듯이 치솟아 있는 수많은
버팀대와 활대들로 이루어진 이 모든 공간이 그녀에게는 허공에 조성된
하나의 근사한 인공낙원이나 다름없었다. 젊은이가 자칫 머뭇거릴라치
면, 그녀는 앙증맞게도 입을 내밀면서 이렇게 다그치는 것이었다.

"어허, 어엿한 선원 아저씨가!"

마침내 두 사람은 단단한 지상으로, 그러니까 결국 무대 뒤의 어느 복
도로 내려왔다. 그 근처는 깔깔대는 웃음소리와 부산한 춤동작, 그리고
"아가씨들, 좀더 부드럽게! 발끝에 주의하고!"하는 호령소리에 가끔씩
투덜대는 어린 소녀들로 북적거리고 있었다. 기껏해야 여섯에서 많아야
열 살 정도밖에 안되는 어린 소녀들이 무용 연습에 한창이었다. 비록 아
직 나이는 어리지만 하나같이 제법 어깨를 훤히 드러낸 가슴옷에다 하
늘거리는 발레용 치마, 하얀 타이즈에 분홍양말을 착용하고서 고통스러

운 발을 들었다 놨다 하며 언젠가는 4인조 카드릴 무곡의 일원이든, 주역 발레리나든, 어쨌든 화려한 스포트라이트를 받는 주인공이 되어보겠다는 꿈을 잔뜩 불태우고 있는 당찬 소녀들이었다. 물론 그 날이 올 때까지는 오다가다 크리스틴 언니가 나눠주는 사탕을 맛있어 하며 받아들고는 있지만 말이다……

어느 날은 마치 그녀 자신의 궁전 거실인 것처럼, 무대 복장들이 즐비하게 보관되어 있는 널따란 방으로 라울을 데리고 가기도 했다. 거기엔 옛 기사들의 낡아빠진 의상들과 번쩍거리는 갑옷들, 화려한 문장(紋章)이 새겨진 방패들과 창들, 깃털장식들로 가득했는데, 그녀는 이 먼지구덩이 속에서 꼼짝도 않고 도열해 있는 전쟁의 유령들 사이를 느긋하게 지나다니는 것이었다. 그러면서 이런저런 덕담을 던지는가 하면, 조금만 기다리다 보면 너희들도 떠들썩한 무대의 조명장치 앞에서 화려한 저녁을 맞이할 날이 곧 올 거라고 속삭여주곤 했다.

그렇게 크리스틴은 라울을 데리고 자신의 가짜 왕국, 하지만 일층 바닥에서 저 꼭대기까지 총 열일곱 개 층에 이르는 명실공히 방대한 세계를 헤집고 다녔다. 그녀는 그 모든 것들 속에서 마치 민중의 여왕이라도 되는 듯 돌아다녔는데, 사람들의 작업을 독려하다가 창고에 잠시 앉아 있기도 했고, 주인공들에게 입힐 비싼 옷감들을 조심스레 손질하고 있는 여자 일꾼들에게 찬찬히 조언을 해주기도 하는 것이었다. 하긴 이 나라의 주민들은 온갖 일들을 자체적으로 죄다 소화해내고 있는 셈이었다. 구두수선공으로부터 보석세공인에 이르기까지 말이다. 그리고 언제부터인가 그들 모두 예외 없이 크리스틴을 좋아하게 되었다. 무대 위 화려한 스포트라이트를 받는 디바로서 그녀만큼 세심하게 모든 이들의 애로사항과 사소한 버릇에까지 관심을 갖고, 때로는 챙겨주는 이가 없었던 것이다. 그녀는 늙은 거지부부가 남몰래 살림을 꾸리고 있는 후미진 구석이 어디어디인지도 샅샅이 알고 있을 정도였다.

크리스틴은 그 부부의 아지트를 방문하고는, 라울을 자신에게 구혼을 한 '백마 탄 왕자님'으로 소개하기도 했다. 그럴 때면, 둘은 헐어빠진 소도구 위에 걸터앉은 채, 어린 시절 옹기종기 붙어 앉아 브르타뉴의 옛날 이야기를 듣던 것과 같이, 노부부가 들려주는 오페라 극장에 관한 옛 전설에 귀를 기울이는 것이었다. 노부부의 기억에 남아 있는 것은 오로지 이 오페라 극장에 관한 것밖에는 없었다. 벌써 그곳에 둥지를 틀고 산 게 이만저만 오래되지가 않은 것이다. 그동안 세상이 몇 차례가 바뀌어도 그들은 그 허름한 공간에 방치된 채 전혀 상관없이 살아왔다. 말하자면 저 바깥 세상, 프랑스의 역사는 그들을 완전히 무시한 채 활개를 치고 지나간 셈이며, 아무도 이 노부부의 존재를 기억하지 못했다……

그렇게 꿈같은 나날이 흘러갔고, 라울과 크리스틴은 바깥 세상에 대한 흥미를 가장함으로써, 실제로 둘이 마음 속에 담고 있는 이야기들을 어설프게나마 서로에게 덮어두고 있었다. 분명한 사실은, 그동안 대단히 강건한 입장을 보이던 크리스틴이 갑자기 무척이나 예민해졌다는 점이다. 둘이 어디로 소풍을 가는 경우에도, 크리스틴은 저 혼자 느닷없이 앞서 달려가다가도 문득 멈춰서서 차가워진 손으로 라울을 붙드는 것이었다. 이따금 그녀의 눈동자는 뭔가 상상 속의 그림자를 뒤쫓는 듯 황망해 보였다. 그런가 하면, 때론 "여기예요!", "여기예요!", "여기라구요!" 하고 두서 없이 불러대면서, 눈물이 울컥 솟구칠 때까지 저 혼자 웃어대곤 했다. 그럴 때면 라울은, 결코 그러지 않겠다고 다짐한 것도 잊은 채, 어느새 둘의 언약 문제를 입밖에 꺼낼 뻔하는 것이었다. 물론 그때마다 크리스틴은 떨리는 음성으로 이렇게 말문을 막곤 하였지만 말이다.

"아무것도…… 제발, 아무것도……"

한번은 무대 위에서 또 그 유람 아닌 유람을 하던 중, 우연히 바닥의 뚜껑문이 열려진 것을 본 라울이 그 어두컴컴한 아래를 유심히 바라보며 중얼거린 적이 있다.

"크리스틴, 이제 당신의 지상 왕국은 충분히 구경을 했는데…… 사람들 얘기론 저 아래에도 재미나는 일들이 많다고 하니…… 한번 초대해 주지 않겠소?"

한데 그 말을 듣는 순간, 크리스틴은 마치 라울이 그 구멍 속에 빨려 들까봐 그러는 것처럼 잽싸게 팔을 낚아채고는 무척 떨리는 음성으로 이렇게 더듬대는 것이었다.

"저, 절대로 안돼요! 저 아래만큼은 절대로…… 게, 게다가 저긴 내 관할이 아니라구요…… *땅 밑의 모든 것은 그의 것이란 말이에요……*"

라울은 그녀의 눈동자를 뚫어져라 들여다보며 거친 어투로 뇌까렸다.

"그럼 *그 자*가 저 아래에 산다는 말이오!"

"난 그런 말은 안 했어요! 누가 그런 얘기를 해요? 자, 여기서 이러지 말고…… 어서 가요! 라울…… 종종 혹시 당신 정신이 어떻게 된 건 아닐까 하는 생각마저 들 때가 있다는 거 알아요? 늘 그렇게 허황된 소리를 들었다고 떠들어대니까 그렇잖아요! 내 참…… 어서 이리 와요!"

하지만 라울은 왠지 그 열려진 뚜껑, 그 아래의 심연에 관심이 쏠렸으므로, 크리스틴은 거의 반강제적으로 젊은이를 끌고 가야만 했다.

바로 그 때였다. 두 사람이 미처 알아채지도 못한 사이, 누군가의 손에 의해 그런 것처럼, 뚜껑문이 황급히 닫히는 것이 아닌가! 실랑이하던 두 사람은 그 자리에 우뚝 멈춰서지 않을 수 없었다.

"필경 *그 자*가 저 아래 있는 거죠?"

라울의 말에 크리스틴은 어깨를 으쓱 하며 시침을 떼면서도 얼굴엔 여전히 당황한 기색이 역력했다.

"천만에요! 저건 뚜껑문 담당자들 짓이라구요! 그들도 뭔가를 해야 하잖아요…… 저들은 심심하면 공연히 뚜껑문을 가지고 저런 장난을 한다니깐요…… 아무래도 심심풀이할 게 필요하겠죠……"

"크리스틴, 만약 그게 아니라 바로 그 자의 짓이라면?"

"말도 안되는 소리! 그럴 리가 없어요! 그는 일을 하고 있다구요!"

"아, 그랬군…… 그가 일을 한다?……"

"그래요, 어떻게 일을 하면서 뚜껑문이나 열었다 닫았다 할 수 있겠어요? 그러니 공연한 신경 쓸 것 없어요……"

그렇게 말하는 그녀의 목소리는 심하게 떨고 있었다.

"그래요? 그럼 그가 하는 일이 대체 뭔가요?"

"오, 그, 그건…… 정말 지독한 일이에요…… 정말이지…… 그가 일을 할 때는 아무것도 보지도 않고, 먹지도 않고, 마시지도, 심지어는 숨도 안 쉬어요…… 그렇게 몇날 몇밤을 일로 지새우죠…… 살아 있는 시체라고나 할까요…… 그러니 뚜껑문이나 여닫고 있을 시간은 없다구요!"

그녀는 몸서리까지 치면서, 문득 뚜껑문 쪽으로 귀를 기울이며 몸을 숙였다. 라울은 잠자코 그녀가 무슨 말을 또 하나 기다렸다. 그리고 보니 혹시 또 그 남자의 목소리가, 이제 겨우 비밀을 토로하려는 그녀를 제지해서 심사숙고하게 만드는 것은 아닐지 은근히 걱정되기도 했다.

어쨌거나, 크리스틴은 라울을 꼭 부여잡은 채 떨어지려 하지 않았다. 그리고 이젠 그녀가 한숨을 내쉬며 이렇게 내뱉는 것이었다.

"아닌게 아니라…… 혹시 그가……"

라울은 조심스럽게 물었다.

"당신은 그 자를 두려워합니까?"

"두렵냐구요? 천만에요!"

젊은이는 순간, 마치 아직 꿈에서 덜 깬 무척이나 감수성이 예민한 사람을 대하듯, 자기도 모르게 그녀를 가엾게 여겨 보듬어 안는 시늉을 취했다. 말하자면, "그래요, 내가 곁에 있어서 그렇죠?"라고 하는 투로 말이다. 한데 생각과는 달리 그의 그러한 태도가 다소 도발적으로 보였고 크리스틴은 흠칫 놀라며 젊은이를 똑바로 쳐다보았다. 사실 이 섬세하고 소심한 젊은이에게서 그런 대범하고 용기 있는 태도가 튀어나올 줄은 꿈에도 생각지 못했던 것이다. 그녀는 젊은이의 지나치게 대담한 기사도 정신에 적당히 호응을 해주어야 하는 게 아닐까 생각했다. 그녀는, 마치 언제 닥칠지 모르는 위험에서 지켜주기 위해 야무지게 주먹을 불끈 쥔 남동생을 오히려 토닥이는 누나처럼, 이 딱한 젊은이를 따뜻하게 안아주었다.

라울은 그런 크리스틴의 마음을 간파하고 도리어 얼굴이 빨개졌다. 이렇게 보니 자신이 그녀보다 훨씬 나약해 보이는 것이었다. 그러면서도 생각은 여전히 이랬다. "이 여자는 두려워하지 않는 척할 뿐, 실은 벌벌 떨면서 뚜껑문에서 멀리 떨어지라고 하지 않는가!" 그건 사실이었다. 다음날에도 또 그 다음날에도 둘만의 이상야릇하면서도 순수한 밀회는, 크리스틴의 뜻에 따라, 되도록 무대 바닥의 뚜껑문으로부터 멀리 떨어진 곳, 심지어는 극장 지붕 다락방에서 이루어지기도 했다. 그러면서도 크리스틴의 불안해하는 기색은 시간이 흐를수록 더해만 가는 것이었다. 그러다 마침내 어느 날 오후, 뒤늦은 시각에 약속 장소에 도착한 크리스틴의 너무도 창백한 얼굴과 확실한 절망감으로 붉게 충혈되어 있는 두 눈을 보고서, 라울은 급기야 굳게 마음을 먹고 단도직입적으로 이렇게 소리치고 말았다.

"당신이 그 남자의 목소리에 관해 비밀을 털어놓지 않는 한, 나는 결코 북극으로 떠나지 않을 생각입니다!"

"조용히 하세요! 제발 조용히 하라구요! 가엾은 라울…… 그가 당신의 그 말을 듣는다면……"

크리스틴은 대번에 그렇게 호들갑을 떨면서 황망한 눈으로 주변을 두리번거리는 것이었다.

"크리스틴, 맹세컨대, 내가 당신을 그 마력으로부터 구해주겠습니다! 그에 대한 생각조차 하지 않을 수 있도록 말입니다!"

"그게 과연 가능한 일일까요?"

크리스틴은 젊은이를 무대 뚜껑문에서 가능한 한 멀리, 그러니까 극장의 맨 꼭대기 층까지 이끌고 가서야 용기를 내어 그런 한줄기 의혹을 스스로에게 허용하는 듯했다. 물론 이를 놓칠 라울이 아니었다.

"도저히 그 자가 찾을 수 없는 이 세상 가장 외지고 안전한 곳에 당신을 숨겨주겠습니다! 당신은 구원될 것이고, 결코 다른 누구와도 결혼하지 않기로 맹세를 한 몸이니, 그때 가서는 나도 북극으로 떠날 수 있을 것입니다."

크리스틴은 라울의 품에 와락 안기며 믿을 수 없으리만치 강한 힘으로 끌어안았다. 하지만 그 역시 잠시뿐, 또 다시 불안한 기색을 감추지 못하며 고개를 돌리는 것이었다.

"더 높이 올라가요…… 더 높이요……"

오로지 그렇게 중얼거리며 그녀는 아예 극장 지붕을 향해 라울을 이끌어 갔다.

그런 그녀를 순순히 따라갈 수밖에 없는 라울은 난처한 심정을 억지로 추슬러야 했다. 두 사람은 마침내 지붕 바로 밑을 지탱하는 골조들이 복잡하게 가로지른 공간으로까지 올라섰다. 둘은 아치형의 대들보와 서까래, 버팀목과 벽체와 지붕 경사면들 사이를 미끄러지듯 헤매고 다녔다. 마치 숲속의 거대한 나무들 사이라도 되는 양, 건물의 들보와 들보 사이를 뛰어다니는 것이었다……

그런데, 매순간 뒤를 돌아다보며 조심을 했으면서도 크리스틴은, 그녀 뒤에서 마치 그녀 자신의 그림자처럼 아무 소리 없이 따르다가는 그녀와 함께 멈추고, 다시 뒤따르고 있는 어떤 그림자의 존재를 전혀 눈치채지 못하고 있었다. 그건 라울도 마찬가지였다. 하긴 앞서가는 크리스틴을 바로 눈앞에 둔 그가 어찌 뒤에서 일어나는 일에 신경을 쓸 수 있으리요……

13
아폴론의 칠현금

이럭저럭 두 사람은 어느새 지붕 위까지 올라갔다. 크리스틴은 익숙한 솜씨로 지붕 여기저기를 마치 제비처럼 날렵하게 건너뛰었다. 둘은 세 개의 돔지붕과 정면의 삼각 박공지붕 사이로 황량하게 펼쳐진 공간을 이리저리 둘러보았다. 크리스틴은 부산을 떨고 있는 파리의 비좁은 골목들 위로 힘차게 심호흡을 했다. 그리고는 라울에게 신뢰의 눈길을 보냈다. 그녀는 젊은이를 곁으로 불러서, 둘이 나란히, 함석과 주철로 이루어진 그 높은 곳의 '포도(鋪道)'를 거닐었다. 그러다가는, 한 스무 명 남짓한 어린 발레리노들이 제 철이 되면 물놀이도 하고 수영도 배우는 큼직한 저수조에 둘만의 그림자를 물끄러미 비추어보는 것이었다. 한편 두 사람의 보조에 맞춰 소리 없이 미행을 하던 정체불명의 그림자는 지붕 위로 납작 몸을 엎드린 채, 검은 날개를 단 것처럼 민첩하게, 철제 길목들을 가로지른 뒤, 저수탱크를 따라 조용히, 조용히, 돔지붕을 에둘러 다가오고 있었다. 딱하게도 전혀 그 존재를 모르고 있는 두 연인은, 지붕 꼭대기에서 저 불타는 태양을 향해 청동의 팔로 기적의 칠현금을 높이 치켜들고 있는 아폴론 상이 이 높은 곳의 자신들을 안전하게 보호해주리라 믿고, 느긋하게 앉아 있었다.

봄날의 불붙는 석양이 어느덧 주변에 낮게 깔리고 있었고, 그 빛을 받아 금빛과 자줏빛으로 옷을 물들인 구름들이 그 하늘거리는 옷자락을 젊은 연인들 머리 위로 그윽하게 드리우고 있었다. 크리스틴은 문득 라울에게 속삭였다.

"이제 우리가 저 구름보다 더 멀리, 더 빠르게, 이 세상 끝까지 도망쳐 간 다음에야 당신은 나를 내버려두실 거예요, 라울. 하지만 막상 당신이 날 어디론가 데리고 가려 할 때 설사 내가 따라나서지 않는다 해도, 부디 강제로라도 데리고 가주세요……."

그녀는 극성스럽게 라울의 가슴팍을 파고들면서, 자신도 주체하지 못하는 어떤 힘에 내몰리듯 그렇게 내뱉었는데, 그 말은 젊은이를 적잖이 놀라게 했다.

"크리스틴, 그럼 아직도 생각을 바꾸기가 두려운 건가요?"

"모르겠어요…… 어쨌든 그는 악마예요……."

머리를 신경질적으로 흔들어대며 말하는 그녀는 온몸을 바들바들 떨고 있었다. 그리고는 이내 땅이 꺼질 듯한 한숨을 내쉬면서 라울의 품안으로 더욱 바싹 다가들었다.

"이젠 다시 돌아가 그와 함께 땅 속에서 사는 게 두려워졌어요……."

"오, 크리스틴, 아무도 당신을 그곳에 돌아가라고 강요하지 않습니다!"

"하지만 내가 돌아가지 않으면 엄청난 불행이 닥칠 거예요…… 아…… 아, 더는 그렇게 살 수 없어요…… 물론 저 지하에 사는 사람들을 가엾게 여겨야만 한다는 건 알아요. 하지만, 그곳은 너무도 끔찍하다구요…… 아, 어쩔 수가 없네요…… 점점 시간이 다가오고 있어요…… 이젠 하루밖에 안 남았는걸요…… 내가 가지 않으면 그가 목소리를 통해서 날 찾으러 올 거예요. 그는 날 지하로 끌고 갈 것이고, 또 그 해골을 조아리며 내 앞에 무릎을 꿇겠죠…… 그리고는 사랑을 고백할 거예요…… 눈물을…… 아, 그 눈물을 뚝뚝 떨어뜨리면서 말예요…… 라울!

해골의 퀭한 두 눈구멍으로부터 뚝뚝 떨어지는 눈물을 한번 상상해보세요! 난 더는 그 눈물을 똑바로 바라볼 수가 없다구요…….”

크리스틴이 괴로움에 겨워 두 손을 비틀어대자, 라울 역시 거기에 전염이라도 된 듯, 더더욱 힘을 주어 그녀를 끌어안았다.

“아니오! 아니오! 당신 귀에 더는 그가 당신을 사랑한다는 말이 들어가지 않도록 하겠소! 더 이상 그의 눈물이 흐르는 것을 보지 않아도 되게 만들 것이오! 지금 당장 우리 어디로든 도망칩시다! 크리스틴…… 도망치자구요!”

그러면서 라울은 벌써 그녀를 어디론가 끌고 가려고 했다.

하지만 크리스틴 자신이 길을 막는 것이었다.

“안돼요…… 안돼…… 지금 당장은 곤란해요…… 지금 당장 도망친다는 것은 너무 잔인해요. 내일 저녁, 내가 마지막으로 그를 위해 불러주는 노래는 들도록 해주어야 해요…… 그런 다음, 우리 멀리 떠나요! 자정에 내 대기실로 오세요. 정확히 자정에요! 그때쯤이면 그가 지하 호수의 식당에서 날 기다리고 있을 거예요. 그럼 우린 자유롭게 어디든 달아날 수 있을 거예요…… 설사 그때 내가 거부한다 해도 반드시 날 데리고 가주셔야 해요, 라울! 왠지 이번에 그곳으로 돌아가면 다시는 거기서 빠져나올 수 없을 것 같아요…….”

그렇게 말하고는 다급히 이렇게 덧붙였다.

“당신은 이해를 못하실 테지만…….”

바로 그때였다. 크리스틴이 더는 말을 잇기조차 힘든 듯 깊은 한숨을 내쉬는 순간, 문득 그녀의 등뒤에서 또 다른 한숨 소리가 마치 그에 대한 응답인 것처럼 들려온 것은……

“방금 이 소리…… 못 들었나요?”

크리스틴은 아예 이까지 덜덜 떨고 있었다.

“아니, 아무 소리도 안 들렸는데요!”

"아! 정말 이제는 매일 이렇게 조마조마한 마음으로 사는 것도 지겨워요! 하지만 여기 이곳은 안전하겠죠? 이렇게 높고 밝은 곳에 올라와 보니, 내 집에 있는 것처럼 편해져요. 보세요, 태양이 저렇게 빛나고 있잖아요…… 밤의 새들은 저런 빛을 감히 바라볼 수도 없을 거예요…… 이런 광채 속에선 그 역시 한번도 나타난 적이 없어요! 만약 이렇게 밝은 데서 그를 본다면 얼마나 끔찍할까……"

크리스틴은 혼란스런 눈빛으로 라울을 돌아보며 계속해서 중얼거렸다.

"오, 처음 그의 모습을 보았을 때…… 난 그가 곧 죽어가는 줄만 알았어요……"

라울은 그녀의 목소리에서 묻어나는 심상치 않은 기운에 질겁하며 다그쳐 물었다.

"그건 또 왜죠? 어째서 그가 죽어간다고 생각했습니까?"

"분명 그렇게 보였으니까요!"

"……"

순간, 라울과 크리스틴은 동시에 고개를 돌려 주위를 돌아보았다.

"누군가 이 근처에 다친 사람이라도 있는가 봅니다…… 아무 소리도 안 들렸어요?"

라울이 중얼거리자, 크리스틴이 이렇게 털어놓았다.

"나한텐 그런 질문이 소용없어요…… *그가 있을 때나 없을 때나 내 귓가엔 늘 그의 신음소리가 맴도니까요*…… 한데 당신 귀에도 들렸다면, 그건 혹시……"

두 사람은 누가 먼저랄 것도 없이 자리에서 벌떡 일어나 사방을 둘러보았다. 드넓은 금속 지붕 위엔 인기척이라곤 없었다. 둘은 다시 자리에 앉았고, 라울이 입을 열었다.

"그를 처음 보았을 때 이야기나 좀 해주십시오."

"그의 목소리를 처음 들은 건 석 달 전이었어요. 그때는 나도 당신과 마찬가지로, 갑자기 옆에서 노래를 부르기 시작한 그 아름다운 목소리가 근처의 다른 방에서 들려오는 건 줄 알았죠. 난 얼른 문 밖으로 나가 둘러보았지만, 당신도 알다시피, 내 대기실은 워낙에 외진 곳에 있어서 주위의 다른 방에서 나는 소리가 흘러들 리가 없었죠. 그러는 가운데에도 계속해서 대기실 안에선 목소리가 들리는 거예요…… 그 목소리는 노래만 부르는 게 아니라, 실제로 옆에 사람이 있는 것처럼, 내 질문에 일일이 대꾸를 해주는 거였어요. 그것도 인간의 것이라곤 생각하기 어려운 천사 같은 음성으로 말이죠! 도대체 그런 이상한 현상을 어떻게 설명해야 할까요? 당시 나는 생전에 아버지가 죽고 나서 하늘나라에 가면 반드시 보내주겠다던 그 '음악의 천사'를 늘 마음 속에 그리며 살고 있었죠. 내가 이렇게 어린아이 같은 유치한 이야기를 서슴없이 꺼내는 이유는, 당신도 우리 아버지를 잘 알고, 아버지 역시 당신을 무척이나 아꼈기 때문이에요. 물론 당신도 그 당시엔 나처럼 '음악의 천사' 얘기를 들으며 그것을 철석같이 믿었을 거예요. 그러니 지금 이런 이야기를 하는 나를 비웃거나 하지는 않을 거 아니에요? 라울, 그때까지도 나는 어린 로테와 같은 순진하고 다정한 영혼을 간직하고 있었답니다. 발레리우스 양어머니와 함께 살면서도 어린 시절의 심성을 잃지 않고 있었지요. 한데 바로 그런 나의 영혼을, 천사에게 바치는 줄만 알고 그 남자의 목소리에 두 손 모아 몽땅 바쳤던 겁니다! 따지고 보면 잘못은 내 양어머니에게도 있어요. 당시 내가 겪은 괴이한 현상에 대해 죄다 말씀을 드렸더니, 이렇게 조언을 해주시는 거였어요. '그건 틀림없이 천사일 거다! 언제든 네가 직접 물어보지 그러니……'라고 말이죠! 그래서 용기를 내어 직접 물어봤더니, 그 목소리는 실제로 자신이 천사의 목소리이며, 아버지가 돌아가시면서 약속한 바로 그 목소리라고 대답하지 뭐예요! 바로 그 순간부터 나와 목소리간에는 절대적인 신뢰와 우애의 관계가 자리잡게 된 거지요. 그 목소리는 처음부터 대뜸 자신은 영원한 예술의 기쁨을 맛보여주기 위해 이 지상에 내려온 것이며, 앞으로 매일 내게 음악 교습을 해주고 싶은데 괜찮겠느냐는 거예요. 나로선 달리 거절할 이유가 없었죠. 거절은커녕, 그와의 약속 시간을 단 한번도 어긴 적 없이, 오페라 극장의 대부분이 텅 빈 시간을 틈타 열심히 음악수업에 임했죠. 그 수업 내용에 대해 뭐라 설명 드리고는 싶지만, 아마 목소리를 들었던 당신조차도 전혀 무슨 말인지 알아들을 수 없을 거예요……."

"물론 그럴 겁니다! 전혀 상상도 안 가요! 그래 어떤 교습을 받았습니까?"

"생전 처음 들어보는 음악이었어요…… 벽 뒤에서 들려왔는데, 비할 데 없이 정확한 음정에 실린 음악이었죠. 놀라운 건, 아버지가 내게 어느 정도까지 공부를 시키셨고, 어떤 단순한 방법으로 가르쳐오셨는지 그 목소리는 너무도 훤히 알고 있는 것이었어요. 결국 현재의 음악 교습과 더불어, 지난날 아버지에게서 받았던 가르침까지 한꺼번에 되살림으로써 나는, 보통 같으면 몇년은 걸릴 법한 놀랄 만한 발전을 이룰 수 있었던 거예요! 생각해보세요…… 워낙에 심성이 너무 예민한지라 내 목소리는 그다지 힘이 있지 못했죠. 특히 낮은 음정에서 상당히 불안했어요…… 어디 그뿐인가요, 높은 음도 다소 둔탁하고 중간 음정은 두루뭉실했죠. 그러한 단점들을 아버지는 평생 고쳐주려 하셨고, 잠깐 동안은 성공하기도 했었어요. 그런데 이제 그 목소리가 나타나 완벽하게 교정을 해주게 된 거죠. 아주 천천히, 조금씩 성량도 키워갔는데, 그건 예전 같은 나약함으론 도저히 기대도 할 수 없는 수준이었답니다. 이젠 호흡을 최대한 확장하는 법도 익히게 되었어요. 그러나 뭐니뭐니해도 그 목소리가 내게 전수해준 음악의 진수는 가슴으로부터 우러나는 소리를 소프라노의 음색 속에서 증대시키는 비법이랍니다. 그렇게 해서 결국 그 목소리는 영감의 신성한 불길로 나의 모든 것을 휩싸안아버렸고, 열정적이고 왕성하며 숭고한 생명력을 내 안에 일깨워준 거예요. 그 목소리는 그저 노래를 들려주는 것만으로도 나의 영혼을 자기가 있는 위치로 고양시켰습니다. 자신의 비상을 더불어 느끼게 해준 것이죠. 그 목소리의 영혼은 내 입에 살다시피 하면서 그 안에다 화음의 마력을 불어 넣어주곤 했답니다…… 그런 식으로 몇 주가 지났을 때, 나는 노래를 부르다 말고 정신을 잃게까지 되었답니다! 정말 황당하더군요! 순간적으로 무슨 마법의 주문이라도 작용하는 게 아닌가 은근히 걱정도 되었지요. 그때도 발레리우스 양어머니가 안심을 시켜주었어요. 악마의 관심을 끌기에는 내가 너무 단순한 소녀일 뿐이라면서요…… 어쨌든 그때까지만 해도, 그간 나의 음악적 발전은 나와 양어머니, 그리고 그 목소리만의 비밀이었습니다. 목소리가 그렇게 하도록 지시를 했기 때문이죠. 아닌게아니라, 재미있는 것은, 대기실 밖에서 맨날 부르던 식으로 노래를 하니 사람들이 전혀 나의 음악적 성장을 눈치채지 못하더라는 겁니다. 나는 그렇게 목소리가 시키는 대로 모든 것을 해냈습니다. 그는 늘 이렇게 중얼거리곤 했죠. '기다려야 한다…… 두고 보면 알 것이야! 우리는 파리 전체를 발칵 뒤집어 놓을 테니까……' 그래서 나는 기다렸죠. 말하자면, 나는 목소리가 지배하는 어느 황홀경 속에서 살고 있었던 거와 같습니다. 그러던 어느 날 저녁, 객석에 있는 당신을 보게 된 거예요…… 나는 너무도 기쁜 나머지 대기실에 돌아오면서까지 도저히 흥분을 감출 수가 없었답니다. 한데, 마침 그때 거기에 목소리가 와 있었던 거예요! 그는 단박에 내 들뜬 마음을 눈치채고는 매섭게 무슨 일이 있었느냐고 추궁하는 거였어요. 그때까지만 해도 난 우리 사이의 다정했던 옛 추억이라든가, 당신이 내 마음 속에 차지하는 자리에 대해 그에게 숨겨야 할 필요성을 전혀 느끼지 못했고, 아무 거리낌없이 이야기해도 무방하다는 생각이었어요. 그런데 내 얘기를 다 듣고 난 그가 이상하게 아무 대꾸도 하지 않는 거예요. 내가 아무리 불러도 묵묵부답으로 말이죠…… 나중에는 사정사정했는데도 결과는 마찬가지였어요. 문득 그 **목소리**가 내 곁을 영영 떠나버리는 것은 아닐까, 덜컥 겁이 나더군요. 아, 라울…… 그날 저녁 집에 돌아온 나는 처참한 기분에 휩싸인 채, 양어머니의 목에 매달려 이렇게 흐느꼈죠. '어머니, **목소리**가 제 곁을 떠났답니다! 다시는 돌아오지 않을 거예요……' 라고 말이에요. 한데 양어머니는 나보다 더 절망적인 얼굴을 하더니, 대체 어떻게 된 거냐는 거예요. 물론 나는 있는 그대로 죄다 이야기했죠. 그러자 '이런, **목소리**가 질투를 하고 있구나' 하시는 게 아니겠어요! 그 말을 들으니 새삼 내가 당신을 사랑해왔었다는 생각이 들더군요……."

이쯤에서 크리스틴은 잠시 말을 멈추었다. 그녀의 머리는 어느새 라울의 가슴팍에 기대어져 있었고, 둘은 그렇게 서로의 팔을 두른 채 얼마동안 잠자코 앉아 있었다. 두 사람을 동시에 붙들어매고 있는 감정은 너무도 가슴 벅찬 것이어서, 웬 그림자 하나가, 몇 발짝 떨어지지 않은 곳에서 두 개의 검은 날개를 흐느적거리며 점점 가까이 미끄러져 오고 있다는 사실은 까마득히 모르고 있었다. 그것은 지붕 면에 거의 닿을 듯 납작 엎드리다시피 기어오고 있었는데, 두 사람에게 너무 가까이 접근하는 바람에 누가 보면 당장에라도 먹이를 집어삼키려는 듯 여겨질 정도였다.

이윽고 크리스틴은 깊은 한숨을 내쉬며 말을 이었다.

"그 다음날 나는 깊은 생각에 잠겨서 대기실로 돌아왔어요. **목소리**는 이미 그곳에 와 있었구요. 오, 라울, 그때 그가 얼마나 서글픈 소리로 얘기를 하던지…… 그는, 내가 지상의 세계에 마음을 주고 싶다면 자신은 이제 더 이상 할 일이 없을 것이며, 이대로 하늘로 올라가는 일밖엔 남은 게 없다고 쓸쓸히 중얼거리는 거였어요! 한데 그렇게 말하는 그 **목소리**의 어조 속에서 어찌나 '인간적인 고뇌'가 느껴지던지, 그 날부터 왠지 의심이 가기 시작하고, 그 동안 내 과도한 감각에 스스로 홀린 건 아닐까 하는 생각도 없지 않았죠. 하긴, 그럼에도 불구하고 돌아가신 아버지에 대한 생각과 긴밀히 연관될 때만큼은 그 목소리의 존재에 대한 내 믿음이 여전히 건재한 편이었죠. 그 당시, 나는 그 목소리를 더는 못 듣게 될까봐 두려운 한편, 당신에게로 자꾸만 향하는 이 감정은 무엇일까 곰곰이 생각하게 되었지요. 그 감정이 초래할지도 모를 온갖 부질없는 위험들을 끊임없이 가늠해보는가 하면, 당신이 나를 못 알아볼지도 모른다는 생각까지 했으니까요…… 어찌됐든, 당신의 사회적 신분으로만 봐도 우리 둘이 버젓이 결합할 수 있으리라는 기대는 아예 접을 수밖에 없었어요. 그래서 나는 목소리에게, 당신은 내게 있어 오라버니 이외에 아무런 존재도 아니며, 앞으로도 그럴 것이고, 나는 모든 세속적인 애정에 대해 완전히 마음을 비운 상태라고 장담하기에 이르렀죠…… 네…… 바로 그랬기 때문에, 여태까지 일부러 당신을 못 본 척했고, 복도든 무대든, 어디서든 피하려고 해왔던 거랍니다…… 물론 그 동안 목소리의 음악 교습은 글자 그대로 신성한 열광의 감정에 휩싸인 가운데 착착 진행되어 왔구요…… 그때까지만 해도 소리의 아름다움이라는 것에 그토록 매료되어본 적이 없었던 것 같아요…… 한데, 어느 날 마침내 그가 이렇게 얘기하는 게 아니겠어요! '이제 됐다, 크리스틴 다에! 이제야 인간에게 천상의 음악을 조금 맛보여줄 때가 온 것이다!' 라고 말이죠…… 그리고는 그 날, 특별 공연이 있던 날 저녁, 카를로타가 어떻게 극장에 나오지 않게 되었는지, 하필 내가 그 자리를 대신하게 된 연유가 무엇인지, 사실은 아직도 모르겠어요. 다만 나는 노래를 열심히 불렀어요. 그것도 지극히 열정을 다해서 말이죠…… 당시 나는 무슨 날개라도 단 듯, 온몸이 훨훨 날아갈 것만 같았죠. 심지어는 한껏 달아오른 영혼이 이 육체를 홀쩍 떠나가버린다는 생각을 하기도 했으니까요……"

한참을 듣고 있던 라울이 두 눈에 눈물을 글썽이며 입을 열었다.

"오, 크리스틴! 그 날 저녁 내 심장은 당신 음성의 굽이굽이마다 한없이 떨고만 있었답니다! 당신의 그 창백한 볼을 타고 흐르는 눈물을 그때 나도 봤어요…… 나 또한 당신과 더불어 얼마나 울었는지 아십니까? 대체 어떻게 울면서 동시에 그처럼 기막힌 노래를 부를 수가 있단 말입니까?"

"그러다 결국엔 온몸의 기력이 빠져나가면서 눈을 감았었지요…… 나중에 다시 눈을 떴을 때 바로 당신이 내 곁에 있었구요! 하지만 바로 그때 그 목소리도 옆에 있었답니다, 라울…… 당신 걱정이 되지 않을 수가 없었죠…… 게다가 그때는 여전히 당신을 모르는 척하려고 하던 때였기에, 스카프를 건지러 바다에 뛰어든 소년이라고 당신이 말했을 때 무턱대고 웃음을 터뜨렸던 거랍니다…… 하지만 그러면 뭐하겠어요, 이 세상 누구도 그 목소리를 속일 수는 없으니 말입니다…… 벌써 그때 당신이 누구인지 단번에 알아봤으니까요…… 그는 당신을 질투하고 있었던 겁니다! 그로부터 이틀 동안 그는 내게 정말로 험한 꼴을 보여주었어요. '그를 사랑하는 거 알고 있소! 그렇지 않다면 그렇게 피할 리도 없을 테니까! 만약 그가 그저 옛 친구일 뿐이라면 아마도 보통 사람을 대하듯 덥석 손이라도 붙잡고 반갑게 인사를 했을 테지…… 대기실에서 나와 그가 함께 있는 걸 보고 그리 놀라지도 않았을 테고 말이야…… 그를 사랑하지 않는다면 그렇게 서둘러 방에서 몰아내지 않았을 거 아닌가……'라고 연신 투덜대면서 말입니다. 나는 당혹감을 애써 무마하며 이렇게 소리쳤죠. '그만 됐어요! 내일 난 페로에 있는 아버지의 묘소를 보러 갈 거예요! 그때 라울 드 샤니 씨도 같이 가자고 할 테니 와서 확인해보면 알 거 아니에요!' 그러자 목소리는, '좋으실 대로…… 어쨌든 나도 페로에 갈 테니까…… 크리스틴, 그대가 가는 곳은 어디든지 내가 있다는 걸 잊지 말도록! 만약 그대가 거짓말을 하지 않았고, 내 가르침을 받을 만한 자격이 있다고 생각이 되면, 나는 정확히 자정을 알리는 종이 울릴 때, 그대 아버지의 무덤 위에서 망자의 바이올린으로 「라자로의 부활」을 연주할 것이외다!' 하는 게 아니겠어요! 그렇게 해서, 부랴부랴 당신에게 페로로 와달라는 뜻의 편지를 썼던 겁니다. 세상에나…… 어쩜 난 그다지도 바보 같은지…… **목소리**가 그렇게 개인적인 집념을 내비치는 걸 보고 뭔가 수상하다는 생각을 한번쯤은 해봄직도 한데 말이에요…… 아, 그때 난 제정신이 아니었던 것 같아요…… 난 그의 물건이나 다름없었습니다! **목소리**는 나 같은 순진한 어린아이 하나쯤은 너무나도 손쉽게 제 노예로 만들어버릴 수 있는 존재랍니다!"

크리스틴이 교활하지 못한 자신의 처신을 눈물을 글썽거리며 지나치게 자책하려 하자 라울은 불쑥 말을 막고 나섰다.

"아무튼! 아무튼 말입니다, 당신은 진실을 직시한 겁니다! 한데도 어떻게 그런 악몽에서 어물어물할 수가 있느냔 말입니다!"

"진실을 직시했다구요? 악몽에서 **빠져나온다**구요? 이봐요, 라울…… 유감스럽게도 나는 오히려 진실을 직시한 바로 그 날에서야 비로소 악몽에 사로잡힌 걸요…… 그만…… 그만두는 게 낫겠어요…… 난 아무 얘기 안 한 거예요…… 이제 이 낙원에서 다시 지상으로 내려가야 할 때가 온 것 같군요, 라울…… 날 원망하세요…… 마음대로 원망하세요…… 단 하루 저녁…… 단 하루 저녁이었어요…… 그토록 끔찍한 재앙이 들이닥치기 위해 단 하루 저녁이 필요했을 뿐이라구요, 아시겠어요? 카를로타로 하여금 자신이 흉측한 두꺼비로 변했다고 믿게 만들고, 평생을 진흙구덩이에서 뒹굴었던 것처럼 끔찍한 괴성을 질러대게 하기 위해 단 하루의 치명적인 저녁이 필요했을 뿐이란 말이에요…… 객석 한가운데로 엄청난 불벼락이 떨어지고 순식간에 극장 전체가 캄캄한 아수라장으로 화했던 그 저녁을 잊으셨나요? 사상자가 속출하고 여기저기서 비명소리가 터져나왔던 그 저녁을 말이에요…… 그때 그 재앙이 터졌을 때, 당신과 **목소리**에 대한 생각이 동시에 내 머리를 후려치고 지나갔죠. 그 즈음 둘은 내 마음을 똑같이 반반으로 갈라 서로 못 잡아먹어서 안달이었으니까요…… 한데 당신이 형님과 함께 저만치 떨어진 박스석에 앉아 있는 걸 보고 일단 내 마음의 한쪽은 안심을 했어요. 적어도 그 재앙으로부터는 안전했으니까요. 하지만 공연을 참관하겠다고 한 목소리에 관해선 여전히 걱정이 되더군요! 마치 그가 보통 인간처럼 죽을 수도 있는 존재이기나 한 듯, 걱정이 되더란 말입니다! '저런, 저 불벼락이 목소리를 다치게 했으면 어쩌나' 하고 속으로 중얼거리기까지 했답니다. 무대 위에 있었던 나는 기겁을 하고 객석까지 내려와 혹시나 사상자 중에 목소리가 발견되지나 않을까 이리저리 둘러보았었죠. 그런데 문득 이런 생각이 스치고 지나가는 겁니다. '만약 그에게 아무런 변이 닥치지 않았다면 틀림없이 제일 먼저 내 대기실로 와서 나부터 안심을 시키려고 할 것이다……' 그런 생각이 들자, 나는 조금도 지체하지 않고 대기실로 달려갔지요. 하지만 그는 없었어요. 그래서 문을 닫아 건 채, 제발 무사하다면 모습을 보여달라고 눈물을 떨구며 하소연하고 있었던 겁니다. 한동안 아무런 응답이 없더니, 문득 귀에 익은 길고도 멋들어진 신음소리가 들렸지요. 그건 마치 예수의 부름을 받고 라자로가 눈꺼풀을 겨우 뜨면서 다시금 빛을 보았을 때나 내뱉었을 그런 신음소리였습니다…… 그건 우리 아버지의 바이올린이 흐느끼는 소리와도 같았지요…… 네, 바로 다에 영감의 바이올린 말이에요…… 페로의 공동묘지에서 밤 공기를 가르고 들려왔던 그 마법의 바이올린 소리…… 그러더니 여전히 보이지 않는 그 목소리가 갑자기 활기 넘치는 삶의 외침소리로 돌변하는 것이었어요! 이렇게, 아주 우렁찬 노래로 말이에요…… '나에게로 오라! 나를 믿으라! 나를 믿는 자는 다시 살아나리라! 앞으로 나아가라! 나를 믿었던 자는 결코 죽었던 적이 없느니!' 아, 하필 그처럼 끔찍한 불벼락에 혼비백산한 불쌍한 우리 곁에서 불멸의 삶을 노래하는 그 목소리를 듣고 내가 어떤 느낌을 받았는지 당신에게 도저히 제대로 설명할 자신이 없군요! 그건 마치 내 몸을 저절로 일어나게 해서 자신에게로 걸어오라는 명령처럼 느껴졌어요…… 점점 멀어져가는 목소리가 나로 하여금 자신을 따라오도록 말이죠…… '내게로 오라! 나를 믿으라!' 하는 소리에 따라 나는 그 뒤를 따라간다는 생각이 들었죠…… 한데 이상하게도 그런 생각과 함께 문득 내 발 앞으로 대기실 공간이 점점 늘어난다는 느낌이 드는 게 아니겠어요! 네, 틀림없이 늘어나는 느낌…… 마침 내 앞에 거울이 있었으니, 아마도 거울효과 때문이었을 수도 있을 거예요…… 어쨌든 순식간에, 어찌 된 영문이지, 내가 대기실 밖에 나와 있는 게 아니겠어요!"

라울은 재빨리 여인의 말을 가로막았다.

"무슨 말이오? 어찌된 영문이라니요? 오, 크리스틴! 크리스틴! 제발 이젠 좀 꿈에서 깨어나세요!"

"아, 딱한 양반 같으니…… 나는 꿈을 꾸고 있는 게 아니라구요! 분명 그때 나도 모르게 대기실 밖으로 나와 있었단 말이에요! 참, 그 날 저녁 당신 눈으로 내가 대기실에서 갑자기 사라지는 걸 목격하셨다고 하니, 당신이야말로 어찌된 영문인지 설명할 수가 있겠군요…… 하지만 난 아니에요! 나로선 단 한 가지, 분명 바로 눈앞에 있던 거울이 갑자기 온데간데 없어졌고, 얼른 뒤를 돌아다보니 거울은 물론 대기실도 사라져버렸다는 말밖에는 할 도리가 없군요! 네, 거긴 어둠침침한 복도였어요…… 더럭 겁이 났고 고래고래 비명을 질러댔죠…… 내 주변의 모든 게 캄캄했어요. 다만 멀찌감치서 웬 희미하고 불그스름한 불빛이 길이 갈라지는 벽 모퉁이를 어슴푸레 비추고 있더군요…… 나는 계속 비명을 질렀어요. 그때는 목소리도 바이올린 소리도 없었으니 오로지 들리는 거라곤 벽에 부딪혀 되돌아오는 내 목소리뿐이었죠. 한데 캄캄한 암흑 속에서 별안간 웬 손 하나가 불쑥 나타나더니 내 손등에 슬며시 얹혀지는 게 아니겠어요! 아니 그보다는 뭔가 딱딱하고 차가운 뼈다귀 같은 것이 내 손목을 그러쥐고는 꼼짝 못하게 만들었다고 해야겠군요…… 물론 나는 또 냅다 비명을 질렀죠. 그러자 이번엔 단단한 팔이 내 허리를 휘감아 몸 전체를 번쩍 들어올리는 거였어요…… 겁에 질린 나는 일단 몸부림을 치며 저항을 했죠. 축축한 담벼락 여기저기를 손가락으로 더듬었지만 어디 하나 붙들 데가 없더군요…… 결국 온몸이 축 늘어진 채 꼼짝도 할 수가 없었어요…… 이대로 죽나보다 했죠…… 어쨌든 나를 들어안은 팔이 멀리 보이는 불그스름한 빛 쪽으로 데려가는 거였어요…… 그리고 일단 그 불빛 속으로 들어가자, 그제서야 나를 안고 있는 팔의 주인공이 시커먼 망토를 두르고 얼굴 전체를 가면으로 가린 어떤 남자라는 사실을 깨닫게 되었죠. 곧장, 죽을 힘을 다해 몸부림을 쳐보았지만, 팔다리는 뻣뻣해진 상태였고 비명을 지르려고 해도 그의 손이 입을 틀어막고 있어서 아무 소리도 낼 수 없는 지경이었어요…… 그 손…… 내 입술, 내 몸에 닿아 있던 그 손에서는…… 마치 죽음의 기운 같은 것이 느껴졌고…… 나는 그만 기절을 했죠…… 얼마동안 그렇게 정신을 잃고 있었을까요? 문득 눈을 떠보자 그 검은 망토의 남자와 내가 여전히 칠흑 같은 어둠 한가운데에 함께 있는 것이었어요…… 오로지 바닥에 놓여진 침침한 램프 하나가 어떤 샘물을 흐릿하게 비추고 있었죠. 벽에서 졸졸거리며 새어나오는 그 샘물은 땅에 닿자마자 금세 자취를 감추고 있었는데, 거기에 내가 드러누워 있었어요. 내 머리는 그 검은 망토와 가면 뒤에 정체를 감춘 남자의 무릎 위에 놓여 있었구요…… 그는 아무 말도 없이 극도의 정성을 다해 열에 들뜬 내 이마를 식혀주고 있었는데, 그 태도가 처음 나를 거칠게 들어올려 그곳까지 끌고 왔던 태도보다 더더욱 견디기 어려울 정도로 끔찍하게만 느껴지더군요…… 그의 그 손길은 마치 바람결처럼 가벼웠지만 죽음의 기운이 느껴지는 건 어쩔수 없었어요. 나는 몸을 뒤채며 피하려 했지만 역부족이었죠. 나는 신음을 하다시피 애원했어요. '대체 누구시죠? 목소리는 어디 있나요?' 그러자 대답 대신 한숨만 되돌아오더군요. 한데 별안간 훈훈한 숨결이 내 얼굴을 스치고 지나가는가 싶더니, 그 검은 망토의 남자 바로 옆의 저만치 떨어진 어둠 속으로부터 문득 희부연 형체가 서서히 드러나는 것이었어요. 검은 망토는 즉시 나를 들어올려 그 희부연 무언가의 위에 올려놓았죠. 그러자 경쾌한 말울음 소리가 들려왔고, 나는 무의식적으로 이렇게 중얼거렸어요. '세자르……' 녀석은 곧바로 응답처럼 몸을 부르르 떨더군요. 말안장 위에 거의 드러눕다시피 한 채 나는 어디론가 가고 있었어요. 네…… 녀석은 다름 아닌 내가 그토록 맛있는 걸 챙겨주며 귀여워하던, 「예언자」의 그 백마였어요…… 어느 날 저녁 갑자기 사라진 그 녀석이 바로 오페라의 유령에게 납치당했을 거라는 소문이 한창 돌았었죠…… 그때까지만 해도 내가 믿는 건 천사의 **목소리**였지 유령 따위가 아니었어요…… 한데 바로 그때 그 순간, 온몸에 소름이 쫙 끼치면서 내가 혹시 그 유령의 포로가 된 건 아닐까 하는 생각이 들더라구요! 나는 마음 속으로부터 제발 나를 구해달라고 **목소리**에게 기도를 했죠. **목소리**와 유령이 한몸이라는 생각은 꿈에도 할 수 없었으니까요…… 라울, 당신도 오페라의 유령에 대한 얘기는 잘 알고 있겠죠?"

"물론이오…… 크리스틴, 그 「예언자」에 나오는 백마를 탄 뒤로는 무슨 일이 있었는지 어서 얘기해보세요!"

"나는 꼼짝도 않고 녀석이 가는 대로 몸을 맡기고 있었어요…… 그러자 조금씩, 조금씩 두려움과 불안이 사라지고 대신 이상야릇한 무감각 상태가 몰려들더군요…… 검은 망토는 날 여전히 붙들고 있었는데, 나는 더 이상 그걸 뿌리칠 아무런 행동도 하지 않고 있는 거예요…… 야릇한 평온함이 온몸 가득히 퍼져오는 게, 마치 무슨 마법의 묘약이라도 먹은 기분이었어요. 나른하면서도 감각이 온통 살아나 있는 그런 느낌…… 캄캄한 어둠 한복판에서도 내 눈에는 여기저기 반짝거리는 불빛이 느껴졌어요. 일견 빙 돌아가는 회랑 어딘가에 있는 듯했는데, 필경 지하에서 그 커다란 오페라 극장을 한바퀴 돌고 있다는 생각이 들었죠.

예전에 딱 한번, 그 어마어마하다는 지하층에 내려가 본 적이 있었는데, 그때도 지하 3층인가에서 더는 못 내려가겠더라구요…… 한데 거기다가 2층이나 더 공간이 남아 있다니 한번 상상을 해보세요…… 불쑥 불쑥 눈앞에 나타나는 형상들에 기겁을 하고는 줄행랑을 치지 않을 수 없겠죠…… 온통 시커먼 몸뚱어리를 한 악마들이 가마솥 앞에 모여서 쇠스랑과 갈쿠리를 흔들어대거나 시뻘건 잉걸불을 휘저으며 당신을 위협한다면 말이에요…… 조금이라도 가까이 다가서면 활활 타오르는 화덕의 아가리가 덜커덩 열리고…… 어쨌든 침착한 세자르에게 몸을 맡긴 채 그 악몽 같은 어둠 속을 지나가노라니 멀리, 아주 멀리서, 깨알만하게 그 시뻘건 잉걸불 앞의 악마들이 얼핏 나타났다가는 다시 사라지고, 사라졌다가는 다시 나타나는 모습이 보이는 거였어요…… 한동안을 그러더니 마침내 그 모든 게 싹 없어져 버리더군요…… 검은 망토는 여전히 내 옆에 붙어서 있었고, 세자르는 한치의 흔들림도 없이 가던 길을 계속해서 가고…… 아, 그 길고 긴 여행이 대체 어느 정도 지속된 건지 설명할 수가 없네요…… 그저 빙빙 돌고 있었다는 말밖에는 할 수가 없겠어요! 돌고 또 돌았어요! 나선형으로 길게 이어진 내리막길을 그렇게 하염없이 따라 내려가던 끝에 결국 땅 속 심연 한가운데에 도달한 셈이었죠…… 혹시 내 머리가 돌고 있었던 건 아닐까 의심할 만도 하겠지만, 천만에요! 그때 내 머리는 믿을 수 없으리만치 맑은 상태였죠! 한데, 문득 세자르가 콧등을 치켜들고 김을 내뿜더니 발걸음을 재촉하지 뭐예요! 그리곤 뭔가 훈훈한 느낌이 드는가 싶더니 세자르가 멈춰서는 거였어요. 어느덧 주변의 어둠이 환하게 밝혀져 있더군요. 푸르스름한 불빛이 주변을 감싸고 있었어요. 당연히, 여기가 어딘가 하는 마음에 두리번거렸죠. 알고 보니 어느 호숫가였는데, 납빛의 수면이 저 어둠 멀리까지 펼쳐져 있고, 푸른 불빛이 비추는 기슭 한 구석에는 쇠사슬에 묶인 작은 배 한 척이 선착장에 붙들어 매여 있는 거였어요! 순간, 나는 이 모든 것이 실재하고 있으며, 호수나 배나 기슭 어디에도 초자연적인 점은 없다고 느꼈어요. 다만 그곳까지 당도하는 상황이 좀 특별했을 뿐이었죠! 망자의 영혼은 스틱스 강가에 다가갈 때조차도 더 이상 불안감을 느끼지 않는다고 하죠…… 아마 그때 배 있는 데까지 나를 인도한 그 검은 망토의 사내보다는 차라리 지옥의 뱃사공인 카론이 훨씬 덜 을씨년스럽고 무뚝뚝했을 거라 믿어요…… 마법의 묘약이 그 약기운을 다한 거였을까요? 아니면 갑작스러운 차가운 공기가 제정신을 들게 한 거였을까요? 불현듯 마비상태가 가시더니 또다시 두려움이 솟구치면서 나는 몸을 뒤척이기 시작했어요. 검은 망토는 곧장 그 낌새를 눈치채고는 얼른 나를 내리게 한 뒤 세자르를 돌려보냈는데, 녀석이 회랑의 어두컴컴한 계단을 달려 올라가는 발굽소리가 내 귀에 또렷이 들리는 거예요. 그런 다음 그는 잽싸게 배에 올라타고는 기슭에 묶여 있던 쇠사슬을 풀더니 미친 듯이 노를 젓기 시작하는 거였어요. 그러면서도 가면 뒤에서 번득이는 눈빛은 내게서 단 한 순간도 떠나지 않고 말이에요…… 꿈쩍도 하지 않는 그 눈동자의 무게가 내 전 존재를 내리누르는 느낌이었어요…… 주위를 에워싼 호수의 수면 역시 그의 눈동자처럼 미동도 하지 않고 있었죠. 우린 수면에서 반사되는 시퍼런 불빛 위를 미끄러져 갔으며, 그렇게 한참 어둠 속을 가로질러 가다가 어느 순간 육중한 무언가에 부딪치면서 배가 닿았지요. 나는 다시 그의 팔에 안겼어요. 어느 정도 원기를 회복한 나는 다시금 비명을 질러댔죠. 한데 다음 순간 어떤 빛에 압도당해 그만 입을 꼭 다물고 말았어요. 네, 정말 엄청난 광채였는데, 그 한복판에 나를 놓아주더군요…… 나는 벌떡 일어났죠. 어느새 기력을 완전히 회복한 느낌이었거든요. 한데, 이렇게 휘둘러보니, 온통 꽃들로만 장식된 넓은 방 한가운데에 덩그러니 있는 게 아니겠어요! 그것도 비단 리본들로 장식된 바구니에 꽂혀서, 아무리 봐도 멍청하게만 보이는 으리으리한 꽃다발들이요…… 왜 있잖아요, 대로변 꽃집에서 흔히들 살 수 있고, 매번 초연(初演)이 끝날 때마다 대기실에 가득 쌓이곤 하는, 지나치게 치장한 티가 나는 그런 꽃다발들 말이에요…… 지극히 도회적인 냄새가 나는 그 모든 '시체방부제'들 한복판에 가면을 쓰고 검은 망토를 걸친 한 남자가 팔짱을 낀 채 서서 내게 이렇게 중얼거리는 게 아니겠어요! '안심하시오, 크리스틴! 위험할 거 하나 없소이다!' 바로 그 목소리였어요! 물론 나는 놀라기도 했거니와 별안간 욱하는 심정에, 그 목소리의 정체를 밝히려고 나도 모르게 가면한테로 와락 달려들었죠. 그러자 그가 이렇게 소리치는 것이었어요. '가면에 손대지만 않는다면 위험은 없을 것이오!' 그리고 내 손목을 부드럽게 감아쥐고는 가만히 앉히더니, 자신은 내 앞에 무릎을 꿇고 더 이상 아무 말도 하지 않는 거였어요. 그 태도가 하도 겸손해 뵈기에 난 문득 오기가 발동했죠. 아마도 주변의 사물을 똑바로 인식할 수 있게 해준 빛 덕택에 현실감각이 되살아난 거였을까요? 제아무리 정상을 벗어난 상황이었다 해도, 적어도 주변에 보이는 거라곤 모두 현실 속에서 만져보고 느낄 수 있는 것들이었으니까요. 벽에 걸린 융단장식들하며, 가구들, 횃불들, 그리고 어디서 얼마를 주고 샀는가도 훤히 알 수 있을 만한 꽃들과 화병들…… 단지 오페라 극장 지하라는 특이한 공간에 위치했다 뿐이지, 보통의 다른 살롱들과 하나도 다를 게 없는 그곳의 평범한 분위기 속에 그만 내 상상력이 여지없이 갇힌 꼴이 되고 말았지 뭐예요! 나는 필경, 지금 알 수 없는 이유 땜에 지하창고에 머물게 된 어떤 괴짜를 상대하고 있다는 확신이 들었죠. 물론 극장측의 묵인하에, 이 온갖 방언이 난무하는 현대판 바벨탑의 구석진 공간에서 비로소 피난처를 구한 어떤 사연 많은 인물 말이에요…… 그래요…… 나는 가면 따위론 감출 수 없는 그 목소리가 다름 아닌 바로 내 앞에 무릎을 꿇은 저 인간, 즉 일개 남자일 뿐이라는 생각이 들었던 겁니다! 더 이상 내가 처한 끔찍한 상황도 개의치 않게 되었죠. 마치 지하감옥에 가두려는 것처럼 나를 그곳까지 강제로 끌고 들어온 이유가 대체 무엇이며, 나를 어쩌려는 것인지 물을 생각도 나지 않았어요! 네! 오로지 내 머리 속에선 '안돼! 이럴 리가 없어! 그 **목소리**가 한낱 이 남자라니!' 하는 생각뿐이었죠. 나는 그만 울음을 터뜨렸어요…… 그는 여전히 무릎을 꿇은 채 내 눈물의 의미를 눈치챈 것 같았지요. 이렇게 말했으니까요…… '맞아요, 크리스틴…… 나는 천사도 아니고 정령도 아니며, 유령은 더더욱 아닙니다! 내 이름은 에릭이오……' "

여기서 크리스틴의 얘기가 다시 중단되고 말았다. 문득 두 사람의 등 뒤에서 웬 메아리 소리가 이렇게 울리는 듯했던 것이다! 에릭…… 후닥닥 뒤를 돌아보았지만 어두컴컴하게 내리누르는 밤 공기 속에서 아무것도 분간할 수 없었다. 라울은 자리를 털고 일어서려 했지만 크리스틴이 덥석 붙들고 곁으로 끌어당겼다.

"좀더 있어요! 지금 여기서 모든 걸 다 아셔야 해요!"

"그건 또 왜죠? 밤의 냉기에 당신이 탈날까봐 걱정인데……."

"라울, 우리가 두려워해야 할 건 오로지 저 아래 무대바닥의 함정뿐이에요…… 그리고 여긴 바로 그곳의 정반대가 되는 곳이라구요…… 게다가 내겐 극장 밖에서 당신을 만날 권리가 없어요…… 지금은 그저 다소곳이 모든 걸 수용할 때예요. 그의 의심을 살만한 짓을 할 때가 아니라구요……."

"크리스틴! 크리스틴! 왠지 내일 저녁까지 기다려선 안될 것 같다는 생각이 들어요! 지금 당장 도망칩시다!"

"내가 말했잖아요…… 내일 저녁 내가 노래하는 걸 못 듣게 되면 그는 엄청난 고통을 받을 거라구요……."

"이것 봐요, 크리스틴…… 어차피 그에게서 도망칠 바에는 고통을 줄 수밖에 없는 노릇 아니겠소?"

"그건 맞는 말이에요, 라울…… 내가 도망치면 그는 죽을지도 모르니까요……."

그러면서 여인은 나직한 목소리로 이렇게 덧붙이는 것이었다.

"혹은 그 반대로 그가 우리 둘을 죽일지도 모르죠……"

"아니…… 그러면서도 그가 당신을 사랑한다고 할 수 있겠소?"

"그런 짓까지 불사할 정도로요……"

"그가 숨어 사는 곳이 무슨 난공불락의 요새는 아닐 것이오! 필요하다면 그를 찾으러 사람들이 몰려갈 수도 있어요! 에릭이 유령이 아닌 바에는 그를 붙잡아 모든 걸 자백시키지 못하라는 법이 어디 있겠소!"

발끈하는 라울을 보고 크리스틴은 고개를 흔들어댔다.

"아니에요! 그게 아니에요! 에릭에 대항해서 할 수 있는 일이란 아무것도 없어요…… 그저 도망치는 수밖에……"

"어떻게 말이오? 당신은 그로부터 도망칠 수 있었음에도, 제 발로 되돌아가지 않았습니까?"

"그래야만 했기 때문이에요…… 내가 그의 소굴에서 어떻게 나오게 됐는지를 알게 되면 당신도 그 점을 이해하게 될 거예요……"

"아! 정말 그가 밉소! 크리스틴…… 당신도 내게 속 시원히 털어놓아야만 하오…… 그 기발한 사랑 이야기를 계속해서 듣게 하려면 당신도 내게 말해주어야 할 게 있단 말이오! 당신 도대체 그를 좋아하는 거요, 싫어하는 거요?"

"싫어하진 않아요!"

크리스틴의 대답은 의외로 간단명료했다.

"그럼 도대체 무슨 말을 더 할 필요가 있습니까? 당신은 그를 사랑하고 있소! 당신의 그 두려움, 그 불안, 모든 게 따지고 보면 더없이 감미로운 사랑의 감정에서 솟아나오는 게 아니겠소? 자신을 드러내지 않는 그 자…… 생각만 해도 당신의 온몸을 부르르 떨게 만드는 그 자…… 저 지하의 궁전에 거하시는 그 남자를 향한 사랑 말이오……"

라울은 한껏 비아냥거리고 있었다.

참다못한 크리스틴은 거칠게 말을 막았다.

"그렇다면 당신은 내가 그리로 돌아가길 바라는 건가요? 분명히 말했어요, 라울! 이제 한번 그리로 가면 난 다시 돌아오지 못해요!"

문득 세 사람 사이에 힘겨운 침묵이 감돌았다. 서로 입씨름을 하는 두 사람과 뒤에서 잠자코 듣고 있는 그림자 말이다…….

마침내 라울이 천천히 입을 열었다.

"당신 질문에 답하기 전에, 먼저 그가 당신에게 어떤 감정을 불어넣고 있는 건지, 그걸 알아야만 하겠소. 당신이 일단 그를 싫어하진 않는다고 하니 말이오……."

"공포예요!"

크리스틴이 어찌나 거세게 그 말을 내뱉었던지, 밤의 찬 공기마저 일순 흔들 하는 것 같았다.

"바로 그 점이 끔찍한 거예요…… 그를 몹시도 무서워하면서도 그를 싫어하지는 못한다는 것…… 내가 어떻게 그를 싫어하겠어요, 라울? 저 아래, 지하의 호숫가에서, 내 앞에 무릎을 꿇은 그를 본다고 생각해보세요! 그렇게 자신을 자책하고, 사과를 하면서, 내 용서를 바라고 있는 그를 말이에요…… 자신이 속여왔다는 걸 고백했어요! 그는 나를 사랑하고 있다구요! 그리고는 내 발 앞에 비극적이면서도 엄청난 사랑을 갖다 바쳤어요! 사랑 때문에 날 납치한 거구요! 사랑 때문에 땅 속에 자신과 함께 날 가두었지만, 어디까지나 날 존중했고, 내 앞에서 벌벌 기면서 신음하고 울먹인단 말이에요! 내가 벌떡 일어서며 당장 내게서 빼앗아 간 자유를 돌려주지 않으면 그를 경멸할 수밖에 없다고 하자, 놀랍게도 선뜻 날 풀어주는 거예요…… 난 그저 그가 가르쳐준 비밀 통로를 통해 걸어나오기만 하면 되는 거죠…… 그러니 내가 어찌 이런 생각을 하지 않을 수 있겠어요…… 그래, 그가 천사가 아니고 정령이 아니며, 유령도 아니라도, 여전히 **목소리**인 것만은 틀림없다, 적어도 그는 노래를 부르니까…… 그러면서 나는 귀를 기울이게 되고, 머무는 거랍니다…… 그 날 저녁 우리 둘은 서로 아무 말도 나누지 않았어요…… 그는 하프를 들더니 천사이자 인간의 목소리로 데스데모나의 로망스를 부르기 시작했어요. 아, 나 또한 그 노래를 부른 적이 있었다는 기억이 오히려 나를 부끄럽게 만들더군요…… 라울, 음악에는 말이죠, 듣는 이의 가슴을 후려치는 바로 그 소리 이외에도 바깥 세상을 일순 사라지게 만드는 매력이 있답니다! 마찬가지로 그때 내 머리 속에는 내가 처한 끔찍한 상황에 대한 생각이 눈 녹듯이 사라져버리는 거였어요…… 오로지 그 목소리만이 되살아나서 잔뜩 도취한 나를 그 평화로운 여행길로 이끌어갔죠. 마치 오르페우스의 하프 연주에 매료돼 그를 따르는 무리들 중 하나가 된 기분이었어요! 나는 그 목소리와 하나가 되어, 고통·기쁨·순교·절망·유쾌함·죽음 그리고 화려한 결혼의 모든 기분을 섭렵하며 헤매었지요…… 나는 귀를 기울이고 목소리는 노래를 부르고…… 때론 처음 듣는 노래도 있었어요…… 그건 전혀 새로운 감흥을 유발하는 음악이었는데, 어딘가 은은하면서도 애수가 깃든…… 휴식 같은 음악 말이에요…… 영혼을 살짝 들어올린 다음 차츰차츰 안정시키는, 그래서 결국엔 꿈의 문턱까지 데려가는 그런 음악…… 나는 그만 잠이 들어버렸어요…… 눈을 떴을 때는 어느 단출한 방의 긴 의자 위에 혼자 드러누워 있더군요. 평범한 마호가니 침대에 로코코풍의 풍경 무늬가 박힌 벽지, 그리고 루이-필립(역자주 : 반동적인 왕정복고에 대항한 1830년 7월 혁명으로 왕위에 오른 '시민왕'. 그의 치세는 부르주아의 배금주의가 판을 치는 발자크의 소설적 무대가 된다) 스타일의 낡은 대리석 서랍장 위의 등불로 어슴푸레 밝혀진 방이었어요…… 이 새로운 장식들은 또 뭐지? 하는 생각을 하며 나는 마치 악몽을 쫓기라도 하듯, 이마를 훔쳤죠…… 하지만 내가 꿈을 꾸고 있는 게 아니라는 걸 깨닫기까지 그리 오래 걸리지는 않았어요! 한 마디로 난 갇힌 몸이 된 거였어요! 그때부터 욕실 가는 것 빼고는 그 방에서 한 발짝도 빠져나올 수 없었으니까요…… 욕실은 냉온수를 자유자재로 쓸 수 있도록 비교적 신식으로 갖춰진 것이었지만요…… 자세히 보니, 서랍장 위엔 램프 말고도 붉은 잉크로 씌어진 쪽지가 하나 있었어요. 지금 내가 처한 딱한 사정에 관해 어떠한 의문도 말끔히 씻어버릴 만큼 적나라하게 설명이 되어 있더군요…… '친애하는 크리스틴, 그대가 처한 운명에 대해 마음을 푹 놓으시오. 이 세상에서 나만큼 점잖고 훌륭한 친구는 없을 테니까 말이오. 이제부터 그대는 혼자 이 거처에서 거하게 될 것이오. 상점 심부름은 내가 도맡아 하게 될 것이며, 그대는 아무런 부족함도 느끼지 않을 것이오……' 이렇게 말이죠. 나는 드디어 미친놈한테 잘못 걸려들었구나! 하는 생각이 덜컥 들었어요. 이제 어떻게 되는 건가? 대체 이 가련한 인간이 나를 얼마나 오랫동안 이 지하감옥에 가둘 참인가? 나는 미친 여자처럼 방 구석구석을 헤집고 다녔지만 어디에도 빠져나갈 틈은 보이지 않았어요. 내 어리석은 미신이 못내 한심하게 느껴졌고, 벽 속에서 들려온 그 '음악의 천사'인가 뭔가 하는 목소리에 무턱대고 이끌린 멍청함을 스스로 비웃으면서 묘한 짜릿함을 느끼기까지 했어요…… 그 정도로 바보에겐 이 세상 그 어떤 재앙이 닥친다 해도 어쩔 수 없는 일일 거라는 생각이 들더군요. 나 자신에게 매질이라도 하고 싶었어요…… 나는 그만 실성한 사람처럼 웃다가 울다가 하며 스스로를 자책하고 있었죠. 바로 그러고 있을 때 다시 에릭이 나타났어요…… 그저 벽을 간단히 세 번 노크하더니 내 눈에는 전혀 띄지 않았던 문을 활짝 연 채 방안에 들어선 거예요. 그는 내가 온갖 욕설을 퍼부어대는 동안, 전혀 동요하는 기색 없이 들고 온 상자곽들을 침대 위에 가지런히 내려놓고 있었죠. 나는 만약 그 가면 뒤에 그처럼 고상하고 점잖은 얼굴을 숨기고 있는 거라면 당장 한번 벗어보는 게 어떠냐고 소리를 질렀어요. 그는 더없이 침착한 태도로 이렇게 대답하더군요. '그대가 에릭의 얼굴을 보는 일은 결코 없을 것이오—' 라고 말이에요. 그러면서 오히려 이 시각이 되도록 단장도 하지 않은 채로 있는 나를 나무라는 거예요…… 벌써 오후 두시나 되었다면서요! 그는 자상한 태도로 내 시계에 태엽을 감아주면서 시간을 맞춰주었고, 앞으로 30분간 여유를 줄 테니 준비를 하라고 하더군요. 그런 다음엔 훌륭한 점심식사가 대기하고 있는 식당으로 안내할 거라면서요. 나는 마침 너무도 배가 고팠기에, 서둘러 욕실로 들어가면서 그의 바로 코앞에서 거칠게 문을 닫았죠. 그리고 큼직한 가위를 옆에 둔 채 목욕을 하기 시작했죠. 만에 하나 저 미치광이 에릭이 점잖은 체하기를 포기하고 본색을 드러내면 나 스스로 목숨을 끊을 작심을 하고 말이죠…… 어쨌든 시원하게 몸을 씻고 나니 정신이 맑아지더군요. 그래서 다시 에릭 앞에 섰을 때는, 더 이상 쓸데없이 그를 자극하기보단 차라리 잠깐의 자유라도 허락받기 위해 필요하다면 그의 비위를 맞춰주는 게 나을 거라는 현명한 생각을 하기에 이르렀어요. 그는 내가 부탁도 하기 전에 먼저 앞으로의 계획을 상세하게 알려주었어요. 자기 말로는 그래야 내가 안심을 할 거라나요. 그는 어제 내가 길길이 날뛰는 앞에서 잠깐이나마 자리를 피해준 것처럼 다시 또 그러기에는 나와 함께 붙어 있는 게 너무도 행복하다고 하더군요…… 그러니 나로서도 그를 곁에 있게 한다고 해서 그리 기겁을 해야 할 이유까지는 없다는 생각이 들 수밖에요…… 어쨌든 그는 줄기차게 나를 사랑한다고 하고, 그것도 내가 허락을 할 때만 그런 감정을 드러낼 것이며, 나머지는 오로지 음악으로 채울 것이라니까요…… 나는 물었죠. '나머지 시간이라면 얼마 동안을 말하는 거죠?' 그러자 이렇게 대답하는 거예요. '앞으로 닷새 동안이오.' '그 다음에는 나를 풀어주는 건가요?' '그렇소, 크리스틴. 그 닷새 동안이면 그대는 나를 두려워할 필요가 없다는 걸 깨달을 것이기 때문이오. 그리고 가끔씩은 이 가엾은 에릭을 보러 이곳에 들러주기도 할 것이기 때문이죠!' 아, 라울…… 그가 자신을 '가엾은 에릭'이라고 불렀을 때의 그 어조가 내 마음을 얼마나 뒤흔들었는지 모르실 거예요! 그 한 마디 말 속에서 어찌나 생생한 절망감을 엿보았는지, 나는 그가 쓴 가면 위에 어느덧 감동 어린 하나의 얼굴을 떠올리게 되었답니다…… 가면 뒤에 숨겨진 눈동자를 제대로 분간할 수 없었기 때문에, 그 신비스런 검은 비단 테두리 너머의 눈빛을 궁금해 할 때마다 느껴지던 거북한 기분은 좀처럼 누그러질 줄 몰랐지만, 가면 밑으로 떨구어지던 몇 방울의 눈물만큼은 똑똑히 식별해낼 수 있었어요…… 그는 조용히 자기 앞의 어느 곳을 가리켰는데, 그 쪽에는 그 전날 불안에 떨던 나를 앉혀놓고 하프 연주를 들려주던 방 한가운데에 동그란 탁자가 놓여 있는 거예요. 어쨌든 나는 먹음직스런 가재요리와 헝가리 산 포도주에 절인 닭날개 요리를 마음껏 먹었어요. 그 포도주는 자신이 직접 쾨니스베르크의 지하저장고에서 가져온 거라더군요. 하지만 왠지 그는 음식이든 술이든 전혀 입에 대지 않는 거예요. 식사를 하면서 나는 도대체 어느 나라 사람이냐고 물었죠. 혹시 그 '에릭' 이라는 이름이 스칸디나비아 출신임을 말하는 건 아니냐면서요…… 그러자 그는 자신은 이름도 국적도 없으며, '에릭' 이라는 이름도 우연히 갖다붙인 것에 불과하다는 거예요. 나는 또 물었죠. 정말 나를 사랑한다면, 이렇게 강제로 땅 속에 끌고 와서 가두는 것 말고도 마음을 표현할 다른 방법도 얼마든지 있을 수 있지 않겠느냐구요…… 내가 '이런 무덤 속에서 사랑을 하는 건 나로선 정말 힘들어요!' 하자 그는 묘한 어조로 그저 이렇게 말하는 거예요. '약속은 약속이니까……' 그리고는 자리에서 슬며시 일어나더니, 자기 말로는, 이 숙소를 둘러보며 내게 자랑이라도 할 요량으로 손을 뻗는 것이었어요. 한데 나는 그만 비명을 지르며 움찔하고 말았답니다…… 그 뻗은 손이 슬쩍 닿는 순간, 마치 축축한 뼈다귀가 닿는 것 같은 오싹한 느낌이 드는 거였어요! 당장에 죽음의 기운이 느껴지더군요…… 그는 얼른 손을 거두면서 신음과도 같은 목소리로 미안하다고 사과를 하더군요. 그는 문을 열고는 '여기가 내 방이오. 둘러보면 아주 재미있을 텐데, 한번 보시겠소? 라며 권했죠. 나는 선뜻 응했구요. 그의 태도나 말투, 어디를 봐도 안심해도 되며, 전혀 겁먹을 필요가 없다는 생각이 들게끔 했으니까요. 하지만 막상 들어선 방은 왠지 시체 안치실 같은 인상을 주는 방이었어요. 벽들이 온통 시커먼 데다가, 장례식장의 휘장이나 어울릴 법한 분위기에 난데없는 연미사곡의 악보가 드넓게 펼쳐져 있는 거예요! 그리고 방 한가운데에는 거창한 닫집이 위치하고 거기에 시뻘건 문직 비단 커튼이 드리워져 있었어요. 근데 그 아래, 글쎄 뭐가 있었는지 알겠어요? 거기엔 말이죠, 관 하나가 덩그러니 뚜껑이 열린 채 놓여 있었답니다! 당연히 나는 기겁을 하고 뒷걸음질을 쳤죠. 에릭은 천연덕스럽게도 '바로 내가 자는 곳이라오. 사노라면 때론 영원이라는 것에도 익숙해질 필요가 있지……' 하는 게 아니겠어요! 나는 너무도 섬뜩한 기분에 그만 고개를 돌리고 말았죠. 한데 문득 벽 한 면을 몽땅 차지하고 있는 오르간의 건반이 눈에 띄는 것이었어요! 또 책상 한쪽에는 붉은 잉크로 잔뜩 휘갈겨 쓴 악보책 한 권이 놓여 있는 거예요. 나는 한번 봐도 되겠느냐고 물었고, 그 첫 페이지를 얼른 훑어보았지요. 「위풍당당한 동쥬앙」이라는 제목이었어요…… 그가 이러더군요. '가끔 작곡을 좀 합니다. 작업을 시작한 지 벌써 20년이 되는군요. 이것만 완성되면 관 속으로 가지고 들어가서 다시는 깨어나지 않을 작정이라오!' 그래서 내가 그랬죠. '그렇다면 가능한 한 천천히 작업을 하셔야겠군요……' 그러자 그가 한다는 말이, '이따금 보름 동안 밤낮으로 쉬지 않고 내리 작업을 한다오. 그러는 동안에는 오로지 음악만을 먹으며 사는 거와 같지요. 그런 다음엔 대개 한 몇 년 동안 휴식에 들어가지요', 그러지 않겠어요! 나는 그의 비위도 다소 맞추고 그 죽음의 방에 대한 내 거부감도 어느 정도 극복할 겸, 「위풍당당한 동쥬앙」을 좀 들려주실 수 없겠어요?' 하고 슬쩍 떠보았죠. 한데, 그가 우울한 음성으로 대뜸 이러는 거예요. '제발 그것만은 부탁하지 말아주시오…… 이 동쥬앙은 기존의 「동쥬앙」처럼 술과 온갖 악덕과 시시한 연애질에서 영감을 얻어 결국 천벌이나 받는 로렌조 다 폰테(Lorenzo d' Aponte)의 대본과는 아무런 상관이 없는 작품이라오. 그러니 원한다면 모차르트의 작품을 연주해주리다. 그대의 어여쁜 눈물을 흘리게 하고 정결한 생각을 갖게 만들 만한 기존의 「동쥬앙」을 말이오…… 하지만 나의 이 「동쥬앙」은 크리스틴, 그대를 온통 불사르고 말 것이오…… 그러면서도 하늘의 벼락 따위는 조금도 걱정할 필요가 없는 그런 동쥬앙이란 말이오……' 그쯤에서 우리는 다시 원래의 방으로 돌아왔어요. 한데 문득 그곳 어디에도 거울이 없다는 사실이 내 주의를 끌더군요. 나는 그 점에 관해 골똘한 생각에 잠겨 있는데, 에릭은 어느새 피아노 앞에 앉더니 이렇게 말하는 거예요. '크리스틴, 너무도 끔찍하고 강렬해서 누구든 거기에 접근하는 사람들을 소진시켜 버리는 음악이 있다오. 다행히 아직까지 그대는 그런 음악을 접해보지 못했을 것이오. 만약 그랬다가는 그대의 그 싱싱한 혈색이 온통 날아가 버려서, 파리로 돌아갔을 땐 아무도 그대를 알아보지 못하게 될 것이오…… 자, 크리스틴 다에, 오페라나 불러봅시다!' 네…… 분명 그렇게 말했어요. '크리스틴 다에, 오페라나 불러봅시다!' 라고요…… 마치 내게 무슨 욕지거리라도 내뱉는 듯이 말이죠…… 하지만 그때는 그의 어투에 대해 이러쿵저러쿵 왈가왈부할 여유도 없었답니다. 우리는 곧장 「오델로」의 이중창을 부르기 시작했으니까요. 이미 그 유명한 스캔들이 시작된 대목이었죠. 이번엔 그가 내게 데스데모나 역을 직접 하도록 했어요. 나는 바로 그 날까지는 실제로 겪어본 적이 없는 공포와 전율, 극도의 절망을 가득 담아서 노래를 불렀죠. 아, 그와 같은 파트너와 함께 노래를 하니, 내 자신이 묻혀버리기보단, 엄청난 공포감이 밀려와서 오히려 그런 장면만큼은 더없이 멋지게 소화해낼 수가 있더라구요! 그 장면 속의 재앙에 실제로 내가 희생이 되고 있는 만큼, 작가의 심정을 보다 잘 이해할 수가 있었고, 결국 내 실감나는 노래에 그 괴이한 음악가는 경탄을 금치 못할 정도였답니다! 물론 그 역시도 당당한 목소리에다 복수심 불타는 영혼을 한 음 한 음 실어가며 대단한 실력을 발휘하고 있었죠. 사랑과 질투, 애증이 노래를 부르는 우리 주위에서 마치 통제가 안되는 폭죽처럼 터지고 있었어요. 에릭이 쓰고 있던 검은 가면이 바로 그 베니스의 무어인의 얼굴과 어쩌면 그리도 닮아 보이던지…… 그때 그는 영락없는 오델로 그 자신이었어요! 나는 문득 그가 날 칠 거라 생각이 들었고, 그 바람에 휘청거리며 넘어질 것 같은 느낌마저 들었지만…… 왜 그랬는지, 겁에 질린 데스데모나처럼 그걸 피할 생각은 추호도 들지 않더라구요! 아니, 오히려 그 반대로 나는 그에게 바싹 다가갔어요! 그 대단한 열정 한가운데에 잠재해 있는 죽음의 매력에 잔뜩 이끌리는 것을 느끼면서요…… 그리고는 그의 손에 죽기 전, 마치 내 마지막 시선 속에 숭고한 영상을 담으려는 듯, 그의 베일에 싸인 얼굴 모습을 한번 확인하고 싶어지더라구요. 불멸의 예술이 이글거리는 불꽃으로 빚어놓았을 법한 그 얼굴을 말이죠…… 네…… 바로 그 목소리의 얼굴이 보고 싶었던 거지요…… 그래서 거의 본능적으로, 나 자신 거의 주체할 수 없는 지경에서 재빠른 손동작으로 그의 가면을 벗겨버렸답니다…… 오, 맙소사! 세상에…… 그럴 수가……"

바로 그쯤에서 크리스틴은 아직도 어떤 영상을 쫓아내려는 듯 두 손을 바들바들 떨면서 말을 멈추었고, 아까 에릭이라는 이름이 밤공기 속에서 희미하게 메아리쳤듯이, 이번엔 그녀의 헛소리 같은 세 마디 말이 '맙소사! 세상에…… 그럴 수가……' 하고 울려퍼지는 것이었다. 라울과 크리스틴은 점점 섬뜩해지는 이야기 때문인지 더욱 바싹 붙어 앉은 채로, 차갑고도 고요하기 이를 데 없는 밤하늘의 반짝이는 별들을 문득 올려다보았다.

라울이 더듬더듬 입을 열었다.

"그것 참…… 크리스틴…… 이처럼 아름답고 조용한 밤에 왠지 고통스런 신음이 여기저기서 느껴지다니…… 참 이상한 일이군요…… 이 밤이 우리와 함께 무언가를 잔뜩 슬퍼하고 있는 느낌이 듭니다……"

"오, 라울…… 이제 당신도 비밀을 알게 될 거라 그래요…… 당신의 그 두 귀도 내 귀처럼 비탄의 흐느낌으로 가득 차오르고 있는 걸 거예요……"

그렇게 말하면서 크리스틴은 자신의 떨리는 손으로 라울의 손을 꼭 부여잡고 얘기를 계속했다.

"아…… 더 이상 비명도 나오지 않는 입을 다물 줄 모른 채, 그처럼 끔찍한 몰골에 직면해 있는 동안, 그의 입에서 인간의 것이라곤 생각할 수 없는 고통과 분노의 절규가 터져나오는 그 잠깐 동안…… 네…… 나는 마치 100년은 폭삭 늙어버리는 것 같은 느낌이었답니다…… 오, 라울! 그 몰골! 그 몰골을 어떻게 하면 더는 보지 않을 수 있을까요! 아직도 내 귀에는 그의 그 절규가 넘치고 있고, 내 눈동자 속에선 그의 얼굴이 떠다니고 있답니다! 오, 그 모습이란…… 대체 어떻게 하면 그걸 보지 않을 수 있을까요…… 어떻게 하면 당신도 그 모습을 보게 할 수가 있을까요…… 라울, 당신은 수세기 동안 말라비틀어진 해골들을 무수히 보아왔다고 했죠. 그리고 그게 하룻밤의 악몽이 아니었다면, 분명 페로에서의 그날 밤 그의 해골을 보았다고 했어요. 게다가 일전의 그 무도회에서 **붉은 죽음**이 어슬렁거리는 것도 보았다고 하셨죠…… 오, 하지만 그 모든 해골들은 그저 딱딱하게 굳은 얼굴일 뿐이에요! 그것이 주는 공포는 살아 숨쉬는 게 아니죠…… 그러나 할 수 있다면 한번 상상해보세요…… 죽음의 가면이 갑자기 그 눈과 코, 입 모두 합해 네 개의 퀭한 구멍을 움직이며 단말마의 고통과 분노를 표현한다고 말이에요! 그 눈구멍 속에선 아무런 시선도 찾아볼 수 없고 말이죠…… 나중에 안 사실이지만 잉걸불처럼 이글거리는 그의 눈빛은 오로지 깊은 밤에만 겉으로 드러나거든요…… 나는 그만 벽까지 물러나 꼼짝달싹 못한 채 바들바들 떨고 있을 뿐이었답니다…… 그러자 그는 입술도 없는 입을 악다물고 이를 바득바득 갈아대며 내게로 접근해 왔어요…… 나는 엉겁결에 무릎을 꿇었고, 그는 그때부터 온갖 정신 나간 소리며 두서 없는 말들, 갖은 저주와 광기를 식식거리며 뱉어내는 것이었어요! 그는 내게로 잔뜩 몸을 숙이며 다그쳤죠. '자, 보라! 보길 원했지 않느냐! 어서 보란 말이다! 네 눈으로 먹어버려! 내 이 저주받은 흉측함으로 네 영혼을 취하게 하란 말이다! 이 에릭의 얼굴을 똑똑히 보아두라니까! 자, 이제 너는 목소리의 얼굴을 알게 되었다! 그냥 내 목소리만 듣는 것으론 만족할 수 없었겠지…… 안 그런가? 내가 어떻게 생겨먹었는지도 몹시 궁금했겠지…… 안 그래? 너희들, 계집들이란 원래 그토록 호기심이 강하니까!' 그리고는 계속 같은 말을 반복하며 웃기 시작하는 거예요! '너희들, 계집들이란 원래 그토록 호기심이 강하니까!' 이렇게 말이죠…… 그 웃음은 뭔가 부글거리는 듯하고, 거칠면서도 우악스러운 그런 웃음이었어요…… 또 이렇게 이죽거리기도 했죠. '어떤가? 이제 만족하나? 어때 나 괜찮게 생겼지? 너처럼 어떤 여자가 나를 보게 되면 곧 내 여자가 되지…… 언제까지나 나만을 사랑하게 되니까…… 나는 꼭 동쥬앙 같은 타입의 남자거든……' 그러면서 글쎄 몸을 곧추세운 채 허리춤에 손을 얹고는 그 끔찍한 얼굴을 흔들어대며 이렇게 떵떵거리는 거예요. '나를 보시라! *이 몸은 위풍당당한 동쥬앙!* 도저히 참을 수가 없어서 내가 고개를 돌리자, 그는 거칠게 내 머리카락을 움켜쥐더니 내 얼굴을 자기 쪽으로 홱 돌려놓는 거예요.'

순간 라울이 발작적으로 소리를 질렀다.

"그만! 그만 해요! 내, 놈을 반드시 죽여버리겠어! 죽여버릴 테야! 크리스틴, 제발 내게 말해줘요! 그 호숫가의 식당이 어디쯤 있는지를 말이오! 그는 내 손에 죽어야만 하오!"

"라울, 정말 그게 알고 싶다면 입 다물어요!"

"아, 네 그러죠…… 당신이 왜, 어떻게 다시 그곳으로 돌아갔는지 대단히 알고 싶군요…… 크리스틴, 바로 거기에 비밀이 있는 겁니다! 주의하세요! 오로지 그게 문제지요…… 하지만 어쨌든 간에 놈은 내 손에 죽어야만 합니다!"

"오, 라울…… 가만 귀를 기울이세요! 정 알고 싶으면 제 말을 잠자코 들으시라구요…… 그는 내 머리채를 붙잡고 끌고 다녔어요…… 그리고는…… 그리고는…… 오, 이건 더더욱 끔찍한데……"

"어서 말해봐요! 어서!"

라울은 미친 듯이 다그쳤다.

"그가…… 그가 이렇게 말했어요. '왜? 내가 겁나나? 흥, 그럴 수도 있겠군…… 아마도 내가 아직 가면을 하나 더 쓰고 있다고 생각하는 모양이지? 그러니까…… 이것! 이 얼굴, 글쎄…… 이게 과연 가면일까? 그리고는 갑자기 고래고래 소리를 지르기 시작하는 거예요. '좋아! 이것도 아까처럼 벗겨보시지! 자, 자, 어서! 어서 해보라니까! 제발 부탁이야! 네 손! 네 그 두 손으로, 어서! 어서 손을 내밀어보라구! 그걸로도 모자라면 내 이 두 손마저 빌려드리지…… 어디 둘이 함께 힘을 합해 이 가면을 벗겨내보자구!' 나는 그의 발 앞에 거의 뒹굴다시피 몸부림을 쳐댔지만 그는 내 손을 덥석 붙잡고 놓아주지 않았어요…… 오, 라울…… 그는 내 손을 억지로 가져다가 자신의 얼굴 속을 마구 파들어가는 거예요…… 내 이 손톱으로…… 자신의 살갗을 …… 그 끔찍한 죽은 살갗을 마구 쑤셔댔단 말이에요…… 그러면서 마치 대장간 화덕처럼 김을 내뿜는 목구멍 저 깊은 곳으로부터 이렇게 악을 써댔어요…… '자, 이제 알겠나? 이제야 알겠어? 나라는 존재는 이렇게 죽음으로 이루어져 있다는 걸! 머리끝에서 발끝까지 말이야…… 그러니까 너를 사랑하고, 숭배하는, 그래서 결코 네 곁을 떠나지 않을 이 몸은 다름 아닌 시체라 이 말씀이지! 나는 아무래도 관을 좀 크게 늘려야겠어! 나중에 우리의 이 사랑이 끝나게 될 때를 대비해서 말이야…… 자, 나 좀 봐! 난 더이상 웃고 있지 않아! 이렇게 울고 있다구! 내 가면을 벗긴 너를 위해 울고 있는 거야…… 바로 그 때문에 너는 나로부터 벗어날 수가 없게 됐거든! 크리스틴, 네가 날 미남으로 상상하는 한 너는 내게 다시 돌아올 몸이었어…… 하지만 이제 내 끔찍한 몰골을 확인해버렸으니, 넌 내게서 영원히 멀어지려 할 거야…… 그래서 앞으론 널 가두어야만 하게 된 거지…… 한데 대체 왜 내 모습을 보려고 한 거야? 바보 같은 년! 정신 나간 크리스틴…… 날 보고 싶어하다니…… 내 아버지조차 날 한번도 본적이 없고, 어머니마저 날 더 이상 보지 않으려고 제일 처음 선물로 준게 가면일 정도인데……' 그는 마침내 나를 놓아주고는 역겨운 딸꾹질을 해대면서 이리저리 어슬렁거리더군요…… 그리고는 잠시 후, 마치한 마리의 파충류처럼, 기다시피 하면서 자기 방으로 빠져나가 문을 쾅하고 닫았어요. 난 두려움과 혼란스런 생각 속에 벌벌 떨면서 혼자 덩그러니 남게 되었죠. 폭풍우가 지난 다음의 엄청난 고요처럼, 한동안 무덤속 같은 침묵이 흘렀고, 나는 그제서야 가면을 벗긴 행동이 초래한 끔찍한 결과에 대해 곰곰이 생각할 수 있게 되었답니다. 그 괴물이 남긴 마지막 말들만으로도 충분히 사태의 심각성을 깨달을 수가 있었죠. 나는 스스로를 영원한 수인(囚人)으로 만든 셈이며, 그 모든 것은 바로 나 자신의 극성스런 호기심에서 비롯되었다는 사실을 말이죠…… 따지고 보면, 적어도 그는 나에게 충분히 경고를 했었어요…… 여러 번에 걸쳐서내가 가면에 손만 대지 않는다면 아무런 위험도 걱정할 필요가 없다고했음에도 불구하고, 나는 거기에 손을 댄 거였어요! 나는 나 자신의 경솔함을 저주했지요. 그러면서도 괴물의 엄연한 논리 앞에서 몸서리를치지 않을 수가 없더군요…… 맞아요, 만약 내가 그의 얼굴을 못 보았더라면 나는 그곳을 다시 찾아갔을 거예요…… 그는 이미 충분할 정도로내 마음을 건드렸고, 흥미를 불러일으켰으며 동정심을 유발한 상태라서, 도저히 그의 간절한 바램을 모른 척할 수가 없었거든요…… 말하자면 난 배은망덕하고는 거리가 먼 여자였죠. 그 때문에 그 어떤 불가능한 일에 뛰어들지라도, 나는 그가 바로 **목소리**라는 것과, 자신의 재능으로 내게 열기를 다시 불어넣어주었다는 사실을 잊을 수는 없었으니까요. 네…… 난 돌아갔을 거예요…… 하지만 이제, 그 지하무덤에서 빠져나올 수만 있다면, 결코 다시 돌아갈 마음은 생겨나지 않을 거예요! 아니 나 말고 누구라도, 자신을 사랑하는 시체와 함께 지내기 위해 스스로 무덤 속으로 들어가려 하지는 않을 겁니다! 아무튼 그 와중에서도 나를 쏘아보는, 아니 눈빛이라곤 전혀 볼 수 없는 그 퀭한 두 눈구멍을 내게 가까이 들이대는 악착 같았던 태도를 되새겨보건대, 그의 열정이 얼마나 거칠고 야만적인지를 가늠할 수가 있었답니다. 반면, 조금도 저항을 할 수 없는 나를 겁탈할 만도 한데 이렇게 내버려두는 걸 보면, 그 괴물은 필경 어딘가 천사 같은 데가 있을 것이며, 적어도 음악의 천사는 되든지, 만약 하느님이 외모만 그럴 듯하게 부여해주었다면 진짜 천사였을는지도 모르겠다는 생각까지 드는 거예요…… 어쨌든 내게 닥친 처절한 운명에 대한 생각에 한참을 정신 없이 헤매었지요…… 그러다가 또 언제 관이 있는 저 방 문이 다시 열리고 그 끔찍한 얼굴을 보게 될지, 두려움에 몸서리를 치면서, 내 비참한 목숨에 종지부를 찍어줄 날카로운 가위를 와락 붙들었답니다…… 한데, 바로 그 순간…… 오르간 소리가 들려오는 거예요…… 오, 라울…… 바로 그때였어요…… 나는 에릭이 '오페라나 불러봅시다!' 하고 말했을 때 왜 그렇게 빈정대는 투로 들렸는지를, 그제서야 이해하게 되었던 거예요! 그때 내 귀에 들려온 음악은…… 그제까지 나를 매혹시켰던 모든 것과는 완전히 차원이 다른 그 무엇이 었어요! 그의 「위풍당당한 동쥬앙」은(네…… 방금 전의 그 난리를 잠재우기 위해 자신의 걸작을 연주했겠지요……), 뭐랄까…… 처음에는 자기 자신의 저주받은 처지를 절규하는 하나의 장대하고도 무시무시한 흐느낌으로 전해졌지요…… 나는 얼른 붉은 잉크로 작성된 악보책을 다시 한번 들여다봤어요. 그리고 그게 다름 아닌 선혈로 씌어졌다는 사실을 알게 되었지요. 그 음악은 처절한 순교의 세계 속으로 나를 속속들이 끌고 돌아다녔어요…… 소위 '못생긴 남자'가 사는 저 심연의 구석구석을 구경시켰다고나 할까요…… 가만히 음악을 듣고 있자니, 자신의 흉측한 머리통을 지옥의 암벽에다 마구 부딪치면서도 사람들을 놀래키지 않으려고 그들의 시선을 피해 지옥 속으로 도망치는 에릭의 모습이 눈에 선하게 떠오르는 겁니다. 나는 한동안 그렇게 넋을 잃고 기진맥진한 상태에서, 이른바 '고통'을 신격화하는 거창한 화음의 파노라마가 펼쳐지는 걸 목격하고 있었어요…… 그런데 어느새 저 심연으로부터 부글부글 끓어오르던 음정들이 서로 뭉치면서 별안간 위협적인 비상을 하는가 싶더니, 마치 태양을 향해 솟구치는 독수리처럼, 온통 소용돌이치는 소리들이 공중으로 상승하면서, 결국에는 위풍당당하기 이를 데 없는 심포니가 이 세상을 불태울 듯한 기세로 울려퍼지는 것이었어요…… 아…… 나는 곧장 깨달았죠…… 그것으로서 작품이 완성된 거라고…… 그래서 마침내 '추함'이 '사랑'의 날개를 타고 올라가 과감하게도 '아름다움'을 정면으로 응시하게 된 것이라고…… 나는 완전히 도취한 상태가 되었죠…… 그리고는 에릭과 나를 가르고 있던 문이 내 손 앞에서 힘없이 열리고 말았어요…… 내가 들어서는 걸 느꼈는지, 그가 벌떡 일어서더군요…… 하지만 감히 고개를 이쪽으로 돌릴 엄두는 나지 않는 모양이었어요…… 나는 나도 모르게 소리쳤죠. '에릭! 두려워 말고, 당신 얼굴을 보여주세요! 장담하건대, 당신은 모든 인간 중에서 가장 고통받고 있지만 가장 숭고한 인간입니다! 이제부터 이 크리스틴 다에가 당신을 바라볼 때 몸서리를 친다면, 그건 다름 아닌 당신의 찬란한 재능에 압도당해서일 겁니다!' 하고 말이죠…… 그제서야 에릭은 천천히 고개를 돌렸어요…… 나를 신뢰했던 것이죠…… 그리고 맙소사, 나 역시 나 자신이

한 말을 철석같이 믿고 있었어요…… 그는 운명의 여신을 향해 기도라
도 올리듯, 두 팔을 치켜들더니 내 앞에 무릎을 털썩 꿇고는 거침없이
사랑의 밀어를 내뱉는 것이었어요…… 어느덧 음악은 멈추고, 죽음의
입에서는 사랑의 밀어가 쉼 없이 튀어나오고…… 그는 내 옷자락을 덥
석 부여잡고 있었는데, 내가 눈을 감고 있는 걸 보지는 못하고 있었
죠…… 오, 라울…… 더 무얼 말해드려야 하나요? 이제 이 끔찍한 드라
마를 다 아셨을 텐데요…… 보름 동안 그는 다시금 생기가 살아나는 것
같았어요…… 내가 거짓으로 일관했던 그 보름 동안을 말이에요…… 나
의 거짓말은 나를 그렇게 하지 않을 수 없도록 만든 그 괴물만큼이나 끔
찍했지요. 그리고 그 덕분에 나는 이렇게 자유를 되찾았구요…… 난 아
예 그의 가면을 태워버렸거든요…… 내가 얼마나 그럴듯하게 행동했는
지, 그는 노래를 부르지 않을 때조차도, 마치 주인 곁에서 어슬렁거리는
소심한 강아지처럼, 내 눈길을 은근히 좇기까지 하는 거였어요…… 그
는 그렇게, 흡사 충직한 노예처럼 내 주변에서 온갖 시중을 들며 지냈어
요…… 그리고 내가 점점 더 신뢰를 불어넣어주자, 그는 지옥의 기슭에
까지 나를 데리고 나와 산책하는가 하면, 납빛의 호수를 가르며 배를 태
워주기까지 했어요. 마침내 내 영어(囹圄) 생활의 마지막 날이 되자, 그
는 야밤을 틈타 지하세계와 스크리브가를 나누고 있는 철책을 드디어
넘게 해주었답니다. 거기엔 이미 합승마차 한 대가 우리를 기다리고 있
었고, 블로뉴 숲으로 곧장 데려다주었죠…… 우리가 당신을 숲길에서
마주쳤던 바로 그날 밤, 얼마나 큰일날 뻔한 줄 아세요? 평소에 당신에
대해 엄청난 질투심을 갖고 있는 그를, 그나마 당신이 얼마 안 있어 북
극으로 떠날 사람이라고 말해 간신히 무마하던 중이었단 말이에요! 어
쨌든, 동정과 열광과 절망과 공포로 얼룩진 보름 동안의 감옥생활이 지
나고 나서 내가 '돌아올게요!' 하고 말했을 때 그는 철저히 내 말을 믿게
되었답니다……"

"실제로 당신은 돌아갔지 않았습니까……"

라울은 한숨 섞인 목소리로 내뱉듯 말했다.

"네 그랬죠…… 하지만 분명한 사실은 그가 날 놓아주면서 은연중에 협박을 해서가 아니라, 그의 처소 문턱에서 날 배웅하며 내뱉은 그 가슴을 찢는 듯한 흐느낌 때문에, 나는 다시 돌아갔던 거예요…… 네…… 그 흐느낌 말이에요……"

크리스틴은 머리를 격렬하게 가로 저으며 되풀이해 말했다.

"그 흐느낌이야말로 그와 헤어지면서 내가 예상했던 것보다 훨씬 더 강력한 힘으로 나와 그 불행한 존재를 한데 묶었던 거예요…… 오, 가엾은 에릭…… 가엾은 에릭……"

라울은 마침내 자리에서 벌떡 일어서며 말했다.

"이봐요, 크리스틴! 당신은 내게 사랑한다고 말하고 있어요…… 하지만, 자유를 되찾은 지 얼마 지나지 않았을 때 벌써 에릭 곁으로 돌아가 있었지요…… 그 가면 무도회를 잊은 건 아니겠지요?"

"네…… 일이 그렇게 되고 말았죠…… 하지만 당신도 요 며칠 동안 내가 누구와 시간을 보내왔는지를 잊은 건 아니겠죠? 우리 둘 모두에게 엄청 위험한 일임에도 불구하구요……"

"바로 그 며칠 동안에도 난 당신이 정말 날 사랑하는지 의심스러웠습니다!"

"라울…… 아직도 그게 의심스러운가요? 그렇다면 이걸 알아두세요! 에릭과 더불어 돌아다니고 있었을 때, 그에 대한 나의 두려움은 날로 커져만 갔다는 걸…… 왜냐하면 그 시간들이 그의 심기를 달래기는커녕 오히려 나에 대한 불 같은 사랑으로 점점 더 미치게 만들었거든요…… 아, 두려워요! 두려워 죽겠다구요……"

"두려운 건 알겠습니다…… 하지만 날 정말 사랑하고 있습니까? 만약 에릭이 잘생긴 사람이었다면, 그래도 과연 날 사랑할까요?"

"이런 딱한 사람 같으니…… 왜 운명을 두고 저울질을 하는 거죠? 마치 죄를 감추듯이 내 의식 저 밑에 감추어둔 것을 굳이 들추어내려는 의도가 대체 뭐예요?"

이번엔 크리스틴이 벌떡 일어나더니 라울의 머리를 두 팔로 감싸 안으며 말했다.

"오, 이제 하루밤에 안 남았어요…… 내가 당신을 사랑하지 않는다면 이렇게 내 입술을 허락할 리가 없겠죠…… 처음이자 마지막으로 말이에요…… 이렇게……"

라울은 다가오는 그녀의 입술을 잠자코 받아들였다. 그리고는, 워낙에 주변의 밤기운이 매서웠던지라, 두 사람은 마치 들이치는 폭풍우를 피하기라도 하듯, 서둘러 자리를 피했다. 한데, 다락방들이 밀집한 곳으로 숨어들기 직전, 무심코 올려다본 저 위, 저만치서 웬 큼지막한 밤새한 마리가 잉걸불처럼 눈빛을 이글거리며 이쪽을 내려다보고 있는 게, 아직도 에릭에 대한 공포심이 어물거리고 있는 그들의 눈동자에 들어오는 것이었다. 아폴론 조각상의 칠현금 위에 우두커니 앉아서, 마치 그 줄을 단단히 움켜잡고 있는 것처럼……

14
크리스틴의 실종

라울과 크리스틴은 달리고 또 달렸다. 심야의 어둠 속에서만 눈에 띌 그 잉걸불 같은 눈빛이 목격된 지붕을 겨우 벗어나서 그들이 멈춘 곳은 극장의 제8층이었다. 그날 밤에는 아무런 공연도 없었기 때문에 극장의 복도는 썰렁하니 텅 비어 있는 듯했다.

그런데 갑자기 웬 사람의 이상한 윤곽이 불쑥 앞을 가로막으면서 이렇게 소리쳤다.

"안돼! 이쪽으론 안돼!"

그러더니 무대 뒤로 곧장 통하게 되어 있는 다른 쪽 복도를 대신 가리키는 것이었다.

라울은 어찌된 영문인지 몰라 그 자리에 멈춰서려 했다.

"어서, 어서! 서둘러!"

하지만 소매 없는 긴 외투와 뾰족한 모자 모양의 그 희미한 형체는 아랑곳하지 않고 되풀이해 한쪽 방향을 재촉하기만 했다.

크리스틴 역시 라울의 팔을 붙들고 다그쳤다.

젊은이는 답답해하면서 이렇게 물었다.

"대체 저 자가 누구요? 누군데 갑자기 나타나서……"

"그 유명한 '페르시아인' 모르세요?"

크리스틴의 대답이었다.

"한데 저기서 뭐 하는 거죠?"

"그건 모르죠…… 늘 저렇게 오페라 극장 안을 배회하니까요……"

라울은 다소 흥분을 감추지 못하고 식식대며 말했다.

"이봐요, 크리스틴! 아까 거기서 무조건 도망친 건 나로선 정말 비겁한 행동이었습니다! 당신이 잡아끄는 바람에 그렇게 됐지만, 정말 내 인생 처음이었어요!"

그러자 라울과는 달리 다소 진정을 되찾은 듯한 크리스틴은 이렇게 대답했다.

"하긴 우리가 망상이 지나치다보니 헛것에 놀라 도망친 건지도 몰라요……"

"만약 아까 거기서 진정 에릭을 본 것이었다면, 브르타뉴 지방의 농장 벽에 올빼미를 못박아 놓듯이, 녀석을 그 아폴론 조각상의 칠현금에다가 단단히 못박아 둘 걸 그랬어요!"

"라울…… 그러려면 먼저 그 조각상 꼭대기까지 올라가야만 했을 거예요…… 그리 쉽지는 않은 일이죠……."

"음…… 틀림없이 잉걸불 같은 눈빛이었는데……."

"어머나, 이제 보니 당신도 나처럼 여기저기서 그가 보이는 것처럼 느껴지는 모양이군요…… 하지만 말예요, 아까 잉걸불 같은 눈빛으로 보였던 그건 실은 칠현금 줄 사이로 저 멀리 보이는 별빛이었던 게 틀림없어요!"

그렇게 말하고는 크리스틴은 계속 아래층으로 내려갔고, 라울은 그 뒤를 따르며 이렇게 투덜댔다.

"크리스틴, 당신이 이왕에 그를 떠날 생각이라면 아무래도 지금 당장 결행하는 게 좋다는 생각이오. 내일까지 기다릴 이유가 대체 뭐냔 말이오? 그가 혹시 오늘 저녁에 우리가 한 말을 들었을지도 모르잖소?"

"아뇨! 그럴 리는 없어요! 다시 말하지만 그는 일에 여념이 없을 거예요.「위풍당당한 동쥬앙」의 작곡 말이에요! 우리에게 신경 쓸 여유가 없다구요!"

"하지만…… 자꾸 그렇게 뒤를 돌아보는 걸 보니 그리 확신이 드는 것도 아닌 것 같은데……"

"…… 좌우간 얼른 내 대기실로 같이 가요!"

"차라리 오페라 극장 밖에서 봅시다!"

"절대 안돼요! 우리가 도망치기로 한 자정이 될 때까지는 절대로…… 내가 한 약속을 지키지 않으면 우리 모두에게 엄청난 재앙이 불어닥칠 거예요! 이곳을 벗어나지는 않겠다고 분명 그에게 약속을 했단 말이에요……"

그 말에 라울은 씁쓸한 표정으로 대꾸했다.

"그 정도나마 그가 허락을 했다니 난 참 행복한 놈이로군요…… 근데 이거 아오? 그러면서도 이렇게 소꿉놀이를 제안한 당신이 얼마나 대범한 여자인지?"

"오, 라울…… 지금 이 놀이는 그도 잘 알고 있어요…… 그가 이렇게 말했는걸요. '난 크리스틴 그대를 믿소! 라울 드 샤니 씨는 분명 그대를 사랑하지만 곧 떠날 입장이오. 그러니 떠나기 전까지 그도 나처럼 불행한 사람일 것이오……'"

"좀 풀어서 설명해주지 않겠소, 크리스틴?"

"그건 내가 부탁하고 싶은 말인 걸요! 사랑을 하면 다들 그렇게 불행해지는 건가요?"

"크리스틴…… 그건 당연하오. 사랑을 하면서도 사랑받고 있다는 확신이 없으니 그럴 수밖에……"

"그건 에릭에게 해당되는 말인가요?"

"에릭과 나 모두에게 해당되는 말이오……"

젊은이는 절망적인 생각에 잠긴 표정으로 쓸쓸히 머리를 가로저으며 말했다.

둘은 이럭저럭 크리스틴의 대기실 문 앞에 당도했다.

라울은 짜증이 섞인 어투로 물었다.

"그나저나 극장의 다른 곳보다 하필 이곳이 안전하다는 보장도 없질 않소? 당신은 이곳에서 벽을 통해 그의 목소리를 들었으니, 그 역시 우리 말을 쉽사리 들을 것 아니겠소?"

"아니에요! 그는 다시는 내 대기실 벽 뒤에 숨어 있지 않겠다고 약속을 했어요. 난 에릭의 그 약속을 믿어요…… 이 대기실과 저 아래 호숫가의 내 숙소는 오로지 나만의 공간이랍니다. 그에게 있어서도 신성한 장소인 셈이죠……"

"크리스틴, 그런데 대체 이 방에서 어떻게 했기에 불쑥 저 밖의 어두컴컴한 복도로 빠져나갈 수 있었던 겁니까? 당신이 그때 어떻게 했는지 다시 한번 해보지 않겠소?"

"그건 위험한 짓이에요! 거울을 통해 도망치기는커녕, 저 아래 호숫가에 이르는 비밀통로 끝까지 곧장 날아가서 어쩔 수 없이 에릭에게 도움을 청해야 할지도 모르니까요……"

"그가 당신의 부름을 듣는단 말이오?"

"이 세상에 내가 그의 이름을 부르는 곳이라면 어디서든 그는 내 소리를 듣고 있답니다. 이건 그가 해준 얘기예요…… 정말 놀라운 재주죠…… 라울, 그를 그저 재미삼아 지하에 사는 일개 남자라고 보아선 안돼요…… 그는 다른 사람으로선 엄두도 못 낼 많은 일들을 해낼 수가 있답니다. 산 사람은 전혀 알 수 없는 많은 것들을 알고 있어요……"

"가만, 크리스틴! 당신은 지금 또 그 사람을 신비스런 유령으로 만들고 있어요!"

"아니죠…… 그는 유령은 아니에요…… 말하자면 하늘과 땅 모두에

속한 사람이죠!"

"하늘과 땅 모두에 속한 사람이라…… 그거 명언이로군요! 그러면서도 그에게서 달아날 결심을 했다 이건가요?"

"네, 바로 내일요……"

"내가 왜 오늘밤에 당신이 도망쳤으면 하는지 듣고 싶소?"

"말해주세요, 라울……"

"왜냐하면 내일이 되면 당신은 그 어떤 행동도 결정을 못할 것이기 때문이오!"

"라울, 그러니까 나를 강제로 데려가 달라는 거 아니에요! 아직도 모르시겠어요?"

마침내 젊은이는 어두운 표정으로 말했다.

"…… 좋아요…… 내일밤, 바로 이곳에서…… 자정에 정확히 당신의 대기실로 오리다. 무슨 일이 있어도 약속은 지키겠소! 분명 그는 당신의 공연을 본 다음, 호숫가 식당에서 당신을 기다릴 거라 했지요?"

"네, 바로 거기서 만날 약속이 되어 있으니까요……"

"하지만 거울을 통해서 대기실을 빠져나갈 수 없다면 대체 어떤 식으로 그가 있는 곳까지 갈 생각이었소?"

"곧장 호숫가로 가는 거죠……"

"이곳 지하층을 죄다 거쳐서 말이오? 무대장치 기술자들과 온갖 일꾼들이 왔다갔다하는 계단들과 복도를 다 지나서 말이오? 그렇다면 당신의 거동이 모든 사람들에게 죄다 알려질 텐데? 잘못하면 크리스틴 다에 양이 수많은 사람들을 이끌고 호숫가에 나타나는 일이 벌어질지도 모르는데?"

크리스틴은 대답 대신 상자에서 큼직한 열쇠 하나를 꺼내 라울에게 보여주었다.

"이게 뭡니까?"

"스크리브가의 지하 철창문을 여는 열쇠예요."

"알겠소, 크리스틴…… 말하자면 곧장 호수로 통하는 열쇠인 셈이로군요. 이걸 내게 주겠다는 겁니까?"

그러자 그녀는 발끈하며 대답했다.

"천만에요! 그런 배신행위를 할 수는 없어요!"

라울은 느닷없이 혈색이 변해가는 크리스틴의 얼굴을 찬찬히 바라보았다. 죽음의 창백한 기운이 그녀의 얼굴을 휘감아돌고 있었던 것이다.

"오, 맙소사! 에릭! 에릭! 날 불쌍히 여겨줘요……"

그녀가 자제력을 잃고 허둥대자, 젊은이 역시 다급하게 소리쳤다.

"조용히 해요! 그가 당신이 부르는 소리를 듣는다고 했지 않소!"

하지만 왠지 여가수의 태도는 더더욱 걷잡을 수 없이 평정을 잃어갔다. 그녀는 정신나간 사람처럼 더듬대면서 손가락을 마구 비틀어대고 있었다.

"오, 맙소사! 오, 하느님!"

"대체 무슨 일이오? 왜 그래요?"

"반지요……"

"반지라니? 제발, 크리스틴, 정신 좀 차려요!"

"그가 내게 준 금반지 말예요!"

"뭐라구요? 역시 그 반지는 에릭이 준 거였군요……"

"다 알고 계셨잖아요, 라울! 하지만 그가 반지를 주면서 이렇게 말한 건 모르셨을 거예요…… '크리스틴, 그대의 자유를 돌려주리다! 하지만 지금 주는 이 반지를 항상 손가락에 끼고 있어야만 하는 게 그 조건이오. 그걸 간직하고 있는 한 그대는 모든 위험으로부터 안전할 것이며, 에릭은 그대의 친구로 남을 것이오. 하지만 그걸 손가락에서 빼는 순간, 크리스틴, 그대는 불행 앞에서 속수무책이 될 것이며, 에릭의 복수를 각오해야 할 것이오!' 오, 라울! 라울! 지금 반지가 손가락에 없어요! 우리

큰일났다구요……"

두 사람은 허둥지둥 주변을 살폈지만 반지는 보이지 않았다. 크리스틴은 완전히 흥분한 상태였다.

"아마도 저 위 아폴론 조각상의 칠현금 아래서 당신에게 키스를 할 때였던 것 같아요! 그때 반지가 손가락에서 빠져, 지붕 아래로 떨어졌나봐요…… 이걸 당장 어떻게 찾죠? 아, 라울, 이제 무슨 일이 닥칠까요? 어서 도망쳐야겠어요! 어서요!"

라울도 다급하긴 마찬가지였다.

"그래요, 지금 당장 도망칩시다!"

하지만 그의 기대와는 달리 크리스틴은 자못 망설였다. 그녀의 맑은 눈동자는 일순 흔들리는 것 같았으나, 이내 이렇게 힘없이 내뱉는 것이었다.

"안돼요…… 내일요……"

그리고는 마치 없어진 반지가 다시 나타나기를 바라는 것처럼 연신 손가락을 비벼대면서 황망히 자리를 피했다.

라울도 어지러운 생각에 사로잡힌 채 일단 집으로 돌아갈 수밖에 없었다.

"내 손으로 그녀를 그 사기꾼한테서 구해내지 않으면 그녀는 아마도 미쳐버리고 말 거야!"

그는 거의 쓰러지듯 침대에 드러누우면서 큰소리로 외쳤다.

램프를 끄자 캄캄한 어둠이 밀려왔다. 문득 라울은 에릭을 저주하고 싶은 욕구가 치밀어 올랐다.

그래서 이렇게 세 번 고래고래 소리를 질렀다.

"사기꾼! 사기꾼! 사기꾼!"

바로 그 순간! 라울은 무언가에 소스라치게 놀라며 침대에서 반쯤 몸을 일으켰다. 식은땀이 관자놀이를 타고 흘렀다. 그도 그럴 것이, 잉걸불 같은 두 개의 눈동자가 침대 발치에서 이글거리고 있는 게 눈에 띄었던 것이다! 캄캄한 암흑 속에서 그것들은 라울을 무시무시하게 쏘아보고 있었다.

라울은 유사시에 충분한 용기를 발휘할 수 있는 청년이었지만, 그 순간은 사시나무 떨듯 떨지 않을 수가 없었다. 그는 사정없이 떠는 손을 주섬주섬 앞으로 내밀어 탁자 위를 더듬었다. 마침내 성냥곽을 붙잡자, 순식간에 불을 켰는데 어느새 눈동자는 사라지고 없었다.

'그 눈동자는 어둠 속에서만 드러난다고 했지…… 그러니까 지금 그것이 보이지 않는다고 해도 놈은 어딘가에 있다는 얘긴데……'

라울은 속으로 곰곰이 생각하고 있었다.

그는 천천히 일어선 다음, 되도록 침착하게 여기저기를 살피기 시작했다. 심지어는 침대 밑을 힐끗 들춰보기까지 했는데, 결국 어린애 같은 자신의 행동에 실소를 터뜨리고 말았다. 그리고는 마침내 큰소리로 이렇게 외치는 것이었다.

"대체 이게 다 뭐란 말인가! 그깟 동화 같은 이야기를 믿고 이 난리를 피워야 하다니! 도대체 현실이 어디까지고, 환상은 또 어디서부터인가? 그녀는 대체 무얼 봤다는 게야? 무얼 보았다고 믿는 걸까?"

그리고는 몸서리를 치면서 이렇게 덧붙였다.

"그리고 난 또 무엇을 본 걸까? 조금 아까 내가 본 게 진정 그 잉걸불 같은 눈동자일까? 혹시 내 상상 속에서만 반짝이는 걸 본 건 아닐까? 아, 이제는 정말 아무것도 확실한 게 없는 것 같구나!"

라울은 다시 잠자리에 들었다. 물론 다시 어두워지자 눈동자는 어김없이 나타났다.

"오!"

라울의 맥없는 신음소리가 어둠 속에서 새어나왔다.

그리고 이번에는 벌떡 몸을 일으켜 앉은 자세로 용감하게 그것을 마주 바라보았다. 잠시 마음 속으로 용기를 가다듬은 라울은 될 수 있는 한 큰소리로 이렇게 외쳤다.

"네놈이냐, 에릭? 인간인지, 유령인지, 혹은 정령인지는 모르겠으나, 네놈이 그 에릭 맞느냐?"

그러면서 속으로 생각했다.

'만약 놈이 맞다면…… 틀림없이 발코니 쪽에 있는 거다……'

라울은 별안간 튀어 일어나면서 자그마한 서랍장을 더듬어 권총을 손에 쥐었다. 무장을 한 채 창문을 열어젖힌 라울은 밤공기가 유난히 차갑다는 걸 느꼈다. 하지만 힐끗 둘러본 발코니 어디에도 그저 냉랭한 바람만이 음산하게 불어대고 있을 뿐, 아무것도 보이지 않았다. 그는 다시 창문을 닫은 다음, 손이 닿는 곳에 권총을 놓아둔 채 몸서리를 치며 다시 잠자리로 기어들어갔다.

그렇게 또다시 정적이 감돌자, 영락없는 그 눈동자가 침대 발치에서 이글거리고 있었다. 그렇다면 저것이 침대와 저 유리창 사이에 있다는 말인가? 아니면 유리창 바로 뒤에?

라울의 궁금증은 커져만 갔다. 만약 저 눈동자가 인간의 것이라면……?

이번에는 유난을 떨지 않기로 마음먹고, 그냥 천천히, 냉정하게, 권총을 들어 목표물을 겨누었다.

그가 겨냥한 총구 끝에는 꼼짝도 하지 않고 이쪽을 노려보고 있는 두 개의 황금빛 별이 반짝거리고 있었다.

라울은 그 두 불빛보다 약간 위쪽을 겨누었다. 틀림없이 저것이 눈동자라면, 그 바로 위에 이마가 있을 테지…… 라울의 계산은 더없이 치밀했다……

마침내 엄청난 총성이, 잠든 집의 정적을 여지없이 깨뜨리며 울려퍼졌다! 잠시 후, 복도에서 혼비백산한 사람들의 어지러운 발소리가 떠들썩해지는 동안, 라울은 침대에 그대로 앉은 자세로 다시 또 방아쇠를 당길 준비를 한 채 시선을 고정시키고 있었다……

아닌게아니라, 이번에는 두 개의 불빛이 사라지고 없었다.

갑자기 방안이 환하게 밝아지며 필립 백작을 비롯한 사람들이 눈이 휘둥그래진 채 안으로 들이닥쳤다.

"무슨 일이냐, 라울?"

"아무래도 내가 꿈을 꾼 것 같아요……잠을 방해하던 별 두 개를 쏘아 맞췄거든요……"

"…… 무슨 헛소리야? 어디가 아픈 게로구나…… 라울, 무슨 일이 있었던 거냐?"

백작은 걱정스런 표정으로 권총부터 빼앗았다.

"아니…… 헛소리가 아니에요…… 이제 형도 곧 알게 될 거예요……"

라울은 그렇게 중얼거리고는 침대에서 일어나 잠옷을 실내복으로 갈아입고 실내화를 신은 다음, 하인에게서 등불을 받아 발코니로 나가보았다.

창문에는 사람의 키만한 높이에 총알 구멍이 보기 좋게 뚫려 있었다. 라울은 등불을 높이 치켜들고는 발코니 밖을 내다보았다.

"오! 오! 이것 봐! 피다! 피! 여기…… 저기에도…… 피야, 피! 이것 봐라! 피를 흘리는 유령이라…… 이거 해볼 만하겠는걸!"

라울은 연신 등불을 비춰대며 비아냥거렸다.

그런 동생을 백작은 마치 위험한 몽유병에서 깨우려는 듯, 마구 흔들어대며 소리쳤다.

"라울! 라울! 제발 정신차려!"

"형, 나는 잠을 자는 게 아니에요! 여기 이 핏자국 안 보이세요? 나 역시 꿈이라도 꾸는 줄 알았는데…… 분명 내가 쏜 별 두 개가 에릭의 눈동자였던 게 틀림없어요! 이것 좀 보라니까요…… 여기 그가 흘린 피가 남아 있잖아요!"

그리고는 갑자기 불안에 떨면서 이렇게 덧붙이는 것이었다.

"하지만 내가 총을 쏜 게 잘 한 일인지는 모르겠군요…… 크리스틴이 절대로 용서 안 할지도 모르겠어요…… 잠들기 전에 창문 커튼만이라도 내려놓았더라면 이런 일은 없었을 텐데……"

"오…… 라울! 너 갑자기 미쳐버린 거냐? 제발 정신 차려!"

"형은 또! 제발 그런 소리 말고 나와 함께 에릭이나 좀 찾아봐요! 피를 흘리는 유령이니 찾아보면 어딘가에 쓰러져 있을지도 몰라요!"

그 때 마침 백작의 몸종 역시 이렇게 말했다.

"사실입니다, 주인님. 발코니에 핏자국이 있는 걸요!"

이윽고 그가 등불을 치켜들고 두루 비춰주는 바람에 모든 것이 훤히 드러났다. 핏자국은 발코니의 난간을 따라 빗물받이 홈통 쪽으로 나 있었고, 계속해서 그것을 따라 위로 올라가 있었다.

하지만 찬찬히 지켜보던 백작은 이렇게 말했다.

"이런, 녀석 같으니라구…… 고양이에게 총을 쏜 게로구나!"

라울은 즉각 빈정대는 투로 대꾸했는데, 그게 백작의 귀에는 신랄하고도 고통스럽기 그지없게 들리는 것이었다.

"만에 하나 그런 거라면 그만한 불행이 또 없겠죠…… 하지만 상대가 에릭일 경우, 아무것도 장담할 수가 없어요! 총에 맞은 게 에릭인지, 아니면 고양이인지…… 그것도 아니면 유령인지…… 몸뚱어리인지, 그림자인지…… 이런 젠장! 상대가 에릭이라면 확실한 건 아무것도 없다구요!"

라울은 그 방에 있는 사람들이 보기에 한없이 엉뚱한 말들을 계속 늘어놓았지만, 그건 그 자신이 몰두해 있는 문제의 관점에선 더없이 치밀하고 논리적일 뿐만 아니라, 크리스틴 다에가 고백한 그럴듯하면서도 황당무계한 이야기들에도 안성맞춤으로 부응하는 것이었다. 어쨌든 그가 이렇듯 두서 없이 내뱉은 이야기들은 많은 사람들로 하여금 젊은이의 정신상태를 의심하게 하는 데에 적지 않은 빌미를 준 꼴이 되고 말았다. 백작 자신도 그랬거니와, 나중에 경찰서장의 보고에 의해 예심판사가 사건을 접했을 때도 그와 같은 판단을 내리기에 전혀 무리가 없었던 것이다.

"대체 에릭이 누구냐?"

백작은 동생의 부들부들 떠는 손을 꼬옥 잡으며 물었다.

"내 연적입니다! 그가 죽지 않았다면 이거 참 곤란한데……"

백작은 서둘러 손짓을 해, 하인들더러 나가라는 시늉을 했다.

결국 두 귀족만을 남겨 둔 채, 방문은 닫혔지만, 사람들이 문밖에서 한동안 머뭇거리는 바람에, 라울이 또박또박 큰소리로 외치는 소리를 백작의 하인은 죄다 들을 수 있었다.

"오늘밤, 크리스틴 다에를 내가 데려가기로 했어요!"

훗날 이 말 한 마디는 포르 예심판사에게 그대로 전달되었음은 물론이다. 다만 두 형제간에 있었던 그 외의 대화 내용은 그만큼 똑똑하게 전해지지도, 알려지지도 못했다.

어쨌든 하인들 얘기는, 두 형제간 우애를 상할 만큼의 싸움이 그날 밤에 처음 있었던 것도 아니라는 거였다.

몇 차례에 걸쳐 벽 너머로 간간이 들리던 두 형제간의 말다툼은 거의가 크리스틴 다에라는 한 여배우를 둘러싸고 벌어졌다는 게 그들의 증언이었다.

그날은 서재에서 곧잘 들곤 하던 아침 겸 점심 식사 때에 맞춰 형 필립이 동생을 불러오라고 하인에게 시켰다고 했다. 잠시 후 라울은 우울하고도 과묵한 표정으로 서재에 들어섰고, 순식간에 다음과 같은 장면이 벌어졌다고 말이다……

백작 : 이걸 읽어봐라!

필립은 동생에게 신문 한 장을 들이댐. 《에포크》라는 신문. 그가 손가락으로 가리킨 것은 어느 가십난이었음.

자작은 마지못해 그것을 읽음.

〈도시 외곽 지역에서 대단한 뉴스거리가 생겼다. 다름 아닌 연예인인 크리스틴 다에 양과 라울 드 샤니 자작의 결혼 약속이 바로 그것이다! 한데, 무대 뒤에서 도는 소문에 의하면, 예비 신랑의 형인 필립 백작은 역사상 처음으로 샤니 가문이 스스로 약속을 지키지 못하는 일이 벌어질 거라 장담했다고 한다. 아, 사랑은 전지전능할 것인가! 하여간, 동생인 자작이 이 '새로운 마르그리트'의 손을 이끌고 신성한 제단으로 향하는 것을 필립 백작은 과연 무슨 수로 방해할 것인지 귀추가 주목되는 상황이다. 항간에는 두 형제 사이가 무척 돈독하다고는 하나, 만약 그 도가 지나쳐 형제간의 우애가 사랑 자체를 능가하기를 형이 바라고 있다면 그건 대단한 착각이라는 생각이 들기도 한다.〉

백작(안타까워하며) : 이것 봐라! 네가 우리를 얼마나 웃음거리로 만들고 있는 줄 아니? 그 앙큼한 계집이 요망한 유령 얘기를 가지고 너를 완전히 돌게 만든 거야!

(물론 자작은 형에게 크리스틴이 한 얘기를 죄다 털어놓았음)

자작 : 난 형에게 작별을 고하러 왔을 뿐이에요!

백작 : 그럼 정녕 오늘밤에 결행하겠다는 거냐? (자작은 묵묵부답) 그 여자랑 말이야? 설마 진정으로 그런 바보짓을 하려는 건 아니겠지? (역시 자작은 침묵으로 일관) 널 못하게 할 수도 있어!

자작 : 잘 있어요, 형!

(자작은 방을 나감.)

이 장면은 백작의 하인들이 예심판사에게 진술한 내용이다. 그는 오페라 극장에서 크리스틴이 사라지던 밤에 마지막으로 동생인 라울과 함께 의문에 싸인 변을 당했던 것이다.

그 날 하루 종일 라울은 여인을 납치하기 위한 준비물을 갖추느라 여념이 없었다고 한다.

말이며, 마차, 마차꾼과 식량, 여행용 가방들, 필요한 만큼의 돈, 그리고 지도…… 유령을 따돌리기 위해 일부러 기차는 피했던 것이다. 이 모든 준비를 갖추는 데 저녁 아홉시까지 꼬박 걸렸던 것 같다.

이윽고 저녁 아홉시가 조금 넘자, 창문을 온통 비밀스럽게 커튼으로 가린 독일형 마차 한 대가 로통드 옆에 나타나 대기하기 시작했다. 마차에는 기운 차 보이는 말 두 필이 매여 있었고, 마차꾼은 두툼한 목도리를 친친 감고 있었기 때문에 얼굴을 잘 분간하기가 어려웠다. 이 독일형 마차 앞에는 이미 세 대의 다른 마차들이 대기중이었다. 나중에 예심에서 확인된 바로는 그 세 대의 마차는 갑작스레 파리로 돌아온 카를로타 양의 사륜마차와 소렐리 양의 마차, 그리고 맨 앞에 필립 드 샤니 백작의 마차였다고 한다. 맨 뒤에 당도한 독일형 마차로부터는 아무도 내리지 않았다. 마차꾼도 자리를 지키고 있었고, 그건 다른 마차꾼들도 마찬가지였다.

한편, 검은 색의 뭉툭한 펠트 모자와 역시 검은 망토로 온몸을 감싼 웬 그림자 하나가 로통드와 대기중인 마차들 사이의 인도를 지나가고 있었다. 그림자는 특히 독일형 마차에 유별난 관심이 이끌리는 듯했다. 그는 말들과 마차꾼에게 다가와 유심히 살펴보더니, 아무 말도 하지 않고 다시 멀어져갔다. 예심판사는 이 대목에서 그 정체불명의 그림자가 다름 아닌 라울 드 샤니 자작이었을 거라고 생각했다. 하지만 내가 보기엔, 평상시 샤니 자작은 키 큰 모자를 즐겨 쓰고 다닌다는 점에서, 그 그림자가 자작은 아니었을 거라는 판단이다. 요컨대, 그때 그 그림자는, 나중에 보면 알 수 있듯이, 모든 사태를 줄줄이 꿰고 있었던 유령 자신이 아니었을까 생각하는 것이다.

마침 그 날은 「파우스트」의 공연이 있는 날이었다. 객석은 온통 화려하게 치장한 관객들 일색이었으며, 무대 또한 으리으리하게 단장되어 있었다. 당시만 해도 정기권을 소지한 귀족들이 돈 많은 재계인사라든가 상인들, 혹은 외국인들과 지정 좌석을 공유한다거나, 그들에게 양보 혹은 임대하는 경우란 거의 없었다. 하지만 오늘날에는, 아직까지 명목을 유지하고 있는 모모 후작의 지정 박스석 같은 데서 지저분하기 이를 데 없는 돼지고기 장수와 그의 가족이 느긋하게 앉아 공연을 관람하는 일이 비일비재한 형편이다. 옛날 같으면 상상도 할 수 없는 풍속의 변화가 아닐 수 없다. 적어도 오페라 극장의 박스석이라 하면, 가끔은 음악을 진정으로 사랑하는 사교계의 명사들을 만나거나 바라볼 수 있는 어엿한 살롱과도 같았던 것이다.

그곳에서 마주치는 사람들은 서로 자주 부딪치는 사이는 아니더라도, 최소한 상대가 어떤 인물인지는 각자 잘 아는 처지였다. 요컨대, 얼굴만 봐도 알 만한 사람은 다 알아보기 일쑤였으며, 특히나 샤니 백작 정도의 인상착의를 모르는 사람은 아무도 없을 정도였다.

그 날 아침 《에포크》 지에 나간 가십기사는 즉각적인 반응을 불러왔고, 사람들의 시선은 필립 백작이 무관심한 표정으로 무료하게 홀로 앉아 있는 지정 박스석으로 예의없이 쏠리곤 하였다. 그 중에서도 부인네들은 특히 관심 있어 했는데, 자작이 동석하지 않은 걸 보고는 부채 뒤에서 연신 쑥덕대곤 하는 것이었다. 그래서 그런지, 마침내 무대 위에 나타난 크리스틴 다에에 대한 관객의 반응은 냉담하기 그지없었다. 이 신분 높은 대중들에게는 감히 오르지 못할 나무를 넘본 여가수의 태도가 괘씸하기 짝이 없어 보였던 것이다.

디바(diva : 프리마돈나)는 객석의 심상치 않은 기류를 눈치채고는 적잖은 거북함을 느꼈다.

한편 자작의 연애담에 관해 비교적 속내 사정을 훤히 알고 있다 자부하는 단골 관객들은 마르그리트 역의 몇몇 대사들을 들으며 은근한 웃음을 짓는 걸 잊지 않았다. 예컨대 크리스틴이 다음과 같은 가사를 노래 부를 때, 그들은 짓궂게도 필립 드 샤니의 박스석 쪽을 힐끗힐끗 돌아다보는 것이었다. "그 젊은분이 지체 높으신 귀족이라면 과연 누구신지, 성함은 무엇인지 알고 싶군요~"

하지만 백작은 그저 턱을 괴고 우두커니 앉은 채 그런 따위의 시위에는 전혀 아랑곳하지 않는 듯 보였다. 그는 무대 위에 시선을 고정시키고 있었지만 과연 진정으로 관람을 하고 있는 건지는 아무도 알 수 없는 노릇이었다. 아무튼 그 모든 것으로부터 초연한 듯한 태도인 것만은 확실했다…….

크리스틴은 점점 자신감을 잃어가고 있었다. 그녀는 온몸을 떨고 있었고, 시시각각 재앙의 도래를 온몸으로 감지하고 있었다…… 상대역인 카롤루스 폰타는 혹시 그녀가 아픈 것은 아닐까 걱정하면서, 이 정원 장면을 과연 끝까지 계속할 수 있을지를 가늠하고 있었다. 이상한 낌새를 눈치챈 객석에서도, 바로 이 장면 마지막 부분에서 지난번 카를로타를 난데없이 두꺼비로 화하게 함으로써 파리에서의 그녀의 화려한 이력을 초토화시켰던 끔찍한 사건을 머리 속에 떠올리고 있었다.

그런데 마침 그때, 바로 카를로타 양이 무대 정면의 박스석에 요란한 태도로 모습을 나타내는 것이었다. 가엾은 크리스틴은 이 새로운 충격의 대상을 향해 눈을 치켜들었다. 그리고는 곧바로 상대를 알아보았다. 왠지 비웃는 듯한 얼굴이라는 느낌이 드는 건 어쩜 당연했다. 한데 오히려 그런 느낌이 그녀를 구할 운명이었다니! 크리스틴은 노래 이외의 다른 모든 걸 마음 속으로부터 빠른 속도로 지워가기 시작했다. 그렇다, 딱 한번만 더, 멋지게 해내리라!

일단 그런 마음이 다져지자 크리스틴은 혼신을 다해 노래에 몰두했다. 여지껏 노래해온 그 모든 경험을 능가하는 차원으로 나아가려 했고, 결국 거기에 이르렀다. 마지막 막(幕)이 진행되는 동안, 특히 그녀가 천사들에게 호소하는 대목에서, 그리고 지상에서 발을 뗄 때 서서히 상승하는 대목이 시작되자, 객석의 모든 관객들은 너나할것없이 각자 자신의 어깨에 날개가 달린 듯한 황홀감에 온몸을 부르르 떠는 것이었다.

그뿐만이 아니었다. 원형으로 빙 돌아간 객석 한가운데쯤, 한 남자가 벌떡 일어선 채 여배우를 똑바로 응시하면서, 마치 그녀와 더불어 이 지상을 떠나려고 하는 것처럼 그녀와 똑같은 포즈를 취하고 있는 게 아닌가! 그건, 바로 라울이었다……

순수한 천사들이여! 눈부신 천사들이여!
순수한 천사들이여! 눈부신 천사들이여!

맨 어깨 위로 흐트러진 머리채가 마치 후광처럼 빛나는 크리스틴은 팔을 넓게 벌린 채, 타들어가는 목청에 마지막 힘을 불어넣으면서, 다음과 같이 숭고한 절규를 내뿜었다!

나의 영혼을 저 하늘나라로 데려가다오!

....

순간, 극장은 한치 앞도 분간 못할 캄캄한 암흑천지로 변해버렸다! 그런데, 너무도 갑작스럽게 일어난 일이라 관객들이 당황하여 비명 지를 시간적인 틈조차 없는 가운데, 금방 또다시 조명이 환하게 밝혀지는 것이었다.

한데, 무대 위에는 크리스틴 다에가 감쪽같이 사라지고 없었다! 대체 어찌된 일인가? 이게 웬 변괴란 말인가? 모두가 영문을 모른 채 서로를 멀뚱멀뚱 바라보는 동안, 객석의 웅성거림은 점점 걷잡을 수 없는 아우성으로 변해가고 있었다. 무대 뒤로부터도 극장 사람들이, 방금 전까지 크리스틴 다에가 서서 열창을 하던 곳으로 뛰쳐나왔다. 무대 위, 아래 할 것 없이 극심한 혼란이 휩쓰는 가운데, 공연은 그걸로 중단될 수밖에 없었다.

대체 어디로, 어느 곳으로 가버렸단 말인가? 대체 무슨 조화가 일어났기에, 한 여가수가 상대역인 카롤루스 폰타의 품안에서, 그리고 수많은 열광하는 관객들의 뜨거운 시선으로부터 연기처럼 사라져 버렸단 말인가? 심지어는 진짜 천사들이 그녀의 열정적인 기도에 감명을 받아, 육체와 영혼 모두를 저 '하늘나라로' 데리고 올라간 것이 아닐까 생각하는 사람도 없지 않았다.

한편 객석 한가운데에 우두커니 서 있던 라울은 비명을 내지르고 말았다. 그 소리에 필립 백작도 앉아 있던 박스석에서 벌떡 일어났다. 사람들은 자동적으로 무대 위와 백작, 그리고 라울을 번갈아 쳐다보게 되었는데, 그 시선 속에는 혹시나 이 사건이 그 날 아침에 읽은 《에포크》지의 기사와 무슨 상관이 있는 게 아닐까 하는 생각이 하나같이 담겨 있었다. 라울은 부랴부랴 자리를 떴고, 백작도 박스석을 박차고 나갔다. 무대에서는 막이 내려지고 있었고, 객석은 무대 입구 쪽으로 몰려가는 사람들, 알아들을 수 없는 아우성 속에서 무슨 발표라도 나오기를 기다리는 사람들로 혼돈 그 자체였다. 모두가 동시에 제각각 다른 말들을 지껄이고 있었는데, 저마다 사건의 경위를 넘겨짚느라 정신이 없었다. "무대 바닥 함정으로 떨어졌나봐"라고 하는 사람이 있는가 하면, "무대의 배경막에 휘말려 올라갔다던데! 틀림없이 새로운 무대감독이 고안한 새 장치에 희생당한 모양이더라구!"하며 열변을 토하는 사람, 그런가 하면 "이건 고의적으로 누군가 꾸민 일이야! 하필 불이 나가는 순간, 사라져버린 것만 봐도 알 수 있어!"라며 자못 진지한 표정을 짓는 사람 등등…… 모두 제각각이었다.

마침내 무대막이 천천히 올라갔고, 카를루스 폰타가 오케스트라 악장 석까지 걸어나와 심각한 목소리로 이렇게 발표를 했다.

"신사숙녀 여러분, 방금 보시다시피, 우리 모두를 불안에 빠뜨린 기상천외한 사고가 일어났습니다! 우리의 동료인 크리스틴 다에 양이 도무지 알 수 없는 방식으로 우리 모두의 눈앞에서 감쪽같이 사라지고 말았습니다!"

15

수수께끼 같은 안전핀

무대 위에는 어느덧 각양각색의 군중으로 발 디딜 틈이 없었다. 예술가들, 무대장치 기술자들, 무희들, 이런저런 단역 배우들, 합창단원들, 단골 관객들 등등…… 너나할것없이 모두가 몸싸움을 하며 소리를 지르거나 궁금한 점을 문의하는 것이었다. "그녀는 어떻게 되었소?" "혹시 진짜로 승천한 것 아니오?" "샤니 자작이 납치했다던데!" "아니야, 백작의 짓이라구!" "아참, 카를로타가 있었지! 분명 카를로타가 일을 꾸민 게야!" "아니, 아마도 유령의 짓일걸……"

그런가 하면, 무대 바닥이나 거기에 나 있는 뚜껑을 면밀하게 검사한 결과 시설 문제로 인한 사고는 아니라는 사실이 밝혀지자, 유달리 안도의 한숨을 내쉬는 사람들도 더러 있었다.

한편, 시끄러운 군중 틈에 섞여서 잔뜩 의기소침한 표정으로 나지막이 속닥거리는 세 사람이 있었는데, 합창단장인 가브리엘과 부지배인인 메르시에, 그리고 지배인의 비서인 레미가 그들이었다. 그들은 무대에서 무도회장의 드넓은 복도로 이어지는 모퉁이, 산더미같이 쌓아놓은 소도구들 뒤에 모여서 머리를 맞대고 한참을 쑥덕대는 중이었다.

"얼마나 노크를 했다구요! 한데 묵묵부답인 걸요! 아마 집무실에 없나 봅니다. 하여간 열쇠는 아예 그들 손에만 있으니 다른 사람은 어떻게 된 건지 알 도리가 없죠…….”

레미 비서의 애기는 물론 두 지배인을 두고 하는 것이었다. 두 사람은 지난 막간을 이용해 비서에게 어떠한 일이 있어도 자신들을 방해하지 말라고 당부해둔 상태였다.

“어쨌든 집무실엔 아무도 없는 것 같았어요…….”

그러자 가브리엘이 목청을 높였다.

“여하튼, 무대 한가운데에서 여가수를 납치한다는 건 도저히 있을 수 없는 일이오!”

“문밖에서라도 자초지종을 소리쳐보지 그랬소!”

메르시에의 말에, 레미는 “다시 가보겠습니다!” 하고는 어둔 복도 저쪽으로 쏜살같이 달려갔다.

그러자 마침, 무대감독이 걸어왔다.

“안녕하셨습니까, 메르시에 씨, 별고 없으시죠? 여기서 두 분 모두 무얼 하고 계신 겁니까? 부지배인님은 저하고 좀 같이 가주셔야 하겠는데요…….”

“경찰서장이 당도하기 전엔 아무것도 할 수 없고, 아무것도 알고 싶지 않소! 미프르와 씨를 부르러 사람을 보낸 지 이제 어느 정도 되었으니, 그가 오면 그때 보도록 합시다.”

메르시에는 한마디로 잘라 말했다.

“분명히 말씀드리지만 지금 당장 〈음전〉(音栓, 역주 : 오르간의 음빛깔이나 음넓이를 바꾸는 장치로, 여기서는 수소가스로 가동되는 일종의 조명장치에 붙여진 별명이다) 쪽으로 좀 내려와 보셔야겠습니다!”

“글쎄 경찰서장이 오기 전에는 안 된다지 않았소…….”

“제가 이미 그 쪽에 가봤는데…….”

“오, 그래요? 그래 뭐가 어떻답니까?”

“글쎄 말입니다, 아무도 없었단 말입니다! 아시겠습니까, 아무도 없었다구요!"

"그래서, 그걸 날더러 어쩌란 말이오?"

부지배인의 대꾸에, 무대감독은 짜증나는 듯 부시시한 머리채를 긁적거리면서 말했다.

"하긴…… 하긴 말입니다만…… 만약 〈음전〉 쪽에 누군가가 있었다면, 갑자기 무대에 불이 나간 경위를 우리에게 설명해줄 수도 있지 않겠습니까? 한데, 모클레르가 아무 데도 안 보이는 겁니다! 아시겠어요?"

모클레르는 극장의 조명 책임자로서, 마음만 먹으면 오페라 극장의 밤과 낮을 얼마든지 뒤바꿀 수 있는 인물이었다.

메르시에도 그제서야 어안이 벙벙해서 더듬거렸다.

"모, 모클레르가 아무 데도 없다구? 그럼 조수들은?"

"모클레르도 조수들도 온데간데 없습니다! 조명을 관리하는 자가 한 사람도 보이지 않는단 말입니다! 아무래도 그 여자 혼자만 사라진 게 아닌 듯합니다! 말하자면 사전에 은밀하게 꾸며진 뭔가가 있는 것 같다는 말씀입니다…… 지배인 두 분이 보이지 않는 것도 그렇구요…… 하여튼 조명장치엔 사람들이 얼씬하지 못하도록 조치를 취해놓았고, 〈음전〉 쪽에도 소방관을 배치시켜 놓긴 했습니다!"

"잘 하셨소! 정말 잘 했어요…… 자, 그럼 이제 우리 모두 경찰서장이 오기만 기다리면 되겠구만……."

무대감독은 어깨를 한번 으쓱 하더니 멀어져갔다. 그러면서 그는, 극장이 온통 발칵 뒤집혔는데도 구석에 웅크린 채 몸 사리기에 급급한 겁쟁이들에게 욕을 퍼붓고 있었다.

글쎄…… 적어도 가브리엘과 메르시에가 맘 편하게 그러고 있는 게 아닌 것만은 틀림없었다. 단지 꼼짝 말고 차렷! 할 수밖에 없는 사전 지시를 받았기에 그러고 있는 처지였던 것이다. 이른바 이 세상 어떤 이유에서도 결코 두 지배인 나리를 방해해선 안된다는 지시 말이다! 레미를 보라! 그 지시를 어기려고 해봤지만 역시 턱도 없지 않았는가 말이다……

때마침 새로운 임무를 띠고 달려갔던 레미가 저만치서 돌아오고 있었다. 한데, 웬일인지 잔뜩 겁에 질린 표정이었다.

"그래, 어떻게 되었소?"

메르시에가 다그쳐 물었다.

"결국 몽샤르맹 씨가 문을 열어주더군요. 눈을 잔뜩 부라리면서 말이죠…… 전 하마터면 따귀라도 한 대 얻어맞는 줄 알았습니다. 뭐라고 할말을 잃은 채 머뭇거리고 있는데, 글쎄 몽샤르맹 씨가 대뜸 뭐라고 했는줄 아십니까? '혹시 안전핀 가지고 있나?' 전 '아뇨, 없는데요' 했죠. 그러자 '그럼 방해 말고 나가 있게!' 하는 게 아니겠어요! 저는 부랴부랴 극장에서 일어난 사건에 관해 말을 꺼내려고 허둥댔는데, 다짜고짜 지배인님은 이러시는 거예요. '안전핀! 안전핀 말이네! 당장 안전핀이나 구해오란 말이야!' 어찌나 버럭 고함을 질러대는지…… 깜짝 놀란 사환 한 명이 재빨리 안전핀을 하나 들고 달려왔죠. 그러자 몽샤르맹 씨는 훌쩍 낚아채고는 제 바로 코앞에서 문을 쾅 닫아버리시는 겁니다……"

"그럼 크리스틴 다에에 관해선 입도 뻥긋 못했다는 말이오?"

"내 참…… 부지배인께서 직접 한번 보셔야 했다니까요! 그는 아예 거품을 물고 있었단 말입니다…… 오로지 안전핀만 생각하고 있는 사람처럼…… 만약 누구든지 즉시 그걸 대령하지 못했더라면 아마 그 자리에서 졸도해 쓰러지지 않을까 걱정이 될 정도였다구요! 아무래도 심상치가 않아요…… 두 지배인들께선 아무래도 정신이 이상해지시는 것 같습니다……"

그러면서 레미 비서는 심기가 뒤틀린 기색을 굳이 숨기려고 하지 않으며 이렇게 투덜대는 것이었다.

"도저히 이런 식으로 더는 버틸 수가 없습니다! 저도 이런 대우를 당하고만 있을 순 없다구요!"

순간, 갑자기 가브리엘이 신음처럼 내뱉었다.

"아무래도 또 그 오페라의 유령 짓인 듯합니다……."

레미는 대뜸 콧방귀를 뀌었다. 메르시에는 그런 레미에게 뭔가 속내 얘기를 털어놓으려는 듯했으나, 가브리엘이 슬쩍 눈치를 주자, 이내 입을 다물었다.

한편, 시간이 흐를수록 부지배인으로서의 책임감이 무거워지는 걸 더는 외면할 수 없었던 메르시에는, 아무래도 지배인들이 모습을 나타내지 않을 것 같자, 결심이 선 듯 이렇게 말했다.

"아무래도 안되겠군! 이번엔 내가 나서보겠소!"

그러나 즉각 가브리엘이 진지하고도 심각한 표정으로 만류하는 것이었다.

"메르시에 씨, 오버하지 않는 게 좋겠어요. 그들이 집무실에 처박혀 있다면 아마도 그럴만한 필요가 있기 때문일 겁니다! 오페라의 유령은 결코 만만치가 않은 상대예요……."

하지만 메르시에는 고개를 가로 저으며 대꾸했다.

"하는 수 없지! 아무튼 내가 나서보겠소! 애당초 내가 한 말에 귀를 기울였다면 이미 오래 전에 모든 걸 경찰과 상의했었을 텐데……."

그리고는 훌쩍 자리를 떴다.

곧장 레미의 질문이 튀어나왔다.

"모든 걸 경찰과 상의하다뇨? 대체 뭘 상의한단 말입니까? 아, 아예 입을 다물기로 하셨습니까, 가브리엘 씨? 당신도 뭔가 알고 있는 게 있지요? 좋습니다…… 정 그렇게 끼리끼리만 알고 지내시겠다면, 저도 방방곡곡 돌아다니며 두 분 모두 정신이 돌았다고 소문이라도 내겠습니다! 네, 못 할 것 없죠…… 정말입니다…… 모두 미쳤다구요!"

가브리엘은 일부러 눈을 멀뚱멀뚱 뜨면서, 비서 양반의 이런 무례한 언사를 도무지 못 알아듣겠다는 표정을 지었다.

"뭘 알고 있다뇨? 도대체 무슨 말씀인지 모르겠소이다!"

레미의 얼굴이 금세 붉으락푸르락했다.

"오늘밤 공연 막간에도, 리샤르 씨와 몽샤르맹 씨의 태도가 여간 이상한 게 아니었어요!"

"그래요? 난 못 느꼈는데요!"

"호오! 그걸 눈치 못 챈 사람은 아마도 당신뿐일 거요! 그렇게 부인하면 어디 손바닥으로 하늘이 가려지오? 중앙은행장인 파라비즈 씨도 과연 아무것도 눈치 못 챘을까요? 라보르드리 대사님은 무슨 눈을 주머니에 넣어가지고 다닌답니까? 그런데도 오직 합창단장님께선, 모든 단골 관객들이 두 지배인의 이상한 태도를 손가락질하고 있는 걸 정말 까맣게 모르셨다 이 말씀이군요?"

가브리엘은 여전히 우직할 정도로 덤덤함을 가장하며 물었다.

"그래, 대체 두 지배인들께서 어떻게 했다는 말인가요?"

"허어 참! 그 누구보다도 잘 아시면서…… 당신도 바로 거기 있지 않았습니까! 당신하고 메르시에 씨가 똑똑히 목격했잖아요! 오로지 두 분만 그때 웃지 않고 있었어요!"

"내 참…… 도무지 무슨 말인지 영……"

가브리엘은 지극히 냉담한 태도로 두 팔을 맥없이 들었다 놨는데, 그 제스처가 '난 도무지 관심 없소이다' 하는 뜻을 여간 잘 표출하는 게 아니었다…… 레미는 골이 나는지 계속 내뱉었다.

"아니, 이건 또 무슨 괴벽이란 말입니까? 두 지배인들께서 이젠 아예 아무도 접근하지 못하게 하다니 말입니다!"

"그래요? 아무도 접근하지 말라시던가요?"

"심지어는 손도 대지 못하게 하신단 말입니다!"

"정말 두 분이 아무도 손대지 못하게 한다는 말이오? 정말입니까? 그거 정말 이상한 일이로군……."

"이제야 좀 알아들으시는군요…… *게다가 자꾸만 뒷걸음질만 치신다구요……*"

"뒷걸음질이라! 두 분 지배인들께서 뒷걸음질만 치신다, 이 말씀이오? 가재 말고 뒷걸음질만 치는 생물이 또 있었나?"

"농담할 때가 아닙니다! 가브리엘 씨!"

"농담하는 게 아니라오!"

가브리엘은 마치 교황 같은 근엄한 표정을 지으며 발끈했다.

"가브리엘 씨, 그러지 말고, 좀 뭐라 설명 좀 해주십시오…… 당신은 그래도 지배인들과 절친한 관계에 있지 않습니까? 정원 장면의 막간 때, 글쎄 내가 홀에서 손을 앞으로 내민 채 리샤르 씨에게 다가가고 있는데, 몽샤르맹 씨가 별안간 나지막한 소리로 이렇게 다그치는 거예요. '물러서시오! 물러서! 지배인 선생께 손대지 말란 말이오!' 라고 말입니다…… 아니, 내가 무슨 문둥병자라도 된다는 겁니까?"

"저런, 저런……"

"그게 다가 아니에요! 잠시 후, 이번엔 라보르드리 대사께서 리샤르 씨에게 다가오는데, 갑자기 몽샤르맹 씨가 중간에 불쑥 튀어나오면서 이러는 걸 그래, 못 보셨단 말입니까? '대사님, 간청 드리건대, 제발 지배인 선생에게 손은 대지 말아주십시오!' 라고 외치는 걸 말입니다……"

"그것 참, 놀라운 일이로군요…… 그래, 리샤르 씨는 그 동안 어떻게 하고 있더이까?"

"어떻게 하고 있었냐구요? 당신도 봤잖아요! *어색하게 반쯤 돌아서더니, 그저 앞에다 대고 꾸벅 인사를 했지 않았습니까! 아무도 없는 앞에다 대고요! 그리고는 뒷걸음질을 쳤고 말이에요!*"

"뒷걸음질을?"

"그러더니 몽샤르맹 씨 역시 리샤르 씨 뒤를 따라 정확히 반 바퀴 몸을 돌리고서 마찬가지로 뒷걸음질을 치는 겁니다…… 글쎄 두 사람이 그런 식으로 계단까지 줄기차게 뒷걸음질을 쳐갔지 않았습니까! 자, 이러니, 이걸 대체 미친 짓이라고 보지 않는다면 달리 어떻게 이해할 수가 있겠어요!"

"글쎄요…… 어쩌면, 자신도 없으면서 감히 발레 동작을 흉내내본 건지도 모르겠군요……."

가브리엘의 멍청한 답변에, 레미 비서는 대단히 화가 난 듯 보였다. 눈, 코, 입을 잔뜩 찌푸린 상태에서 가브리엘의 귀에 바짝 얼굴을 갖다 대고 이렇게 중얼거렸으니 말이다.

"장난 좀 그만 하쇼, 가브리엘 씨! 여기서 일어나는 일에는 당신과 메르시에 씨가 책임을 져야 할 부분도 꽤 있다는 걸 잊지 마시라구요……."

"무슨 뜻이오?"

"오늘밤, 갑자기 사라진 건 크리스틴 다에뿐만이 아니오……."

"오, 이런 제기랄……."

"'오, 이런 제기랄'이나 읊을 때가 아니지요…… 아까 지리 부인이 홀 쪽으로 내려왔을 때, 왜 메르시에 씨가 부랴부랴 그녀의 손을 붙잡고 어딘가로 줄행랑을 쳤는지, 어디 설명 좀 해주시지요?"

"그래요? 난 몰랐는데……."

"천만에 말씀…… 가브리엘 씨 당신은 잘 알고 있었어요…… 그 두 사람을 따라 당신도 메르시에 씨 사무실까지 갔었잖습니까! 그 이후로 당신과 메르시에 씨는 보이는데, 지리 부인의 모습은 보이지가 않는단 말이에요……."

"허, 그럼 우리가 그녀를 잡아먹기라도 했단 말이오?"

"그것도 천만에 말씀! 그 대신 그녀를 사무실에 감금해놓았을지도 모르지요. 사무실 문 앞을 지나칠 때마다 거기서 무슨 소리가 들리는지나 아십니까? '아, 강도다! 강도!' 대체 이런 소리가 웬 말입니까?"

이처럼 엉뚱한 대화가 오고가는 사이에, 마침내 메르시에가 숨을 헐떡이며 돌아왔다.

"정말 영문을 모르겠소이다…… 내가 '큰일났어요! 문 좀 열어보십쇼! 저, 메르시에입니다!' 하니까, 문득 발소리가 들리더니, 문이 활짝 열리고 몽샤르맹 씨가 나타나는 거예요…… 얼굴이 마치 백짓장처럼 질려 있더라구요. 나더러, '무슨 일이오?' 하기에, 대뜸, '크리스틴 다에가 납치되었습니다!' 했지요. 그러자 그가 뭐라고 했는지 아십니까? '오히려 그녀로선 잘된 일이지……' 하지 않겠어요! 그리고는 내 손에 덥석 이걸 쥐어주고는 문을 쾅 닫아버리더란 말입니다!"

그러면서 메르시에는 손을 펴 보였고, 가브리엘과 레미는 눈을 휘둥그래 뜬 채 그 안을 들여다보았다.

"안전핀이잖아!"

레미가 소리를 질렀다.

"거 참 이상한 일이로군! 이상한 일이야!"

가브리엘 역시 몸서리를 치면서 나직이 중얼거렸다.

한데, 갑자기 웬 목소리 하나가 세 사람을 한꺼번에 뒤돌아보게 하는 것이었다.

"실례합니다…… 혹시 크리스틴 다에 양이 어디에 있는지 알려주실 수 없을까요?"

심각한 상황임에도 불구하고 그런 새삼스런 질문에 세 사람은 하마터면 폭소를 터뜨릴 뻔했다. 목소리의 주인공이, 그야말로 불쌍해서 눈뜨고는 못 볼 고통스런 표정을 짓고 있지만 않았다면 말이다! 그는 다름 아닌 라울 드 샤니였다…….

16
크리스틴! 크리스틴!

크리스틴 다에가 마치 마법에 홀린 듯 사라지고 난 직후 제일 처음 라
울의 뇌리를 스치고 지나간 생각은 에릭에 대한 것이었다. 이제 라울은,
악마의 왕국이 이미 든든하게 형성된 이 오페라 극장이라는 세계에서
그 주인공인 음악의 천사가 얼마나 초자연적인 권능을 발휘할 수 있는
지에 대해 더는 의심하지 않았다.

사건이 터지자마자 자작은 즉각 무대 위로 뛰어올라갔었다, 절망감과
사랑의 광증으로 반쯤 미친 듯이 말이다…….

"크리스틴! 크리스틴!"

그는 그렇게 이름이라도 부르다 보면, 낙원의 천사들에게 자신을 바
칠 때 입었던 새하얀 수의를 걸친 그대로 난데없는 괴물에게 끌려가버
린 가련한 여인이, 저 알 수 없는 어둠 속으로부터 금방 응답이라도 할
것처럼 기대하는 표정이었다.

"크리스틴! 크리스틴!"

몇 차례에 걸쳐 간절히 외치던 라울의 귓가에 문득 여인의 비명소리
가 바닥의 나무판자를 뚫고 들려오는 듯했다. 그는 납죽 엎드려서 귀를
갖다댔다! 그리고는 마치 정신나간 사람처럼 무대 위를 이리저리 헤매
고 다니는 것이었다…… 아, 내려가야 한다! 내려가야 한다! 저 완강하

게 봉인된 어둠의 소굴로 내려가야만 하는 것이다!

아, 저 아래 엄청난 심연이 숨어 있다는 걸 알아채기에는, 이 보잘것 없는 나무판자들이 평소엔 얼마나 하찮게 여겨져 왔던가…… 발 밑에서 연신 삐꺽거리면서 그 동안 저 지하의 어마어마한 공간을 그 얼마나 음산하게 울려왔었던 것일까…… 이 판자들이 오늘밤에는 왜 이리도 완강해 보이는고…… 움쩍할 것 같지 않은 이 단단함…… 여지껏 한번도 흔들리기조차 안 해본 듯이 꽉 맞추어져 있는 판자와 판자들…… 이제 그 아래로 내려가는 계단은 이 세상 모든 사람으로부터 차단된 상태나 다름없어 보였다!

"크리스틴! 크리스틴!"

무대 위로 몰려든 군중은 불쌍한 젊은이를 밀치고, 비웃고, 웃음거리로 삼았다. 가련한 연인 같으니라구…… 젊은 나이에 정신이 돌다니…….

아, 그놈의 에릭…… 오로지 자기 혼자만 알고 있는 비밀통로를 통해서 또 얼마나 거칠게 끌고 갔을까? 루이-필립 풍의 역겨운 방으로, 문만 열면 지옥의 호수가 내다뵈는 그 끔찍한 소굴로, 나의 순진무구한 처녀를 말이다…….

"크리스틴! 크리스틴! 왜 대답이 없는 거요? 대체 살아는 있는 거요, 크리스틴? 아니면 괴물의 뜨거운 호흡 땜에 질식을 당해, 그 천인공노할 공포의 순간, 그만 마지막 숨결을 내뱉고 만 거요?"

온갖 무시무시한 생각들이 라울의 가뜩이나 부글거리는 뇌수에 날카로운 섬광을 그으며 지나쳐가는 것이었다.

에릭은 이미 모든 것을 알아버렸음에 틀림없다. 크리스틴에게 배신을 당했다는 걸 눈치챘을 테니, 이제 어떤 보복이 따를지 알 수 없는 일인 것이다!

그 기고만장한 위치에서 보기 좋게 곤두박질을 쳤으니, 음악의 천사가 감행하지 못할 일이 과연 무어란 말인가! 크리스틴은 전능한 괴물의 품안으로 영원히 사라져버린 것일까!

라울은 또한 간밤에 자신의 방 발코니에서 서성대던 그 금빛들을 생각했다. 무기력하기 짝이 없는 무기를 가지고 대체 무슨 짓을 했단 말인가!

분명, 어둠 속에선 눈동자가 필요 이상으로 확장되어 고양이나 별처럼 유난히 반짝이는 독특한 사람이 있긴 있다! (예컨대 일부 색소결핍증 환자의 경우, 낮에는 토끼 눈 같지만 밤에는 고양이를 방불케 하는 눈을 가지고 있지 않은가!)

그렇다! 라울의 총에 맞은 건 분명 에릭이었다. 한데 죽이진 못했단 말인가? 그렇다면, 그 괴물은 마치 고양이나 결사적인 도형수처럼, 수직으로 뻗은 한줄기 빗물받이 홈통에 의지한 채 저 하늘로 달아나기라도 했다는 말인가!

틀림없이 그때 에릭은 젊은이에게 결정적인 타격을 줄 방법 따위를 고민하고 있었을 것이며, 불의의 총상을 입자, 간신히 몸만 피한 다음, 아예 연약한 크리스틴을 제물로 삼은 것이리라!

라울은 곧장 여가수의 대기실로 내달리면서 스스로에게도 가혹한 그런 생각들을 곱씹고 있었다…….

"크리스틴! 크리스틴!"

문을 박차고 방에 들어서자마자, 함께 도망칠 때 입으려던 연인의 아름다운 옷가지들이 가구 위 여기저기 흐트러져 있는 걸 보고, 가련한 젊은이의 눈동자는 시큼한 눈물로 타들어갈 듯 쓰라렸다. 아, 왜 좀 더 일찍 도망치려고 하지 않았단 말인가! 왜 그토록 지체를 했단 말인가! 엄습해오는 재앙 앞에서 그 무슨 장난이었단 말인가! 딱하게도 마지막으로 부른 그 천상의 노래가 결국 악마의 영혼에게 던지는 더없이 그럴듯한 미끼가 되었더란 말인가!

순수한 천사들이여! 눈부신 천사들이여!
나의 영혼을 저 하늘나라로 데려가다오!……

라울은 흐느낌과 저주와 맹세로 그르렁거리는 목구멍을 마른침으로
겨우겨우 적시면서, 언젠가 바로 눈앞에서 활짝 열리며 크리스틴을 저
어둠의 세계로 빨아들인 거울을 더듬더듬 만져보았다. 꾹꾹 눌러도 보
고, 두드려도 보고, 어루만져도 보았지만…… 거울은 오로지 에릭에게
만 스스로를 허락하는 듯 완고하기만 했다. 이놈의 거울…… 혹시 무슨
동작이든 안 통할지도 모르지…… 그럼, 무슨 말을? 사람의 말에 복종
하는 물건들이 있다는 얘기, 어린 시절 들은 적이 있지 않은가!

갑자기 라울의 뇌리를 스치는 생각이 하나 있었다. "스크리브가로 난
철창문…… 호수에서 스크리브가로 직통하는 지하통로……" 그렇다!
크리스틴이 죄다 얘기했었지! 라울은 이미 그때 본 상자 속에 열쇠가 없
다는 것을 확인했음에도 불구하고, 곧장 스크리브가를 향해 달려갔다.

그는 떨리는 손으로 우툴두툴한 돌바닥 여기저기를 더듬어댔다. 그러
면서 조금이라도 무언가의 입구가 될 만한 곳을 찾았다…… 드디어 쇠
창살로 손이 갔고…… 여기?…… 아니면 저쪽?…… 혹시 이게 지하세
계의 환기창이 아닐까?…… 쇠창살 사이로 아무리 눈을 비비고 들여다
보아도, 보이는 거라곤 캄캄한 암흑뿐…… 귀를 바짝 갖다대 보아도, 들
리는 거라곤 끝없는 적막뿐…… 어느덧 건물을 한 바퀴 다 돌았는
데…… 아! 온통 철창문들 투성이로구나! …… 저기, 극장 행정건물 정
원으로 들어가는 입구가 보인다!

라울은 건물 관리인을 보자 대뜸 다그쳐 물었다.

"실례합니다만, 부인! 어떤 철창문 하나를 찾는데요…… 쇠창살로 막
혀진 문입니다만…… 스크리브가로 나 있구요…… 호수로 통하게 되어

있죠! 호수 아시죠, 호수! 지하에 있는 호수 말입니다······ 오페라 극장 지하 말이죠······."

"이것 보세요, 신사 양반! 물론 오페라 극장 지하에 호수가 있는 건 알고 있지만, 어느 문으로 가야 그곳에 이르는지는 모르외다! 한번도 가본 적이 없거든······."

"그럼 스크리브가는요? 스크리브가 말입니다! 그곳에도 가본 적이 없으십니까?"

순간 관리인은 웃음을 터뜨렸다. 그것도 폭소에 가까운 웃음을······ 라울은 울먹이면서 얼른 자리를 피했고, 이리저리 뛰다가 계단을 만나면 껑충껑충 건너서 건물 구석구석을 헤집고 다닌 끝에, 결국 또다시 훤한 무대 위로 돌아왔다.

몸은 그런대로 가누고 서 있었지만 심장은 가슴을 터뜨리고 튀어나올 듯이 뛰고 있었다. 혹시 크리스틴 다에를 발견하진 않았을까? 음······ 저기 웬 사람들이 모여 있군······ 한번 물어나 봐야지······.

"실례합니다······ 혹시 크리스틴 다에 양이 어디에 있는지 알려주실 수 없을까요?"

웬일인지 사람들은 억지로 웃음을 참는 표정들이었다······.

그리고 바로 그 순간, 무대 위가 또 한 차례 소란스러워지더니, 잔뜩 둘러선 검은 제복들의 호위를 받으며, 웬 남자 하나가 나타나는 것이었다. 홍조를 띤 혈색에다 통통한 볼, 잘 가꾼 곱슬머리에 차분하게 빛나는 푸른 눈동자가 무척이나 침착해 뵈고 호감이 느껴지는 인상이었다. 부지배인 메르시에 씨는 이 새로운 인물을 가리키며 샤니 자작에게 말했다.

"당신의 질문에 대답을 해줄 만한 분이 여기 오시는군요! 앞으론 이분에게 모든 걸 물어보십시오. 자, 소개합니다, 경찰서장 미프르와 씨입니다!"

경찰서장은 곧장 인사를 해왔다.

"아, 샤니 자작이시군요! 이렇게 뵙게 되어 반갑습니다! 저를 좀 따라와주시겠습니까? 에…… 그나저나 지배인들께서는 모두 어디 계신지요?"

부지배인이 함구하고 있자, 레미 비서는 대뜸 경찰서장에게 지배인 두 분은 모두 집무실에 틀어박혀 있으며, 사건에 대해선 전혀 모르고 있다고 알려줬다.

"그럴 수가! 자, 그럼 한번 가봅시다!"

미프르와 씨는 점점 늘어나는 일행을 이끌고 행정건물 쪽으로 향했다. 한편, 메르시에는 사람들이 떠미는 틈을 이용해 남몰래 열쇠 하나를 가브리엘의 손에 쥐어주는 것이었다.

"일이 점점 꼬이는걸…… 자, 어서 가서 지리 어멈에게 바람 좀 쐬어주시오……"

가브리엘은 즉시 움직였다.

얼마 안 있어 모두가 지배인의 집무실 문 앞에 당도해 있었다. 하지만 이번엔 메르시에가 아무리 간청을 해도 문은 꿈쩍도 하지 않는 것이었다.

"법을 집행하고자 하니, 어서 문을 여시오!"

마침내 미프르와 씨의 깐깐하면서도 청명한 목소리가 대신 나섰다.

그러자 이윽고 슬그머니 열리는 문…… 모두들 경찰서장을 따라 우르르 집무실로 몰려들어갔다.

라울은 제일 마지막이었다. 사람들을 따라 들어가려는 찰라, 웬 손 하나가 어깨를 짚는가 싶더니 귓가에 이런 중얼거림이 들려왔기 때문이다.

"*에릭의 비밀은 그 누구와도 관계없소이다!*"

라울은 애써 소리를 죽인 채 뒤를 돌아보았다. 어깨를 짚었던 손은 어느새, 흑단빛 혈색에다 비취빛이 감도는 눈동자, 아스트라칸 모피의 챙 없는 모자를 쓴 어떤 인물의 입술에 지긋이 닿아 있었다…… '페르시아 인'…… 바로 그였다!

그 수수께끼 같은 인물은 주의를 요구하는 그런 제스처를 계속 유지하다가, 참다못한 라울이 뭐라 질문을 하려 하자, 꾸벅 인사를 하고는 총총히 사라져가는 것이었다…….

17
봉투의 행방

자, 경찰서장 미프르와 씨를 따라 지배인의 집무실 안을 구경하시기 전에, 독자 여러분께 부탁 한 가지를 드려야겠다. 다름아니라, 레미 비서와 부지배인인 메르시에가 좌절을 맛보고 돌아간 그 집무실 문 안쪽에서 과연 리샤르 씨와 몽샤르맹 씨는 무엇 때문에 그렇게 틀어박혀 있었는지, 대체 무슨 일이 벌어지고 있었는지 짚고 넘어갈 수 있게 잠시 시간을 달라는 것이다. 아직 그 속사정에 대해 독자 여러분께선 아실 리가 없을 텐데, 이야기꾼으로서의 나의 의무감이 더는 그것을 감추는 걸 용인하지 않으니까 말이다.

두 지배인 나리의 기분이 언제부터인가 안 좋은 쪽으로 변해가고 있었다는 얘기는 이미 비춘 적이 있다. 뿐만 아니라, 그 변화의 원인이 모두가 알고 있는 샹들리에의 날벼락 때문만은 아닐 것이라는 점 또한 어느 정도는 암시를 한 바 있다.

자, 이제 유령이 자신의 첫 2만 프랑을 받아가기 위해 조용히 방문했다는 사실을 — 물론 두 지배인 입장에선 영원히 알려지지 않기를 바라는 사실이겠지만 — 독자 여러분께 공개할 때인 것 같다. 아, 얼마나 울고불고, 이를 갈아대며 난리를 피웠던가! 하지만 이 세상 더없이 간단하게 일은 처리되고 말았다!

어느 날 아침, 두 지배인은 책상 위에서 말끔한 봉투 하나를 발견했다. 겉면에 '수취인 : 오페라의 유령(본인수취 요망)' 이라는 글자와 함께, 유령이 쓴 다음과 같은 메모가 덧붙여져 있는 봉투였다. "계약 규정서의 조항들을 실천해야 할 때가 왔소이다. 이 봉투 안에 천 프랑짜리 지폐 스무 장을 곱게 넣은 다음, 인장으로 단단히 봉해서 지리 부인에게 전하시오. 그 다음은 알아서 할 테니까."

두 지배인은 두 말 않고 척척 일을 진행했다. 평상시 열쇠로 꼭꼭 잠그고 다녀서 철저하게 보안을 유지해온 집무실 책상에 어떻게 이런 악마적인 메시지가 도착할 수 있었는지에 대해서도 더는 왈가왈부하며 시간을 낭비하지도 않았다. 다만, 이 수수께끼 같은 음악의 거장에게 드디어 한 방 먹일 수 있는 좋은 기회라는 생각밖에는 하지 않았던 것이다.

두 사람은 가브리엘과 메르시에의 입 단속을 철저히 한 다음 2만 프랑을 봉투에 넣게 해서 복직한 지리 부인에게 아무런 추궁 없이 전하게 했다. 이 여자 안내원 역시 그저 모든 게 당연하다는 듯 자연스러운 태도였다. 하지만 그녀에게 감시의 시선이 집중되어 있었다는 말은 독자 여러분께 굳이 할 필요도 없을 거라 생각한다. 지리 부인은 즉시 유령의 전용 박스석으로 올라가 그 소중한 봉투를 의자 팔걸이 탁자 위에 조심스레 올려놓았다. 그렇게 해서, 두 지배인과 가브리엘, 그리고 메르시에까지 모두 네 명의 감시자들은 공연 내내 단 일초라도 봉투에서 시선을 떼지 않고 있었으며, 심지어는 공연이 끝난 후에도, 그래서 극장 안이 텅텅 비고 지리 부인도 퇴근을 한 다음까지, 꼼짝도 안 하는 봉투와 마찬가지로 꼼짝도 하지 않은 채 시선을 고정시키고 있었던 것이다. 그러다 급기야는 지루함을 참지 못하고 다가가 봉투를 살펴보았는데, 봉인이 전혀 손상되지 않은, 처음 그대로였다!

얼핏 보았을 땐 봉투 안의 지폐 역시 그대로라고 생각했지만, 결코 사실이 그렇지는 않다는 걸 리샤르 씨와 몽샤르맹 씨는 금세 깨닫게 되었다. 스무 장의 멀쩡하던 지폐다발은 온데간데없이 사라지고 그 대신 엉뚱한 익살카드 스무 장이 얌전히 들어 있는 것이었다! 화도 났지만 무엇보다도 놀랍기 그지없었다!

"로베르 우뎅(Robert Houdin, 역자주 : 19세기의 전설적인 마술사로, 훗날 유명해진 마술사 해리 후디니는 그를 흠모하여 성을 Houdini로 지었다) 저리 가라군!"

가브리엘이 대뜸 소리를 치자, 리샤르도 대꾸했다.

"출연료는 더 비싼걸!"

그때 이미 몽샤르맹 씨는 당장에라도 경찰서장을 부르러 보내야 한다고 했으나, 리샤르 씨가 반대하고 나섰다. 나름대로 다른 계획이 있다는 거였다.

"웃음거리만 될 뿐이야! 온 파리 시민이 우릴 보고 뭐라겠나? 첫판은 오페라의 유령이 이긴 셈 치세나…… 하지만 두번째 판은 그리 호락호락 내주진 않을걸!"

물론 다음달 월급을 염두에 둔 말이었다.

그렇다 해도 일단은 완전히 농락당한 꼴이었으며, 그 후유증은 이후 몇 주에 걸쳐 견디기 힘든 모멸감과 압박감으로 두 사람의 머리를 내리눌렀다. 당연한 일이지…… 어쨌든 그때 바로 경찰서장을 부르지 않은 것은, 지금의 사태가 그래도 전임 지배인들의 악의적인 장난으로 초래된 것일지 모른다는 생각이 두 지배인의 완고한 머리 속에 여전히 박혀 있었고, 따라서 진상을 파악하기 전까지는 섣불리 떠벌리지 않는 게 상책이라 판단했기 때문이었다. 하지만, 리샤르에 비해 그나마 튀는 상상력의 소유자인 몽샤르맹에게 있어 그러한 생각과 판단은 종종 일말의 의혹으로 흔들릴 때가 없지 않았다. 아무튼 두 지배인은 어디까지나 지리 부인에게서 감시의 시선을 떼지 않은 채, 사태의 귀추를 주목하며 숨을 죽이고 있었다.

"만약 저 할망구가 공범이라면, 지폐다발은 우리가 눈치채기 한참 전에 가로채고도 남았을 거야…… 하지만 내가 보기엔 저 여편네는 그저 멍청한 할망구에 불과해……"

그러자 몽샤르맹은 얄궂게 눈을 흘기며 대꾸하는 것이었다.

"이번 사건에 멍청한 사람이 어디 한둘인가!"

"난들 이렇게까지 될 줄 어찌 알았겠나! 하지만 걱정 말라구…… 다음 번엔 바짝 긴장을 하고 대처할 테니!"

리샤르는 길게 한숨을 내쉬며 중얼거렸다.

그러던 중, 어느새 다음 기한이 다가왔는데, 공교롭게도 크리스틴 다에가 실종된 바로 그 날이었던 것이다!

그 날 아침, 어김없이 지불기한이 되었음을 알리는 유령의 편지가 당도해 있었다.

〈지난번처럼 하시오! *그 땐 아주 좋았었소!* 봉투에 2만 프랑을 넣어 유능한 지리 부인에게 맡기시오!〉

물론 편지는 보통의 봉투 한 부와 더불어 있었다. 이제 시키는 대로 그 안을 채우기만 하면 될 일이다.

임무는 그 날 저녁 공연이 시작되기 반 시간 전까지 완수되어야 했다. 독자 여러분은 그러니까 이제 그 유명한 「파우스트」의 막이 오르기 약 30분쯤 전에 지배인들이 처박혀 있던 집무실 안을 살펴보는 셈이다.

리샤르는 우선 몽샤르맹에게 봉투를 보여준 뒤, 역시 그 앞에서 2만 프랑의 지폐를 꼼꼼히 세고, 봉투 안에 그것을 밀어넣고 있다. 다만 이 번엔 봉투를 봉하지는 않는다.

"자, 이제 지리 부인을 부르게!"

곧장 부인을 부르러 사람이 갔고, 얼마 안 있어 그녀가 정중한 자세로 들어왔다. 여전히 적갈색과 자홍색이 감도는 검은 호박단 천의 의상을 입고 있었으며, 그을린 듯한 빛깔의 깃털 모자를 쓴 모습이었다. 어쩐지 기분이 좋아 보였는데, 부인은 대뜸 이렇게 입을 열었다.

"안녕하세요, 선생님들! 물론 봉투 때문에 부르셨겠죠?"

리샤르는 대단히 다정다감한 태도로 말했다.

"그래요, 부인. 봉투 때문이지요…… 실은, 그리고 하나 더 있습니다……"

"뭐든지 분부만 내리세요, 지배인님. 뭐든지요! 그래, 다른 게 뭔가요?"

"일단, 지리 부인, 하찮은 질문 하나 합시다."

"그러시죠 뭐. 보시다시피 여기 이 지리 부인은 언제든 대답할 준비가 되어 있답니다!"

"어때요, 유령과는 여전히 사이가 괜찮겠죠?"

"더 이상 좋을 순 없죠, 지배인님. 더 이상 좋을 순 없어요……"

"아! 그거 정말 다행한 일이오…… (리샤르는 금세 뭔가 중요한 비밀이라도 털어놓는 듯한 어조로 바꾸며 말을 이었다) 자, 그럼 말이죠…… 우리 사이니까 드리는 말씀인데…… 당신 설마 꼴통은 아니겠지?"

늙은 여자 안내원은 모자의 두 깃털장식이 크게 흔들릴 정도로 발끈하며 소리쳤다.

"아니, 지배인님! 무슨 말씀을 그렇게 하세요? 저의 정직함과 성실함을 의심하는 사람은 하나도 없습니다!"

"좋아요, 좋아…… 자, 그럼 서로 이해는 한 셈이니, 어디 솔직히 털어놔 보시죠…… 그 유령 이야기는 터무니없는 농담이었죠? 자, 우리 사이라 얘긴데…… 그 정도면 충분히 즐긴 것 아닌가 생각하는데……"

지리 부인은 지배인들이 마치 중국말로 떠들고 있기라도 한 듯 멍하니 바라만 보고 있었다. 그리고는 천천히 리샤르가 앉은 책상 앞으로 다가가 난감한 표정으로 이렇게 입을 여는 것이었다.

"도대체 무슨 말씀을 하시는 건지…… 쉽게 설명을 좀 해주시겠어요?"

"아, 우리 말을 잘 알아듣고 있을 텐데…… 또 그래야만 하고! 우선 그의 이름이 뭔지나 말해주시지요!"

"누구 말씀이세요?"

"지리 부인 당신과 한패인 그 유령 말이오!"

"제가, 유령과 한패라니요? 제가요? 대체 누구와 한패라는 거예요?"

"그가 원하는 건 뭐든지 해주지 않소?"

"오! 뭐 그리 성가신 일도 아닌걸요, 뭘!"

"당연히 그로부터 꼬박꼬박 팁은 받아내겠죠?"

"제 쪽에서 손벌린 일은 없어요!"

"그래 한번 봉투를 갖다줄 때마다 얼마씩 받았소?"

"10프랑이죠."

"저런! 완전히 헐값이네!"

"대체 왜들 이러시는 거지요?"

"그건 조금 있다가 모두 말해주리다, 지리 부인. 그 전에 일단은 대체 어떤 연유에서 당신이 다른 사람보다 그 유령에게 몸과 마음을 그토록 헌신하는지, 그 특별한 이유를 좀 알고 싶군요…… 천하의 지리 부인이 고작 100수나 10프랑에 우정과 헌신을 팔 사람은 아니지 않습니까?"

"그야, 그렇죠! 그래요, 정 지배인님께서 궁금하시다면, 그 이유를 말씀 못 드릴 것도 없죠. 조금도 부끄러울 만한 점은 없으니까요…… 오히려 그 반대죠!"

"어련하시겠소, 지리 부인!"

"하긴…… 유령은 내가 이런 이야기를 하는 걸 별로 원치 않을 테지만……"

"아! 아!"

리샤르는 짐짓 답답하다는 투로 재촉했다.

"하지만 어디까지나 나한테만 관련된 이유라고도 볼 수 있으니……

자, 시작하죠…… 그러니까 그 5번 박스석에서였죠…… 어느 날 저녁 그곳에 올라갔는데, 내게 온 편지가 한 장 있더군요. 편지라 해봐야 그냥 쪽지였는데, 붉은 잉크로 씌어 있었어요…… 지배인님, 그 내용은 굳이 읽을 필요도 없습니다…… 모조리 외우고 있으니까요…… 아마도 제가 100년을 산 다음에도 그 내용만큼은 잊지 못할 겁니다!"

지리 부인은 곧장 편지의 구절 구절을 감동적인 어조로 외우기 시작했다.

"부인 보시오. ― 1825년, 수석무용수였던 마드모아젤 메네트리에는 퀴시 후작부인이 되었음. ― 1832년, 무희였던 마드모아젤 마리 타글리오니는 질베르 데브와젱 백작부인이 되었음. ―1846년, 무희였던 소타양은 에스파니아 왕의 한 형제와 결혼함. ― 1847년, 무희였던 롤라 몬테스는 루이 드 바비에르 왕(역자주 : 그 유명한 미치광이 왕 루드비히 2세가 아니라 그의 조부인 루드비히 1세이다)과 내연의 관계를 맺었다가, 란스펠트 백작부인으로 추대됨. ―1848년, 무희였던 마드모아젤 마리아는 에르메빌 남작부인이 됨. ― 1870년, 무희였던 테레즈 헤슬러는 포르투갈 왕의 형제인 돈 페르난도와 결혼함……"

리샤르와 몽샤르맹은 노파의 이 괴상한 결혼행진곡을 묵묵히 참고 듣고 있었다. 지리 부인은 갈수록 흥분하는 듯했으며, 점점 허리를 곧추세우더니, 급기야는 델포이 신전의 무녀가 영감을 받을 때처럼 들뜬 표정을 하고, 숭고함으로 벅차오르는 목소리를 더욱 부풀리면서, 마지막의 예언적인 한마디 문장을 우렁차게 내뱉는 것이었다.

"…… 그리고, 드디어 1885년, 멕 지리, 여제(女帝)의 자리에 오르시다!"

엄청 힘이 들었던지, 여자 안내원은 말을 마치자마자 의자 위에 힘없이 늘어지면서 이렇게 중얼거렸다.

"선생님들…… 그리곤 이런 서명이 적혀 있었다우…… '오페라의 유령!' 그 전에도 유령에 관한 소문은 들어 알고 있었지만, 반신반의하고 있던 터였죠. 한데 바로 그 날 그 유령이라는 자가 우리 어린 멕, 내 피붙이 중의 피붙이인 그 아이가 여제가 될 거라고 알려준 다음부턴, 철저히 믿게 되었답니다!"

솔직히 말해서, 지금 지리 부인의 잔뜩 고양된 표정이나 자세에 대해 굳이 길게 묘사를 하지 않아도, 독자 여러분은 '유령과 여제' 라는 두 단어만으로 이 빈약한 지성의 여인에게서 얼마나 많은 것들을 얻어낼 수 있었을지 충분히 이해하고도 남을 것이다.

하지만 정작 꼭두각시의 줄을 붙잡고 조종을 해온 자는 과연 누구란 말인가? …… 대체 누구?

"그러니까 그 이후, 당신은 그를 본 적이 없지만, 그가 당신에게 일방적으로 얘기했고, 당신은 그가 하는 말을 그대로 믿고 따랐다 이거요?"

몽샤르맹의 질문이었다.

"그렇습니다. 처음에 우리 멕이 수석무용수가 된 것도 다 그 사람 덕분이었어요. 왜냐하면 내가 이렇게 말한 적이 있었거든요. '유령님, 그 애가 1885년에 여왕이 되기 위해선, 시간을 낭비할 수가 없습니다. 지금 당장 그 애가 수석무용수는 되어야 한다구요!' 그러자 이런 대답이 나오는 거예요. '알겠소.' 그리곤 폴리니 씨께 딱 한마디 했다는데, 바로 이루어지지 않았겠어요!"

"그럼 폴리니 씨도 유령을 만나봤다는 얘깁니까?"

"그야 나만큼 자주는 아니겠지만, 틀림없이 그가 하는 말은 들었을 거예요. 일전에도 말씀드렸죠, 유령이 그 분께 귓속말을 했었다는 거…… 5번 박스석에서 얼굴이 하얗게 질린 채 뛰쳐나오던 그날 밤 말이에요!"

몽샤르맹은 한숨을 내쉬며 내뱉듯 말했다.

"말도 안돼……"

그러자 곧장 지리 부인의 대꾸가 이어졌다.

"아참! 유령과 폴리니 씨 사이엔 언제나 모종의 밀약이 있었다고 전늘 믿고 있답니다. 그래서 유령이 부탁하는 모든 걸, 폴리니 씨는 그대로 들어주었지요…… 폴리니 씨로선 유령의 말에 거역할 아무런 이유도 없는 듯했습니다."

"들었나, 리샤르? 폴리니가 유령에게 거역할 아무런 이유가 없었다네!"

"그래, 그래! 물론 들었고말고! 그러니까 결국 폴리니 씨는 유령의 친구인 셈이야! 그리고 또 여기 이 지리 부인은 그 폴리니 씨의 친구인 셈이지. 자, 이제 뭔가가 슬슬 밝혀지는구만……"

리샤르는 거친 어조로 말을 이었다.

"한데 폴리니 씨에겐 난 별로 관심이 없네…… 오로지 내가 흥미 있어하는 사람은 말야…… 뭐 굳이 숨길 것도 없겠군…… 그건 바로, 지리 부인, 당신이야! 자, 지리 부인, 당신은 이 봉투 안에 뭐가 들어 있는지 다 알고 있죠?"

"세상에, 천만에요!"

"그럼 어서 보시지!"

지리 부인은 슬그머니 떨리는 눈을 내리깔고 봉투 안을 엿보았다가, 다시금 활기를 되찾으며 소리쳤다.

"어머나! 천 프랑짜리 지폐다발이네요!"

"그렇소, 지리 부인…… 천 프랑짜리 지폐지…… 이제 똑똑히 아셨겠지?"

"지배인님, 저는…… 저는 정말이지 맹세코……"

"맹세 따위는 하지 마시오! 자, 지리 부인…… 이제 이리 오라고 한 또다른 이유에 대해 말해줄 차례요…… 이제 당신을 체포하겠소!"

순간, 늘 물음표 모양을 하고 있던 지리 부인의 모자 깃털이 별안간 느낌표 모양이 되는 것 같았다. 뿐만 아니라 모자 자체도 요란스레 틀어올린 머리 꼭대기에서 위태롭게 흔들거리고 있었다. 대개의 경우, 이 어린 멕의 어머니에게 있어서 지금과 같은 놀라움과 분노, 억울함 등등의 불편한 감정은 화려한 발레 동작과도 같은 발작적인 태도로 표출되기 일쑤였다. 아닌게아니라 잔뜩 흥분한 지리 부인은 거의 달려들 듯한 기세로, 지배인 선생의 코앞까지 불쑥 다가갔고, 지배인은 앉아 있던 의자를 흠칫 뒤로 물려야만 했다.

"날 체포한다구요?"

그렇게 내뱉는 노파는 아직도 간신히 간수하고 있는 이빨 세 개마저 리샤르의 얼굴에다 뱉어낼듯, 한껏 벌린 입을 차마 다물지 못하고 있었다.

하지만 리샤르 씨도 만만치는 않았다. 그는 더는 물러설 수 없다는 듯, 꼿꼿이 버틴 채, 있지도 않은 법관들을 위해 다시 한번 이 5번 박스석의 여자 안내원을 지목하듯 위협적으로 손가락을 치켜세우며 소리치는 것이었다.

"지리 부인, 나는 당신을 절도혐의로 체포하는 바입니다!"

"다시 한번 말해보우!"

한데, 지리 부인은 그렇게 외침과 동시에 있는 힘껏 팔을 휘둘러 리샤르 씨의 따귀를 한 대 후려갈기는 것이 아닌가! 옆에 있던 몽샤르맹 씨가 미처 손쓸 틈도 없이 말이다! 대단한 뱃심이 아닐 수 없었다! 하지만 어쩌다 보니 정작 지배인의 따귀에 정통으로 부딪친 건, 다혈질 노파의 불같은 손바닥이 아니라, 모든 사건의 발단이 된 그 마법의 봉투였다! 그 바람에 속에 든 지폐 다발이 커다란 나비들처럼 회오리를 일으키며 공중에 흩날렸다.

두 지배인은 똑같이 비명을 질렀고, 문득 똑같은 생각이 뇌리를 스치자마자 허겁지겁 무릎을 꿇고는 볼품 없이 나뒹구는 종잇조각들을 줍느라 정신이 없었다.

"*아직 진짜 지폐 맞지?*"

몽샤르맹의 말에 리샤르도 헉헉대며 맞장구를 쳤다.

"*진짜 지폐 아직 맞아?*"

"그래, 아직도 진짜 돈이다!"

어느새 두 사람을 내려다보며 지리 부인은 세 개의 이빨 사이로 사정없이 침을 튀기고 있었다.

"뭐? 내가 도둑질을 해? 절도혐의라구?"

그녀는 숨이 다 막히는 모양이었다.

"이거 해도 너무하는구만!"

노파는 극성스럽게도 다시금 리샤르의 숙인 얼굴 앞으로 바짝 몸을 수그리며 이렇게 소리치는 것이었다.

"*이봐요, 리샤르 씨! 당신이야말로 2만 프랑이 죄다 어디로 갔는지 나보다 더 잘 알 것 아니오?*"

문득 이건 또 무슨 소리인가 하는 표정으로 고개를 번쩍 치켜든 건 다름 아닌 몽샤르맹 씨였다.

"그건 또 무슨 말이오? 대체 무슨 근거로 리샤르 씨가 2만 프랑의 행방에 대해 당신보다 더 잘 알 수 있다고 하는 게요?"

한편 난데없는 몽샤르맹의 따가운 시선에 얼굴이 잔뜩 붉어진 리샤르는 지리 부인의 손을 움켜쥐고 마구 흔들어대는 것이었다. 그의 목소리는 형편없이 갈라지면서도, 요란스레 울리고 있었다.

"그래, 대체 무슨 근거로 그런 말을 하는 거요? 내가 2만 프랑의 행방을 어찌 안다구?"

"그야 그 돈다발이 당신 호주머니 속으로 들어갔으니까 그렇지!"

노파는 마치 두고 보지 못할 악마를 응시하듯 리샤르를 똑바로 바라보며 내뱉듯 말했다.

이번엔 리샤르 씨가 기겁을 할 차례였다. 전혀 예상 밖의 대답이 튀어나온 데다, 아까부터 은근히 자신을 의심의 눈으로 흘낏거리고 있던 몽샤르맹의 시선이 여간 거북스러운 게 아니었던 것이다. 그리고는 그처럼 가증스런 모함에 부딪쳤을 때일수록 필요한 의연함을 순식간에 잃어버리고 말았다.

생각해보시라…… 이 세상에 얼마나 많은 결백한 사람들이, 그깟 마음 하나 다스리지 못해, 억울한 봉변을 당하는가를…… 멀쩡한 상태에서 어떤 도발에 직면했을 때 적절히 대처하기보단, 얼굴부터 하얗게 질리든지 아님 붉게 상기되든지, 필요 이상으로 몸을 부르르 떤다든지 또 지나치게 덤덤하든지, 말해야 할 때인데 더듬대거나 침묵해야 할 때 떠들어대거나, 냉정해야 할 때 식은땀을 흘리거나 적당히 흥분해야 할 때인데도 너무 천연덕스럽거나 함으로써, 결국엔 억울하게 죄의 누명을 쓰는 경우가 얼마나 허다한가 말이다……

급기야는 참다못한 리샤르가 지리 부인을 향해 달려드는 것을 몽샤르맹이 간신히 막아섰다. 그리고는 한껏 부드러운 태도로 이렇게 묻는 것이었다.

"자, 그래 어떻게 나의 동료인 리샤르 씨가 자기 호주머니 속으로 돈다발을 집어넣었다고 의심하게 됐는지, 그 경위를 차근차근 들어볼까요, 부인?"

"오, 난 그렇게 얘기한 적은 없어요! 왜냐하면 리샤르 씨의 호주머니 속에 2만 프랑을 집어넣은 건 다름 아닌 바로 나니까요!"

거기까지 요란하게 소리를 지르던 지리 부인은 잔뜩 소리를 낮추고는 이렇게 중얼거렸다..

"안됐지만 어쩔 수 없지…… 오, 유령님이 날 용서해주어야 할 텐데……"

리샤르는 고래고래 소리를 지르려 했으나, 몽샤르맹이 더없이 엄숙한 표정으로 호되게 소리치는 바람에 그만 입을 꾹 다물었다.

"제발! 제발! 이 부인의 설명이나 들어보세나! 좀더 물어야 할 게 있을 것 같으니……"

그리고는 곧장 이렇게 덧붙였다.

"자네가 그렇게 광분하는 것도 따지고 보면 좀 이상해! 이제야 모든 게 적나라하게 밝혀질 것 같네…… 자넨 몹시도 화가 나는 모양이지만 그건 잘못이야…… 난 왠지 점점 재미있어지는데!"

한편, 지리 부인은 마치 순교를 앞둔 여인처럼 신념으로 광채마저 감도는 얼굴을 한껏 치켜들고 말했다.

"당신의 말은 내가 리샤르 씨의 호주머니에 넣은 봉투 안에 2만 프랑의 돈이 있었다는 얘긴데…… 분명 말씀드리지만, 그 안에 뭐가 들었는지는 나도 모르고 있었습니다…… 그건 리샤르 씨도 마찬가지일 거구요!"

그러자 리샤르는 몽샤르맹의 비위가 거슬릴 정도로 요란을 떨면서 소리쳤다.

"오호라! 나도 몰랐다 이건가! 돈을 내 호주머니에 넣은 건 지리 부인 당신이고, 정작 나는 그걸 모르고 있었다 이거지! 그러고 보니 좀 안심이 되는구려, 지리 부인!"

"네…… 사실이 그래요…… 우리 둘 다 어떻게 된 건지 알 턱이 없지요…… 하지만 당신은 나중에라도 어떻게 된 건지 틀림없이 알게 되었겠죠!"

아마도 몽샤르맹이 곁에 없었다면 리샤르는 그 자리에서 지리 부인을 아구아구 씹어 먹었을지도 모른다. 몽샤르맹의 질문이 계속 이어졌다.

"그렇다면 리샤르 씨의 호주머니 속에 넣은 봉투가 어떤 거였습니까? 애당초 우리가 당신한테 건넸고, 당신이 우리가 보는 앞에서 저 5번 박스석까지 가지고 올라갔던 바로 그 봉투 속에만 돈이 들어 있었는데…… 그 봉투가 아니었소?"

"죄송합니다! 지배인님의 호주머니 속에 슬쩍 넣은 봉투는 바로 지배인님이 제게 건네준 봉투였지요. 그리고 박스석에 놓아둔 봉투는 그것과 똑같이 생긴 것으로, 유령이 내게 맡겨서 여기 이 소매 안에 잘 간수하고 있던 거였고요."

그렇게 말하면서 지리 부인은 옷소매에서 돈이 든 봉투와 똑같이 생기고 똑같은 서명이 적힌 또 다른 봉투를 천역덕스럽게 꺼내는 것이었다. 두 지배인은 그것을 냉큼 낚아챘다. 얼른 살펴보아도 지배인의 인장과 똑같은 것이 겉에 찍혀 있어서, 영락없이 그 봉투가 그 봉투였다. 아니나다를까, 봉투를 열자 그 안에는 한 달 전 두 사람을 그토록 질리게 만들었던 익살카드 스무 장이 고스란히 담겨 있는 것이었다.

"이렇게 간단한걸!"

리샤르의 말에 몽샤르맹도 더없이 근엄한 태도로 맞장구쳤다.

"그러게 말일세……"

"자고로 가장 훌륭한 마술은 가장 간단하다더니…… 그저 이런 공모자 한 명이면 다 되는 것을……"

"글쎄 말이야…… 이런 할멈 한 명만 있어도……"

몽샤르맹은 마치 최면이라도 거는 것처럼 지리 부인을 똑바로 응시한 채 질문을 계속했다.

"그러니까 결국 그 유령은 일부러 다른 봉투를 미리 준비한 다음, 우리가 준 진짜 봉투와 바꿔치기를 했다 이 말이군요? 진짜 봉투를 리샤르 씨의 호주머니 속에 집어넣으라고 그가 말했단 말이죠?"

"오, 네! 그가 그랬죠……"

"자, 그럼 부탁인데, 우리에게 당신의 그 화려한 솜씨를 한번 구경시켜 주시겠소? 우리가 전혀 모른다 생각하고 한번 해보시오!"

"그거야 어렵지 않죠……"

지리 할멈은 돈다발이 든 봉투를 받아들고 문 쪽으로 다가갔다. 그리고는 막 나가려는 참에 두 지배인은 허둥대며 노파를 막아섰다.

"아니오! 그게 아니지! 또 다시 그럴 순 없지! 이제 그만 하면 됐소! 또 다시 하자는 게 아니라구!"

"죄송합니다, 선생님들! 두 분이 모르는 걸로 하고 다시 한번 해보자고 하셔서…… 정말 모른다면 이렇게 봉투를 가지고 나갈 참인데요……"

노파는 겸연쩍은 표정으로 둘러댔다.

"그렇게 그냥 나가면 내 호주머니 속엔 어떻게 봉투를 넣을 참이었소?"

리샤르가 무작정 거칠게 따지고 들자, 몽샤르맹은 얼른 눈총을 주는 걸 잊지 않았다. 그러면서도 그는 다른 쪽으로는 지리 부인의 표정과 거동을 유심히 뜯어보고 있었다. 혼자의 힘으론 벅찰 수도 있으나, 이번 기회에 모든 비밀의 뿌리를 들추어내리라 단단히 각오한 모양이었다.

"지배인님께서 가장 예상치 못한 순간에 집어넣어야만 얘기가 되죠. 아시다시피 저는 저녁 내내 무대 뒤를 이리저리 둘러보는 게 일이랍니다. 때로는 어머니의 자격으로, 무도회장의 내 딸을 만나러 가기도 하지요. 잠깐 휴식 시간을 틈타 그 아이 실내화라든가 향수분무기 등등을 챙겨주러 말입니다…… 말하자면 마음만 먹으면 어디든 자유롭게 돌아다닐 수 있다 이거지요. 그러다 보니 단골 고객들과 마주칠 기회도 많고…… 지배인님들과도 언제 어디서든 마주칠 수가 있답니다. 그래서 그 중 한 순간을 골라, 되도록 사람이 많이 지나다니는 곳에서 은근히 지배인님 뒤를 지나치면서 이렇게…… 슬쩍…… 밀어넣으면…… 뭐 간단한 일이죠!"

"간단한 일이지…… 암 간단하고말고……"

리샤르는 그러나 불꽃이 번쩍거리는 주피터 신과도 같은 표정으로 눈을 부라리고 있었다.

"간단한 건 알겠는데…… 나는 지금 당장 당신을 거짓증언의 현행범으로 붙잡아야 하겠는걸! 이 늙은 마녀야!"

어디까지나 고매한 품위를 제일로 여기는 노파는 꼿꼿이 몸을 세우고는 세 개의 이를 드러낸 채 따져 물었다.

"무슨 뜻이죠?"

"그 날 저녁 나는 문제의 5번 박스석과 당신이 놓아둔 그 가짜 봉투를 감시하느라 줄곧 칸막이 좌석을 지키고 있었고, 홀에는 단 일초도 내려간 적이 없었다구……"

"한데, 지배인 선생, 내가 봉투를 넣은 건 그 저녁이 아니었다우! 그 날은 보자르의 사무차장님이 방문하셨던……"

지리 부인의 그 말에 리샤르 씨는 불현듯 말을 끊었다.

"아…… 그러고 보니 기억나는군…… 이제야 생각이 나…… 사무차장께서 그때 무대 뒤에 들르셨지! 나를 좀 보자고 하신다기에 나는 즉각 내려왔었고…… 사무차장과 그 비서실장이 서 있는 홀 계단을 막 내려서다가 문득 인기척이 나 뒤를 돌아보았는데, 마침 지리 부인 당신이 내 뒤를 스치고 지나치더군…… 그래, 거의 옷을 스칠 정도였어…… 그때 내 뒤에 있는 사람이라곤 당신 말고는 아무도 없었지…… 오! 맞아, 그래! 그랬어!"

"네, 이제 아셨군요! 바로 그렇게 된 거예요…… 그때가 얼른 솜씨를 발휘하고 난 직후였을 거예요. 지배인님 호주머니는 정말 허술하더군요!"

지리 부인은 말을 마치자마자 다시 한번 예의 그 솜씨를 선보이기로 했다. 그녀가 어찌나 잽싼 동작으로 리샤르 씨의 뒤쪽을 스치고 지나치던지, 줄곧 눈을 크게 뜨고 그녀를 관찰하던 몽샤르맹 씨는 어안이 벙벙한 채 우두커니 서 있을 수밖에 없었고, 지리 부인은 눈 깜짝할 사이 지배인의 연미복 뒤쪽 호주머니로 봉투를 쏙 집어넣는 것이었다.

리샤르는 다소 질린 표정으로 소리쳤다.

"이거야 정말! 그 오페라의 유령이라는 친구 정말 지독한 작자로구만! 그러니까 그에게는 이게 문제였던 거로군…… 2만 프랑을 주는 사람과 그걸 가져가는 사람 사이에 그 어떤 불안한 중개자도 아예 없게 하자 이거였다구! 그러려면 내가 전혀 알아차리지 못하게 하면서 내 호주머니 속에서 직접 그것을 꺼내가는 것보다 더 나은 방법이 없겠지! 나는 주머니 속에 그 돈봉투가 넣어져 있으리라고는 꿈에도 생각하지 못하고 있었을 테니까 말이야…… 정말 대단해!"

그러자 옆에서 눈만 끔벅거리던 몽샤르맹은 이렇게 한술 더 뜨는 것이었다.

"맞아, 정말 대단하구만! 한데 말일세, 그 2만 프랑 중에 만 프랑은 내 돈이었는데, 어째 그 친구는 봉투를 하필 내 주머니가 아닌 자네 주머니에만 넣어두기로 한 걸까?"

18
안전핀의 용도

몽샤르맹의 마지막 말 속에는 동업자에 대해 움트기 시작한 의혹이 너무도 빤히 드러나 있었다. 당장 시끄러운 논쟁이 뒤를 이었고, 결국에는 두 사람을 농락한 진범을 붙잡기 위해 리샤르는 일단 몽샤르맹이 하자는 대로 모든 걸 맡기는 방향에서 타협을 보았다.

자, 이제 독자 여러분을, 「파우스트」 공연 도중 '정원' 씬 막간에 레미 비서가 두 지배인의 이상야릇한 태도를 목격했던 바로 그 대목으로 모시고 갈 차례이다. 대극장의 지배인으로선 전혀 어울리지 않는 엉뚱한 태도를 취한 이유가 그처럼 싱거운 데에 있었다는 걸 알게 되면 분명 여러분 모두 실소를 터뜨리지 않을 수 없을 것이다.

리샤르와 몽샤르맹이 차후 취해야 할 행동거지는 방금 전까지 드러난 모든 사실들로 인해 이미 다음과 같이 결정된 거나 다름없었다. 첫째, 리샤르는 오늘 저녁 처음 2만 프랑이 사라진 그 날 취했던 것과 똑같은 태도를 그대로 반복해야만 한다. 둘째, 몽샤르맹은 지리 부인이 두번째 2만 프랑을 집어넣기로 되어 있는 리샤르의 뒷주머니로부터 단 일초도 눈을 떼어서는 안된다.

그리하여 사무차장에게 인사를 했던 바로 그 장소에 정확히 리샤르가 서 있되, 그의 등뒤 몇 발짝 떨어진 곳에서는 몽샤르맹이 눈을 크게 뜬 채 대기하고 있었던 것이다.

이윽고 리샤르 씨의 등뒤를 지리 부인이 스치듯이 지나치면서 연미복 뒷주머니 속에 어김없이 2만 프랑이 든 봉투를 찔러넣고는 퇴장한다. 아니, 실은 강제로 퇴장당했다고 해야 옳겠다.

장면을 연출하기 직전 몽샤르맹의 별도 지시를 받은 메르시에가 이 선량한 부인을 사무실로 데려가 당분간 감금했기 때문이다. 그래야 혹시라도 노파가 유령과 접촉을 해 모든 사실을 고해바치지 못할 것이니까 말이다. 꽁지 빠진 촌닭 마냥 영문도 모른 채 안절부절못하면서 지리 부인은 가엾게도 속절없이 방에 갇혀 있을 수밖에 없었고, 마침내 복도로부터 경찰서장이 다가오는 발소리가 들려오자 자기를 붙잡으러 오는 건 줄 알고 땅이 꺼져라 한숨을 내쉬기까지 했다.

한편, 리샤르는 연신 허리를 굽혀 인사를 하는가 하면, 사무차장 나리를 앞에 두고 그랬던 것과 똑같이 주춤주춤 뒷걸음질을 쳐서 물러나고 있었다.

문제는, 그런 리샤르 앞에 지금은 어느 고관대작도 서 있지 않다는 거였다.(역자주 : 보자르는 국립이라 사무총장은 고위 관리에 해당한다) 진짜 사무차장을 앞에 두고 그랬다면 대단히 예의가 바른 지배인이라고 칭찬이라도 했을 주위의 모든 사람들은 리샤르의 그런 엉뚱한 기행을 실성한 사람 보듯 눈을 휘둥그래 뜬 채 바라보고 있었다.

리샤르 씨는 허공에다 대고 넙죽 넙죽 인사를 했으며, 그것도 모자라 주춤주춤 뒷걸음질로 계단을 걸어 오르는 것이었다……

게다가 그에게서 얼마 떨어지지 않은 몽샤르맹이 똑같은 행동을 따라 하고 있었다.

물론 예정에 없이 불쑥 다가서는 레미를 거칠게 밀치는가 하면, 라보르드리 대사 나리와 중앙은행장에게는 제발 '지배인 선생에게 손은 대지 말아' 달라고 부탁하면서 말이다……

그러니, 그렇게 애를 쓴 데다 나름대로 다른 생각도 없지 않은 몽샤르맹이, 돈봉투가 사라진 직후, 리샤르가 호들갑을 떨며 이렇게 말하는 것에 그리 큰 비중을 두지 않는 건 당연했다.

"아무래도 대사 나리이거나 은행장 아니면, 레미 비서일 거야!"

하긴 리샤르 본인도 인정했듯이, 지리 부인이 스치고 지나친 다음부턴 극장 건물의 그 일대에서 어느 누구와도 마주치지 않았었는데, 굳이 똑같은 동작을 반복한 마당에, 오늘이라고 누구와 마주칠 이유는 없지 않겠는가?

분명 리샤르는 주도면밀하게 인사를 하고 뒷걸음질만으로 행정건물 복도 앞까지 걸어왔다…… 그렇게 항상 뒤를 몽샤르맹이 완전히 파악할 수 있게끔 했으며, 그 자신도 앞에서 접근해오는 모든 대상을 주의 깊게 살피고 있었던 것이다.

물론 국립음악원의 두 버젓한 지배인의 이와 같은 기발한 산책 방법은 사람들의 시선을 끌지 않을 수가 없었다.

두 사람에게는 천만 다행으로 오페라 극장의 젊은 수습 무희들은 마침 모두 지붕밑 방에 몰려 있었기 때문에 이 우스꽝스런 장면을 함께 못했지만 말이다. 만약 그걸 보았다면 아마도 아가씨들은 배꼽을 잡고 웃어댔으리라. …… 하지만 두 지배인은 오로지 2만 프랑만을 생각하느라 그런 일엔 신경을 쓸 엄두조차 내지 못했다.

어두컴컴한 복도에 당도한 리샤르는 나직한 목소리로 몽샤르맹에게 말했다.

"아무도 내 몸에 손댄 사람은 없는 게 분명해…… 이제 자네도 좀 멀리 떨어져서 내 집무실 문 앞에 이를 때까지 숨어서 지켜보고 있게나. 다른 사람들의 주의를 끌지 않은 상태에서 무슨 일이 벌어지는지 살펴야 할 테니까……"

하지만 몽샤르맹은 한마디로 거절했다.

"안돼! 리샤르…… 절대 안돼! 그냥 앞서게나, 내가 바짝 따라붙을 테니! 단 한 발짝도 자네로부터 거리를 둘 수는 없어!"

"이보게, 이런 식으로라면 누구도 2만 프랑을 훔쳐갈 수는 없어!"

"내가 바라는 게 바로 그거네!"

리샤르는 지친 표정으로 내뱉었다.

"대체 우리가 지금 하는 짓이 얼마나 앞뒤가 안 맞는지 모르겠나?"

"우린 지금 지난번과 똑같은 행동을 하고 있을 뿐이야…… 지난번에는 무대에서 방금 나오는 자네를 이 복도 구석에서 만났었지…… 그리고는 자네 바로 뒤에서 따라 걸었었어!"

"그래, 그래, 참으로 정확도 하구만!"

리샤르는 고개를 절레절레 흔들며 한숨을 내쉬었다. 별수 없이 몽샤르맹이 하자는 대로 따를 수밖에 없었다.

그로부터 2분 후, 두 지배인은 집무실 안에 틀어박혀 있었다.

열쇠는 몽샤르맹이 자기 주머니 속에 넣어두었다.

"지난번에도 이렇게 둘이 집무실에 처박혀 있었다구…… 자네가 집에 가겠다며 오페라 극장을 나설 때까지 말이야……"

"맞아! 아무도 방해하는 사람이 없었지?"

"아무도 없었지."

리샤르는 기억을 모으려고 애를 쓰며 물었다.

"그렇다면 필경 극장에서 집으로 가는 길에 날치기를 당했다는 말인데……"

몽샤르맹은 그 어느 때보다도 앙칼진 목소리로 소리쳤다.

"아냐! 그건 불가능한 일일세! 내 마차로 자네를 집에 데려다주었지 않은가! 그 2만 프랑은 분명히 자네 집 안에서 도둑맞았을 것이네!"

몽샤르맹의 생각은 거기까지 가 있었다.

"말도 안돼! 우리 집 하인들은 모두 믿을 만한 사람들이네! 게다가 혹시라도 누가 그런 짓을 저질렀다면 벌써 어딘가로 종적을 감추었을 것이 아닌가!"

몽샤르맹은 그거야 알 수 없다는 표정으로 어깨를 으쓱했는데, 리샤르는 비로소 그 태도 속에 이 친구가 도저히 묵과할 수 없는 태도로 자신을 대하고 있다는 걸 깨닫기 시작했다.

"몽샤르맹, 이거 해도해도 너무 하는 거 아닌가!"

"리샤르, 자네가 지나친 거야!"

"감히 나를 의심하는 건가?"

"농담 반 진담 반으로 그렇다네!"

"2만 프랑을 두고 농담을 하는 사람이 어디 있나!"

"내 생각이 바로 그걸세!"

그렇게 내뱉은 다음 몽샤르맹은 보란 듯이 신문을 확 펼쳐들고 읽기 시작했다.

"자, 이제 어떡할 텐가? 신문이나 읽겠다는 건가?"

"그러네, 리샤르. 자네를 집에 데려다줄 때까지는 말일세!"

"지난번과 똑같이 말인가?"

"지난번과 똑같이!"

참다못한 리샤르는 동료에게서 신문을 거칠게 낚아챘고, 몽샤르맹은 더없이 신경질적으로 자리에서 벌떡 일어섰다. 리샤르는, 이 세상이 생긴 이래 오만과 멸시의 전형적인 자세로 굳어진 팔짱을 떡 낀 자세로 몽샤르맹을 꼬나보고 있었다.

"여보게 몽샤르맹…… 내가 지금 무슨 생각을 하는지 아나? 만약에 말일세, 만약에…… 지난번처럼 우리가 이렇게 집무실에서 머리를 맞대고 시간을 죽이다가, 역시 마찬가지로 지난번처럼, 자네가 나를 집에 데려다 준 후, 서로 헤어질 때쯤 되어서, 만약에 내 주머니에 꽂아둔 돈이 사라진 걸 알게 된다면 말일세……"

"대체 그러면 어떻다는 건가?"

몽샤르맹의 얼굴이 약간 상기되어 있었다.

"자네가 내게서 한 발짝도 떨어지지 않고 붙어다녔으며, 지난번처럼 자네 이외의 어느 누구도 마주치지 않게 했는데, 나중에 2만 프랑이 감쪽같이 사라져버린 걸 알게 된다면, 나로선 그 돈이 자네의 호주머니에 들어가는 행운을 누렸을 거라 생각할 수도 있겠지……"

몽샤르맹은 펄펄 뛰었다.

"오! 이거 안되겠구만! 안전핀 어디 있어, 안전핀!"

"안전핀은 뭐하게?"

"자네한테 꽂아 두려구! 안전핀! 안전핀 어디 있어!"

"내 주머니를 안전핀으로 봉해두겠다 이 말인가?"

"그렇다네, 자네 호주머니 속에 2만 프랑의 돈뭉치를 아예 꿰매두려는 것이네! 그렇게만 해두면, 여기건 집으로 가는 길이건, 집 안이건 누가 자네 호주머니를 집적대면 금방 알아챌 수 있을 거 아닌가? 그러면 내가 그러는지 아닌지도 판가름 날 테고…… 아, 리샤르…… 어떻게 나를 의심할 수가 있는가! 안전핀! 안전핀!"

몽샤르맹이 문을 활짝 열고 다짜고짜 소리를 지른 게 바로 그 때였다.

"혹시 안전핀 가지고 있나?"

물론 독자 여러분은, 그 순간 문 앞에 서 있던 레미 비서가 황당한 표정으로 어쩔 줄 몰라했고, 몽샤르맹이 그토록 찾던 안전핀은 사환 한 명이 부랴부랴 대령했다는 건 잘 알고 있을 것이다.

다음은 그 이후에 벌어진 집무실 안의 풍경이다.

몽샤르맹은 문을 닫은 다음, 리샤르의 등뒤에서 무릎을 꿇고 자세를 낮추었다.

"2만 프랑은 아직 있겠지?"

"그래야겠지……"

"당연히 진짜 돈으로 말이야!"

몽샤르맹이 이번엔 결코 당하지 않겠다는 결의가 잔뜩 들어찬 눈빛으로 중얼거리자, 리샤르는 이렇게 대꾸하는 것이었다.

"한번 확인해보게! 난 손도 대기 싫으이……"

몽샤르맹은 리샤르의 옷주머니에서 봉투를 빼낸 다음, 돈을 꺼냈는데 손이 유난히 떨렸다. 이번에는 자주 확인해보기 위해, 돈봉투를 봉인하지 않았던 것이다. 천만 다행으로 돈이 그대로 머물러 있음을 확인한 몽샤르맹은 다시 주머니 속에 그것을 넣고는 정성을 다해 안전핀으로 고정시켰다.

그런 다음에도 몽샤르맹은 동료의 호주머니에서 눈길을 떼지 않았고, 리샤르는 책상에 앉은 채로 꼼짝도 하지 않았다.

"조금만 참게, 리샤르. 이제 몇 분밖에 남지 않았어…… 이제 조금만 있으면 자정을 알리는 종이 울릴 것이네. 지난번에도 자정이 지나고 나서 집으로 돌아갔었지……"

"오, 필요하다면 몇 시간이고 참지!"

시간은 그렇게 두 사람 머리 위로 무겁고도 은밀하게 느릿느릿 흘러가고 있었다. 리샤르는 애써 웃음을 지어보려 했다.

"아무래도 이러다가는 유령의 능력을 믿게 되고 말 것 같아…… 지금 이 순간 말일세, 이 방의 분위기 어딘가가 공연히 우리를 기분 나쁘게 하고, 불안하게 하는 게 느껴지지 않나?"

"글쎄 말이야…… 느낌이 확 오고 있어……"

"유령이라…… 유령이라…… 유령이라……"

몽샤르맹은 마치 자신의 말이 보이지 않는 누군가의 귀에 들어갈까봐 두려워하기라도 하듯, 잔뜩 목소리를 낮추며 중얼거렸다.

"옛날에 이 탁자를 세 번 두드린 게 진짜 그 유령이었다면…… 바로 여기 마법의 봉투를 놓아둔 게…… 그리고 5번 박스석에서 말을 하고 조셉 뷔케의 목숨을 빼앗았으며, 샹들리에를 떨어뜨리고, 우리 돈을 훔친 장본인이 진짜로 그 유령이라면…… 여기 이렇게 자네와 나 둘밖에 없는데도 돈이 없어진다면…… 정 그렇다면…… 그 때 가선 유령의 존재를 믿지 않을 수 없을 것이야!"

그 순간, 벽난로 위에 있는 추시계에서 자정의 첫 종소리가 울렸다.

문득 두 지배인의 몸에 소름이 끼쳤다. 원인을 알 수 없는 불안감이 두 사람의 목을 죄며 압도해왔다. 이마에는 어느덧 땀이 흐르고 열두번째의 종소리가 귀에 거슬리게 들려왔다.

마침내 정적이 감돌자 두 지배인은 한숨을 내쉬며 자리에서 일어났다.

"자, 이제 그만 나가봐야지?"

몽샤르맹이 먼저 입을 열자, 리샤르는 순순히 따랐다.

"그래야겠지……"

"나가기 전에 한번 더 검사해볼까?"

"좋은 생각이야! 그래 어떤가?"

리샤르는 호주머니 쪽을 더듬대는 몽샤르맹에게 던지듯 물었다.

"여전히 안전핀이 느껴져."

"됐어! 자네 말대로 이제 나 모르게 우리 돈을 훔치는 것은 절대로 불가능할 거야……"

한데 계속해서 주머니 주변에서 손을 떼지 못하던 몽샤르맹이 별안간 비명과도 같은 소리를 지르는 것이 아닌가!

"여전히 안전핀은 느껴지는데, 이상하게 지폐다발이 느껴지지 않아!"

"그만! 농담 좀 그만 하게! 몽샤르맹! 지금 그럴 때가 아니야!"

"자네가 직접 만져보게나!"

리샤르는 단번에 훌쩍 옷을 벗었고, 두 지배인은 누가 먼저랄 것도 없이 주머니를 까뒤집었다…… **속은 *이미 텅 비어 있었다!***

정말로 이상한 것은, 돈다발과 함께 꽂아둔 안전핀은 그 자리 그대로 얌전히 꽂혀 있다는 사실이었다!

리샤르와 몽샤르맹의 얼굴이 하얗게 질려가고 있었다. 더 이상은 마법을 비웃을 수가 없는 지경이 된 것이다.

"유령이라……"

몽샤르맹이 맥없이 중얼거렸다.

한데 갑자기 리샤르가 동료를 향해 불쑥 달려드는 것이었다.

"내 주머니에 손 댄 사람은 오로지 자네뿐이야! 어서 내 2만 프랑 내놓게! 내 돈 돌려달란 말이야!"

몽샤르맹은 기절 일보직전까지 간 듯한 표정으로 한숨을 내쉬며 말했다.

"내 영혼을 걸고 맹세하건대, 나는 결코……"

바로 그 때였다. 노크 소리가 요란하게 들렸고, 몽샤르맹은 마치 몽유병 환자처럼 걸어가 문을 열었으며, 메르시에 부지배인을 거의 알아보지 못하는 듯 멍한 표정으로, 상대가 하는 얘기에는 아랑곳없이 두서 없는 횡설수설만 늘어놓다가, 급기야는 이 기겁을 하고 있는 충실한 부하의 손에 더는 쓸모가 없어진 안전핀을 무의식적으로 얹어놓은 것은……

19
경찰서장의 수사

지배인의 집무실로 들이닥치며 경찰서장이 처음에 내뱉은 말은 다름아닌 여가수의 행방에 관한 질문이었다.

"크리스틴 다에, 여기 있습니까?"

아까도 얘기했지만, 경찰서장의 뒤로는 많은 사람들이 궁금한 표정으로 꾸역꾸역 모여 있었다.

"크리스틴 다에 말이오? 없는데…… 왜 그러시죠?"

리샤르의 대답이었다.

몽샤르맹은 거의 입도 뻥긋할 수 없을 만큼 기진맥진한 상태였다. 사실 그의 정신상태는 리샤르보다 훨씬 심각한 위기에 처해 있었다. 그도 그럴 것이 이제는 동료인 리샤르의 의심에서 벗어나기가 어려워졌을 뿐 아니라, 그 자신으로서도 엄청난 의혹…… 즉, 태고 이래 늘 인간의 심기를 괴롭혀온 '미지의 존재'가 지금 바로 자신의 운명을 좌지우지하고 있는 게 아닐까 하는 두려움을 느끼고 있었던 것이다!

두 지배인들과 경찰서장을 에워싼 사람들의 노골적인 침묵이 거북스러웠던지 리샤르가 다시 입을 열었다.

"경찰서장님, 제게 왜 그걸 물으시는지요? 크리스틴 다에가 극장에 없습니까?"

경찰서장의 근엄한 대답이 따라왔다.

"국립음악원의 두 지배인님, 지금 우리는 시급히 그녀를 찾아내야 하는 입장입니다!"

"찾아내다니요? 그녀가 사라지기라도 했다는 말입니까?"

"그것도 공연 도중에 말이오!"

"공연 도중에? 그거 정말이지 이상한 일이로군요."

"그렇죠? 한데 또 이상한 일은 그 소식을 하필 내가 당신들에게 알려 주고 있다는 점이오!"

"그건 그렇군요……"

리샤르는 순순히 인정을 하면서 손으로 얼굴을 매만지더니, 이렇게 중얼거렸다.

"대체 이게 무슨 날벼락이란 말인가? 오, 이거야말로 당장 해고를 해야 할 상황이로구만……"

그러면서 그는 자신도 모르게 콧수염 몇 가닥을 뽑는 것이었다.

"도대체 꿈인지 생시인지…… 공연 도중에 갑자기 사라져 버렸다?"

"그렇소이다. 감옥 장면이었는데, 하늘을 향해 한참을 기도하던 중 사라졌다고 하오. 혹시 천사들이 데리고 올라간 건 아닐까 생각할 정도입니다."

"나는 정말 그렇다고 확신합니다!"

이 난데없는 대답이 튀어나온 쪽으로 모든 사람들이 돌아보자, 웬 창백한 안색의 젊은이가 부들부들 떨며 서 있었다.

"확신한다구요!"

"대체 뭘 확신한다는 거요?"

미프르와가 날카롭게 물었다.

"크리스틴 다에가 천사에게 납치되었다는 사실 말입니다, 경찰서장님! 게다가 그 천사의 이름까지 말해드릴 수 있어요……"

"아, 아, 샤니 자작께선 그러니까 크리스틴 다에 양이 천사에 의해, 그 것도 오페라 극장의 수호천사에 의해 납치되기라도 했다는 말씀입니까?"

라울은 대답 대신 주위를 쓱 한번 둘러보았다. 분명 누군가 눈으로 더듬어 찾고 있는 거였다. 지금, 약혼녀를 구하기 위해 경찰의 도움을 요청하는 게 무엇보다 시급해 보이는 상황에서, 조금 아까 자신에게 신중할 것을 권고했던 그 괴이한 인물이 왠지 마음에 걸리는 이유는 무엇일까? 하지만 그의 모습은 어디에도 보이지 않았다. 그렇다면…… 좋다, 모든 걸 밝히는 수밖에…… 하지만 저렇게 빙 둘러서서 노골적인 호기심을 비치며 자신을 지켜보는 많은 사람들 앞에선 왠지 제대로 설명할 수 있을 것 같지 않았다.

그는 더듬더듬 미프르와씨에게 대답했다.

"그렇습니다…… 오페라 극장의 천사에게 납치되었습니다…… 그가 어디에 살고 있는지, 단 둘이 얘기를 나누고 싶습니다……"

"알겠소, 선생!"

경찰서장은 라울을 옆에 앉게 한 다음, 당연히 두 지배인을 제외한 다른 모든 사람들을 문밖으로 몰아냈다.

라울의 결심은 그 어느 때보다도 확고했다.

"경찰서장님, 그 천사의 이름은 에릭이라고 합니다. 이 오페라 극장에 살고 있지요. 그는 소위 '음악의 천사'라고 하는 존재랍니다!"

그러자 경찰서장은 곧장 두 지배인을 돌아보며 이렇게 물었다.

"선생들, 이곳에 그런 천사도 키우시오?"

리샤르 씨와 몽샤르맹 씨는 웃지도 않고 고개를 좌우로 흔들어댔다.

자작이 곧 말을 이었다.

"오, 저분들 역시 오페라의 유령에 관한 얘기는 많이 들어 알고 있을 겁니다. 그러니, 바로 그 오페라의 유령이라는 존재와 내가 방금 말한

'음악의 천사'가 동일한 존재라는 말씀부터 드려야겠군요! 그의 진짜 이름이 바로 에릭이란 말입니다!"

경찰서장 미프르와 씨는 자리에서 일어나 라울을 찬찬히 뜯어보며 말했다.

"실례지만 선생, 혹시 사법당국을 조롱하려고 하는 건 아니겠죠?"

"뭐라구요! 역시 내 말을 전혀 믿지 못하시겠다는 겁니까?"

라울은 괴로운 생각에 빠져드는 표정으로 발끈했다.

"좋아요, 좋아…… 자, 그렇다면 당신의 그 오페라의 유령에 대해 내게 무슨 노래를 들려주실 수 있는지 어디 한번 들어봅시다."

"분명히 말했지만, 저기 신사분들도 그에 관한 소문을 충분히 들어서 알고 있을 것이오."

"그렇습니까? 두 분께서도 오페라의 유령에 대해 꽤 잘 아시는 듯한데……"

경찰서장의 말에, 그제서야 리샤르는 손가락으로 방금 뽑은 수염 가닥들을 문지르며 자리에서 일어섰다.

"아니오! 경찰서장! 전혀 아닙니다! 우리는 그런 것에 대해선 전혀 몰라요. 사실 우리도 알고 싶소. 왜냐하면 바로 오늘 저녁 때 그가 우리에게서 현금 2만 프랑을 도둑질해 갔으니까요!"

그리고 나서 리샤르는 몽샤르맹을 날카롭게 쏘아보았는데, 그 눈빛은 마치 이렇게 말하고 있는 듯했다. '당장 그 2만 프랑을 내놓지 않으면 모든 걸 불어버릴 테야!' 그런 동료의 마음을 못 읽을 리 없는 몽샤르맹도 지지 않고 이렇게 손사래를 치는 것이었다. '아, 그래? 얼마든지 얘기해! 얘기하라구!'

한편 미프르와는 두 지배인과 라울을 번갈아 쳐다보면서 흡사 자신만 어느 동떨어진 섬에 따돌려져 있는 것 같다는 생각을 하고 있었다. 그는 손으로 머리를 한번 쓸어넘기더니 이렇게 말했다.

"음…… 하룻저녁 사이에 여가수를 납치하고 돈 2만 프랑을 훔친 그 유령은 꽤나 바쁘신 것 같구만…… 자, 그럼 이제부터 문제를 하나하나 정리해보십시다! 먼저 여가수 문제를 처리하고, 그 다음 돈 문제를 따지지요. 자, 샤니 선생, 이제 좀더 차분하게 얘기를 풀어보시지요. 당신 생각에는 크리스틴 다에 양이 에릭이라는 자에게 납치당했다 이거죠? 그렇다면 그 에릭이라는 자를 잘 아십니까? 만나본 적은 있겠죠?"

"그렇습니다, 경찰서장님!"

"그래 어디서 만났죠?"

"묘지에서 봤습니다."

미프르와는 벌떡 일어서더니 다시금 라울을 찬찬히 뜯어보며 말했다.

"물론 그렇겠지…… 물론 그래…… 대개는 그런 장소에서 유령을 만나게 되겠죠…… 그래 당신은 뭘 하러 무덤에 가셨습니까?"

"서장님, 물론 나는 내 대답이 얼마나 이상하게 들릴 것인지, 그 때문에 서장님이 무슨 생각을 하실지 잘 알고 있습니다. 하지만 제발 내가 온전한 정신상태라는 것만은 믿어주시길 바랍니다. 이 세상에서 내게 가장 소중한 한 여인과 또한 나의 다정한 필립 형의 안위가 걸려 있는 문제입니다. 하지만 워낙에 시간이 다급한 사건이라 몇 마디 말로 서장님을 설득할 수밖에 없는 상황입니다. 그러니 유감스럽게도 아예 처음부터 이런 괴상한 이야기를 털어놓지 않으면 결국 나중에 가서 역시 나를 신뢰하지 못하시게 될 겁니다. 자, 서장님, 이제부터 오페라의 유령에 관해 내가 아는 모든 사실을 털어놓겠습니다. 아, 그러고 보니 그리 많이 안다고도 말할 수 없겠군요……"

"자, 어서 얘기나 해보시오! 어서, 어서!"

갑자기 무척이나 궁금해진 리샤르와 몽샤르맹이 다그쳤다. 둘은 이 젊은 자작의 입을 통해 혹시나 자신들을 보기 좋게 기만한 사기꾼의 정체를 포착할 수 있을까 기대를 했지만, 얼마 안 가 그의 머리가 완전히 돌아버렸다는 쓸쓸한 확신만을 새로 얻어야만 했다. 페로기렉에서의 이야기라든가 해골 이야기, 신들린 바이올린 따위의 이야기들은 사랑에 눈이 먼 정신병자의 머리 속이 아니라면 꾸며낼 수 없을 만큼 황당무계하게만 들렸으니 말이다.

마찬가지로 미프르와 경찰서장마저 이제는 두 지배인의 생각에 점점 동조하는 인상이었으며, 아마도 돌발적인 상황 때문에 라울의 어지러운 이야기가 자연스레 중단되지 않았더라면 서장이 직접 나서서 그렇게 했을 것이었다.

갑자기 문이 활짝 열리더니 헐렁한 검은색 프록코트 차림에 닳아빠져서 윤이 번들번들 나는 실크햇을 귀까지 푹 눌러쓴 웬 남자 하나가 불쑥 들이닥쳤던 것이다. 그는 난데없이 경찰서장에게로 달려가더니 낮은 목소리로 무언가 속삭였다. 아마도 뭔가 급한 볼일이 있어 실례를 무릅쓴 형사인 모양이었다.

한데, 얘기를 듣는 동안에도 미프르와 씨는 라울에게서 시선을 떼지 않고 있었다.

마침내 그는 라울을 향해 입을 열었다.

"선생, 이제 유령에 대해선 그 정도면 됐습니다. 괜찮다면 지금부턴 당신 자신에 관해 좀 얘기를 나누고 싶은데요…… 오늘 저녁 당신은 크리스틴 다에 양을 데리고 떠나기로 하셨다죠?"

"네, 그렇습니다!"

"극장을 완전히 떠나기로 했습니까?"

"그렇습니다, 서장님."

"그래서 그 모든 준비들을 갖추었다 이거지요?"

"그렇습니다, 서장님."

"당신을 이곳까지 데려온 마차를 둘이 타고 말입니다…… 마차꾼에게도 그렇게 일렀고…… 여정은 미리 치밀하게 계획되었으며…… 매 기착지마다 새로운 말로 갈도록 조치를 해놓았구요……"

"사실입니다, 서장님."

"당신이 타고 온 그 마차는 로통드 옆에서 별도의 지시가 떨어지기를 기다리며 대기 상태였구요?"

"그렇습니다."

"그럼 혹시 당신이 댄 마차 말고 나란히 세 대의 다른 마차들이 있었다는 사실은 아십니까?"

"별로 주의를 기울이지 않았기 때문에 잘……"

"그 세 대는 극장 안에 댈 곳을 찾지 못한 소렐리 양과 카를로타 양, 그리고 당신 형인 샤니 백작의 마차였습니다만……"

"그럴 수도 있겠군요……"

"그런데 지금 확실한 건 말입니다…… 당신의 마차와 소렐리 양, 카를로타 양의 마차는 로통드 옆의 가도에 그대로 늘어서 있는데, 유독 샤니 백작의 마차만 보이지 않고 있다는 사실입니다!"

"그게 무슨 큰일입니까, 서장님?"

"어허, 그게 아니지요…… 백작께선 당신과 다에 양의 결합에 반대해 오지 않았습니까?"

"그건 단순한 가족 문제일 뿐입니다!"

"그러니까 결국 반대했다는 얘긴데…… 당신이 크리스틴 다에를 데리고 떠나려던 것도 형이 자행할지 모르는 모종의 조치를 피하기 위해서가 아니었습니까? 자, 자, 샤니 씨, 유감스럽게도 당신 형이 당신보다 좀더 동작이 빨랐다고밖에는 말씀드릴 수가 없겠군요. 그가 먼저 크리스틴 다에를 납치했으니 말입니다!"

라울은 한 손을 가슴에 갖다댄 채 신음을 내뱉었다.

"오…… 그럴 리가…… 그게 정말입니까?"

"앞으로 천천히 밝혀지겠지만 분명 누군가의 공모로 여자가 실종된 직후, 당신의 형은 곧장 마차에 뛰어올라 파리 시내를 미친 듯이 질주해 어디론가 달려갔다고 하는군요."

"파리 시내를 질주해 어디론가 달려가다뇨? 무슨 뜻입니까?"

"결국 파리를 벗어났다는 말씀이죠……"

"파리를 벗어나요? 어느 길로 갔다고 합니까?"

"브뤼셀 도로로 간 모양입니다!"

그 순간 이 가엾은 젊은 귀족의 입에서 꺼칠한 신음이 새어나왔다.

"아…… 그렇다면 이제라도 따라잡을 수 있겠구나!"

그리고는 눈 깜짝할 사이에 집무실 밖으로 뛰쳐나갔다.

한데, 경찰서장은 그 뒤에다 대고 자못 유쾌한 어조로 이렇게 소리를 치는 것이었다.

"그녀를 우리에게 데리고 와주시오!"

그리고는 슬쩍 이렇게 덧붙였다.

"어때요, 이거야말로 음악의 천사에 관한 정보만큼 효과가 있죠?"

미프르와 씨는 어리둥절한 표정의 좌중을 둘러보며 느닷없이 점잖은 경찰학 강의를 한줄기 뽑아대기 시작했다.

"사실은 샤니 백작이 크리스틴 다에를 납치해갔다는 정보는 어디에도 없소…… 하지만 그게 사실인지 나 역시 몹시도 궁금하며, 지금으로선 동생인 샤니 자작보다 그에 관해 더 속 시원히 밝혀줄 사람은 없을 거라는 생각이오. 지금쯤 아마 거의 날아가듯이 달리고 있을 것이외다! 당장은 나의 가장 탁월한 조수가 되는 셈이지요! 여러분, 이거야말로 흔히들 무척 복잡하다고 잘못 생각하고 있는 경찰의 수사기법이올시다! 사실, 경찰이 아닌 사람들로 하여금 경찰의 업무를 돕게 만드는 데 수사기법의 핵심이 있다는 걸 알면, 그보다 더 간단한 건 없소이다."

하지만 그렇게 기고만장한 미프르와도, 만약 사람들이 흩어져서 지금은 텅 빈 2층 복도에 들어서자마자 자작이 달리는 것을 멈춘 걸 알게 된다면 그리 만족스러워하지는 못했을 것이다. 일견 누가 봐도 복도는 텅 비어 보였다.

하지만 라울의 앞길을 가로막은 건 분명 어떤 덩치 큰 사람의 그림자였다.

"샤니 씨, 어딜 그리 바삐 가시는가?"

그림자가 음산한 어조로 물어왔다.

마음이 다급한 가운데도 얼핏 치켜본 상대의 머리에는 전에 본 적이 있는 아스트라칸 모직의 챙 없는 모자가 씌워져 있었다.

라울의 목소리는 가냘프게 떨고 있었다.

"또 당신이로군! 에릭의 비밀을 죄다 알고 있으면서도 나더러는 말하지 못하게 하는 당신…… 대체 정체가 뭐요?"

"아시다시피…… 난 페르시아인이라오!"

그림자의 중얼거림이었다.

20
페르시아인의 충고

　순간 라울의 머리 속엔, 언젠가 극장에서 공연을 관람하던 중, 형이 해준 얘기가 생각났다. 확실하게는 알려진 바가 없는 이 사람을 가리키며, 소위 '페르시아인' 이라고 불리는데, 리볼리가(街)의 어느 허름한 소형 아파트에 살고 있다는 거였다.

　흑단 같은 피부에 비취처럼 빛나는 눈동자, 그리고 아스트라칸 모직 모자를 올려 쓴 그는 라울에게 잔뜩 몸을 숙인 채 이렇게 중얼거렸다.

　"샤니 씨, 바라건대 에릭에 관한 비밀은 설마 털어놓지 않았겠죠?"

　"대체 내가 왜 그 괴물 같은 녀석의 정체를 밝히는 데 주저해야 한단 말입니까?"

　라울은 그렇게 소리치고 나서 귀찮은 존재를 내치려는 듯 손을 흔들며 덧붙였다.

　"혹시 그 녀석 친구라도 되는 거요?"

　"오, 내가 에릭의 비밀이 폭로되지 않기를 바라는 건, 그의 비밀이 곧 크리스틴 다에의 비밀이기 때문이오! 어느 한 사람에 관한 이야기가 곧 다른 한 사람의 이야기도 된다는 말이죠……"

　점점 안달이 난 라울은 목청을 높여 말했다.

　"선생, 꽤나 흥미로운 사실들을 많이 알고 계신 듯하나, 지금은 그걸

들을 시간이 없군요!"

"그러니 다시 묻겠소…… 대체 어디를 그리 바삐 가시는 거요, 샤니 씨?"

"짐작하실 텐데…… 크리스틴 다에를 구하러 가는 겁니다!"

"그렇다면 여기 그대로 계십시오! 크리스틴은 이곳에 있습니다!"

"에릭과 함께 말이오?"

"에릭과 함께!"

"그걸 당신이 어떻게 압니까?"

"나도 공연을 관람하고 있었죠…… 한데 그 정도의 납치사건을 연출할 수 있는 자는 이 세상에 에릭밖에는 없습니다! 아…… 그 괴물의 손을 봤어요!"

페르시아인은 깊은 한숨을 내쉬었다.

"그를 잘 아는 모양이군요?"

페르시아인은 아무런 대답을 안했지만, 라울은 그의 신음소리를 분명히 들었다.

"선생! 당신의 의도가 뭔지는 모르겠소만…… 나를 위해서, 아니 크리스틴 다에를 위해서 무슨 도움이라도 줄 수가 있겠습니까?"

"내 생각이 바로 그겁니다, 샤니 씨…… 그래서 이렇게 말을 건 거요!"

"그래 무엇을 해줄 수 있습니까?"

"그녀를 따라가 보십시오…… 그 자의 뒤를 밟으라 이겁니다……"

"오늘 저녁에도 기를 쓰고 그렇게 했습니다만, 결국 허사로 돌아가지 않았소! 하지만 만약 당신이 도와만 준다면 내 모든 것을 당신한테 걸겠소! 그리고 참, 경찰서장 얘기로는, 지금 크리스틴 다에가 나의 형인 필립 백작에게 납치되어 갔다고 하던데……"

"오! 샤니 씨, 내 생각은 그와 다르다오."

"그렇죠? 결코 그럴 리는 없겠죠?"

"글쎄요…… 그럴 수가 있는지는 잘 모르겠지만, 적어도 납치에는 나름대로의 방법이라는 게 있는 겁니다…… 한데 내가 보기에 필립 백작께선 그런 *허무맹랑한 짓*을 좋아할 사람 같아 보이지는 않았소……"

"당신의 말을 들으니 정신이 번쩍 드는구려! 난 참 바보였소! 오, 선생, 어서 서두릅시다! 어서요! 당신에게 모든 걸 맡기겠소! 나를 믿어주는 당신 말고 과연 다른 누구에게 내가 의지할 수 있겠소? 내 입에서 에릭이라는 이름이 나올 때 비웃지 않은 사람은 오직 당신뿐이었소!"

그렇게 말하면서 젊은이는 열에 들떠 뜨거워진 손을 부르르 떨면서 페르시아인의 손을 덥석 붙잡았다. 그의 손은 얼음장처럼 찼다.

페르시아인은 갑자기 가던 걸음을 멈추고 극장의 벽 속이나 깊은 복도 구석으로부터 들려오는 미세한 소음마저도 놓치지 않으려는 듯 바짝 귀를 기울였다.

"쉿…… 앞으로는 그 '에릭'이라는 말 대신 언제나 '그'라는 호칭을 사용하도록 합시다. 그래야 그의 관심을 가능한 한 피할 수 있을 테니 말입니다!"

"지금 그 말은, 그가 우리와 가까운 곳에 있다는 뜻인가요?"

"모든 가능성에 대비해야 하니까요…… 일단 그가 *호수의 거처*로 이미 볼모와 함께 가 있는 게 아니라면 말입니다……"

"아! 당신도 그럼 그 거처를 아시는 모양이군요?"

"……만약 거기에 없다면 이 벽 속, 이 마룻바닥 아래, 저 천장 위, 어디든 있을 수 있습니다! 누가 알겠습니까? 이 자물통에도 눈이 있고, 저 들보에도 귀가 있습니다!"

페르시아인은 계속해서 라울에게 발소리를 되도록 죽이라고 주의를 주면서 복도를 이리저리 앞장섰는데, 그 복도는 크리스틴과 함께 극장의 미로를 헤매고 다닐 때에도 전혀 보지 못했던 새로운 통로였다.

"아, 제발이지 이럴 때 다리우스가 와주었으면 좋으련만!"

문득 페르시아인이 내뱉은 말을 라울은 놓치지 않았다.

"다리우스는 또 누굽니까?"

"다리우스는 내 하인이라오……"

두 사람은 이제 희미한 불빛으로 더없이 적막해 보이는 널찍한 방 한 가운데에 당도해 있었다. 페르시아인은 라울을 붙들고 어찌나 나직한 목소리로 말했는지, 잔뜩 긴장하지 않고서는 잘 알아들을 수도 없을 정도였다.

"경찰서장한테는 뭐라고 말했습니까?"

"크리스틴 다에를 납치한 장본인은 오페라의 유령으로 널리 알려진 '음악의 천사'라고 했습니다. 그리고 그의 진짜 이름은……"

"쉿! 그러자 경찰서장이 순순히 믿던가요?"

"아뇨!"

"당신이 뭔가 중요한 말을 했다는 걸 눈치채지 못하더라 이거죠?"

"전혀요!"

"혹시 당신을 미친 사람 정도로 취급하는 것 같진 않던가요?"

"그랬습니다!"

"그거 잘 된 일이로군요……"

페르시아인은 그제서야 안도의 한숨을 내쉬었다.

그리고는 다시 달리기 시작했다.

라울로서는 처음 보는 이런저런 계단들을 오르고 내리기를 수 차례한 끝에, 어느 문 앞에 당도했는데, 페르시아인은 조끼 주머니에서 조그마한 만능키를 꺼내 서슴없이 문을 여는 것이었다. 페르시아인과 라울모두 제대로 옷을 갖춰 입었는데, 라울이 그저 평범한 실크햇을 쓴 반면페르시아인은, 독자 여러분께 여러 차례 특징을 묘사한, 그 아스트라칸모직의 챙 없는 모자를 쓴 게 다소 이채로웠다. 자고로 극장에 올 때는 실크햇을 착용하는 게 우아한 예법으로 통하는데, 외국인에게는 사실상 다른 모든 종류의 모자가 허용되고 있었다. 예컨대, 영국인에게는 여행용 챙모자라든가, 페르시아인에게는 이처럼 아스트라칸 모직의 챙 없는 모자 따위가 무리 없이 용인되었던 것이다.

한데 페르시아인이 대뜸 이러는 것이었다.

"선생, 우리가 하게 될 모험에는 아무래도 그 실크햇이 좀 거추장스러울 것 같습니다…… 아예 대기실에 놔두고 시작하는 게 좋을 것 같은데요……"

"어느 대기실에 놔둔단 말이오?"

"그야 크리스틴 다에의 대기실이죠!"

페르시아인은 그렇게 말하고서 라울을 방금 연 문 안으로 들여보냈는데, 바로 앞을 보니 크리스틴의 대기실이 보이는 거였다!

평소에 이 방으로 오기 위해 늘 다니던 통로 말고 이처럼 뜻밖의 다른 통로가 있다는 사실이 무척이나 당혹스러웠다. 언제나 그녀의 대기실 문을 두드리기 전, 이런저런 생각을 하며 거닐던 기나긴 복도 끝에 서 있는 것이었다.

"오, 선생은 오페라 극장을 훤히 꿰고 있구려!"

"'그' 보다는 못합니다!"

페르시아인은 겸손하게 목소리를 낮췄다.

그리고는 젊은이를 떠밀다시피 대기실 안으로 밀어넣었다.

방 안은 라울이 아까 보았던 상태 그대로였다.

한편 페르시아인은 문을 닫자마자 대기실 공간과 잡동사니를 넣어두도록 그 옆에 붙어 있는 널찍한 방 사이의 보잘것없는 널빤지 벽에 다가가 한참 귀를 기울이더니, 별안간 기침을 해댔다.

그러자 곧장 널빤지 벽 너머로 뭔가 부스럭대는 소리가 들리는가 싶더니, 잠시 후, 누군가 대기실 문을 노크하는 것이었다.

"들어오게!"

페르시아인이 소리쳤다.

한 남자가 들어왔는데, 그 역시 아스트라칸 모직의 챙 없는 모자와 기다란 망토를 착용한 모습이었다.

그는 꾸벅 인사를 하고는 망토자락에서 화려하게 세공된 상자를 하나 꺼내는 것이었다. 그리고는 아무 말 없이 화장용 탁자 위에 그것을 올려놓은 다음 문 쪽으로 물러났다.

"누구 본 사람은 없겠지, 다리우스?"

"네, 주인님!"

"나가는 것도 아무도 보게 해선 안돼!"

하인은 문 밖을 한번 날카롭게 쏘아본 다음, 날렵한 동작으로 방을 빠져나갔다.

라울은 다급한 마음에 입을 열었다.

"선생, 내 생각에는 언제 이곳으로도 사람들이 들이닥칠지 모르오. 경찰서장이 조만간 이곳도 수색하러 올 거란 말이오!"

"내 참…… 정작 걱정해야 할 것은 경찰서장이 아니외다……"

라울의 심정에는 아랑곳하지 않고 페르시아인은 상자를 열었다. 안에는 호화스런 장식이 새겨진 긴 권총 두 자루가 나란히 들어 있었다.

"크리스틴 다에가 납치된 직후, 나는 하인에게 즉시 이 무기들을 구해오도록 시켰소. 오래 전부터 보아둔 것이었는데, 이보다 더 확실한 방법은 이제 없다는 판단이 섰던 거요."

"그럼 결투라도 하겠다는 겁니까?"

난데없는 무기의 출현에 다소 당황한 젊은이가 발끈하며 물었다.

"네…… 결국엔, 결투를 하지 않을 수가 없게 된 거죠…… 아주 근사한 결투 말입니다!"

페르시아인은 권총의 뇌관을 이리저리 살피면서 아무렇지도 않게 대답했다. 그는 그 중 한 자루를 움켜쥐고 라울한테 겨누는 시늉을 하면서 또 이렇게 덧붙이는 것이었다.

"단, 이 결투에서 우리 편은 둘인데, 상대는 한 명입니다. 하지만 선생, 만반의 준비와 각오를 해야만 할 겁니다. 솔직히 말해서 우리의 상대는 상상할 수 있는 한 가장 강력한 존재이기 때문이지요…… 그럼에도 불구하고 당신은 크리스틴 다에를 사랑하겠죠?"

"그거야 두말하면 잔소리죠! 하지만 당신은 그녀를 사랑하진 않는 것 같은데, 왜 이런 위험한 일도 마다하지 않는 거죠? 혹시 에릭에게 개인적인 원한이라도 있습니까?"

"그건 아닙니다, 선생…… 그를 미워하는 게 아닙니다. 그리고 설사 내가 그를 좋아하지 않는다 해도, 이미 오래 전부터 그는 내게 더 이상 해를 끼치지 않았습니다."

"그가 언제 당신을 해코지한 적은 있었나 보군요……"

"그가 내게 한 짓은 이미 용서를 한 상태입니다."

"그 자에 대해 당신이 하는 얘기를 듣노라면 참으로 이상하다는 생각이 듭니다. 당신은 그를 괴물로 취급하고 그의 죄악에 대해 얘기하는가 하면, 그가 당신에게 나쁜 짓을 저지른 적도 있는 것 같은데…… 그럼에도 불구하고 내가 크리스틴을 향해 가질 수밖에 없는 애틋한 동정심과 매우 유사한 감정이 당신의 마음 속에서도 느껴진단 말입니다!"

페르시아인은 입을 다문 채 묵묵히 있었다. 그러다가는 문득 등받이 없는 의자를 가져다가 전면이 비치는 대형거울의 맞은편 벽에 기대놓는 것이었다. 결국 그 의자 위에 올라간 그는 벽지에다 코를 바짝 갖다댄 채 무언가를 열심히 찾는 듯했다.

라울은 더 이상 참기가 어려운 듯 짜증 섞인 어투로 말했다.

"이보세요, 선생! 뭐 하십니까? 이제 가십시다!"

"가긴 어딜 간다는 말이오?"

페르시아인은 고개도 돌리지 않은 채 내뱉듯 대답했다.

"그야 물론 괴물한테 가는 거죠! 어서 지하로 내려갑시다! 당신에겐 묘책이 있다고 하지 않았습니까!"

"내가 지금 찾고 있는 게 바로 그거요!"

가만히 보니 페르시아인은 연신 코를 바짝 들이대고 온 벽면을 두루 헤매고 있었다.

"아, 여기다!"

그러더니 손가락을 머리 위로 치켜들어 벽지의 어느 한 구석을 꾹 누르는 것이었다.

그는 날쌔게 몸을 돌려 의자 아래로 뛰어내리며 이렇게 소리쳤다.

"이제 한 30초 후면 우리는 *그리로* 가고 있을 거외다!"

그는 이제 방을 가로질러 걸어와 대형거울을 더듬기 시작했다.

"아냐, 아냐…… 아직도 말을 안 듣는군……"

그가 중얼거리는 걸 가만히 듣고 있던 라울이 대꾸하듯 말했다.

"오, 그리고 보니 거울을 통해 나가려는 모양이로군요! 크리스틴처럼 말이오……"

"그럼 당신도 크리스틴이 거울을 통해 방 밖으로 나갔다는 걸 알고 있단 말이오?"

"내가 이 두 눈으로 똑똑히 보는 가운데 그랬다오. 여기 이 커튼 뒤에 숨어서 지켜보고 있었는데, 그녀가 거울을 통해, 아니 거울 속으로 눈 깜짝할 사이에 사라지는 걸 분명 보았습니다!"

"그래서 어떻게 했소?"

"나는 그만 내 감각이 드디어 착란을 일으킨다고 생각했었죠…… 무슨 광기나 최면 같은 현상 때문이라고 말입니다……"

"유령이 새로 선보인 마술이라고나 할까요!"

페르시아인은 빈정대는 투로 내뱉더니 여전히 거울을 더듬대면서 말을 이었다.

"샤니 씨! 우리가 상대할 대상이 정녕 유령이었다면 얼마나 좋았겠소! 그러면 권총 따위는 준비하지 않아도 되었을 텐데…… 자, 당신 모자를 여기 벗어두시오…… 옷섶은 그 가슴받이 위로 바짝 당기고…… 이렇게, 나처럼 말이오…… 깃을 바짝 세워요…… 가능한 한 모습을 감출 수 있도록……"

그는 잠시 침묵하더니, 거울을 힘주어 누르면서 이렇게 덧붙였다.

"방안에서 용수철에 힘을 가해 추를 작동시키려면 시간이 좀 걸린단 말이거든…… 이러지 않고 저 벽 뒤에서 직접 추를 작동시키면 훨씬 빠르고 쉬운데 말이야…… 자, 이제 거울이 돌아가면서 순식간에 통로가 열릴 테니……"

"추를 작동시킨다니요?"

"회전축을 중심으로 해서 저 벽면 전체를 번쩍 들어 올리도록 하는 추 말입니다…… 설마 진짜로 마법을 부려 벽이 움직였으리라고 생각하는 건 아니겠죠?"

페르시아인은 한 손으로는 라울을 자기 쪽으로 바짝 끌어당긴 채, 다른 손(권총을 쥔 손)은 여전히 거울에 기대고 있었다.

"자, 이제 조금만 기다리시오! 정신 바짝 차리고 살펴보면 이 거울이 몇 밀리미터쯤 들어 올려짐과 동시에 왼쪽에서 오른쪽으로 또 몇 밀리미터쯤 옮겨가는 게 보일 것이오! 그러면 이제 회전축에 장착이 되어서 회전을 시작하게 되는 것이죠. 추가 어떻게 작용하는지는 모르지만, 분명한 건 어린 아이라도 손가락 하나만으로 집 전체를 돌아가게 할 수가 있다는 거요…… 벽이 제아무리 무겁다 해도 정교하게 균형을 갖춘 회전축을 통해 추와 연결이 되어 있어서, 결국 회전하는 팽이의 뾰족한 끄트머리에 가해지는 중량을 넘지 않게 되는 것이지요!"

"한데 왜 이렇게 돌아가지를 않는 겁니까?"

라울은 안달이 난 듯 다그쳤다.

"허허, 기다리라니까요! 시간이 좀 걸리는 걸 어떡하겠소? 워낙에 기계에 녹이 슨 데다, 용수철도 뻑뻑하기가 이를 데 없으니……"

페르시아인은 이마를 잔뜩 찡그리더니 마침내 이렇게 중얼거렸다.

"그렇다면…… 다른 문제가 있는 건가……"

"대체 뭡니까?"

"아마도 그가 추를 매단 줄을 끊어버렸는지도 모릅니다. 아예 전체 작동이 불가능하도록 말입니다……"

"아니, 어떻게…… 우리가 이리로 내려가리라고는 생각지 못했을 텐데요……"

"아뇨, 아마 짐작했을지도 몰라요…… 적어도 그는 내가 이 시스템에 대해 알고 있다는 것만은 모르지 않을 테니까요."

"그가 구경이라도 시켜준 겁니까?"

"아니오! 지난 세월 동안 그의 뒤를 끈질기게 밟고, 그가 신비롭게 사라져버리는 걸 추적한 끝에, 이 모든 걸 발견한 겁니다…… 오, 이건 이 세상의 수많은 문들 중에 가장 간단한 시스템이랍니다! 이건 100개의 문이 있다는 테베의 신성한 궁전이나, 페르시아의 고도(古都)인 엑바탄의 옥좌가 위치한 홀이나, 델포이의 삼각대가 모셔진 방의 낡아빠진 기계장치들과 하나 다를 게 없어요."

"아, 이것 보세요…… 전혀 돌 생각을 안하지 않습니까! 아…… 크리스틴…… 크리스틴……"

어쩔 줄 모르는 젊은이를 나무라듯이 페르시아인은 차갑게 내뱉었다.

"우리로선 인간적으로 할 수 있는 최선을 다할 뿐이오! 하지만 그는 그 첫 시도에서부터 우리를 좌절시킬 수도 있어요!"

"그럼 이 모든 벽들이 그에게 복종이라도 한다는 겁니까?"

"벽뿐만이 아니라, 이 극장의 모든 방문들과 바닥의 뚜껑문들에까지 그의 지시가 통하지 않는 곳이 없소…… 우리들 사이에선 그를 특히 '함정애호가'라는 뜻의 별명으로 부르기도 한답니다!"

"함정 얘기라면 크리스틴한테서도 누차 들어 알고 있소…… 하지만 아무래도 내게는 괴상하게만 보일 뿐이군요…… 대체 이 벽들이 오로지 그에게만 복종을 하는 이유가 뭡니까? 그가 이 모든 것을 만들기라도 했단 말입니까?"

"바로 맞췄습니다! 선생!"

순간 당황한 라울이 멀뚱하니 바라보는 가운데, 페르시아인은 조용히 하라는 신호를 보내면서, 거울 쪽을 가리키는 것이었다…… 거기엔 무슨 잔영 같은 것이 순간적으로 어른거렸다. 두 사람의 영상은 일순 흔들리는 물결로 인해 흩어지는 듯하더니 이내 조용히 정지하였다.

"자, 봤지요? 꿈쩍도 안하지 않습니까! 다른 방법을 좀 찾아봅시다!"

어린애처럼 보채는 라울에게 페르시아인은 갑자기 음산한 어조로 선언하듯 잘라 말했다.

"오늘밤에 다른 방법이란 없소! 자, 이제, 바짝 긴장하고 쏠 준비나 하시오!"

그러면서 그는 거울을 향해 권총을 치켜들었고, 라울도 그를 따라 같은 자세를 취했다. 한데, 페르시아인의 나머지 팔이 젊은이를 가슴까지 바짝 끌어당기는 찰라, 문득 눈이 부실 정도의 강렬한 광채를 흩뿌리며 거울이 후다닥 회전하는 것이 아닌가! 회전을 하는 동안, 칸칸이 나눠진 회전문들이 제각각 탁 트인 공간으로 열리는가 하면…… 계속 회전을 하는 동안, 어느새 라울과 페르시아인은 걷잡을 수 없는 움직임에 휩쓸린 채 눈부신 빛으로부터 순식간에 그 깊이를 알 수 없는 어둠 속으로 내던져졌다…….

21

오페라 극장의 지하세계

"손을 치켜들어요! 쏠 준비를 하고!"

페르시아인은 기를 쓰고 지시를 반복했다.

이렇게 보니 등뒤로는 스스로 빙그르르 도는 벽이 서서히 닫히고 있었다. 두 사람은 잠시 동안 숨을 죽인 채 꼼짝 않고 그대로 서 있었다.

캄캄한 어둠 속에서는 세상 그 어떤 것도 방해하지 못할 만큼의 엄청난 적막이 군림하고 있었다.

마침내 페르시아인이 움직여보리라 마음을 먹었는지, 바로 옆에서 무릎을 꿇은 채 손으로 주변을 더듬대는 소리가 라울의 귀에 붙잡혔다.

별안간 젊은이의 바로 코 앞에서 희끄무레한 불빛이 어둠의 한켠을 비집고 들어오는 것이 느껴졌다. 라울은 마치 은밀한 적의 탐색을 피하려는 것처럼 본능적으로 움찔 물러섰다. 하지만 이내 그 불빛이 페르시아인이 만들어낸 거라는 걸 알게 되었다. 불그스름한 빛을 담은 접시 하나가 내벽 여기저기를 위아래 할 것 없이 헤매다니고 있었던 것이다. 내벽의 오른편은 하나의 벽면으로 되어 있었고, 왼편은 여러 층으로 나뉘어진 벽체들로 구성되어 있었다. 라울은, 크리스틴이 음악의 천사의 목소리를 따라나섰던 그 날도 바로 이곳을 지나쳐 갔으리라는 생각이 들었다. 마찬가지로 에릭이 크리스틴의 순진한 마음을 유린하러 벽들을 자유자재로 넘나들 때도 바로 이곳을 거쳤으리라 생각하니 가슴이 답답해왔다. 라울의 머리 속엔, 이 길이 유령 자신의 세심한 창조물이라는 페르시아인의 말이 문득 떠올랐다. 그리고 좀더 나중에 안 일이지만, 이곳에서 에릭은 오랫동안 그 존재를 혼자만 알고 있게 될 비밀 통로 하나를 발견한 바가 있었다. 그 통로는 파리 코뮌 시절에 간수들이 지하창고에 만들어놓은 감옥으로 죄수들을 곧장 수송하는 데 사용되었다고 한다. 혁명 당시 3월 18일 이후부터 줄곧 지상건물은 국민군의 수중에 떨어진 상태였는데, 그 꼭대기는 각 지방으로 열렬한 선언문을 실어 나를 열기구의 이륙장소로 삼고, 그 맨 밑바닥은 공식적인 국가의 감옥으로 삼았었다는 것이다.

한편 페르시아인은 무릎을 꿇은 채 램프불을 땅에 내려놓았다. 문득 판자벽 안쪽에서 신속히 진행되는 뭔가에 유념하는 듯하다가, 별안간 램프의 불을 손으로 가리는 것이었다.

라울의 귓가에 무슨 찰카닥거리는 소리가 나는가 싶더니, 통로의 벽 너머에서 무척이나 희미한 사각형의 불빛이 감지됐다. 그건 마치 어떤 불켜진 창문 하나가 오페라 극장의 지하실 쪽으로 활짝 열리는 것과 같았다. 페르시아인의 모습은 비록 보이지 않았지만, 문득 바로 옆의 인기척과 더불어 나직이 들려오는 숨소리로 그 존재를 알 수 있었다.

"나를 따라오시오! 그리고 내가 하는 대로만 하세요!"

라울은 환한 채광구멍 쪽으로 이끌려가고 있었다. 얼마나 갔을까, 언뜻 바라보니 아직도 무릎을 꿇은 채, 두 손으로 구멍 틀에 매달려 지하실 안으로 미끄러져 들어가는 페르시아인이 어렴풋이 보였다. 권총은 이빨로 악물고 있었다.

이상한 일은 자작이 어느새 페르시아인에게 전적인 신뢰심을 품고 있다는 사실이었다. 그에 대해선 도무지 아는 게 없었으며, 그가 하는 말도 이 모험을 더욱 수수께끼처럼 모호하게 할 뿐이었는데도 불구하고, 하필 이 결정적인 때에 페르시아인이 자기와 더불어 에릭을 응징하려 한다고 주저 없이 믿고 있는 것이었다. 그가 '괴물'에 대해 이야기할 때 엿보이는 감정은 너무도 진지하게 보였으며, 자신에게 부여하는 관심도 의심할 여지가 없어 보였다. 아니 다 떠나서, 만에 하나 이 페르시아인이 라울을 해칠 엉큼한 계획을 꾸몄다면 어찌 제 손으로 권총을 쥐어주며 무장을 권유했겠는가! 좌우간 지금은 한시라도 빨리 크리스틴의 곁으로 달려가는 게 급선무가 아니겠는가! 그리고 보니 라울에겐 페르시아인을 따르는 것 말고는 다른 선택의 여지가 없었던 셈이다. 아무리 페르시아인이 못 미더워서 그랬다 해도, 일단 크리스틴을 구하러 가는 길에 망설였다면, 필경 스스로를 용서할 수 없는 비겁자로 자책하게 되었을 것이다…….

라울도 페르시아인과 마찬가지로, 두 무릎을 꿇은 채 문틀에 매달렸다. 마침내 "손을 놓으시오!" 하는 소리와 함께 라울은 몸을 날려 밑에서 받치고 있던 페르시아인의 품안에 떨어졌다. 페르시아인은 라울에게 얼른 엎드리라고 지시한 뒤, 왠지 모르지만 머리 위로 얼른 뚜껑문을 닫았고, 곧장 자작의 옆구리 쪽으로 몸을 밀착시킨 채 엎드렸다. 라울은 대체 무슨 일이냐고 물으려 했지만, 페르시아인은 손으로 입을 가리면서 조용히 하라는 신호를 보냈다. 바로 그 순간, 라울의 귓가엔 아까까지만 해도 자신에게 날카로운 질문을 쏟아 붓던 경찰서장의 목소리가 들려오는 것이었다.

라울과 페르시아인은 널빤지 벽체 뒤로 완벽하게 숨어 있는 셈이었다. 그 바로 옆으로는 비좁은 계단이 어느 작은 방으로 통해 있었는데, 안에서는 경찰서장이 이리저리 서성대면서 연신 질문공세를 퍼붓고 있는 듯했다. 그의 발소리와 목소리가 뒤섞인 채 쉬지 않고 새어나오고 있었다.

저 위의 통로를 지배하던 두터운 암흑에서 빠져나와서 그런지, 희미한 빛 속에 어렴풋이 휩싸여 있는 사물들을 분간하는 일이 이젠 라울에게도 그리 어렵지만은 않았다.

문득 널빤지 너머 세 개의 몸뚱어리가 보였고, 라울은 입술을 깨물면서 가까스로 비명을 참을 수 있었다.

그 중 하나는 지금 경찰서장의 음성이 새어나오고 있는 방문 바로 앞까지 이르는 계단의 좁은 층계참에 뻗어 있었고, 나머지 두 개의 몸뚱어리는 바로 그 계단 밑에까지 굴러 떨어진 상태로 두 팔을 가슴께에 포개고 있었다. 라울은 칸막이 벽체를 가로질러 손가락을 넣어보았는데, 금세 손 하나가 만져졌다.

"쉿!"

페르시아인이 또 주의를 주었다.

그 역시 몸뚱어리를 목격했는데, 이 한마디 말로 그 모든 것을 설명하는 투였다.

"그 자 짓이요……"

경찰서장의 목소리는 보다 선명하게 들려왔다. 그는 조명장치의 문제점을 추궁하고 있었고, 무대감독은 연신 해명을 해대고 있었다. 그걸로 봐서 경찰서장은 분명 〈음전〉이나 그 부속시설들을 살피고 있음에 틀림없었다.

특히 오페라용 극장의 경우, 대개 생각하는 것과는 달리, 〈음전〉은 음악 연주와는 전혀 관계가 없는 용도로 사용되곤 했다.

당시 전기는 극히 제한된 일부 장면의 효과라든가 신호음을 위해서만 사용되었다. 그밖의 큰 건물과 무대 자체의 조명은 아직 가스로 이루어지고 있었던 것이다. 이때 사용되는 수소가스는 그 양을 조절함으로써 여러 가지 장식적인 조명효과가 가능했는데, 그 장치가 여러 가지 크기의 관들로 이루어져 있기 때문에 파이프 오르간의 〈음전〉 장치에서 이름을 따오게 된 것이었다.

조명 책임자는 프롬프터 박스 바로 옆에 마련된 좌석에 앉아 기술자들에게 지시를 내리고 그 실행을 감독하도록 되어 있었다. 그러니까, 매 공연이 있을 때마다 그곳에 앉아 있던 사람이 바로 실종된 모클레르인 것이었다.

그런데 당연히 있어야 할 모클레르도, 또 나머지 직원들도 전혀 자리에 보이지 않았다.

"모클레르! 모클레르!"

소리소리 지르는 무대감독의 외침소리가 지하실까지 쩌렁쩌렁 울려왔다. 그러나 대답은 들리지 않았다.

한편, 아까 말했다시피, 경찰서장이 있는 방문을 열면 곧장 지하 2층까지 통하는 계단이 있는데, 바로 그 문을 미프르와 씨가 막 열려고 하자, 왠지 무언가에 가로막힌 듯 열리지가 않는 것이었다.

"이것 봐라! 이봐요, 무대감독! 이 문이 왜 이리 안 열리지? 원래 이렇소?"

무대감독은 즉각 우악스럽게 어깨로 문을 밀쳐 열었다. 그러자 문이 밀리는 것과 함께 난데없는 몸뚱어리 하나가 밀려나는 것이었다! 비명이 터져나오는 건 당연했다.

"모클레르!"

〈음전〉을 살피러 경찰서장을 뒤따라온 모든 사람들이 하나같이 웅성대며 층계참으로 몰려나왔다.

"가엾은 사람 같으니…… 죽었어……"

무대감독이 황망한 표정으로 어쩔 줄 모르고 있는 가운데, 웬만한 것엔 전혀 놀라지 않는 경찰서장 미프르와 씨는 벌써 이 큼직한 체구의 몸뚱어리 위로 몸을 숙여 이리저리 살펴보고 있었다.

그러더니 대수롭지 않다는 듯, 이렇게 내뱉는 것이었다.

"아니! 그냥 정신 없이 취했을 뿐이야! 죽은 거완 다르지……"

"이런 일은 처음입니다!"

무대감독이 호들갑을 떨자, 경찰서장은 침착하면서도 빠르게 대꾸했다.

"누군가 마취제를 먹인 것이오…… 그럴 수도 있겠지!"

미프르와는 일어서서 다시 몇 계단을 더 내려갔고, 거기서 또한 고함을 질렀다.

"이것 보시오!"

계단 맨 아래, 붉은 각등(角燈)의 희미한 빛 속에서 두 개의 또 다른 몸뚱어리가 축 늘어져 있었던 것이다. 무대감독은 이들이 모클레르의 두 조수임을 확인해주었고, 미프르와는 또다시 몸을 숙인 채 검사를 하기 시작했다.

"지독히도 깊이 잠들었구만…… 거 참 이상한 일이네…… 아무래도 조명작업 중 누군가 미지의 제삼자가 끼여든 게 확실한 것 같소! 그리고 그 제삼자는 무대 위에서 직접 납치를 주도한 주범을 위해 이런 짓을 한 것이고…… 하지만 하필 공연 도중에 배우를 겁탈하려 하다니…… 이건 필시 어려운 일일수록 즐긴다는 뜻인데…… 누구 극장 전속의사 좀 불러주시오!"

그렇게 소리치고 나서도 미프르와는 계속해서 중얼거리고 있었다.

"거 참 이상해…… 이상한 일이야……"

그리고는 다시 그 작은 방으로 돌아가, 위치상 라울이나 페르시아인이나 식별이 불가능한 누군가에게 말을 붙이고 있었다.

"자, 이 모든 사태를 어떻게 생각하시오? 아직까지 전혀 아무런 의견도 내지 않고 있는 사람은 당신들뿐이오. 그래도 뭔가 생각하는 바가 있지 않겠소?"

바로 그때, 라울과 페르시아인의 시야에 층계참 위로 막 나오는 두 지배인의 황망한 얼굴이 언뜻 비쳤다. 그리고는 곧바로 몽샤르맹의 목소리가 들려왔다.

"경찰서장님, 아무래도 지금 이곳에선 우리가 도저히 설명할 수 없는 일들이 일어나고 있는 듯합니다."

그리고 금세 두 얼굴이 사라짐과 동시에, 미프르와의 빈정대는 말투가 뒤를 이었다.

"그걸 가르쳐주어서 정말 고맙소이다……"

한데, 오른손 위에 턱을 괴고 뭔가 골똘한 생각에 잠겨 있던 무대감독이 문득 이런 말을 하는 것이었다.

"모클레르가 극장 안에서 잠을 잔 건 이번이 처음은 아닙니다. 언젠가 밤에 〈음전〉 좌석에 앉은 채로 코담배 갑을 옆에 두고 잠에 곯아떨어진 걸 본 적이 있거든요……"

"오래 된 일입니까?"

미프르와 씨는 코안경 알을 세심하게 닦으면서 지체 없이 물었다.

"아뇨, 천만에요…… 그리 오래 된 일은 아닙니다! 그래요, 그날 밤이었어요! 왜, 경찰서장님도 아시죠, 카를로타가 그 끔찍한 '꾸엑' 으로 난리를 겪었던 바로 그 날이었어요!"

"정말이오? 카를로타가 그 유명한 '꾸엑' 사건을 치렀던 그 밤 말이오?"

경찰서장은 더없이 투명해진 코안경을 얼른 걸치고서, 마치 속내 생각을 꿰뚫어보려고 그러는 것처럼 무대감독을 빤히 응시하며 연거푸 물었다.

"모클레르가 코담배를 즐기나 보죠?"

"그럼요! 대단한 코담배꾼이었죠……"

"흠…… 나 역시 그렇소!"

그렇게 내뱉고는 미프르와 씨는 담뱃갑을 호주머니 속에 넣었다.

한편 라울과 페르시아인은, 누구도 상상하지 못하는 곳에서, 세 개의 축 늘어진 몸뚱어리가 무대장치 기술자들의 부축을 받아 운반되는 진풍경을 지켜보고 있었다. 경찰서장이 그 뒤를 따랐고, 그와 더불어 모두가 계단을 올라갔다. 다들 모습이 보이지 않게 된 다음에도 한동안 무대바닥을 이리저리 오가는 사람들 발소리가 들려왔다.

이윽고 주변에 아무도 없음을 확인한 페르시아인은 그제서야 라울에게 몸을 일으켜도 된다는 신호를 했다. 한데 몸을 일으킨 라울이 그와 동시에 다시금 머리 위로 손을 치켜들며 총 쏠 태세를 갖추지 않는 것을 보자, 페르시아인은 발끈하면서 앞으로는 무슨 일이 있어도 그와 같은 자세에서 벗어나지 말라고 진지하게 주의를 주는 것이었다.

"하지만 그래봤자 공연히 팔만 아프지 않소! 이러다가는 총을 쏘아도 잘 맞출지 의문이오!"

라울이 불평을 늘어놓자, 페르시아인은 그저 이렇게 대꾸하는 것이었다.

"그럼 권총 든 팔을 바꾸지 그러쇼!"

"왼손으로는 권총을 쏠 수가 없단 말이오!"

그러자 페르시아인은 젊은이의 어지러운 머리 속을 더욱 어지럽게 만드는, 다음과 같은 대답을 선언처럼 강변하는 것이었다.

"*왼손으로 쏘느냐, 오른손으로 쏘느냐는 중요한 문제가 아니오! 정작 중요한 건, 마치 권총의 방아쇠를 여차하면 작동시키려는 것처럼 어느 쪽이든 한쪽 팔을 반쯤 구부린 채 치켜들고 있으면 되는 겁니다. 실제로 권총은 호주머니에 넣고 있어도 상관이 없어요!*"

그리고는 또 이렇게 덧붙였다.

"시키는 대로 하지 않겠다면, 나도 더 이상 상대를 하지 않겠소! 이건 목숨이 달린 문제요! 그러니 입 닥치고 어서 나만 따라오시오!"

어느덧 두 사람은 지하 2층에 와 있었다. 하지만, 여기저기 유리병 안에 든 몇몇 보잘것없는 불꽃에 의지해 오페라 극장 무대의 지하라는 이

어마어마하고도 요지경 상자처럼 흥미로운 암흑세계의 극히 미세한 부분만이 어렴풋하게 분간될 수 있을 뿐이었다.

오페라 극장의 지하는 모두 다섯 개 층으로 이루어진 대단한 암흑의 세계이다. 거기엔 매 층마다 무대 위의 모든 것, 그 모든 뚜껑문들과 빗장들이 재현되어 있다. 무대배경을 옮길 수 있게 만든 바닥의 홈은 레일로 대체되어 있고, 천장을 가로지른 골조들이 무대의 개폐장치들을 지탱하고 있다. 주철이나 석재 등등의 토대 위에 세워진 여러 기둥들은 일련의 무대벽면 장치들의 틀을 구성해서 온갖 조명효과와 다른 배합효과들, 갖은 트릭을 자유자재로 가능케 한다. 이러한 장치들은 무쇠로 된 일종의 걸쇠를 사용해서, 그때 그때의 필요에 따라 일정한 상태로 고정된다. 권양기와 실린더, 균형추 같은 것들이 지하 여기저기에 골고루 배치되어 있어서, 큼직큼직한 무대장식들을 적절하게 이동시키는가 하면, 장면 교체라든가, 요정극 같은 데서 인물이 갑작스럽게 사라지는 효과 같은 것들을 원활하게 만들어주고 있다. 가르니에의 이 걸작품(역자주 : 오페라 극장을 말함)에 관해 매우 흥미로운 연구 결과를 내놓은 바 있는 모모씨에 의하면, 허약한 약골을 멋진 기사로 만들어주고, 혐오스런 마녀를 싱싱한 아름다움을 갖춘 요정으로 화하게 하는 것은 무대 위가 아니라, 바로 이 무대 밑의 세계라는 것이다. 무대 밑의 세계는 사탄이 태어나는 곳이자, 몰락하는 곳이기도 하며, 지옥의 불빛이 그곳으로부터 분출하고 악마의 합창이 그곳에 둥지를 튼다.

…… 그리고 숱한 유령들이 마치 제집처럼 그곳을 배회한다……

라울은 도대체 왜 그러한 자세를 유지해야만 하는지 이제는 알려고도 하지 않은 채, 그저 페르시아인이 시키는 대로 어중간하게 팔을 치켜들고 뒤를 따랐다. 이제는 그를 전적으로 믿는 수밖에 다른 도리가 없다는 걸 너무도 잘 알고 있었던 것이다.

…… 이런 지독한 미로 속에서 그나마 그마저도 곁에 없다면 과연 어

쩔 뻔했는가!

아마도 걸음걸음마다 얽히고 설킨 가로목들과 밧줄꾸러미들 때문에 몇 번이나 넘어지고 깨졌을지도 모른다. 아니 심지어는 이 거대한 철근 목조물의 거미줄에 사로잡혀 영영 빠져나오지 못할 지경에 이르지는 않았을지……

설사 치렁치렁 늘어진 밧줄들과 균형추들 사이를 용케 비집고 돌아다닌다 해도 언제 어느 때 발 밑에서 덜커덩 하고 열릴지 모르는 숱한 구멍들 때문에 도무지 끝을 가늠할 수 없는 무시무시한 심연 속으로 곤두박질칠지도 모르는 일!

…… 두 사람은 아래로, 아래로 하염없이 내려가고 있었다……

그렇게 드디어 당도한 곳은 지하 3층.

멀리 희부옇게 빛나는 약간의 불빛이 그나마 발 앞을 간신히 분간하도록 해주고 있었다.

점점 더 아래로 내려갈수록 페르시아인의 조심성도 따라서 더해가는 것 같았다. 그는 끊임없이 라울을 돌아보며 올바로 자세를 유지하고 있는지를 챙겼다. 물론 자신 또한, 이제는 권총을 쥐지도 않은 손을 엉거주춤 들어서 마치 금방이라도 무기를 발사할 것만 같은 자세를 고수하는 것이었다.

갑자기 웬 목소리가 쩌렁쩌렁 울리는 바람에 두 사람은 그 자리에 못박힌 듯 멈춰 섰다. 그건 누군가 위에서 고래고래 고함을 질러대는 소리였다.

"문 개폐 담당자는 모두 무대 위로 올라오시오!"

경찰서장이 수사에 열을 올리는 모양이었다.

…… 이어서 사람들의 발소리와 서로서로 스치는 소리가 어둠 속에서 들려왔다. 페르시아인은 무대장치를 받치는 어느 지주(支柱) 뒤로 얼른 라울을 끌어당겼다…… 순식간에 위아래 할 것 없이, 나이 많은 노동자

들과 케케묵은 오페라용 장식꾸러미들이 이쪽 저쪽으로 이동하느라 정신이 없었다. 그 중 어떤 이들은 간신히 걸음을 뗄 수 있는 사람도 있었고, 대부분은 습관적으로 허리를 구부린 채, 앞으로 엉거주춤 손을 내밀고 닫아야 할 문을 찾아 왔다갔다하고 있었다.

그들 모두가 옛날에는 제각각 무대장치를 담당하는 사람들이었는데, 이제는 기운이 빠지고 나이가 들어, 극장측의 동정 어린 배려로 그나마 이곳에 남아 지하에서 지상 무대로 이르는 문단속 일을 하고 있는 것이었다. 그들은 끊임없이 무대 위아래를 오르락내리락하면서 문들을 닫았는데, 아직까지 생존하고 있을 리가 없는 그 노인네들을 당시에는 '통풍 사냥꾼'이라 부르기도 했었다.

통풍은 일단 무대 밑 어디에서 오든 가수의 목청에는 극히 안 좋은 영향을 미치는 것이다.(원주 : 실제로, 페드로 가일라르 씨는 나이가 많지만 쫓아내고 싶지는 않은 무대장치 기술자들을 위해 자기가 뚜껑문 닫는 일자리를 상당수 마련해주었노라고, 내게 이야기한 바 있다.)

한편 페르시아인과 라울은, 때마침 경찰서장이 법석을 떨어주는 바람에, 일부 집 없고 할 일 없어 오페라 극장 지하에서 빈둥대는 뚜껑문 담당자들까지 죄다 위층으로 몰려가게 돼, 내심 쾌재를 부르고 있었다. 그러지 않았더라면, 여기저기 나자빠져 코를 골고 있을지도 모를 그들을 본의 아니게 깨워 귀찮은 일만 생길 터이니 말이다.

미프르와의 떠들썩한 수사방식은 결국 두 사람이 이 지하세계에서 불필요한 방해를 받지 않고 목표를 향해 차근차근 나아갈 수 있도록 기회를 부여해준 셈이었다.

하지만 그것도 그리 오래 가지는 않았다…… 뚜껑문 담당자들이 올라간 바로 그 길을 통해 또 다른 그림자들이 밀어닥치고 있었던 것이다. 그들은 제각각 손에 램프를 들고 있었는데, 그것들을 위아래로 연신 들었다 내렸다 하면서 주변을 두리번거리는 폼이, 아무래도 무언가 혹은 누군가를 찾아 헤매는 게 틀림없었다.

"이런 제기랄! 대체 무얼 찾느라 저 야단이람…… 좌우간 이러다가 우리가 발견되겠소! 어서, 여기를 뜹시다! 선생 팔을 치켜드는 걸 잊지 마시오…… 언제나 발사를 하는 자세로 말이오…… 팔을 이렇게 구부리고…… 눈 높이로 들어요…… 그렇지, 그렇게…… 결투 자세로! 내가 '발사!' 라고 할 때까지…… 권총은 주머니에 넣어두어도 괜찮소…… 자, 어서 내려갑시다! (페르시아인은 라울을 지하 4층으로 인도했다) 눈 높이까지 치켜올리는 데에 목숨이 달려 있다는 사실 잊지 마시오! 자, 이쪽이오…… 여기 계단으로…… (드디어 그들은 지하 5층으로 접어들었다). 아! 정말이지 멋진 결투 한 판이 될 거요! 선생…… 멋진 결투 말이오!"

마침내 지하 5층 바닥까지 당도하자 페르시아인의 입에서 긴 한숨이 새어나왔다. 언뜻, 아까 지하 3층에서 잠시 발이 묶였을 때보다 덜 위험해 보였는데도, 그는 치켜들고 있는 손을 좀처럼 내리려 하지 않았다.

라울은 실제 무기는 호주머니 속에 넣어둔 채 손만 그럴듯하게 눈높이까지 치켜듦으로써 방어자세가 충분해진다는 이러한 발상이 새삼 엉뚱하게 느껴졌다. 그 자세는 당시에 '발사!' 라는 지시와 동시에 서로 상대를 향해 권총을 쏘도록 되어 있는 전형적인 결투자세였던 것이다!

이 대목에 관해 훗날 라울은 이렇게 진술한 바 있다. "그가 내게 말한 게 아직도 기억이 납니다. '권총보다 더 확실한 방법은 이제 없다는 판단이 섰던 거요' 라고 했었죠……"

따라서 결과적으로는 이런 의문을 떠올리지 않을 수가 없었을 것이다. '실제로는 사용하지도 않을 권총을 확실한 방법으로 느끼게 만든 진짜 이유가 과연 무엇일까?

하지만 페르시아인은 라울에게 그런 의문을 끝까지 추궁할 여유를 아예 주지 않을 작정인 모양이었다. 라울에게 제자리를 지키고 있으라 명한 다음, 자신은 방금 지나온 계단 몇 개를 다시 거슬러 올라갔던 것이다. 그리고는 얼마 안 있어 쏜살같이 되돌아왔다.

"우리가 어리석었소! 아까 램프를 든 사람들은 머지않아 다 물러갈 것이오! 그들은 다름 아닌 순찰중인 소방관들이오……."[2]

두 남자는 여전히 예의 그 결투자세를 유지하고 숨을 죽인 채 5분이나 되는 시간을 꼼짝 않고 기다렸다. 마침내 소방관들의 발소리가 들리지 않게 되자 페르시아인은 다시 라울을 이끌고 계단을 올라가기 시작했는데, 얼마 가지 않아 또 다시 멈추라는 신호를 하는 것이었다.

…… 두 사람이 멈춰 선 전방으로는 어둠의 기류가 묘하게 파동하고 있었다.

"엎드려요!"

페르시아인이 숨을 내쉬듯 속삭였고, 두 사람은 누가 먼저랄 것도 없이 그 자리에 넙죽 엎드렸다.

느낌만으로도 시급을 요하는 상황임을 알 수 있었다.

…… 가만히 보니, 이번엔 램프 따위는 없는 그림자 하나가 슬그머니 어둠 속에서 지나가고 있었다.

그것은 거의 닿을 듯이 두 사람 옆을 스치고 지나갔다.

심지어는 땅에 바싹 붙이고 있는 얼굴에 망토가 스치며 일으키는 바람이 느껴질 정도였다……

두 사람의 가늘게 뜬 눈에는 머리에서 발까지 뒤덮은 기나긴 망토자락과 뭉뚝한 펠트 모자가 시커멓게 드러나 보였다.

……그림자는 발길로 벽을 스치면서, 그리고 때로는 일부러 모퉁이쯤

---

[2] 그 당시에는 소방관들에게 공연과 상관없이 오페라 극장의 안전을 책임질 임무가 부여되어 있었으나, 훗날 사라진다. 내가 그 이유에 대해 페드로 가일라르 씨께 물었을 때, 그의 대답은 이랬다. "그건 말이죠, 워낙에 방대하고 복잡한 극장의 지하구조에 미숙할 수밖에 없는 소방관들이 불씨를 놓치기가 쉬워서 그런 겁니다."

에서 벽을 발로 슬쩍 건드리며 멀어져가고 있었다.

"휴우…… 간신히 위기를 모면한 것 같구만…… 저 녀석은 나를 잘 알지요…… 두 번씩이나 나를 지배인 집무실로 데리고 간 녀석이랍니다……"

"경찰 경비원쯤 되나보죠?"

"그보다 훨씬 지독한 놈이죠!"

페르시아인은 더 이상의 설명 없이 그저 그렇게만 내뱉었다.[3]

"혹시…… 그가 아닐까요?"

"그라구요? 뒤에서 몰래 접근해오지 않는 한, 그의 황금빛 눈동자를 보지 못하는 경우란 거의 없소! 그나마 그럴 때는 다행인 셈이죠…… 하지만 그가 뒤에서 아무 소리 없이 몰래 접근이라도 하는 날에는…… 그때는 아예 우린 죽은 목숨이나 다름없답니다…… 이렇게 손을 눈 높이로 치켜들고 방아쇠를 당기는 자세를 취하지 않는다면 말이죠……"

바로 그때였다…… 페르시아인이 막 '행동지침'을 고쳐 잡으려는데, 문득 두 사람의 면전에 웬 기괴한 얼굴이 모습을 드러내는 게 아닌가!

…… 두 개의 황금빛 눈동자뿐만이 아니라…… 분명 얼굴 전체가 나

---

3) 저자 역시 페르시아인과 마찬가지로 이 그림자의 정체에 대해서 다른 설명은 자제하기로 한다. 이 실화를 바탕으로 한 이야기의 모든 사건들이 비록 가끔은 다소 비정상적인 양상을 띠는 가운데에도 되도록 논리적으로 기술되는 편이지만, 페르시아인이 "그보다 훨씬 지독한 놈이죠!"라고 함으로써 뜻하려던 바까지 굳이 독자들에게 낱낱이 설명하지는 않겠다는 말이다. 더구나 저자는 오페라 극장의 전직 지배인인 페드로 가일라르 씨께, 이 무진장 흥미로운 그림자의 존재에 관해 비밀을 유지하기로 약속한 만큼, 독자 여러분은 스스로 그가 어떤 존재일지 짐작하는 선에서 만족하시길 바란다. 다만 그 그림자는 평생 스스로 극장 지하를 배회하기로 작정한 몸이며, 축하공연이 있거나 했을 때 극장 여기저기서 분수를 잃고 행동하는 자들에게 끔찍한 서비스를 해주기로 한 자인데, 그 서비스는 국가가 공인한 서비스라는 점만을 밝혀두기로 한다.

타나는 것이었다!

…… 그것은 눈부시게 빛나는 얼굴…… 온통 불길로 이글거리는 얼굴이었다!

그렇다! 불길 속에서 이글거리는 얼굴 하나가 사람의 키 높이에서 다가오고 있었다…… **몸뚱이는 온데간데없이 말이다!**

한마디로 얼굴이 온통 불꽃으로 어른대고 있었다……

그것은 흡사 암흑 속을 떠다니는 사람 얼굴 모양의 불꽃과도 같아 보였다.

페르시아인은 잇새로 신음처럼 새어나오는 말을 두서 없이 뱉어내고 있었다.

"으으…… 드디어 난생 처음 저것을 보는구나! 소방대장은 미친 게 아니었어…… 저것을 똑똑히 본 거였다구…… 저 불꽃은 대체 뭐란 말인가?…… 아…… 저건 *그*가 아니야! 아마도 *그*가 저걸 보낸 거겠지……"

그리고는 라울을 향해 다급하게 속삭이는 것이었다.

"정신 바짝 차리시오! 손을 눈 높이로 올리고! 제발! 눈 높이로!"

마치 지옥의 얼굴처럼 불길 속에 활활 타오르는 그 얼굴은 사람 키만한 높이에서 몸뚱이도 없이 공중에 둥둥 뜬 채, 기겁을 하는 두 사람 앞으로 곧장 다가오고 있었다.

"틀림없이 그가 보낸 얼굴일 거요! 뒤나 옆에서 불시에 덮치려고 말이오! 도무지 종잡을 수가 없는 존재이니…… 그가 구사하는 기술을 대개는 알고 있는데…… 이, 이건 처음이오…… 어서 도망칩시다! 침착하게…… 손은 눈 높이로…… 자, 침착하게……"

두 사람은 무조건 앞으로 틔어 있는 지하 통로를 통해 정신 없이 도망치기 시작했다.

그렇게 한 몇 초 정도 달렸을까, 언뜻 느끼기엔 한 십수 분은 달린 것같이 느껴질 즈음, 마침내 두 사람은 달리기를 멈추었다.

페르시아인이 숨을 헐떡이며 말했다.

"한데 그가 이 길로 다니는 일은 여간해서 없는데…… 이쪽으로는 별로 관심을 두지 않거든…… 이 길은 지하호수와는 아무 상관이 없는 데로 뚫려 있소…… 아무래도 우리가 자기 뒤를 쫓고 있다는 걸 눈치챈 모양이오…… 자신을 이제는 가만히 내버려두고, 신경을 끄겠다는 약속을 내가 파기했다고 생각할 거요……"

그 말을 하면서 그는 문득 고개를 돌렸고, 라울도 자연스레 고개를 돌렸다.

그런데…… 그 불타는 얼굴이 저만치 뒤에서 여전히 쫓아오고 있는 게 아닌가!

뿐만 아니라 두 사람의 귀에 별안간 정체를 알 수 없는 소음이 들리기 시작하고 있었다. 얼마 안 있어 두 사람은 그 소음 역시 저 화염 얼굴과 함께 이리로 다가오고 있다는 것을 알 수 있었다. 삐걱거리는 소리 같기도 하고, 이를 가는 소리 같기도 한 그 소음은 마치 수많은 손톱들이 동시에 칠판을 긁을 때나 날 수 있을, 그런 듣기 끔찍한 소리와도 같았다.

두 사람은 주춤주춤 뒷걸음질을 쳤지만 성큼성큼 거리를 좁혀오는 화염 얼굴로부터 도저히 벗어날 수 있을 것 같지가 않았다. 이제는 어느덧 그 얼굴의 생김생김을 살펴볼 수 있을 거리까지 다가왔다. 두 눈은 동그란 편에다가 골똘하게 정면만을 응시하고 있었고, 코는 약간 삐뚤어져 있으며, 아랫입술이 반원을 그린 채 너덜너덜 매달려 있는 커다란 입을 실룩이고 있었다. 마치 온통 붉게 물이 든 달의 얼굴이라도 되듯, 시뻘건 핏빛을 발하는 눈, 코, 입이 소름을 끼치게 하기에 부족함이 없었다.

도대체 그 붉은 달덩이 같은 것이, 몸도 없이 아무런 지탱을 받지 않고서, 무슨 수로 이 깊은 어둠 속으로까지 미끄러지듯 들어올 수 있었는지는 아무래도 의문이었다. 더군다나 저렇게 빠른 속도로, 눈은 정면만을 응시한 채 말이다! 그리고 또 저 소리는 무엇인가, 끼긱대고, 삐걱대는 저 듣기 거북한 소리…… .

일순, 페르시아인과 라울은 이제 더는 물러설 곳이 없다는 걸 깨달았다. 둘은 어쩔 수 없이 벽에 바싹 달라붙은 채, 과연 저 불가사의한 화염 얼굴과, 점점 더 지독하게 귀청을 쑤시며 파고드는 저 소음이 얼마나 끔찍한 도발을 해올 것인지 가늠해보고 있었다. 특히, 화염 얼굴이 가까워질수록 끔찍하게 불어나는 소음은 필시 저 어두운 심연으로부터 무언가 수많은 작은 소리들이 한데 뭉치며 만들어지는 것 같았다.

점점 가까이 다가오는 화염 얼굴…… 그리고 무시무시한 저 소리……

벽에 바싹 붙어 꼼짝달싹 못하고 있던 두 사람은 이윽고 소음의 정체를 어렴풋이나마 눈치채자 저절로 머리카락이 곤두서는 것을 느꼈다. 뭔지 모를 시커먼 물질이 떼거지로 몰려들면서, 마치 달 아래 모래톱을 적시며 기어오르는 만조의 물결처럼, 화염 얼굴 아래로 깜깜한 어둠의 파도를 이루며 아귀아귀 몰려오고 있는 게 아닌가!

잠시 후, 어떻게 해볼 틈도 없이 시커먼 물결은 두 사람의 다리 사이를 빠르게 지나치거나 이따금 기어오르기도 하며 요란스레 몰려들고 있었다. 이제 페르시아인과 라울은 더는 참을 수 없다는 듯 세상이 떠나가라 고통스런 비명을 질러대기 시작했다.

물론 눈높이까지 손을 치켜드는 자세도 더는 유지할 수가 없었다. 그보다는 다리를 기어오르고 있는 시커먼 덩어리들을 한시바삐 떼어내는 데에 손이 더 필요했던 것이다. 오, 맙소사…… 그 시커먼 물결 속에는 다름 아닌 짐승의 발톱, 날카로운 이빨, 가느다란 꼬리 등등이 득실거리고 있었으며, 번들거리는 털들이 부글거리면서 두 사람의 다리를 기어오르다가는, 다시 빠져 달아나는 것이었다!

라울과 페르시아인은 그제서야 소방대장 파팽이 왜 기절을 할 수밖에 없었는지 이해하게 되었다. 바로 그 순간, 비명을 질러대는 두 사람을 향해 화염 얼굴이 이렇게 뇌까렸다.

"움직이지 마시오! 움직이지 마! 특히 내 뒤를 쫓아오지 말란 말이오! 나는 쥐잡는 사람이오! 일명 '쥐의 학살자'라고도 하지…… 나의 쥐들과 함께 고이 지나가도록 내버려두시오!"

그리고는 갑자기 어둠 속으로 푹 꺼지는가 싶었는데, 그 반대로 앞으로 트인 복도 쪽으로는 이제까지와는 달리 환하게 불이 밝혀지는 것이었다. 알고 보니, 아까까지만 해도 앞길에 있을 쥐들을 놀라게 하지 않으려고 램프 불을 희미하게 돌려 자신의 얼굴로 향하게 한 '쥐의 학살자'가 이제는 걸음을 재촉하기 위해, 갑자기 얼굴 앞에서 램프를 떼어내 불꽃을 키운 다음 멀리 복도 쪽을 비추었던 것이다. 결국, 화염 얼굴은 램프를 자기 얼굴 바로 앞에 갖다대 생긴 허상에 지나지 않는 셈이었다…… 그는 찍찍대며 우글거리는 쥐떼를 몰고서 빠른 걸음으로 멀어져 가고 있었다.

엄청난 공포로부터 비로소 해방이 된 라울과 페르시아인은 아직도 조금씩 떨리는 몸을 추스르며 한숨을 내쉬었다.

"휴…… 언젠가 에릭이 내게 '쥐의 학살자'에 대한 얘기를 해준 적이 있소…… 하지만 저런 모습을 하고 나타난다는 말은 해주지 않았다오! 이제 보니, 내가 여지껏 저 인간과 마주친 적이 한번도 없었다는 게 오히려 이상하군요…… 4) 아무튼 난 또 그 괴물의 장난에 맞닥뜨린 줄 알고 엄청 놀랐었소이다…… 그럼 그렇지, 이 구역에는 그가 나타날 리가 없지……"

페르시아인의 말에 라울 역시 이마에 흐르는 식은땀을 닦아내며 다그

---

4) 전직 오페라 극장 지배인인 페드로 가일라르 씨가 피에르 볼프 부인의 집에서 내게 해준 얘기 중에 이런 게 있었다. 언젠가 극장 지하에 있는 쥐 떼의 극성 때문에 극심한 피해를 당하고 고민하던 중, 어떤 남자가 나타나서 자신이 지하에 한 보름동안만 돌아다니다 보면 쥐 문제를 말끔히 해결할 수 있을 거라 장담하여 높은 보수를 주며 일을 맡겼다.

쳤다.

"그럼 지금 여기가 호수로부터 먼가요? 언제 그곳에 도착하겠습니까? 어서 호수로 갑시다! 어서요! 그곳에 당도하자마자 소리를 지르고 벽을 두드리며 크리스틴을 소리 높여 부를 것입니다. 그러면 설마 우리 소리가 크리스틴에게도 들리겠죠…… 물론 그 자 역시 듣겠습니다만…… 일단 그때 가서, 그와 당신이 서로 아는 사이라니, 어떻게 얘기나 해보도록 합시다!"

"이런, 딱한 양반 같으니라구…… 결코 우리는 호수를 통해 그의 거처로 들어가진 않을 것이오!"

"그건 또 왜입니까?"

"왜냐하면 이미 수많은 방어책이 설치되어 있기 때문이오…… 나조차도 그 호수 기슭에 발을 대본 적이 없소이다! 일단 호수부터 건너야 할 텐데 너무도 방비가 철저히 되어 있어요! 유감스럽게도, 전직 무대장치 기술자이자, 아까 말한 대로, 나이가 들어 지하 뚜껑문을 담당하게 된 많은 사람들 가운데에서도 단지 그 호수를 건너려 했다가 실종된 자들이 상당수 되는 걸로 알고 있소. 무서운 곳이란 말이오…… 나도 그 괴물이 제때에 손을 써주지 않았더라면 지금쯤 시체가 되어 그 호수 밑바닥을 헤매고 있을 것이오. 그러니 한 가지 충고하건대, 절대로 호수 근처에는 가지 마시오! 그리고 무엇보다도 혹시 *수면 아래에서 들려오*

마침내 약속한 날짜에 장담한 대로 쥐가 깨끗이 사라졌는데, 가일라르 씨 말로는, 그가 쥐들을 취하게 해서 자신에게로 불러들이는 무슨 향수를 발명했다는 것이다. 그래서 자신이 가는 곳마다 쥐들을 끌어 모아 결국에는 보름 뒤 엄청나게 불어난 쥐떼를 지하수에 몽땅 빠뜨려 죽일 수 있게 되었다는 얘기다. 우리의 이야기 초반에도 소방대장을 혼비백산하게 만든 화염 얼굴이 등장했었는데, 이제 같은 얼굴을 보고 질겁을 한 라울과 페르시아인이 그 얼굴이 누구의 얼굴이었는지, 어떻게 해서 그런 끔찍한 형상으로 나타나게 된 것인지를 우리에게 밝혀준 셈이 되었다.

는 목소리, 그 사이렌의 목소리를 듣게 되거든 서둘러 귀부터 막으시오……"

하지만 라울은 열에 들뜬 음성으로 참지 못하겠다는 듯 발끈하는 것이었다.

"그렇다면 대체 여긴 뭐하러 온 겁니까? 당신이 크리스틴을 위해 아무 해줄 것이 없다면, 나라도 그냥 그녀를 위해 죽도록 내버려두시오!"

페르시아인은 젊은이를 달래며 차분하게 말했다.

"이봐요…… 크리스틴 다에를 구할 수 있는 길은 오직 하나입니다…… 괴물이 모르게 그의 거처로 잠입하는 것 말이오."

"대체 희망을 가져도 될 만한 얘기입니까?"

"내가 희망을 갖지 않았다면 굳이 당신을 데리러 가지도 않았을 거요……"

"호수를 거치지 않으면서, 어떻게 그곳의 거처로 잠입할 수가 있단 말입니까?"

"아까 어이없게 도망쳐 나왔던 지하 3층을 통하는 겁니다…… 이제 다시 그곳으로 올라갈 거요."

그리고는 문득 목소리를 잔뜩 내리깔면서 이렇게 덧붙이는 것이었다.

"선생, 이제 내가 정확한 위치를 가리켜드리리다…… 그곳은 무대 벽면과 「라호르의 왕」의 폐기된 장식 사이, 그러니까 정확히 말해, 조셉 뷔케가 죽은 바로 그곳입니다!"

"아! 그 목매 죽은 채 발견되었다는 무대장치 책임자 말입니까?"

"그렇소! 그때 밧줄은 온데간데 없었지요…… 자! 용기를 냅시다! 어서 가자구요! 당신 손, 어서 올려야죠! 한데 여기가 대체 어디쯤이지?"

페르시아인은 램프불을 새로 붙여야만 했다. 그리고는 직각으로 만나는 두 개의 복도 쪽으로 불꽃을 향하게 했는데, 그 위의 천장이 꽤나 높아 보였다.

"아무래도 특별히 배수 시설이 자리잡은 구역에 와 있는 것 같군요…… 난방장치에서 나올 만한 화기(火氣)가 전혀 느껴지지 않아요……"

그는, 문득 문득 혹시라도 하수(下水) 기술자들과 마주치지 않을까 신중하게 걸음을 멈추면서, 계속해 길을 찾아 앞장섰다. 그리고 급기야 두 사람은 일종의 지하 화덕의 불기운을 손으로 가려야만 할 지점까지 다가왔는데, 거기서 라울은 크리스틴이 처음으로 지하에 끌려왔을 때 언뜻 보고 기겁을 했다는 악마의 두상(頭狀)을 알아보았다.

그렇게 해서 점점 그들은 무대 밑의 거창한 공간으로 돌아왔다.

수도(首都)에서 그 근방 일대에 존재하는 지하수층을 15미터나 아래로 파들어갔다는 걸 생각해보면, 지금 두 사람은 무척이나 깊은 수조(水槽) 바닥에 있는 거나 다름없었다. 거기서 얼마나 많은 양의 물을 퍼냈는지는 굳이 언급할 필요도 없을 것이다. 재미 삼아 한번 그 양을 추산해보면, 수면 면적이 루브르 광장 정도 되고 그 깊이가 노틀담 사탑의 1.5배는 되는 양이라고 상상하면 가까울 것이다.

페르시아인은 내벽의 어느 부분을 슬쩍 만져보더니 이렇게 말했다.

"내가 틀리지 않다면, 바로 이 벽이 호수의 거처에 해당하는 부분일 거요……"

그러면서 이번에는 그 부분을 몇 차례 두드리는 것이었다. 이쯤에서 독자 여러분이 이 수조와도 같은 공간이 어떻게 건설되었는지 잠깐 알아보는 것도 결코 무용하지는 않으리라 생각된다.

구조물 전체를 둘러싸고 있는 물은 극장의 총체적인 무대장치를 지탱하는 벽체와 일단 직접적으로 접해 있어서는 안되었다. 말하자면, 온갖 골조들과 목공품들, 자물쇠장치들, 화폭들이 절대적으로 습기로부터 보호되어야만 하는 것이다. 결국, 건축가는 구조물 전체를 이중으로 싸발라야 할 필요가 있다고 생각한 것이다.

이렇게 이중으로 싸바르는 작업에 1년이 꼬박 걸렸다. 그러니까, 페르시아인이 두드리고 있는 벽은 다름 아닌 바로 이 이중 벽체의 안쪽 벽 내부면인 셈이다. 따라서 만약 이 건물의 건축기법을 훤히 아는 사람이 지금 벽을 두드리고 있는 페르시아인을 보았다면, 에릭의 은밀한 거처가 방책으로 지어진 두터운 벽체 다음에 벽돌로 다시 쌓은 벽, 즉 엄청난 양의 시멘트를 쏟아부어 만든 두터운 층과 두께만 몇 미터에 이르는 또 다른 벽체의 이중 벽 속에 마련되어 있음을 지적하는 것으로 비쳐졌을 것이다.

하지만 그런 걸 알 리가 없는 라울은, 페르시아인의 말을 듣자, 얼른 벽에 몸을 갖다대고는 열심히 귀를 기울였다.

물론 아무 소리도 들리지가 않았다. 다만, 극장의 상층부에서 울리는 발소리가, 그것도 천장을 통해 어렴풋이 들려올 따름이었다.

페르시아인은 문득 다시금 램프불을 껐다.

"조용…… 손 위치 조심하고! …… 이제 그의 거처로 잠입을 시도할 것이오!"

그리고는 역시 아까 둘이서 함께 내려왔던 좁은 계단 쪽으로 라울을 데려갔다.

…… 둘은 한 계단, 한 계단 어둠과 적막을 살피면서 조심조심 걸어올라갔다……

그렇게 해서 이제야 지하 3층으로 돌아오게 되었다.

페르시아인은 라울에게 무릎을 꿇으라고 신호했고, 둘은 한쪽 손만은 약속한 그 자세를 유지한 채 나머지 한 쪽 팔과 두 무릎으로 엉금엉금 기어서 맨 구석의 내벽면까지 도달했다. 바로 그 내벽에「라호르의 왕」무대장식에 쓰였다가 지금은 폐기된 거대한 배경포(背景布)가 기대어져 있었는데, 그 가까이 기둥이 하나 서 있었다.

한데 그 기둥과 무대장식포 사이가 바로 시체가 놓여 있었던 자리였던 것이다!

언젠가 목이 졸린 채 발견된 그 시체…… 다름 아닌 조셉 뷔케의 시체 말이다……

페르시아인은 무릎을 꿇은 채 걸음을 멈추었다. 그는 무언가에 잔뜩 청각을 집중하고 있었다……

순간, 그는 약간 멈칫하는가 싶더니 라울을 한번 쓱 보고는 곧장 위쪽, 그러니까 지하 2층 쪽을 올려다보는 것이었다. 거기서는 웬 희미한 램프의 불빛 하나가 두 개의 판자 바닥 사이로 새어들고 있었다.

그 빛이 페르시아인의 심기를 불편하게 한 모양이었다.

하지만 이내 고개를 한번 끄덕하더니 결심을 굳힌 듯했다.

그는 「라호르의 왕」 장식과 기둥 사이로 미끄러지듯이 들어가 자리를 잡았다.

물론 라울도 지체 없이 그 뒤를 따랐다.

페르시아인은 자유스런 한쪽 손을 사용해 벽면을 더듬어댔다. 이윽고, 크리스틴의 대기실 한쪽 벽을 꾹 눌렀던 것과 똑같이, 이번에도 벽의 어느 한 부분을 지긋이 누르는 그의 모습을 라울은 놓치지 않았다.

그런데 그때와는 달리, 바로 벽의 일부 돌덩이가 삐끗하는 것이 아닌가!

그러면서 벽에 구멍 하나가 생기는 것이었다……

페르시아인은 즉시 호주머니에서 권총을 꺼내더니 라울에게도 똑같이 하라고 지시했다. 그는 신속한 동작으로 권총을 장전했다.

결의에 찬 페르시아인은 무릎을 꿇은 채, 방금 빠져나온 돌덩이가 남긴 구멍 속으로 몸을 집어넣었다. 마음 같아선 먼저 뛰어들고 싶었지만, 라울은 뒤를 따르는 걸로 만족할 수밖에 없었다.

구멍은 매우 좁았다. 웬일인지 앞서가던 페르시아인이 문득 주춤했다. 뒤에서 라울이 들으니, 주위의 돌을 열심히 더듬어대는 듯했다. 페르시아인은 램프를 꺼내 불을 붙인 다음, 앞쪽으로 몸을 기울여 무언가를 살피는가싶더니, 다시 불을 끄고 라울에게 내뱉듯 속삭였다.

"여기서 한 몇 미터 아래로 떨어지게 되어 있소이다…… 되도록 소리 없이 떨어져야 하니 그 반장화부터 벗는 게 좋겠소……"

그리고는 먼저 솔선수범하고는 라울에게 신발을 건네는 것이었다.

"구멍 바깥으로 던져놓으시오…… 돌아와서 신을 수 있게……"[5]

페르시아인은 지체 없이 앞으로 전진하다 말고, 갑자기 휙 몸을 돌리고서 무릎을 꿇은 그대로 라울에게 바짝 다가와 이렇게 속삭였다.

"나는 이제 저리로 기어가서 돌 귀퉁이를 붙잡고 잠시 매달려 있다가, 곧장 그의 거처로 뛰어내릴 것이오. 그러면 당신도 나와 똑같이 하여야만 하오! 걱정할 필요는 없소. 내가 밑에서 받아줄 테니까……"

잠시 후, 라울의 귀엔, 틀림없이 페르시아인이 땅에 떨어지면서 냈을 둔탁한 소리가 들려왔다. 혹시라도 그 소리 때문에 위치가 탄로나는 건 아닐까 생각하니 소름이 쫙 끼치는 것이었다.

하지만 정작 라울을 불안감에 떨게 만든 건, 그 소리가 아니라, 그 외에는 아무런 소리도 들리지 않는다는 사실 자체였다. 대체 어떻게 된 건가! 페르시아인은 우리가 뚫고 들어온 바로 이 벽이 호수의 거처에 접한 벽이라 했는데…… 그런데 왜 크리스틴의 목소리는 들리지 않는단 말인가! ……도와달라는 소리도…… 비명도…… 신음소리조차도 말이다! 오, 하느님! 너무 늦게 온 건 아닐까……

그런 생각을 하며 라울은 무릎을 질질 끌면서 벽안을 기어가 우툴두툴한 돌 가장자리를 붙들고는 아래로 몸을 날렸다.

---

5) 하지만, 페르시아인이 남긴 서류에 의하면, 이 두 켤레의 신발은 조셉 뷔케의 시체가 발견되었고, 기둥 옆에 무대 배경포가 기대어져 있는 그 어디에서도 찾을 수가 없었다고 한다. 아마도 지나가던 무대장치 기술자나 뚜껑문 담당자가 슬쩍 했으리라!

"쉿! 나요!"

약속대로 페르시아인은 받아 안을 준비를 한 채 아래에서 라울을 기다리고 있었다.

두 사람은 일단 꼼짝 않고 사방으로 귀를 기울이고 있었다.

이전 어느 때도 밤의 어둠이 이처럼 막막하게 느껴진 적이 없었다.

라울은 손톱을 물어뜯어가며, 소리를 치고 싶은 마음을 간신히 억제하고 있었다.

"크리스틴! 나요! 무사하다면 제발 대답 좀 해보시오! 크리스틴……"

페르시아인은 다시 램프에 불을 붙인 뒤 머리 높이 치켜들고는 방금 빠져나온 구멍을 찾았지만, 왠지 보이지가 않았다.

"이런 젠장…… 그새 구멍이 다시 닫힌 모양이오……"

그렇게 내뱉으며, 벽을 따라 아래로 램프를 비추어가던 페르시아인은 마룻바닥에 한줄기 빛이 닿자, 얼른 몸을 숙이고는 무언가를 줍기 시작했다. 그는 잠시 동안 그 밧줄 같은 것을 살펴보더니 기겁을 하며 냅다 던져버리는 것이었다.

"펀잡(역자주 : 인도 북부 지방)의 올가미다!"

"그게 뭔데요?"

페르시아인은 몸을 부르르 떨기까지 했다.

"아마 그토록 찾고 있던 조셉 뷔케의 목을 맨 노끈일지도 모릅니다……"

그는 갑작스레 또 다른 걱정거리에 사로잡힌 듯, 벽 여기저기를 램프로 비추기 시작했다…… 참으로 기괴한 일이지만, 그렇게 해서 어렴풋이 비춰진 것은 잎사귀도 무성하고, 생생하게 살아 있는 듯 보이는 웬 나무줄기였다…… 나뭇가지들은 벽을 따라 천장 꼭대기가 보이지 않을 정도로 한없이 올라가 있었다……

램프가 워낙에 작았기 때문에 사물의 전체적인 식별이 수월치는 않았

으나 페르시아인은 계속해서 나뭇가지의 어느 한 귀퉁이와 잎사귀 하나
하나를 꼼꼼하게 들여다보고 있었다…… 그런데 또 다른 잎사귀가 있을
법한 위치에 아무것도 보이지 않고 그저 램프 불빛만 흰하게 반사되는
것이 아닌가! 라울은 손을 뻗어 그 텅 빈 부분과 빛이 반사되는 부분을
만져보았다……

"이런 맙소사! 이, 이건…… 벽거울이잖아!"

"맞아요, 거울이군요!"

그렇게 맞장구치는 페르시아인의 속마음은 엄청 흥분된 상태였다. 그
는 권총을 든 손으로 땀에 절은 이마를 훔치며 이렇게 중얼거렸다.

"아무래도 고문실로 떨어진 것 같소이다……."

22
페르시아인의 정체
페르시아인의 이야기 1

페르시아인은 바로 그날 밤까지 호수를 통해서 호수의 거처로 들어가 보려고 얼마나 헛된 고생만 되풀이해왔는지를 이야기한 적이 있다. 우여곡절 끝에 어떻게 지하 3층에 위치한 그곳의 입구를 발견했으며, 마침내 샤니 자작과 더불어 유령의 악마적인 상상력이 돋보이는 '고문실'에 빠지게 되었는가도 말이다. 그는 자신의 그러한 사연을 (나중에 자세히 언급되겠지만, 특별한 상황에서) 우리에게 남긴 문서에 모두 담아놓았는데, 나는 단 한 글자도 첨삭 없이 독자 여러분에게 그 전부를 소개하고자 한다.

굳이 그렇게까지 하는 데에는, 특히 라울과 함께 곤경에 빠지기 전까지, 전직 다로가(Daroga, 역자주 : 페르시아의 국가 경찰 총지휘관)였던 이 인물이 호수의 집 주변에서 겪은 모험에 대해 침묵으로 일관하는 것은 결코 옳지 않다고 생각했기 때문이다.

다만, 이야기의 처음 어느 정도까지는 부득이하게 독자 여러분을 고문실에서 한참 멀리 떨어져 돌아가게 해야 할 것 같은데, 그것 역시 페르시아인의 몇몇 이상한 태도들과 그밖의 무척 중요한 사항들을 먼저 제대로 짚고 넘어가는 것이 오히려 고문실 이후의 상황을 좀더 잘 이해

할 수 있게 해줄 것이기 때문임을 밝혀둔다.

〈호수의 집에 가본 건 그때가 처음이었다. '함정애호가'에게 — 보통 에릭을 우리끼리는 그렇게 부르곤 한다 — 그 동안 얼마나 그 집의 신비스런 문을 개방해달라고 졸라왔던가! 하지만 늘 대답은 부정적이었다. 그때까지 상당히 쓰라린 경험을 통해 그의 비밀과 속임수들에 관한 많은 정보를 갖게 된 나는 갖은 술수를 동원하면서까지 그의 동의를 이끌어내려고 온갖 고생을 다 해온 셈이다. 그러던 중 새로운 주거지로 선택한 듯 보이는 오페라 극장에서 그를 다시 만나게 된 이후, 줄곧 그의 행적을 염탐해오던 나는, 마침내 극장의 복도를 따라 지하통로로 접어들어서, 호수 기슭으로 가는 그를 미행할 수 있었다. 그리고 그가 혼자라 생각하면서 그 작은 배 위에 올라 맞은편 벽을 향해 곧장 노 저어 가는 모습까지도 성공적으로 볼 수 있었다. 하지만 부근을 에워싼 어둠이 워낙에 짙었는지라, 결정적인 순간에 그 벽의 어느 지점에서 문이 열리고 닫혔는지는 도저히 판별해낼 수가 없었다. 그러다가 언젠가 그가 내뱉은 말로 인해 내 머리 속에 떠오른 무시무시한 생각과 걷잡을 수 없는 호기심에 이끌리다 못해, 나도 기회를 잡아 그 작은 배에 뛰어오른 다음, 그가 사라졌던 벽의 어느 지점을 향해 무작정 노를 저어갔었다. 바로 그때, 그 일대를 지키는 사이렌과 맞닥뜨리게 된 것이었다. 그녀는 정확히 이제 얘기할 상황에 한해, 인간에게 거의 치명적일 정도의 마력을 발휘하는 그런 존재였다. 내가 배를 타고 이쪽 기슭을 출발하자마자, 일대에 감돌고 있던 신비스런 침묵이 일순 흔들리는가 싶더니 웬 바람 한 줄기가 마치 노래부르듯 내 주변을 휘감아 도는 것이었다. 그것은 흡사 인간의 호흡 같기도 했고, 무슨 음악 같기도 했다. 그것은 호수면으로부터 서서히 차올라왔는데, 도무지 어찌된 영문인지 알 수 없도록 순식간에 내 주위를 감싸는 것이었다. 내가 탄 배가 이동하는 데 따라 그 이상한 기운도 움직여갔으며, 왠지 무척이나 그윽한 기분이 들 뿐, 조금도 두렵지 않았다. 아니, 오히려 그처럼 부드럽고 매혹적인 하모니의 근원에 보다 가까이 다가가고 싶은 마음에서 나는 뱃전 너머로 잔뜩 몸을 내밀고 수면을 들여다보았다. 그 노래가 호수로부터 솟아나온다는 데에 전혀 의심의 여지가 없었기 때문이다. 그도 그럴 것이 배는 이미 호수 한가운데에 있었고, 배 안에는 나 말고 아무도 없었으니, 왜 안 그렇겠는가! 목소리…… 그렇다, 어느새 그건 분명 하나의 목소리로 들려왔다! 그 미지의 목소리는 수면 위, 바로 옆에서 들리고 있었다. 나는 몸을 더욱 기울이고, 또 기울였다…… 호수는 완벽한 적막 속에 잠겨 있었으며, 달빛은 스크리브가의 지하 환기창을 통과해, 마치 잉크처럼 검고 매끈하기 이를 데 없는 수면 위를 비추고 있었다. 문득 윙윙거리는 소리가 들리는 듯싶어 귀를 문질러보았는데, 이내 그것이 나를 휘감고 따라온, 그리고 이제는 나를 이끌고 어디론가 가고 있는 흥얼거리는 숨결이라는 확신이 드는 것이었다.

만약 내가 미신적인 사고 방식을 가졌거나, 옛날 이야기 따위에 쉽사리 현혹되는 나약한 정신의 소유자라면, 틀림없이 그때 그 소리가 호수의 집으로 감히 접근하려는 무모한 여행자를 혼내줄 사이렌의 노랫소리라고 생각하며 겁을 집어먹었을 것이다. 하지만 다행인지 불행인지, 나는 환상적인 것을 너무도 좋아해서 그 전모를 낱낱이 캐들어가야만 직성이 풀리는 조국의 국민성을 그대로 타고났으며, 개인적으로도 그런 것들에 관해 학문적인 연구를 상당 수준 해온 몸이었다. 그 결과 조금만 재주가 있는 사람이라면 누구라도 가장 단순한 속임수를 동원해 인간의 가련한 상상력을 얼마든지 혼란시킬 수 있다는 신념을 갖게 되었다.

결국 나는 에릭의 새로운 속임수를 구경하고 있다는 걸 추호도 의심치 않았다. 하지만 이번의 이 기만술은 너무도 완벽해서 나는 그 술책을 낱낱이 파헤치기보다는 차라리 그 매력에 흠뻑 젖어보고 싶은 마음에

뱃전 너머로 좀더 몸을 기울이고 있었다.

그렇게 점점 더⋯⋯점점 더⋯⋯배가 뒤집힐지도 모를 정도로⋯⋯몸을 기울이던 중⋯⋯ 느닷없이 괴물 같은 두 팔이 수면에서 솟구쳐 올라오더니 내 목을 붙잡고 엄청난 완력으로 끌어당기는 것이 아닌가! 아마 그때 내가 비명조차 지를 틈이 없었고, 또 그 비명소리를 에릭이 알아듣지 못했더라면, 그 순간 내 목숨도 끝장이었을 것이다.

역시 그 모든 게 에릭의 짓이었다! 하지만 그는 내가 물에 빠져 사라지는 걸 원했으면서도, 왠지 헤엄을 쳐서 나를 기슭까지 안전하게 데려다 주는 것이었다!

기슭에 도착하자마자, 그는 그 지옥 같은 물기를 뚝뚝 흘리면서 내 앞에 버티고 선 채 이렇게 얘기했다.

"자네가 얼마나 어리석었는지 좀 보게나! 도대체 왜 내 거처에 들어오려고 하는가? 난 자넬 초대한 바가 없네! 난 자네도, 이 세상 누구도 필요치 않아! 자넨, 이렇게 내 목숨을 혐오하게 만들려고 날 구해준 건가? 제아무리 대단한 은혜를 베풀었다 해도 에릭은 간단히 무시해버릴 것이네. 이젠 자네도 에릭을 결코 막을 수 없으며, 그건 에릭 자신의 힘으로도 불가능하다는 걸 알아야 할 거야!"

한데 나는 그가 말하고 있는 동안에도, 오로지 그 사이렌이 어떤 기술로 꾸며낸 것인지가 궁금할 뿐이었다. 사실 나는 그가 기꺼이 내 호기심을 만족시켜줄 거라는 걸 잘 알고 있었다. 그 정도로 에릭은 진정한 괴물이었고, — 내가 그를 그렇게 평가하는 데에는 페르시아에서 그가 하는 짓을 직접 목격했기 때문이다! — 게다가 일면 뻐기기 좋아하고 허영심 많은 어린애 같은 성격이 있었던 것이다. 말하자면, 세상을 깜짝 놀라게 해준 다음, 자신이 얼마나 기발한 정신과 재주를 지니고 있는지를 만천하에 증명하는 것보다 그가 더 즐기는 일은 없었던 것이다.

그는 껄껄 웃더니 기다란 갈대 줄기 하나를 보여주며 이렇게 얘기하는 것이었다.

"알고 보면 아주 간단한 일이지……이것만 있으면 물 속에서 숨쉬고 노래 부르는 일이 더없이 쉬워져! 통킹(역자주 : 인도차이나의 북베트남 지방)의 해적들에게서 배운 솜씨인데, 그들은 이걸 사용해서 몇 시간이고 강속에 숨어 있을 수가 있다네."[6]

나는 버럭 화를 내지 않을 수가 없었다.

"세상에……그런 걸로 하마터면 내 목숨이 달아날 뻔하지 않았는가! 다른 사람들은 그걸로 숱하게 당했겠지?"

그는 대답 대신, 나로선 너무도 익숙히 보아온 어린애 같은 위협적인 태도로 한껏 버티고 서 있는 것이었다.

하지만 그런 태도에 조금도 위축될 내가 아니었다. 나는 이렇게 내뱉었다.

"에릭! 내게 약속한 것 잊지 않았겠지? 범죄행위는 더 이상 안돼!"

그러자 문득 태도가 누그러지며 그가 이렇게 말했다.

"과연 내가 죄를 지은 것일까?"

"이런 딱한 사람 같으니…… 자네는 그럼 마젠데란의 장밋빛 시절(역자주 : 페르시아 마젠데란에서 에릭이 설계한 환상적인 비밀궁전 이름)을 잊었단 말인가?"

"그렇다!"

그러더니 일순 침울한 어조로 이렇게 덧붙이는 것이었다.

"……차라리 깡그리 잊었으면 해! 하지만 그땐 어린 왕비님을 무척이나 즐겁게 해드렸었지……."

---

6) 1900년 7월 말 파리에 도착한 통킹 발 행정 보고서에는 우리의 병사들에 의해 쫓기던 해적 일당과 그 두목이 갈대 줄기를 이용해 어떻게 포위망을 탈출했는지가 상세하게 적혀 있었다.

"그 모든 건 이제 지나간 과거일 뿐이네…… 하지만 지금 남은 건 현재야…… 그리고 그 현재를 자네는 내게 빚지고 있어! 내가 아니었더라면 자네의 지금은 없는 거나 다름없으니 말이네…… 그 점을 명심하게, 에릭! 나는 자네 목숨을 구해주었어!"

나는 대화의 분위기가 반전하는 걸 틈타 조금 전부터 머리 속에 떠오른 문제를 불쑥 꺼내기로 했다.

"에릭…… 내게 맹세해주게!"

"뭐라구? 내가 그런 거 잘 지키지 않는다는 건 자네도 잘 알지 않는가! 맹세란 멍청이들을 곯려줄 때나 쓸모 있는 거야."

"이보게…… 내게만 좀 말해줄 수 없겠나?"

"뭘 말인가?"

"……샹들리에 말이네…… 샹들리에, 에릭!"

"샹들리에?"

"내가 무슨 말을 하는지 잘 알지 않나?"

그제서야 그는 빈정대는 투로 이렇게 대꾸했다.

"아하! 그야 물론 얘기해 주고말고…… *샹들리에! 그건 내 짓이 아니네!* 그 샹들리에 말이야, 그거 꽤나 고물이었지……"

그렇게 웃을 때 에릭은 훨씬 더 끔찍한 모습이었다. 그가 어찌나 음산한 웃음을 흘리며 배에 훌쩍 뛰어올랐는지, 나는 저절로 몸서리가 쳐지는 걸 느꼈다.

"친애하는 다로가 나리, 그건 너무 고물이었다구…… 아주 고물 샹들리에였어……그러니 저 혼자 그렇게 떨어지지…… *쿵!* 하고 말이야! 자, 이제 내 쪽에서 충고 하나 하지, 다로가 나리…… 감기 걸리고 싶지 않으면 어서 가서 몸이나 말리게! 그리고 다시는 내 배에 올라타지 말라구! 물론 내 집에도 얼씬할 생각 말고 말이야…… 나라고 늘 거기 있는 건 아니니까…… 부디 자네를 위해 *추도미사*를 올리는 일은 없도록 해주게."

그는 그렇게 빈정대면서 배의 후미에 똑바로 선 채 노를 좌우로 저으며 멀어져 갔다. 멀리서 보니 황금빛 눈동자만 반짝거리는 게 마치 치명적인 암초가 둥실둥실 떠 있는 것 같았다. 그리고는 이내 호수의 어둠 속으로 완전히 자취를 감추는 것이었다.

바로 그 날 이후 나는 호수를 통해 그의 거처를 넘보는 걸 깨끗이 포기하고 말았다. 틀림없이 내가 자신을 알아본다는 걸 알고는, 가뜩이나 방비가 심한 호수를 더더욱 철저히 지킬 것이 뻔했기 때문이다. 대신 에릭이 여러 차례 지하 3층으로 숨어드는 걸 목격한 만큼, 나는 또 다른 통로를 찾아볼 생각으로 그를 계속해서 감시하기로 했다. 요컨대 아무리 강조해도 지나치지 않는 것은, 오페라 극장에 정착한 그를 다시 만난 이후 나로선 그의 끔찍한 망상이 불러일으키는 공포에서 벗어나 단 하루도 맘 편히 쉰 적이 없다는 사실이다. 그리고 그 공포는 나와 관련한 것이 아니라, 다른 사람들에게 그가 저지를지 모르는 모든 악행에 관련된 것이었다.[7] 따라서 어떤 심상치 않은 사고나 사건이 벌어지기라도 하면 내 입에서는, 다른 사람들이 "유령 짓이다!"라고 하는 것과 마찬가지로, "아마 에릭일 거야……"하는 중얼거림이 부지불식간에 새어나오곤 했던 것이다. 다만 그 사람들은 그렇게 내뱉으면서도 동시에 히죽거

---

7) 그렇다고는 하지만 이 대목에서 페르시아인은 에릭의 운명 자체가 자신에게도 상당한 관심거리였다는 것을 고백할 만도 했다. 왜냐하면 만약 테헤란의 당국에서 에릭이 생존해 있다는 사실을 알게 되면 전직 다로가에 대한 그나마 얼마 안 되는 연금마저 끝장날 수 있다는 걸, 아주 잘 알고 있었을 테니까 말이다. 물론 페르시아인은 고결하고 당당한 심성의 소유자이다. 따라서 에릭 때문에 다른 사람들에게 닥칠지 모르는 재앙을 염려한다는 그의 말이 전혀 사실 무근이라고는 생각되지 않는다. 이 사건을 통해 그가 보여준 태도와 행동거지만 보더라도 그 점은 찬탄을 불러일으킬 정도로 확실하게 증명된 바 있다.

리며 웃고 있었다는 것만 나와 달랐다. 가엾은 인간들…… 만약 그들이 유령이라고 부르는 존재가 진짜로 살과 뼈를 지닌 인간이고, 아리송한 그림자와는 다르게 끔찍한 존재라는 사실을 조금이라도 알았다면, 아마 그처럼 비웃지는 못했을 것이다! 오, 만약 그들이 이 오페라 극장에서와 마찬가지로 연병장에서도 그가 어떤 짓까지 저지를 수 있었는지 약간이라도 알았다면…… 내 머리 속에 아직도 뚜렷한 기억들을 그들이 조금이라도 들여다볼 수 있었다면…….

나로 말할 것 같으면, 한마디로 사는 게 사는 게 아니었다! 비록 에릭이 자신은 더 이상 옛날의 자신이 아니며, *있는 그대로 사랑받기 시작하면서부터*(아, 그의 입에서 이 말을 들었을 때 얼마나 만감이 교차하던지!), 그 누구보다도 점잖은 인간이 되었다고 엄숙하게 선언은 했지만, 그 괴물을 생각할 때마다 나는 도저히 소름이 끼치는 것을 참을 수가 없었다. 그는 끔찍하고 역겨운 자신의 용모 때문에 어쩔 수 없이 모든 인간의 지탄을 받아왔으며, 내가 보기엔, 바로 그러한 사실로 인해, 인간에 대한 모든 도리로부터 자동적으로 면제된 존재로 자기 자신을 생각하는 것 같았다. 사랑에 빠졌다는 그의 고백을 들으면서도 나는 왠지 정신이 아찔해지는 느낌뿐이었으며, 그가 잘 하는 허풍을 섞어가며 연애담을 늘어놓을 때조차도 나는 그 속에서 다른 어느 경우보다 걱정스러운 재앙의 기미만을 내다볼 수밖에 없었다! 나는 에릭이 느끼는 고통이 얼마나 절망적이고 지독한 정도까지 치달을 수 있는지를 잘 알고 있었기에, 사랑의 감정을 둘러싸고 — 엄청난 재앙을 어렴풋이 예고하는 듯한 어투로 — 그가 고집스럽게 한 얘기가 내 가슴 깊숙한 곳에서 늘 무시무시한 생각으로 자리잡곤 하였던 것이다.

한편 나는 괴물과 크리스틴 다에 사이에 모종의 기이하고도 정신적인 거래가 이루어지고 있다는 사실을 눈치챘다. 젊은 디바의 대기실에 인접한 잡동사니 창고에 숨어서 나는 분명 크리스틴을 쉽게 황홀경으로 몰아넣었을 게 틀림없는 음악 수업이 은밀하게 이루어지는 광경을 수차 목격한 바 있다. 하지만 나는, 천부적으로 타고난 에릭의 그 목소리가 — 마음먹은 대로 천둥처럼 웅장하다가도 천사의 음성처럼 그윽해지는 그 목소리! — 그의 추함마저 잊게 해주었다고는 생각하지 않는다. 나는 크리스틴이 아직 그의 얼굴을 본 적이 없다는 사실을 안 바로 그때부터 모든 상황을 이해했다. 기회를 엿봐 크리스틴의 대기실로 잠입한 나는, 옛날 에릭이 보여주었던 솜씨들을 하나하나 되새기면서, 그가 거울이 달린 벽을 축을 사용해 어떻게 회전시켰는지, 그리고 마치 통화관(通話管)처럼 속이 텅 빈 벽돌들을 통해 바로 옆에서 들리는 것처럼 자신의 음성을 어떻게 크리스틴에게 들려줄 수 있었는지를 어렵지 않게 확인할 수 있었다. 또한 거기서 나는 극장 지하의 샘과 지하감옥 — 코뮌 가담자들의 감옥 — 으로 통하는 비밀통로를 포함해, 에릭을 무대 바로 밑으로 곧장 들어설 수 있게 해준 뚜껑문을 발견하기에 이른 것이다.

그로부터 며칠이 지난 어느 날, 에릭과 크리스틴 다에가 직접 만나 함께 있는 모습을 이 두 눈과 귀로 직접 목격한 나의 놀라움이 얼마나 컸었는지는 상상하기 힘들 것이다! 그때 괴물은 코뮌 가담자들이 지나다니던 길 끄트머리 어디쯤, 졸졸 물이 흐르는 샘가에 잔뜩 몸을 숙인 채, 기절한 크리스틴 다에의 이마를 적셔주고 있었다. 그 옆에는, 오페라 극장 지하 마사에서 도난당했던 「예언자」의 백마 세자르가 다소곳이 서 있었다. 나는 얼떨결에 모습을 드러냈는데 에릭의 황금빛 눈동자에서 불꽃이 번쩍 튀는가 싶더니, 순간, 뭐라 입을 열 틈도 없이 이마에 정통으로 한 방 먹고는 그만 정신을 잃고 말았다. 결국 에릭도 크리스틴도, 또 그 백마도 온데간데없이 사라진 뒤에야 나는 정신이 들었다. 그 불쌍한 여인이 호수의 거처에 감금되는 건 불 보듯 뻔한 일이었다. 다시 또 그 호숫가에 접근하는 건 위험하기 이를 데 없는 일이었지만 난 도저히 주저할 수가 없었다. 나는 제방에 숨어 24시간 꼬박 괴물의 출현을 감시했는데, 그가 최소한 식량을 마련하기 위해서라도 반드시 모습을 드러내리라고 생각했던 것이다. 이쯤에서 한 가지 말해둘 것은, 그가 가끔 파리 시내로 외출을 한다거나 사람들 앞에 모습을 드러낼 때는, 흉악하게 함몰한 코 부위에 그럴듯한 콧수염까지 겸비한 종이코를 부착한다는 사실이다. 비록 그래도 으스스한 분위기가 완전히 가시는 건 아니고, 지나가던 사람들이 등뒤에서 "저기 상이군인 영감 간다!"하며 수군대곤 했지만, 그러한 장치는 그나마 그의 몰골을 가까스로 봐줄 만하게 해주는 것이었다.

나는 악착같이 호숫가에서 — 그가 내 앞에서 자조적인 어투로 '지옥의 호수'라고 부르는 그 음산한 호수! — 매복을 계속했는데, 마침내 기진맥진한 상태에 이르자, 문득 이런 생각이 드는 것이었다. '혹시 다른 문을 통해 빠져나간 건 아닐까? 지하 3층의 문 말이야……' 한데, 바로 그 순간, 시커먼 수면 위로부터 찰랑거리는 물소리가 들리면서 마치 각등처럼 보이는 두 개의 불빛이 점점 가까워지더니, 마침내 작은 배 한 척이 기슭에 닿는 것이었다. 아니나다를까 에릭이 훌쩍 뛰어내려서 내게로 똑바로 걸어오는 것이었다!

"벌써 스물네 시간 동안이나 버티고 있구만! 정말 귀찮아 죽겠어…… 이런 식으로 나오면 좋을 거 하나 없다고 내 분명 말했을 텐데……정말 그러길 원하는 건가? 자네한테만은 그 동안 참고 또 참아왔어! 이 한없이 멍청한 양반아…… 자네는 자네가 나를 미행한다고 생각할 테지만, 나야말로 자넬 감시하고 있어! 이곳에서 자네가 나에 대해 알아냈다고 생각하는 모든 걸 이미 난 다 알고 있단 말일세…… 어제는 '코뮌 병사들의 길' 위에서 자네를 용서해주었지만, 분명히 얘기하건대, 다시는 그곳에서 마주치지 않길 바라네! 이건 정말이지 경솔한 짓이야! 도대체 자네가 말귀를 제대로 알아듣기나 하는지 모를 정도일세!"

어찌나 노발대발하는지, 나는 잠시 감히 말을 가로막을 엄두도 나지 않았다. 그는 마치 바다표범처럼 거칠게 숨을 내쉰 다음, 자신의 속내 생각을 분명히 못박는 것이었다.

"좋아…… 정 모르겠다면, 마지막으로 딱 한 번 내가 차근차근 얘기해 주지! 딱 한 번이야! 자네의 이런 행동은 정말이지 경솔하기 그지없 네…… 자넨 벌써 두 번씩이나 펠트 모자를 쓴 음산한 녀석에게 붙들려 서 지배인 집무실로 송환된 적이 있었지. (오, 자네도 알다시피 난 언제 어디든 마음먹은 대로 돌아다닐 수 있지…… 그때 집무실 안에도 내가 있었어……) 그때 그 녀석은 자네가 극장 지하에서 뭘 원하는지도 모른 채 끌고 간 거였고, 지배인들 역시 자네를 그저 무대 뒤나 기웃거리는 정신 나간 한량 정도로만 보았기 때문에 그 정도로 끝났지만…… 분명 히 말해 계속 지금처럼 경망스럽게 돌아다닌다면 결국에는 자네가 이곳 을 배회하는 이유에 대해 너도나도 궁금해 할 테고…… 그러다 보면 자 네가 찾는 게 에릭이라는 것도 알게 될 테고…… 결국 그들 역시 자네처 럼 에릭을 찾으려 할 테고…… 급기야는 호수의 집이 발각될 테지…… 그건 도저히 묵과할 수 없는 일이야! 도저히, 도저히…… 내 더 이상 말 안 하겠네……"

여전히 그는 바다표범처럼 숨을 몰아쉬고 있었다.

"더 이상은 안돼! 에릭의 비밀이 어디까지나 에릭의 비밀로서 남지 않 는 날에는, *인간이라고 하는 족속 대부분에게* 별로 좋지 않은 일이 일어 날 거야…… 자네가 글자 그대로 *어마어마한 바보*가 아니라는 전제하 에, 내가 하고 싶은 말은 이걸로 다 한 셈이네…… 제발 자네가 충분히 납득할 수 있으면 좋겠어…… 말귀를 제대로 알아듣는다면 말이야!"

그렇게 말하는 동안 그는 배 뒷켠에 앉아 발꿈치로 목제바닥을 가볍 게 두드리고 있었다. 무슨 대답이 나올지를 지켜보는 눈치였다. 한데 내 게서 간략하게 튀어나온 대답은 이거였다.

"여기 내가 찾으러 온 건 에릭이 아닐세……."

"······그럼 누군가?"

"잘 알지 않나, 크리스틴 다에일세······."

그러자 그는 대번에 발끈하며 대꾸하는 것이었다.

"나는 어디까지나 그녀를 내 집에서 만나기로 약속한 처지야! 나도 있는 그대로 사랑받고 있는 걸세. 내게도 얼마든지 그럴 권리가 있네!"

"그건 사실이 아니야! 자넨 그녀를 납치해서, 가두고 있을 뿐이야!"

"이보게······ 그럼 만약 내가 있는 그대로 사랑받고 있다는 걸 증명만 하면 자넨 깨끗이 이 일에서 손을 떼겠다고 약속할 수 있나?"

나로선 망설일 이유가 없는 제안이었다. 어떻게 그런 괴물에게 그런 일이 가능하겠는가 하는 생각이었으니까 말이다.

"좋아! 약속하지!"

"그럼 이제 문제가 더없이 간단해졌구만! 크리스틴 다에는 이제 여기서 자유롭게 나가, 언제든 원할 때 다시 돌아오게 될 걸세! 그래, 반드시 돌아오게 될 거야······ 스스로 그러길 원할 테니까······ 나를 있는 그대로 사랑하고 있으니까 말이야······."

"글쎄······ 돌아올 것 같지는 않은데······ 좌우간 그녀를 여기서 떠날 수 있게 해주는 것까지는 자네 의무이네!"

"내 의무라구? 멍청한 친구······그건 나의 의지라는 거야! 그녀를 떠나보내는 나의 의지······ 하지만 그녀는 나를 사랑하니까, 반드시 돌아올 거고······ 내 분명히 장담하건대, 이 모든 일은 결혼으로 결실을 맺을 것이네······ 마들렌느 성당에서의 화려한 결혼식 말이네, 이 멍청한 친구야······ 이제 알겠나? 내 결혼미사곡이 이미 완성됐단 말이야······ 키리에(역자주 : 미사예식 중 초두의 입당송) 한번 들어보려나?"

그는 발꿈치로 박자까지 붙이면서 반쯤 내리깐 목소리로 노래를 부르기 시작했다.

"*키리에~ 키리에~ 키리에 엘레이존~*, 이제 얼마 안있어 미사에서 만나게 될 걸세……."

"이보게, 나는 크리스틴 다에가 호수의 집에서 나와 자유롭게 돌아가는 걸 봐야 자네 말을 믿겠네!"

"그리고는 이 일에서 깨끗이 손을 뗀다 이거지? 좋았어! 당장 오늘밤 그 광경을 보게 될 걸세…… 가면무도회에 참석해주게! 크리스틴과 내가 함께 그리로 갈 거야…… 자네는 대기실 옆 창고에 숨어 있으면 돼. 그러면 대기실로 돌아온 크리스틴이 다시 '코뮌 병사들의 길'로 되돌아가고 싶어하는 모습을 볼 수 있을 것이야."

"알겠네!"

나는 내심 진짜 그 광경을 목격한다면 모든 걸 수긍하는 수밖에는 없다고 생각했다. 진정 아름다운 여인이 가장 끔찍한 괴물을 사랑한다는 데 누가 시비를 걸 수 있겠는가! 더군다나 그 괴물에게는 사람을 매료시키는 음악적 재주가 넘치고, 여인 또한 누구나 알 만한 유명 가수라면 말이다…….

"자, 그럼 이만 사라져주게! 나도 장보러 가봐야 하니까……."

나는 크리스틴 걱정을 하며 자리를 떴다. 한데 마음 속 깊은 곳에서는 그러한 걱정보다도 더 심각한 고민거리가 꿈틀거리고 있었다. 그건 아까 괴물 친구가 나의 경솔함을 지적하며 일깨워준 고민거리였다.

"아…… 이 모든 사태가 과연 어떻게 결말을 맺을까……."

허나, 기질상 꽤나 숙명론자에 해당하는 편이지만, 저렇게 *인간이라고 하는 족속 대부분*을 위협하는 괴물을 오늘날 살아 있게 해주었다는 엄청난 부담감 때문에라도, 나는 애매모호한 고민만 되풀이하고 있을 처지가 아니었다.

하여튼 놀랍게도 그가 예고한 바대로 모든 일이 진행되어갔다. 크리스틴 다에는 호수의 집을 나온 이후, 적어도 겉으로 봐선 강요당하는 것 같지 않게, 수 차례나 그곳을 다시 방문하는 거였다. 나는 최소한 머리 속에서만큼은 이 신비스런 연인으로부터 손을 떼야겠다는 쪽이었지만, 왠지 마음 속에서는 에릭과 관련한 연상을 끊어버릴 수가 없었다. 어쨌든 다시 또 호숫가에 접근한다거나 '코뮌 병사들의 길'을 찾는 따위의 경솔한 행동은 철저히 삼갔다. 다만 지하 3층 어딘가에 있을 비밀의 문에 대한 생각이 당최 머리 속을 떠나지 않아, 낮 시간에는 대개 텅텅 비고 마는 그 구역을 몇 차례 배회하기는 했다. 그러다 보니, 이젠 공연도 하지 않는「라호르의 왕」배경포를 왜 거기 방치해 두는지는 모르지만, 어쨌든 그 뒤에 몸을 숨기고 하염없이 시간을 때운 적도 한두 번이 아니었다. 자고로 인내심이 크면 보상도 따르기 마련인가! 어느 날 바로 그 괴물이 무릎을 꿇은 채 그리로 기어오는 걸 보게 된 것이다! 분명 그의 눈에는 아직 내가 보이지 않은 모양이었다. 그는 그곳에 기대어 둔 장식물과 기둥 사이로 비집고 들어가더니 벽까지 곧장 기어가는 것이었다. 다소 거리가 있었지만, 그가 벽 어느 부위를 만지작거리자 돌덩이 하나가 움직거리더니 웬 통로가 활짝 열리는 걸 나는 똑똑히 분간할 수 있었다. 그가 통로 안으로 모습을 감추자, 구멍은 금세 닫혔다. 드디어 괴물의 비밀이, 드디어 내 방식대로 호수의 거처를 드나들 수 있게 해줄 비밀이 손안에 떨어진 거나 다름없었다.

나는 만전을 기하는 뜻에서 최소한 30분은 그대로 꼼짝 않고 있다가, 슬그머니 그 장소로 다가가 벽을 만지작거렸다. 그러자 에릭에게 일어난 것과 똑같은 일이 일어나는 것이었다. 하지만 그가 집에 있다는 걸 알면서도 그리로 통하는 통로로 들어설 수는 없는 노릇이었다. 뿐만 아니라, 이러고 있다가 에릭에게 들킬 수도 있다는 데에 생각이 미치자, 문득 이 지점에서 죽은 채로 발견된 조셉 뷔케의 얼굴이 떠오르는 것이었다. 나 또한 그 꼴로 발견되는 날엔, 나도 나지만, *인간이라고 하는 족속 대부분*에게 아주 맛좋은 단서거리를 제공하는 셈이 될 터라, 나는 지체 없이 자리를 떴다. 물론 페르시아를 떠난 이후, 조금도 변하지 않은 직업적인 치밀함으로, 돌덩이를 원래 있던 자리에 정확히 끼워 맞춘 다음 말이다……

　이쯤에서 혹자는 내가 공연히 에릭과 크리스틴 다에 사이의 연애에 지나친 관심을 쏟는다고 생각할지 모르겠다. 하지만 그건 단지 어쩌다 짓궂은 호기심에 이끌려서가 절대 아니었다. 거기엔 이미 언급했다시피, 내 머리 속을 떠나지 않은 끔찍한 생각이 늘 자리잡고 있었던 것이다.

　'에릭이 만약 그저 있는 그대로 사랑받고 있는 게 아니라는 걸 깨닫는 날에는 무슨 일이 벌어질지 아무도 장담할 수 없지 않은가…….'

　그런 생각에서, 나는 오페라 극장을 조심스럽게 배회하고 있었다. 한데 아주 우연한 기회에, 괴물의 서글픈 사랑의 진정한 내막을 알게 되었다. 그는 공포에 가까운 경외심을 불러일으킴으로써 크리스틴의 정신을 지배하고 있었지만, 정작 그녀의 마음은 온통 샤니 드 라울 자작에게로 가 있었던 것이다. 마치 어린애들처럼 소꿉놀이를 하며 오페라 극장을 지붕 꼭대기까지 헤집고 다니는 동안, 두 사람은 누군가 귀신같이 미행을 하며 감시의 눈초리를 번뜩이고 있었다는 사실을 전혀 눈치채지 못하고 있었다. 그러한 광경을 확인한 순간, 나는 결단이 섰다. 정 필요하다면 괴물을 내 손으로 죽인 다음, 법 앞에 모든 걸 해명하는 것이다! 하지만 그 이후, 에릭은 좀처럼 모습을 드러내지 않았고, 나는 나대로 마음을 졸이지 않을 수 없었다.

　요컨대, 나의 계산은 이랬다. 괴물이 질투심에 사로잡혀 집을 비운 사이, 나는 지하 3층의 통로를 통해 호수의 집으로 잠입해 들어간다. 누구나 그렇겠지만, 나 또한 그 안에서 무슨 일이 벌어지고 있는지 엄청 궁금했다. 드디어 어느 날, 기다리다 지친 나머지 나는 대담하게도 돌덩이에 손을 갖다대고 말았다. 한데 웬 음악소리가 들리는 것이었다. 마침 괴물이 집의 모든 창문을 활짝 열어놓은 채 자신의 「위풍당당한 동쥬앙」을 연주하고 있었던 것이다! 나는 그것이 그의 평생의 역작이라는 걸 금방 알아차렸다. 꼼짝 하지 않고 어둑한 통로 속에 얼마나 있었을까, 별안간 그는 연주를 중단하더니, 실성한 사람처럼 집안 여기저기를 서성대기 시작했다. 그러더니 문득 아주 큰소리로 이렇게 외치는 것이었다. "그 *전에* 이걸 완성해야 해! 끝내야 한다구!" 그 말로는 아직 안심이 안되었지만, 다시 음악이 연주되자, 그제서야 나는 조용히 돌덩이를 제 위치에 닫아놓았다. 한데, 구멍이 닫혔음에도 불구하고 희미한 음악 소리가 멀리, 아주 멀리서 들려오는 것이었다…… 전에 깊은 호수 아래로부터 사이렌의 노래소리가 스며 올라온 것처럼, 저 아래 땅 속으로부터 서서히 솟아오르는 것 같았다. 그리고 보니, 조셉 뷔케가 죽었을 때, 사람들이 비웃었던 몇몇 무대장치 기술자들의 다음과 같은 증언이 생각나는 것이었다. "장송곡 같은 노래 소리가 시체 주위를 둘러싸고 어렴풋이 들렸습니다!"

한편 크리스틴 다에의 실종 사건이 있던 날 나는 저녁 늦은 시각에야 극장에 도착했고, 곧장 끔찍한 소식을 접했다. 가뜩이나, 그날 아침 크리스틴과 샤니 자작의 결혼을 예고하는 기사를 읽은 뒤부터, 하루종일, 차라리 괴물의 존재를 만천하에 공개하는 게 낫지 않을까 하는 고민에 시달린 터라, 나는 머리가 보통 어지러운 게 아니었다. 하지만 곧 이성을 되찾았고, 그렇게 해봤자 재앙을 재촉하는 것밖에 기대할 게 없다는 확신을 갖게 되었다.

그날 저녁, 오페라 극장 앞에 마차를 댄 뒤 나는 극장이 아직도 제대로 서 있다니, 놀라운데! 하는 심정으로 건물을 올려다보았다.

모든 동방 사람들이 그렇듯, 다분히 숙명론자인 나는 *모든 걸 각오한 채* 극장 문을 들어섰다. 하필 무대 위 감옥 장면에서 크리스틴 다에가 실종되었다는 사실은 당연히 모든 사람들을 질겁하게 할만했지만, 적어도 내게는 잘 짜여진 각본으로 보였다. 그녀를 그렇게 만인의 눈앞에서 감쪽같이 사라지게 해서 납치한 것은, 모든 마술사들의 제왕인 그다운 행동이었던 것이다…… 내가 보기에 이제 크리스틴이나, *아마도 그곳 모든 사람의* 운명은 끝장난 거나 다름없었다.

결국 잠시 동안이나마, 나는 거기 모인 모든 사람들에게 목숨을 부지하고 싶으면 여기서 머뭇거리지 말고 당장 극장을 떠나라고 소리치는 게 어떨까 망설였다. 하지만 혹시라도 그저 미친 사람 정도로 무시될까봐 그 생각은 바로 접어두기로 했다. 더군다나 사람들을 내보낸답시고 예컨대 "불이야!"하고 소리를 지른다면, 자칫 나 자신이 재앙의 원인으로 둔갑하게 될지도 모르는 일이었다. 사람들이 당황한 김에 서로 부딪치고 넘어져서, 희생자가 나온다면 그건 사건 자체보다 더 심각한 재앙이 될 수 있을 테니 말이다.

여하튼 그대로 가만 있을 수는 없었다. 나는 마침내 더 이상 머뭇거리기보단 개인적으로 직접 나서기로 작정했다. 시기로 봐도 최적의 상황인 것 같았다. 에릭이 포로에게만 정신을 쏟을 테니 나로선 더 많은 기회가 주어질 거라는 생각도 행동하는 데 한몫 했다. 나는 이 난리통을 틈타 지하 3층을 거쳐 그가 있는 곳으로 잠입하기로 작정한 다음, 그 가엾게 된 젊은 자작을 내 작전에 동참시키기로 했다. 첫마디에 기꺼이 따라나선 그는 감동적일 만큼 나를 신뢰해주었다. 그 전에 나는 미리 하인을 시켜 권총 두 자루를 준비해두는 걸 잊지 않았다. 다리우스는 어김없이 권총 상자를 든 채 크리스틴의 대기실에 나타났다. 나는 자작에게 권총을 나눠주며 에릭이 벽 뒤에서 우리를 기다릴지 모르니 언제든 나처럼 발사할 준비를 갖추라고 귀띔해주었다. 우리는 곧장 '코뮌 병사들의 길'과 뚜껑문을 통해 극장 지하로 내려갔다.

젊은 자작은 권총을 보자마자 결투를 하러 가는 거냐고 물었다. 일단 그렇다고 대답했지만……결투라니! 하지만 일일이 그에게 설명을 해줄 시간이 없었다. 젊은 자작은 분명 용기 있는 남자였지만, 상대에 대해선 거의 아무것도 모르고 있었다. 하긴 차라리 잘된 일이기도 했다!

툭하면 발끈하는 우악스런 결투쟁이와의 한판 승부가 과연 지상 최고의 천재적인 마술사와 한판 겨루는 것에 비교될 수 있을까? 자신이 원할 때만 모습을 드러내되 그렇지 않으면 철저히 보이지 않는, 그러면서도 주위의 모든 사물은 아무리 어두워도 꿰뚫어보는 그런 존재와 한판 격돌하러 암흑 속으로 뛰어든다는 것은, 나처럼 산전수전 다 겪었다는 사람에게도 그리 쉬운 건 아니었다. 우리가 상대해야 할 자는, 온갖 괴이한 지식과 상상력과 기교를 동원해 자연, 인공을 망라한 모든 힘을 발휘하는 가운데, 사람의 눈과 귀를 얼마든지 현혹할 수 있는 자이다! 게다가 그를 상대해야 할 장소라는 것이 하필, 환영(幻影)의 저장고나 다름없는 오페라 극장의 지하세계라니…… 과연 그런데도 덤덤하게 결투에 나설 수 있을까? 오, 한번 생각해 보시라! 지하 5층, 지상 25층이나 되는 이 오페라 극장 안에 때로는 빈정대고, 때로는 증오하다가, 때로는 남의 주머니나 털고, 그러다 수틀리면 살인까지 자행하는 어느 잔인무도하고 '익살맞은' 로베르-우뎅이 활보하고 있다면, 과연 그곳을 찾는 관객들의 눈과 귀에 어떤 일들이 일어날지를 말이다! '함정애호가'와 겨룬다고? 세상에! ……우리나라에 있었을 때 그가 거의 모든 궁전 안에 회전식으로 작동하는 함정을 얼마나 많이 건설해 놓았던가! 모두가 그야말로 최고 수준의 함정이었지…… 이곳 오페라 극장도 만만치 않아…… 한데 그런 함정의 소굴에서 '함정애호가'와 겨룬다고!

한편 호수의 거처로 다가가면서, 분명 기절했을 게 틀림없는 크리스틴 다에 곁을 그가 꼼짝 말고 지키고 있어 주었으면 했는데, 막상 그가 '편잡의 올가미'를 다잡으며 우리 부근을 배회하고 있다는 걸 알자 섬뜩한 공포감이 엄습해왔다.

이 세상 그 누구도 그만큼 '편잡의 올가미'를 잘 다룰 줄 아는 사람은 없으며, 그는 마술의 대가이기도 한 만큼 교살(絞殺)의 제왕이기도 했다. 예전 그가 마젠데란의 장밋빛 시절에 머물 때 어린 왕비를 즐겁게 해주는 일을 그만두자, 왕비는 대신 자신을 공포에 질리게 만드는 유희를 제의했었다. 그때 기막히게 활용한 것이 바로 이 '펀잡의 올가미'였다. 인도에 머문 적이 있는 에릭은 그곳에서 대단한 교살 기술을 터득하고 돌아왔었다. 왕비가 구경하는 가운데, 그는 긴 창과 육중한 검으로 중무장한 전사 — 대개는 사형 언도를 받은 — 와 함께 경기장 안에 갇힌 상태가 되곤 했었다. 에릭에게는 단지 올가미 하나밖에 주어지지 않았었는데, 전사가 그에게 최후의 일격을 날리기 직전엔 늘 어김없이 그의 올가미가 휙 하고 바람 가르는 소리를 내며 실력을 발휘하는 것이었다. 그리고 나면 눈 깜짝할 사이에 어느덧 상대의 목에는 이 가느다랗지만 더없이 질긴 올가미가 감긴 채 팽팽히 당겨져 있었고, 결국 시체를 끌고 왕비와 하녀들이 내다보는 창문 앞에 서면 어김없는 환호와 박수가 터져나오곤 했다. 어린 왕비도 나중에는 올가미 던지는 법을 배웠고, 그걸로 하인 몇 명을 재미삼아 해치우는가 하면, 심지어는 놀러온 여자 친구까지 희생 제물로 삼기도 했다. 아…… 그런 마젠데란의 장밋빛 시절의 끔찍한 추억 얘길랑 그 정도에서 끝내도록 하자. 내가 굳이 이 얘기를 꺼낸 것은, 샤니 자작을 이곳 오페라 극장 지하까지 이끌고 온 이상, 언제 닥칠지 모르는 교살의 위험을 충분히 경고하고 만반의 준비를 갖추게 해야만 했었다는 걸 말하기 위함이니까. 솔직히 말해 일단 지하세계에 발을 들여놓은 다음부터 나는 권총이 아무런 도움도 되지 못하리라는 사실을 알고 있었다. 우리가 '코뮌 병사들의 길'에 들어섰을 때 아무 반격도 받지 않았다는 건, 에릭이 아예 자신의 모습을 드러내지 않기로 작정했다는 뜻이기 때문이다. 즉, 보이지 않는 곳에서 교살을 노리고 있다는 얘기가 되는 셈이었다. 하지만 그런 모든 정황을 일일이 이 젊은 귀족에게 설명해줄 시간이 없었다. 아니 설사 시간이 허락한다 해도, 이 어둠 어느 곳에선가 '편잡의 올가미'가 달려들 기세를 갖춘 채 우리를 노리고 있다는 걸 제대로 납득시키려면 얘기하다가 그만 지쳐버릴 거라는 생각이 들었다. 공연히 상황을 복잡하게 만들 이유가 뭐란 말인가! 그래서 그저 결투할 때처럼 손을 눈 높이로 구부정하게 들어올리고만 있으면 된다는 충고로 모든 걸 대신했던 것이다. 그런 자세라면, 제아무리 날고 기는 교살자라 해도 상대의 목에 효과적으로 올가미를 엮기는 불가능하기 때문이다. 설사 올가미가 목을 덮친다 해도, 그와 더불어 손이나 팔까지 엮일 것이기에, 누구든 쉽사리 그것을 풀고 벗어날 수가 있을 테니 말이다…….

경찰서장과 몇몇 뚜껑문 관리자들, 그리고 소방관들의 눈을 피하고, 쥐잡이꾼도 난생 처음 맞닥뜨린 후, 펠트 모자의 남자도 용케 피하고 나서야 자작과 나는 지하 3층, 「라호르의 왕」의 무대장식품과 기둥 사이에 있는 문제의 지점에 도착할 수 있었다. 나는 서둘러 돌덩이를 작동시켰고, 열린 구멍을 통해, 오페라 극장 토대를 이루는 이중 벽체 구축물 속의 에릭의 거처로 들어섰다. 이곳은 에릭이 직접 만든 것인데, 아마도 이 세상에서 가장 은밀하고 조용히 만들어진 건축물일 것이다. 그는 오페라 극장 설계를 담당한 건축가 필립 가르니에의 석공 담당 일등 기술자 중 한 명이었는데, 파리의 코뮌 사태 당시 공식적으로 중단된 공사기간 중 그만이 몰래 은밀한 작업을 추진해 오늘날의 이 같은 거처를 꾸며놓은 것이다.

몇 번 언급했다시피, 나는 에릭을 잘 아는데, 그는 분명 그 기간 동안 손수 만들어둔 기기묘묘한 장치들을 언젠가는 돌아와 기분 좋게 감상하리라는 자기만의 은밀한 허영심을 쓰다듬으며 그 모진 세월을 견뎌왔을 것임에 틀림없다. 그러니 내가 그의 집에 들이닥쳤다고 해서 조금도 긴장을 늦출 수 없는 건 당연했다. 그가 마젠데란의 상당수 궁전 건축을 하며 어떤 것들을 만들어냈었는지 누구보다도 잘 아는 내가 아닌가! 나무랄 데 없이 점잖은 건축물에서부터, 염탐을 당하거나 메아리가 되어 저절로 울려퍼지지 않고는 단 한 마디도 내뱉을 수 없게 되어 있는 악마의 방에 이르기까지…… 그 얼마나 많은 가족의 비극이, 그 얼마나 피비린내 나는 참극이 괴물이 설치해놓은 숱한 함정장치들에 의해 꼬리를 물고 이어졌던가! 심지어는 어찌나 악랄한 술책들을 부려놓았던지, 일단 들어서고 나면 자신의 위치를 도무지 종잡을 수 없게 만드는 궁전들도 허다했다. 그가 창안한 소름끼치는 발명품이 한둘이 아닌데, 그 중 가장 끔찍한 게 다름 아닌 소위 '고문실'이라고 부르는 방이었다. 어린 왕비가 부르주아들을 골탕먹이고 싶어하는 특별한 경우가 아니고서는 대개 사형수들이 그곳에 들여보내졌다. 내 생각엔, 고문실이야말로 마젠데란의 장밋빛 시절 안에서 가장 극악무도한 발상이 돋보이는 장치였다. 고문실로 들어선 방문자가 도저히 더는 견딜 수 없는 지경에 이르게 되면, 언제든 자신의 목을 스스로 맬 수 있도록 '편잡의 올가미'가 강철로 만든 나무 아래 놓여져 있는 것이었다!

그러니, 괴물의 거처로 잠입하자마자 샤니 자작과 내가 떨어진 곳이 하필 마젠데란의 장밋빛 시절 중에서도 가장 가혹한 고문실을 그대로 본떠 만든 방이라는 걸 깨닫는 순간, 어찌 경악하지 않을 수 있었겠는가!

이곳까지 헤매오면서 내내 경계를 했었던 '편잡이 올가미'가 이젠 바로 내 발치에 떨어져 있는 것이었다. 분명 이 올가미는 이미 조셉 뷔케의 목에 걸렸던 그 올가미이리라. 그 불쌍한 무대장치 기술자는 틀림없이 어느 날 저녁, 나처럼, 지하 3층의 돌덩이 장치를 건드리는 에릭을 우연히 목격했을 것이다. 그는 호기심을 참지 못하고, 그 비밀통로로 들어섰을 게고, 고문실로 곤두박질친 다음, 결국엔 스스로 목을 매고서야 나올 수 있었으리라. 아마도 에릭은 시체를 질질 끌고 밖으로 나와 「라호르의 왕」 무대장식품이 있는 곳에 매달아놓았을 것이다. 그렇게 함으로써 본보기를 보임과 동시에 어느 정도 *사람들의 미신적 공포심을 불*

러일으키는 게 자신의 지하 거처를 안전하게 보존하는 데 필요하리라는 계산이었을 것이다!

하지만 이내 생각을 고쳐먹고 '편잡의 올가미'를 수거해 갔으리라. 고양이의 창자를 꼬아서 만든 독특함이 혹시라도 예심판사의 호기심을 끌지도 모른다는 판단이 들었을 테니 말이다. 애당초 조셉 뷔케의 목에 감겨 있었던 노끈이 사라진 연유는 그걸로 시원하게 밝혀진 셈이다.

어쨌든 문제의 올가미를 발치에서 발견한 나는, 그리 소심한 성격이 아니었는데도, 흐르는 식은땀을 주체할 수 없었다. 뿐만 아니라 이 유명한 방의 내벽 위를 이리저리 방황하는 램프불이 내 손과 더불어 심하게 떨고 있었다. 그걸 눈치챈 샤니 자작이 대뜸 물었다.

"대체 무슨 일입니까?"

나는 우리가 고문실로 떨어진 걸 괴물이 모르고 있기를 여전히 바랐기 때문에, 다급하게 조용히 하라는 손짓을 했다.

그런가 하면 지하 3층의 비밀통로 바로 다음에 이런 고문실을 마련해둔 걸로 봐서, 아마도 호수의 거처를 지키는 첨병 역할을 맡겨둔 게 분명하며, 따라서 따로 조종자 없이 자동적으로 작동하게 되어 있을지 모른다는 데에 생각이 미치자, 괴물이 모르고 있길 바라는 것도 하등의 희망이 되지 못했다.

그렇다, 아마도 고문은 *자동적*으로 시행될 것이다…….

과연 희생자의 어떤 동작이 장치의 작동을 촉발시키는 걸까?

나는 자작에게 절대로 움직이면 안된다고 강하게 다그쳤다.

압도적인 침묵이 주위를 내리누르기 시작했다.

그러면서도 손에 든 붉은 램프불빛은 방안 여기저기를 서서히 드러내 주고 있었다……그래 맞아……그래 이거였어…….

23
고문실에서
페르시아인의 이야기 2

우리는 완벽한 육각형을 이룬 작은 방의 정중앙에 있었다…… 여섯 개의 각 벽면에는 위에서 아래까지 빈틈없게 거울이 꽉 끼워져 있었고…… 구석마다 거울을 덧댄 부분들이 각각의 실린더를 중심으로 회전하도록 따로따로 구획되어 있었고…… 그래, 그래 맞아…… 저쪽 구석에 서 있는 강철 나무도 알아보겠어…… 강철 줄기와 강철 가지…… 튼튼해서 목매달기에 좋은…….

나는 자작의 팔을 덥석 붙잡았다. 이미 사시나무 떨듯 떨고 있는 그가 언제 애인을 소리쳐 불러댈지 알 수 없었던 것이다.

문득 우리의 왼쪽 방향으로부터 희미한 소리가 들려왔다.

그것은 바로 옆에 붙은 다른 방의 문이 열렸다가 닫히는 소리 같았는데, 잠시 후 긴 신음 소리가 새어나왔다. 나는 다시금 자작의 팔을 힘주어 붙들었고, 이내 다음과 같은 말소리를 똑똑히 분간할 수 있었다.

"하느냐 마느냐야…… 결혼미사를 택하느냐 추도미사를 택하느냐 둘 중 하나지……."

괴물의 목소리였다.

또다시 긴 신음소리가 들렸고, 언제 끝날지 모를 침묵이 이어졌다.

괴물이 목소리를 저렇게 노출시키는 걸로 봐서 나는 그가 아직 자신의 거처에 침입자가 있다는 사실을 전혀 눈치채지 못하고 있다는 걸 확신했다. 만약 뭔가 이상한 낌새를 감지했다면, 고문실을 내다보며 즐길 수 있도록 개방된 보이지 않는 창문을 살짝 닫아놓는 것으로 충분했을 텐데 말이다.

아니 그럴 것까지 없이 우리의 존재를 눈치챘다면, 벌써 고문이 시작되었을 게 아닌가!

자, 이렇게 되면 우리가 에릭보다 훨씬 유리한 입장에 있는 셈이었다! 그가 모르는 사이에 우리는 그의 옆구리까지 바싹 다가와 있으니 말이다…….

이 시점에서 가장 중요한 건 절대로 그가 우리의 존재를 눈치채지 못하게 하는 거였는데, 그러고 보니 옆방에서 간헐적으로 들리는 신음소리가 자작을 자극해서, 자칫 미친 듯이 옆방으로 들이닥치면 어쩌나 하는 걱정이 덜컥 들었다.

"한데 추도미사는 전혀 유쾌하지가 않지! 반면 결혼미사는 너무나도 황홀할 거야! 자, 결정을 해야만 해! 자신이 원하는 게 뭔지를 분명히 알아야 한다구! 나도 이렇게만 살 수는 없어! 땅 속, 구멍 속에 틀어박힌 채, 두더지처럼 살아갈 수는 더 이상 없다구! 「위풍당당한 동쥬앙」은 이미 완성되었어! 이제부턴 다른 사람들이 살듯이 그렇게 살아갈 거야! 다른 사람들처럼 내 여자도 갖고, 일요일엔 함께 산책을 할 거야. 어느 누구와도 다를 게 없어 보이는 가면도 새로 만들었어. 이젠 아무도 힐끔거리지 않을 거야…… 당신은 이 세상 누구보다도 행복한 여자가 될 거라구…… 그리고 우리는 둘이 함께 둘만을 위해서 죽도록 노래를 부르겠지…… 오, 당신은 우는군…… 나를 두려워하고 있어…… 하지만 나는 속까지 그렇게 나쁜 인간은 아니야! 나를 한번 사랑해봐, 그럼 알게 될 거야…… *나도 사랑만 받는다면 얼마든지 좋은 사람이 될 수 있어!* 당신이 날 사랑만 해준다면, 나는 양처럼 온순해질 거야……당신이 바라는 대로 뭐든 될 거라구……."

이처럼 구애의 주문이 줄줄이 이어지는 것과 더불어 신음 소리 역시 점점 커져만 갔다. 그보다 더 처절한 소리는 예전에 들어본 적이 없었는데, 샤니 자작과 나는 문득 그 끔찍스런 신음 소리도 실은 에릭 자신에게서 나오는 거라는 걸 뒤늦게 눈치챘다. 그럼 크리스틴은? 아마도 우리가 서 있는 바로 정면의 벽 뒤 어딘가에 똑바로 선 채 소리 지를 엄두도 나지 않을 만큼 공포에 질린 상태로, 맞은편에 무릎을 꿇고 있는 괴물을 바라보고 있을 것이었다.

신음소리는 마치 대양이 흐느끼는 것과 같이 깊고 넓게 구르고, 울리고, 때론 솟구쳤다. 모두 세 번에 걸쳐 에릭은 목구멍으로 치밀어오르는 통한을 돌덩이를 내뱉듯 토해내는 것이었다.

"당신은 나를 사랑하지 않아! 당신은 나를 사랑하지 않아! 당신은 나를 사랑하지 않아!"

그리고는 문득 누그러진 듯 이렇게 덧붙였다.

"왜 우는 거요? 내게 상처를 주고 있다는 걸 알고 있구려……."

침묵이 이어졌다.

어떤 침묵이든 우리에겐 희망이었다. 그때마다 속으로 이런 생각이 들었던 것이다.

'혹시 크리스틴만 혼자 남겨두고 나간 건 아닐까?'

우리 머리 속에는 어떻게 하면 괴물 모르게 크리스틴으로 하여금 우리의 존재를 감지할 수 있게 하느냐 하는 고민뿐이었다.

게다가 이 고문실을 벗어나기 위해서는 크리스틴이 벽 저쪽에서 문을 열어주는 방법밖엔 없었다. 물론 그래야만 우리의 도움도 그녀에게 닿을 수 있고 말이다. 우리를 에워싼 거울 벽 어디에 출구가 있는지 나 자신의 힘으로는 도저히 알 수가 없었던 것이다.

별안간 옆방의 침묵이 요란한 전기 초인종 소리에 산산조각 나고 말았다.

이어서 요란스레 후닥닥 뛰쳐일어나는 소리와 함께, 에릭의 천둥 같은 고함이 귀청을 때렸다.

"누가 왔구나! 누군진 모르지만, 참으로 어려운 발걸음을 해주셨어!"

음산하기 이를 데 없는 빈정거림이었다.

"누가 또 우리를 방해하러 온 걸까? 여기서 좀 기다려…… *가서 사이렌에게 문을 열어주라고 해야지……*"

그리곤 즉시 문 닫는 소리가 났고, 발소리는 멀어져 갔다. 나는 착착 준비중일지도 모를 새로운 공포는 염두에 둘 겨를이 없었다. 괴물은 또 다른 악행을 위해서만 외출을 한다는 걸 까마득히 잊고 있었던 것이다. 그리고 오로지 하나만을 생각하고 있었다. 크리스틴 다에가 저 벽 뒤에 있다는 것!

샤니 자작은 벌써부터 그녀를 불러대고 있었다.

"크리스틴! 크리스틴!"

바로 옆방에서 얘기하는 소리가 들리는데, 이쪽에서 부르는 소리가 안 들릴 이유는 그 어디에도 없었다. 하지만 자작은 대답 없는 여자의 이름을 계속해서 불러대야만 했다.

마침내 아주 가느다란 목소리가 힘없이 와 닿았다.

"꿈을 꾸고 있어요…"

분명 그녀의 목소리였다.

"크리스틴! 크리스틴! 나요, 라울!"

대답 대신 침묵이 화답했다.

"대답 좀 해봐요, 크리스틴! 혼자 있다면 제발 뭐라고 대답 좀 해봐요!"

그러자 이윽고 크리스틴의 목소리가 라울의 이름을 중얼거렸다.

"그래! 그렇지! 맞아요, 나 라울이요! 꿈이 아니랍니다! 크리스틴, 힘을 내요! 당신을 구하기 위해 우리가 와 있소! 하지만 조심해야 하오. 괴물이 올 것 같거든 우리에게 재빨리 알려야 해요!"

"라울…… 라울……."

그녀는 몇 차례씩이나 자신이 꿈을 꾸는 게 아니고, 지금 라울 드 샤니가, 에릭의 정체를 훤히 아는 어느 헌신적인 친구와 더불어 그녀를 구하러 와 있다는 사실을 확인했다.

한데, 잠시 후, 우리 덕분에 갑작스레 들뜬 그녀의 기분이 이전보다 더욱 엄청난 두려움으로 여지없이 곤두박질치는 것이었다. 그녀는 라울더러 당장 이곳을 떠나라며 맹렬히 애원하기 시작했다. 에릭이 그가 숨어 있는 걸 눈치챌까봐 몹시도 걱정되는 모양이었다. 이번에 마주치면 조금도 지체 없이 죽이려 들 게 너무도 뻔했던 것이다. 그녀는, 에릭이 지금 사랑 때문에 실성해 있으며, 자기가 시장과 마들렌 성당의 주임 신부 앞에서 결혼 서약을 해주지 않는다면, *이 세상 모든 사람과 자기 자신조차 끝장을 내기*로 작정한 상태라는 것을, 다급한 목소리로 빠르게 전달했다. 그러면서 자기한테 내일밤 11시까지 생각할 시간을 주었다는 것이다. 결혼미사와 추도미사 둘 중 어느 한 쪽을 선택할 수 있는 마지막 기회라면서 말이다……

한데 에릭이 뱉어낸 말들 중에 크리스틴으로선 선뜻 이해가 가지 않는 부분이 있었다.

"'네냐 아니오냐…… 만약 아니오라면 모두 죽어서 *묻히게* 될 게야!'라고 했어요……."

그 말을 전해듣는 순간 나는 속으로 펄쩍 뛰었다. 내가 우려했던 바로 그 생각이 그 말 속에 고스란히 담겨 있었던 것이다.

"에릭이 지금쯤 어디에 있을지 알겠습니까?"

나의 물음에 그녀는 아마도 거처 밖으로 나갔을 거라고 대답했다.

하지만, 어떻게 확인할 수 있겠냐고 되묻자 즉시 이렇게 대답하는 것이었다.

"아니요…… 전 지금 묶여 있거든요…… 조금도 움직일 수가 없어요……."

순간, 샤니 자작과 나는 안타까운 신음을 내지르지 않을 수 없었다. 우리 세 사람 모두의 구원은 지금 오로지 크리스틴이 자유롭게 움직일 수 있어서, 문을 열어주느냐 마느냐에 전적으로 달려 있다 해도 과언이 아니었던 것이다.

"오! 이런 제기랄! 이제 어쩐다지…… 어떻게 그녀 있는 데까지 가느냐구……."

샤니 자작이 어쩔 줄을 모르고 있는데, 크리스틴이 안타까운 목소리로 이렇게 말했다.

"대체 어디 계시는 거예요? 이 방에는 두 개의 문밖에 없어요! 하나는 일전에 내가 얘기했던 루이-필립 풍의 문이에요. 에릭이 드나드는 문이죠……다른 한 문은 그가 내 앞에서 한번도 연 적이 없는 문이에요. 게다가 이 세상에서 둘도 없이 위험한 문이니 절대 손대는 일이 없도록 하라고 했어요!"

"오, 크리스틴! 우리가 바로 그 문 뒤에 있소!"

"아니, 그럼 고문실에 있단 말인가요?"

"그렇소, 한데 아무리 둘러봐도 문이 보이질 않소!"

"아, 제발 저기까지 기어갈 수만이라도 있다면…… 그래서 문을 두드릴 수 있다면, 적어도 문 위치는 알 수 있을 텐데…"

"문이 자물쇠로 잠겨 있습니까?"

내가 묻자, 불행히도 그렇다는 대답이 돌아왔다.

순간, 이런 생각이 머리 속을 휘돌았다. 비록 그 문이 저쪽에서는 열쇠로밖에 열리지 않는다 해도, 이쪽에서는 용수철과 균형추 장치를 통해 열리게 되어 있을지도 모른다…… 물론 그 장치를 찾아내는 일이 쉽지는 않을 테지만…….

나는 악을 쓰듯 말했다.

"마드모아젤, 문은 어떻게든 열어주셔야만 합니다!"

즉시 울먹이는 듯한 여인의 음성이 돌아왔다.

"어떻게 말인가요……."

그리고는 마구 몸을 뒤채이며 묶여진 끈에서 악착같이 벗어나려고 발버둥을 치는 몸부림 소리가 안타깝게 들려오는 것이었다.

"힘을 낭비해선 안됩니다! 꾀를 내보세요…… 문의 열쇠가 있어야 할 텐데……."

얼른 그녀를 진정시키자, 용을 쓴 바람에 기진맥진해진 목소리가 이렇게 대답했다.

"어디 있는지는 제가 알아요…… 하지만 이렇게 꼼짝달싹 못하게 묶여 있으니……."

그리고는 흐느끼는 소리가 들려왔다.

나는 샤니 자작에게 더 이상 낭비할 시간이 없으니 입을 다물고 자신에게 모든 걸 맡기라고 당부한 후, 벽 저쪽을 향해 이렇게 물었다.

"그래, 열쇠의 위치가 어딥니까?"

"오르간 옆에 있어요…… 역시 나더러 만지지 말라고 한 다른 청동 열쇠하고 함께요…… 자그마한 가죽 가방 속에 두 개가 같이 들어 있는데, 그는 그 가방을 '생사가 달린 가방'이라 불렀어요! 라울…… 오, 라울…… 어서 도망쳐요! 이곳은 온통 비밀과 공포 천지예요! 에릭은 이제 곧 미쳐버릴 거예요! 게다가 지금 당신이 있는 곳은 고문실이라구요! 대체 거기 어떻게 들어간 거죠? 그런 끔찍한 이름이 붙은 걸 보면…… 오, 무서워라!"

"크리스틴! 여기서 함께 살아나가든가, 아니면 함께 죽는 거요!"

젊은이의 목소리엔 비장함이 배어 있었다.

대신 나는 침착한 목소리로 이렇게 말했다.

"여기서 무사하게 빠져나가려면 우리 자신을 믿는 도리밖에 없소! 그러려면 일단 냉정함을 유지해야 하고 말이오…… 한데, 아가씨는 왜 묶여 있는 겁니까? 당신 혼자선 도저히 이곳을 벗어날 수 없다는 걸 그가 잘 알고 있을 텐데요."

"자살을 하려고 했었거든요…… 내게 클로로포름을 잔뜩 마시게 해서 기절시킨 상태로 이곳까지 데리고 온 다음, 잠깐 자리를 비우더군요…… 아니, 그런 것 같았어요…… 자기 말로는, *전담 은행가에게 좀 다녀오겠다면서요*…… 한데 그가 돌아왔을 땐 나는 얼굴이 온통 피투성이가 된 채 쓰러져 있었죠. 죽어버리려고 벽에 머리를 부딪쳤거든요."

라울이 그 말을 듣고 가만히 진정하고 있을 리 없었다.

"오…… 크리스틴……."

그는 어깨를 들썩이며 울먹이기 시작했다.

"그래서 나를 꽁꽁 묶더군요…… 이제 내일밤 11시가 되어야 죽을 수도 있게 생겼어요……."

이렇게 벽을 사이에 두고 이루어진 대화는, 사실 여기 옮기면서 내가 표현했던 것보다 더 자주 중간 중간 끊어졌었고 좀더 조심스러웠다. 우리는 너나할것없이 얘기를 하다 말고 자주 중단할 수밖에 없었는데, 그때마다 뭔가 삐걱대거나 갑자기 웅얼거리는, 때론 발소리 같기도 한 소음이 들리는 듯했던 것이다…… 그리고 그때마다 그녀는 어김없이 이렇게 말하는 것이었다. "아니에요…… 아니에요…… 그가 아니에요…… 그는 분명 외출한 상태예요! 호수에 면한 벽이 닫히면서 나는 소리는 분명히 분간할 수가 있어요……."

나는 또다시 그녀에게 단정적인 어조로 말했다.

"마드모아젤! 괴물이 당신을 그렇게 묶어놓았으니, 괴물만이 그것을 풀

수 있을 겁니다. 그러니 어쩔 수 없이 연극을 좀 해야겠어요. 그가 당신을 사랑하고 있다는 걸 잊지 마십시오!"

"오…… 제발 어떻게 하면 그걸 잊을 수 있는지나 좀 가르쳐 주세요……."

"안됩니다! 지금은 그걸 명심해야 그에게 웃는 낯을 보일 수가 있어요…… 그에게 간청을 하십시오…… 묶인 데가 아프다고 하소연을 하세요!"

그때, 문득 크리스틴이 다급하게 속삭였다.

"쉿! 호수 벽쪽에서 무슨 소리가 들렸어요…… 그예요!…… 어서 도망쳐요! 어서요!"

나는 안되겠다 싶어 아예 못을 박듯이 이렇게 말했다.

"도망치고 싶다 해도 그러지 않을 것입니다! 그럴 수가 없어요! 우리는 지금 고문실에 있는 겁니다!"

"쉿!"

또다시 크리스틴이 조용히 하라는 신호를 보내왔다.

셋 모두 꼼짝 않고 숨을 죽였다.

웬 묵직한 발걸음이 천천히 끌리다가 문득 멈추고는, 또다시 바닥을 둔중하게 스치는 소리가 벽 뒤로부터 들려왔다.

그러더니 별안간 깊은 한숨 소리와 함께 크리스틴의 겁에 질린 외마디 소리가 들렸고, 마침내 에릭의 음성이 그 모든 것을 잠재웠다.

"미안하오, 이런 얼굴 모습을 보여서…… 난 괜찮아요…… 안 그래요? 좌우간 내 잘못이 아니에요…… 대체 왜 초인종을 눌렀는지 모르겠어…… 누가 아무한테나 시간 따위를 물으라고 했어? 이젠 더 이상 시간을 묻느라 남 귀찮게는 못하겠지…… 어쨌든 사이렌이 잘못한 거요……."

또다시 깊고도 무시무시한 한숨이 영혼의 텅 빈 심연으로부터 솟아올랐다.

"크리스틴, 한데 대체 왜 울고 있는 거요?"

"아파서 그래요, 에릭……."

"난 또 나땜에 무서워 그런 줄 알았소……."

"에릭, 이 끈 좀 풀어주세요…… 나는 이미 갇힌 몸 아니던가요?"

"그래도 죽으려고 했질 않소……."

"에릭, 당신은 내일 저녁 11시까지 여유를 준다고 했잖아요……."

문득 바닥을 스치는 발소리가 또 들렸다.

"어찌됐든 우리는 함께 죽을 운명이니까…… 나 역시 당신만큼이나 급한 심정이라오…… 그래, 당신도 알다시피, 난 이 인생이 이젠 지겨워! 가만, 움직이지 말아요…… 끈을 풀어주겠소…… 당신은 그저 이렇게만 내뱉으면 되오, '싫어요!' 라고 말이오…… 그러면 즉시 끝내주겠소…… *모두 다 말이오*…… 당신이 옳아…… 당신이 옳아요…… 내일밤 11시까지 기다릴 게 뭐요?…… 아, 알겠군…… 그렇게 하는 게 보다 멋질 거라 이거지? ……한데 어쩌나, 나는 격식이라면 늘 질색인데…… 화려한 겉치레 따위는 유치하기 그지없거든…… 인생에서는 오로지 자기 자신만을 생각하면 그만이지…… 자기 자신의 죽음 말이야…… 나머지는 그저 하찮은 겉치레에 불과해…… *어때, 내가 물에 홀딱 젖은 게 보이나?* 오, 사랑스런 그대여, 그건 내가 외출한 게 잘못돼서 그렇다오…… 날씨가 보통 지독한 게 아니거든…… 그건 그렇다 치고, 크리스틴, 내가 아무래도 헛것을 보나보오…… 왜 있잖소, 아까 사이렌의 집 초인종을 감히 눌러대던 사람 말이오…… 그가 아직도 초인종을 울려대는지 한번 호수 밑바닥에 가서 보실까…… 그 사람, 누구랑 참 많이 닮았던데…… 자, 이리 돌아봐요…… 이제 됐소? ……이제 풀어졌어…… 이런 맙소사, 이 손목 좀 봐…… 크리스틴…… 내가 많이 아프게 했소? 이런 상처는 죽음에게나 어울리는 것을…… 아, 말이 나왔으니 말인데, 죽

음을 위해선 내가 따로 미사를 지내주어야겠소!

나는 이런 끔찍한 말들을 들으면서 무시무시한 예감이 드는 것을 어쩔 수 없었다. 나도 언젠가 괴물의 집 문 초인종을 울린 적이 있었다. 물론 전혀 모르고 말이다…… 결국 경고 삼아 엄청난 전류의 맛을 봐야만 했었다…… 아, 잉크처럼 시커먼 수면 위로 웬 사람의 팔 두 개가 둥둥 떠다니던 기억이 났다…… 또 어떤 불행한 사람이 저 호숫가를 떠다니고 있을까…….

지금쯤 불귀의 객이 되었을 게 뻔한 희생자를 생각하니, 크리스틴을 내세운 계책이 위태롭게 진행되는 것을 그냥 두고 볼 수는 없었다. 한데 문득 샤니 자작이 내 귀에다 대고 신통한 마력이 담긴 듯한 말을 전하는 것이었다. "풀어졌대요……" 그렇다면? ……저건……, 저건 누구를 위한 미사곡인가?

아, 숭엄하면서도 노기 띤 저 노래…… 호수의 집 전체가 그것으로 흔들거리는 듯했다…… 땅 속 깊은 심연이 몸살을 앓듯 울리고 있었다…… 우리는 크리스틴 다에가 우리를 구하기 위해 진행하고 있을 연기가 어떻게 돼가는지 알기 위해 벽거울에 귀를 바짝 갖다대었다. 하지만 들리는 거라곤 죽은 자를 위한 추도미사곡뿐이었다. 아니, 그건 차라리 저주받은 자를 위한 미사곡이라고 해야 할 것 같았다……땅 속에서 울려퍼지는 악마들의 원무곡(圓舞曲)처럼 음산한…….

그러자 문득 그가 불렀던 디에스 이레(Dies iræ , 역자주 : 죽은 자의 미사에서 불려지는 라틴어 성가의 머리말로 '분노의 날'이라는 뜻)가 우리 모두를 폭풍처럼 휘감았던 기억이 떠올랐다. 그래, 온통 천둥 번개가 치고 난리였었지…… 물론 나는 그가 노래부르는 것을 옛날에 들은 적이 있었다…… 아, 그가 한번 노래를 하면 마젠데란의 궁전 벽 위, 인두수신(人頭獸身) 황소의 돌로 된 아가리마저 따라서 노래를 부를 것만 같았지……하지만 저렇게 노래를 부르는 것은…… 아니다! 아니야! 예전의 그는 마치 천둥처럼 노래를 불렀었다…….

갑자기 노래와 오르간 연주가 동시에 뚝 끊어졌고, 바짝 귀를 기울이던 샤니 자작과 나는 기겁을 하고 뒤로 물러났다. 벽 저쪽으로부터는 싹 변해버린 목소리가…… 금속성이 느껴질 만큼 또박또박…… 한 마디 한 마디 끊어가며…… 이렇게 말하는 것이었다.

"지금…… 내 가방 가지고…… 뭐하는 거지?"

24
고문이 시작되다
페르시아인의 이야기 3

목소리가 다시 한번 되물었다.

"지금 내 가방 가지고 뭐하느냐고 했잖아?"

크리스틴 다에는 어떻게든 벽 뒤의 우리보다는 떨지 말아야 한다고 생각했다.

"가방 좀 가져와 달라고 하지 않았나요?"

그리고는 마치 숨을 곳을 찾으려는 듯 우리가 다가 서 있는 벽 쪽으로 황급히 달려오는 크리스틴의 발소리가 안타깝게 들렸다.

그런 그녀를 바짝 뒤쫓아온 듯 거친 목소리가 사정없이 다그쳤다.

"왜 도망치는 거지? 내 가방을 돌려 주실까? 그건 생사가 달린 가방이라는 거 모르나?"

순간 여자의 깊은 한숨소리가 들려왔다.

"휴— 내 말 좀 들어봐요, 에릭…… 이제 우리가 함께 살아야 할지도 모르는 상황 아닌가요? 그건 도대체 무얼 뜻하죠? 당신에게 속한 것은 모두 나에게도 속한다는 걸 의미하는 게 아닌가요?"

그렇게 말하는 목소리가 어찌나 떨리는지 듣기에도 애처로울 지경이었다. 가엾은 여인은 들이닥치는 공포심을 극복하기 위해 남아 있는 마지막 힘까지 쥐어짜내는 듯했다. 하지만 어쩌랴, 그렇게 이를 달가닥거리며 간신히 뱉어내는 유치한 속임수로는 괴물의 예지력을 따돌리기가 어림없는 일인 것을…….

여인의 변명엔 아랑곳하지 않고 괴물은 마치 희롱하듯 물었다.

"그 안에는 열쇠 두 개만 달랑 있다는 거 잘 알텐데…… 그걸로 뭐하시려는 걸까?"

"당신이 늘 내게 숨기려고만 하는 저 방을 한번 둘러보고 싶어서 그래요! 여자 특유의 호기심이라고나 할까요……."

크리스틴은 일부러 쾌활한 척 억양을 꾸며가며 마지막 말을 내뱉었는데, 어찌나 어색했던지, 에릭의 의심만 증폭시키고 말았다.

"난 호기심 많은 여자는 질색이야! 당신도 「파란 수염」(Barbe-Bleue, 역자주 : 17세기 작가 페로의 작품. 주인공이 여섯명의 처를 죽이고 일곱번째 처를 죽이려다 오히려 피살된다) 이야기 알지? 조심해야 할걸…… 자, 가방이나 이리 내놔요…… 요 앙증맞은 아가씨…… 그 안에 있는 열쇠를 내놓으란 말이야!"

그는 크리스틴이 고통스럽게 신음을 내지르는 걸 빤히 바라보며 이죽거렸다. 그리고는 가방을 홱 낚아챘는데…… 참다 참다 못한 자작이 별안간 분노와 무기력으로 뒤범벅된 고함을 버럭 내질렀고, 나는 미처 그의 입을 막을 겨를이 없었다…….

"어라? 이건 또 뭐야? 크리스틴, 못 들었소?"

"아뇨! 전혀요! 아무 소리도 못 들었어요!"

"누군가 고함을 지른 것 같은데……."

"고함이라뇨! 에릭, 어떻게 된 거 아니에요? 이렇게 외진 곳에서 대체 당신 말고 누가 고함을 지른다는 거예요? 당신이 아프게 해서 내가 비명을 지르긴 했었죠…… 아무튼 난 아무 소리도 못 들었어요."

"어허, 당신 말하는 모습 좀 봐…… 떨고 있잖아! ……무척 흥분한 모양이로군…… 거짓말이라도 하는 중인가…… 그래 맞아, 누군가 소리를 버럭 질렀어! 소리를 질렀다구! 고문실에 누군가 있는 거야…… 아하, 이제야 알겠구만!"

"거긴 아무도 없어요, 에릭……."

"이제야 알겠어……."

"아무도……."

"아무도? 호오, 그게 아니겠지…… 당신의 약혼자가 아닐까?"

"뭐라구요? 나한테 무슨 약혼자가 있다구! 내게 그런 거 없다는 건 당신도 잘 알잖아요."

그러자 또다시 본격적인 빈정거림이 시작되었다.

"어쨌든 그런지 안 그런지 알아내는 건 식은 죽 먹기지…… 내 귀여운 크리스틴, 내 사랑…… 저 고문실 안에서 무슨 일이 벌어지고 있는지 보기 위해선 문을 열 필요도 없어요…… 어때, 한번 보고 싶은가? 보고 싶냐구? 자…… 만약 누군가 저 안에 있다면…… 진짜로 누군가 저 안에 있다면 말이야…… 저 위, 천장 가까이에 나 있는 보이지 않는 창문에서 환하게 빛이 날 거야…… 거기 검은 커튼을 치고 여기 불을 이렇게 끄기만 하면 돼…… 자, 여기 이렇게…… 그렇지! 자, 당신의 가엾은 낭군과 함께 있으니 밤이 두렵진 않을 거야."

이어서 크리스틴의 고통에 찬 목소리가 들려왔다.

"안돼요! 무서워요…… 밤이 무섭다고 했잖아요! 저 방에 이제 흥미 없어요! 당신은 언제나 날 어린애 취급하면서 저 고문실에 대해 겁을 줬어요…… 그래서 호기심이 들었던 거구요, 네 사실이에요…… 하지만 이제는 아니에요! 더는 관심 없다구요!"

드디어 내가 가장 우려했던 일이 *자동적*으로 일어나고 있었다. 갑자기 우리 주위로 온통 눈부신 빛이 차올랐다. 그리고는 순식간에 우리가

서 있는 벽 뒤가 거의 이글이글 타오르는 것 같았다. 전혀 예상치 못한 현상 앞에 맞닥뜨린 샤니 자작은 너무도 놀란 나머지 비틀거리기까지 했다. 벽 저쪽에서는 계속해서 분노로 곧 폭발할 듯한 목소리가 터져나오고 있었다.

"그것 보라구! 누군가 있다고 했잖아…… 자, 저 창문 보이나? 저 빛으로 찬란한 창문 말이야…… 저 위! 이 벽 뒤에 있는 친구에겐 저 창문이 안 보이지! 어디 당신이 접는 사다리를 기어올라가 봐! 저기 준비해 두었지. 당신은 늘 묻곤 했지, 저건 무엇에 쓰는 거냐구…… 자, 이제야 배우게 되는 셈이로군. 그건 저 창문을 통해 고문실 안을 들여다보기 위한 것이지…… 이 호기심 많은 아가씨야!"

"아, 대체 저 안에서 어떤 고문을 하는데요? 에릭, 이번엔 또 무얼 가지고 날 공포로 몰아넣으려는 건지 말해봐요! 나를 사랑한다면, 어서 말해줘요! 아무런 고문도 자행되지 않는 거죠? 그렇죠? 그냥 어린애나 듣고 무서워하라고 꾸며댄 얘기죠?

"직접 올라가 보면 될 것 아니오!"

옆을 보니, 자작은 눈앞에 막 펼쳐진 광경에 넋이 팔려 크리스틴의 휘청대는 목소리도 제대로 못 알아듣는 것 같았다. 반면 마젠데란의 장밋빛 시절에서 마찬가지로 작은 창문을 통해 이런 광경을 너무도 많이 보아온 나는 오로지 옆방으로부터 들려오는 소리에만 전적으로 정신을 집중한 채, 어떤 행동의 실마리를 찾으려 안간힘을 쓰고 있었다.

"어서, 어서 창문으로 내다보란 말이오! 그래야 나중에…… 나중에 *그의 가짜 코가 어떤지*도 얘기해 줄 게 아닌가!"

벽에 걸쳐진 사다리가 주르륵 펼쳐지는 소리가 들렸다.

"자, 어서 올라가요! 아니, 아니지…… 내가 올라가겠소!"

"알았어요, 내가 보도록 하죠…… 이리 내세요!"

"아, 내 귀여운 여인…… 사랑스러운 것 같으니라구…… 내 나이를 생각해 벅차다고 본 모양이로군…… 친절도 해라…… 자, 이제 얘기해주 겠지, 그의 가짜 코가 어떤지? 만약 사람들이 코를 가진 행복을 짐작이 나 할 수 있다면…… 진짜 자기 코 말이야…… 그럼 결코 고문실 같은 데서 어슬렁거리지는 않을 텐데 말이지……."

그 순간, 우리 머리 바로 위에서 이렇게 말하는 소리를 똑똑히 들을 수 있었다.

"*이봐요, 여긴 아무도 없어요……*."

"아무도 없어? 진짜 아무도 없단 말이오?"

"정말이에요…… 아무도 없어요."

"그거 다행이로군…… 크리스틴, 그래 기분이 어때? 쳇! 아무도 없다 니, 기분이 나빠질 이유가 없겠군…… 자, 자, 이제 내려오도록 해 요…… 자, 기운 차리고……아무도 없잖아…… *그런데, 경치는 어떻던 가?*"

"오, 아주 좋아요!"

"그래? 그거 잘 됐군…… 그렇지? 아주 아주 잘될 거야…… 자, 자, 진정하고…… 그런 경치를 볼 수 있다니 정말이지 멋진 집이잖소?"

"그래요……마치 그레뱅(Grévin) 박물관(역자주 : 파리에 있는 박물관으로 역사상 유명한 인물과 장면들을 실제와 똑같은 밀랍인형으로 재현시켜 놓았다)에 온 것 같아요…… 근데, 에릭, 저 안에는 고문 따위는 없었어요……근데도 당신은 내게 겁을 주었어요."

"웬 겁은…… 아무도 없다면서……."

"에릭…… 저 방은 당신이 만든 거죠? 저 방, 정말 아름다운 거 아세 요? 당신은 정말 위대한 예술가예요."

"그렇지, '내 방식대로' 위대한 예술가지……."

"그런데 왜 저 방을 '고문실'이라고 부르는 거죠?"

"오, 그건 간단해! 자, 그 안에서 뭘 보았지?"

"숲이요……."

"그래, 숲속에 뭐가 있던가?"

"나무들이요……."

"그래, 나무 속에는?"

"새들이요……."

"새를 보았다……."

"아, 아니요…… 새는 못 본 것 같아요……."

"그럼 대체 뭘 본 거지? 잘 생각해봐! 나뭇가지들을 봤을 거 아닌가! 그럼 나뭇가지에는 뭐가 있었을까? *다름 아닌 교수대지!* 그래서 내 숲을 고문실이라고 부르는 거야…… 알다시피, 그냥 말이 그렇다는 거지…… 그저 웃자고 하는 짓이니까…… 나는 원래 보통 사람들하고는 좀 다르게 뭐든지 표현하잖아…… 하는 짓이나 만들어내는 것도 다른 사람들하고 다르고…… 하지만 이젠 그런 게 피곤해…… 지쳤다구…… 내 집 안에 숲을 가지고 있는 것도, 고문실을 차려놓고 있는 것도 이젠 다 지겹다구! 무슨 사기꾼 약장수처럼 이중으로 된 요지경 상자곽 같은 집 속에 눌러 사는 것도 이젠 지겹단 말이야…… 지겨워, 지겹다구…… 이젠 보통 창문과 보통 문짝이 달린 평범한 집에서 정숙한 여자와 함께 살고 싶어! 다른 보통 사람들처럼 말이야……당신은 충분히 이해할 수 있을 테지, 크리스틴…… 노상 당신에게 이런 똑같은 말을 지껄여댈 필요는 없을 거야…… 누구나처럼 단 한 여자, 단 한 여자를…… 단 한 여자를 사랑하고, 그녀와 더불어 일요일엔 산책을 하고, 일주일 내내 그녀 얼굴에 웃음꽃이 피게 해주고 싶다구…… 아! 당신은 나와 함께 있으면 싫증나는 줄 모를 거야…… 카드 묘기 말고도 내 가방 속에는 묘기거리가 수두룩하지…… 내일밤 11시까지 묘기를 부리노라면 시간이 훌쩍 지나갈 걸! 오, 나의 크리스틴…… 내 말 듣고 있는 거요? 더 이상 날 내치지도 않네…… 그렇지? 나를 사랑하나? 오, 아니야, 사랑하지 않는

군…… 하긴 그게 뭐가 대수야…… 결국엔 사랑하게 될 텐데…… 예전
에는 내 가면도 똑바로 바라보지 못했지…… 그 뒤의 얼굴을 잘 아니
까…… 하지만 봐, 이제는 그 뒤의 얼굴은 깡그리 잊었다는 듯 얼마든지
가면을 바라보잖아! 더 이상 날 내치려 하지도 않고 말이야…… 마음만
먹으면 결국 사람은 모든 것에 익숙해지기 마련이지…… 중요한 건 의
지력이야…… 결혼 전에는 사랑하지 않던 두 남녀가 만나 결혼을 하면
얼마나 서로 위해주는지를 보라구! 아, 내가 도대체 무슨 말을 지껄이는
지 모르겠군…… 어쨌든 당신은 나와 함께 있으면 무척 즐거울 거
야…… 세상에 나 같은 사람은 둘도 없다구! 우리를 결혼시켜줄 신께 내
장담하건대, 세상에 나만큼 복화술(複話術)을 뛰어나게 하는 사람도 또
없단 말이야…… 아마 세계 최고의 복화술사가 바로 나일걸! 어, 웃
네…… 내 말이 곧이듣기지 않는 모양이지? 좋아, 들어보라구!"

그 불쌍한 괴물은(물론 세계 최고의 복화술사인 것만은 인정하지만)
여자의 관심(이제야 그녀가 아까 시침을 뗀 것을 이해할 수 있겠다)을
고문실로부터 어떻게든 떼어놓으려고 정신 없게 만들고 있었다. 하지만
그건 어리석은 계산일 뿐이었다! 크리스틴의 머리 속엔 오로지 벽 너머
우리들에 대한 생각뿐이었으니 말이다. 그녀는 계속해서 할 수 있는 한
가장 부드러우면서도 간절한 목소리로 이렇게 말하고 있었다.

"에릭, 제발 부탁이에요…… 저 작은 창문 불 좀 꺼주세요! 제발 불 좀
꺼주세요……."

그녀는 괴물이 그토록 위협적으로 얘기했던 창문의 찬란한 빛, 그 갑
작스럽게 나타난 빛이야말로 무시무시한 존재 이유를 갖고 있음을 이미
읽었던 것이다. 지금 상태에서 그녀에게 그나마 안심이 되는 것은, 아까
사다리를 올라갔을 때, 비록 엄청난 가열장치 한가운데서나마 자작과
내가 건재하게 버티고 서 있는 모습을 똑똑히 확인했다는 사실 그 자체
였다. 아, 하지만 저 불마저 꺼진다면 훨씬 더 마음이 안정될 텐데…….

괴물은 벌써 신나게 복화술을 발휘하고 있었다.

"자, 잠깐만 가면을 조금 벗어보지…… 오, 아주 조금이니까 걱정 마시고…… 자, 내 입술 보이나? 내 말은 여기 이 입술이라고 달고 다니는 것 말이야…… 전혀 움직이지 않지? 이것들은 꼭 다물어져 있다구…… 그런데도 내 말이 잘 들리잖아? 복부로 얘기하는 거야…… 아주 자연스럽지? 이걸 두고 복화술이라고 하는 거야…… 아주 유명한 기술이지! 내 목소리를 잘 들어봐요…… 고놈이 어디로 가길 바래? 당신 왼쪽 귀? 아니면 오른쪽 귀? 책상 속에? 벽난로의 흑단 상자 속에? 아하, 놀랬지? 목소리가 벽난로의 작은 상자 속에 들어가 있구만! 멀리 가길 바라나? 가까이 있기를 바라나? 낭랑하게 울리기를 바래? 아니면 날카롭게 찢어지기를? 코맹맹이 소리처럼 해볼까? 내 목소리는 어디든 돌아다니지…… 어디든 말이야! 잘 들어봐요, 내 사랑…… 벽난로 오른쪽에 놔둔 작은 상자 속에 귀를 기울여 보라구…… 뭐라고 얘기하는지 말이야…… '요 전갈을 한번 뒤집어 볼까?' 에라 모르겠다, 철컥! 그럼 이번엔 왼쪽 상자 속에선 뭐라고 하나 들어볼까? '요 메뚜기를 좀 뒤집어 봐?' 에라 또 모르겠다, 철컥! ……어라, 이제 저 가죽 가방 안에 있네…… 이번엔 뭐라고 그러지? '어머나 나는 생과 사가 달린 가방이에요…….' 에라 너도 한 방 먹어라, 철컥! 어, 이젠 카를로타의 목구멍 속으로 갔네! 금구슬과 수정알로 잔뜩 치장한 목구멍 말이야…… 거기선 이제 뭐라고 하지? '나는 두꺼비 선생님이시다! 나는 노래를 좀 하지! 들어볼래? 나는 외로운 목소리를 듣는다오~ 꾸엑! 노래하는 이 목소리를~ 꾸엑! 에라 모르겠다, 이놈도 철컥! 허어, 이제 놈이 유령의 의자 위에 올라서셨네. 녀석 하는 말 좀 들어보쇼! '카를로타 양께서 오늘밤 샹들리에를 떨어뜨리려고 노래를 한 곡 뽑으신다네! 에라, 이놈도 철컥! 하하하하 하하하하— 근데 에릭의 목소리는 어디 있을까? 들어봐, 내 사랑, 들어보라구, 크리스틴…… 에릭의 목소리는…… 다름 아닌 고문실 문 뒤에 있네! 내 목소리를 잘 들어봐요…… 내가 바로 저 고문실 안에 있는 거야…… 근데 뭐라고 하는 거지? *'제 코를 가지고 있는 자들, 진짜 멀쩡한 제 코를 가지고 있으면서 고문실에 얼쩡거리는 자들에게 화 있을진저! 하하하하―'"*

그야말로 대단한 복화술사의 저주받은 목소리 그 자체였다! 놈은 어디에도 있었다…… 글자 그대로 모든 곳에…… 놈은 보이지 않는 창문을 넘나들었고, 벽을 통과했으며, 우리 사이를 종횡무진으로 누비고 다녔다…… 에릭은 거기 있었다…… 우리에게 말을 하며 말이다……우린 마치 에릭 자신에게 달려들기라도 하듯 발끈했지만, 메아리보다 빠르고 걷잡을 수 없이 에릭의 목소리는 벽 뒤로 훌쩍 달아나는 것이었다.

그리고는 더는 아무런 소리도 듣지 못했다.

그 다음에 일어난 일은 다음과 같았다.

크리스틴의 목소리 :

"에릭! 에릭! 당신 목소리 때문에 너무 피곤해요…… 이제 그만 하세요, 에릭! 여기 좀 더운 것 같지 않아요?"

"오, 그렇군! 열기가 점점 견딜 수 없어지는걸……."

또다시 크리스틴의 불안감으로 위축된 목소리 :

"이게 대체 어찌된 일이에요? 벽이 온통 뜨거워요! 벽이 타는 것 같아요!"

"내가 설명해주지, 크리스틴…… 그건 바로 '저 옆에 있는 정글' 때문이오."

"무슨 말씀이에요? 정글이라뇨?"

"아니 그럼 몰랐단 말야? 저 옆방에 있는 숲이 바로 콩고(Congo)의 정글이라구!"

마침내 괴물의 터져나오는 폭소가 천장을 찌를 듯 치솟았는데, 우리로선 그 속에서 더는 크리스틴의 애원하는 외침소리를 분간해낼 수 없었다…… 샤니 자작은 미친 듯이 아무 벽이나 대고 주먹으로 두드리고 고래고래 소리를 질러댔다. 나도 도저히 더는 그를 제지할 수 없었다…… 우리는 괴물의 웃음소리밖에 듣지 못했지만, 괴물 역시 자신의 웃음소리밖에 듣지 못했을 것이다. 그런데…… 그런데 문득 부리나케 격투를 벌이는 소리가 들리는가 싶더니, 마룻바닥에 웬 몸뚱어리 하나가 풀썩 쓰러지는 소리가 났고, 이내 그것이 어디론가 질질 끌려가는 소리가 이어졌다. 그리고는 문이 쾅 하고 닫히는 소리가 나더니…… 마침내 더 이상 아무 목소리, 아무 소음도 들리지 않는 가운데 정오의 불타는 침묵만이 주변을 내리누르고 있었다…… 아프리카 열대림의 한가운데에서…….

25
지하저장고의 비밀
페르시아인의 이야기 4

    나와 샤니 자작이 유폐된 방이 정육각형에다 모든 벽이 거울로 되어 있었다는 얘기는 이미 한 바 있다. 요즘에는 특히 무슨 전시회 같은 데서 그러한 형태의 방들을 꽤 많이 구경할 수 있는데, 대부분 '신기루의 방'이라든가 '환영의 궁전' 따위의 이름이 붙여지곤 하는 걸 볼 수 있다. 그러나 누가 그런 식의 방을 제일 처음 고안해냈느냐를 따진다면 그땐 단연 에릭이 나서야 할 것이다. 이미 마젠데란의 장밋빛 시절에서 나는 그가 최초의 그런 방을 건축하는 걸 직접 두 눈으로 목격했으니 말이다. 만약 순간적으로나마 수많은 회랑을 갖춘 궁전 하나를 갖고 싶다면 그러한 방의 어느 한 귀퉁이를 골라 그저 적당한 기둥장식을 조작해 넣으면 그만이다. 이른바 거울 효과를 통해 실제의 방이 일단 여섯 개의 6각형 방으로 증폭되고, 그 각각이 다시 그 안에서 무한히 증축되는 결과를 낳기 때문이다. 옛날 술탄의 어린 왕비를 즐겁게 해주기 위해 그는 하나의 장식을 그런 식으로 고안했는데, 결국에는 그 자체가 '끝없는 신전'이 되고 말았었다. 하지만 이내 왕비가 그런 어린애 같은 장난에 싫증을 내자, 에릭은 이번엔 발상을 조금 바꿔서 '고문실'을 만들어냈던 것이다. 그리고 그 과정에서 모서리에 건축학적인 모티브를 첨가하는 대신,

강철로 된 나무를 전면에 내세우기로 했다. 한데 잎사귀에 채색까지 해가며 실물처럼 완벽하게 만든 나무를 왜 하필 강철로 만든 것일까? 그건 물론 그 안에 가둘 수형자의 온갖 광란과 발작을 너끈히 지탱할 만큼 단단해야 하기 때문이었다. 그런 식으로 갖춰진 장식은, 각 모서리마다 장착된 실린더가 자동으로 돌아감에 따라 순간적으로 연속되는 두 개의 다른 장식으로 변모하게 되는데, 앞으로 그것이 불러일으키는 무시무시한 효과에 대해서는 살펴볼 기회가 충분히 있을 것이다. 회전하는 실린더는 3등분으로 나뉘어져 그 각각이 서로 각을 이루며 만나는 세 개의 거울면을 규합하게 되어 있으며, 그렇게 해서 차례대로 나타나는 장식 모티브의 영상이 각 거울면에 유지되는 것이었다.

단단한 강철 나무 장식 말고는, 이 이상한 방의 벽들에 손으로 붙잡을 만한 데라곤 전혀 없었고, 오로지 거울만이 빈틈없이 꽉 들어차 있었다. 거울의 두께는, 물론 맨발과 맨손으로 간히지만, 미친 듯이 몸부림칠 게 뻔한 수형자의 광란을 걱정하지 않아도 될 정도는 두꺼워야 했다.

당연히 가구는 없다. 천장은 눈부시도록 빛이 나며, 정교한 전기난방 장치가 벽의 온도를 높여주고 뜻하는 바의 분위기가 방안에 조성될 수 있도록 잘 조정되어 있었다.

실은 내가 지금 이토록 고집스럽게 이 인공적인 환영을 만들어내는 발명품의 세부를 일일이 열거하고 설명하는 것은, 누구든 현재 나의 뇌 상태를 혹시라도 의심한다거나, '그 사람은 돌았어!' 라든지, '거짓말하는 거야!' 라든지, 아니면 '우릴 바보로 아는 거야!' 는 등의 말을 하는 걸 애당초 차단하기 위해서이다.[8]

---

8) 실제로 페르시아인이 이야기를 썼던 당시에는 잘 믿지 못하는 사람들에 대한 이와 같은 조심성이 충분히 납득할 만했지만, 이런 종류의 방이 널리 알려진 오늘날에는 조금 거추장스럽게 느껴질 것이다.

그렇지 않고 내가 만약 이런 식으로 단순하게 얘기했다면:

"지하 바닥으로 내려가자 정오의 태양열에 이글거리는 적도의 숲과 마주쳤다……."

아마도 우직스러울 정도의 충격 효과를 거둘 수는 있었을지 모른다. 하지만 나는 무슨 효과 따위엔 관심이 없으며, 다만 이 이야기를 기록함으로써, 한때 이 나라의 정의를 위협했던 지독한 사건과 관련해, 나와 샤니 자작에게 어떤 일들이 일어났었는지를 있는 그대로 정확히 전달할 수 있기를 바랄 뿐이다.

자, 그럼 다시 돌아가 이야기를 마저 진행시켜 가보자.

천장이 밝아지고, 주변 숲이 환해지면서 자작은 예상보다 훨씬 더 당혹스러워하는 눈치였다. 줄기와 가지가 무한대로 증식하는 이 난공불락의 숲이 난데없이 펼쳐짐에 따라 자작의 정신상태는 극단적인 마비상태로 돌입하는 것이었다. 그는 이마를 손으로 감싸안은 채 망상을 쫓으려고 애를 썼으며, 연신 눈을 깜박거리면서 어떻게든 현실감각을 잃지 않으려고 발버둥을 쳤다. 그러다 보니 일순 '귀를 기울이는 일'엔 소홀하게 된 것이었다!

내 경우는 이미 말했듯이 그러한 숲의 출현이 별로 놀랄 일도 아니었다. 그래서 옆방에서 벌어지는 일들을 열심히 소리로 주워담을 수 있었다. 또한 이미 머리 속에서 파악이 끝난 장식들 자체보다는 그 장식을 양산해내는 거울 자체에 더욱 관심이 끌리는 것이었다. 그러고 보니 거울 여기저기에 금이 가 있는 게 눈에 띄었다!

그렇다! 완강하게만 보이는 거울면에 저렇게 상처가 난 것을 보면 누군가 거울을 공격했었다는 말이고, 그건 곧 이 고문실이 전에도 사용된 적이 있음을 반증하는 것이 아니겠는가!

누군지 모르지만 가엾은 사람…… 마젠데란의 장밋빛 시절의 사형수처럼 맨발에 맨손은 아니었을지 몰라도, 분명 이 '치명적인 환영' 속에 곧

두박질친 뒤, 광기에 사로잡힌 나머지 거울을 상대로 온갖 난동을 부렸으리라…… 하지만 이 정도의 얄팍한 상처는 오히려 거울들로 하여금 그 지독한 환영을 더욱 어지러이 재생산하게 만들었을 것이며, 마침내 고통에 종지부를 찍기 위해 목을 매는 순간에는, 또 수없이 불어난 목맨 자의 영상이 흔들거리면서 그의 마지막 길을 배웅했으리라…….

그렇다! 바로 조셉 뷔케는 그렇게 갔을 것이다!

그럼 우리들도 그렇게 가고 마는 것일까?

결론부터 말하자면, 내 생각은 그와는 달랐다. 일단 우리 앞에는 아직 시간이 좀 남아 있었으며, 그 시간을 조셉 뷔케와는 다르게 좀더 유용한 방식으로 활용할 줄 알았으니까.

게다가 에릭의 속임수 전반에 걸쳐 꽤 깊은 지식을 갖춰온 나로선 지금이 그걸 활용할 더 없는 기회인 셈이었다…….

처음부터 나는 왔던 길로 되돌아갈 생각을 아예 단념했다. 통로를 막고 있는 돌덩이를 안쪽에서 다시 작동시킬 가능성은 거의 없다고 보았기 때문이다. 이유는 간단했다. 이 방으로 뛰어내린 높이가 너무 높아서, 통로 자체에 도무지 손이 닿지가 않았던 것이다. 가구라곤 한 점도 없어서 뭔가 지탱해 올라가는 건 꿈도 꾸지 말아야 했으며, 강철나무도 올라가 봐야 턱도 없이 모자랄 뿐이었다. 물론 두 사람이 서로 협력해 인간사다리를 만든다 해도 결과는 마찬가지였다.

따라서 결론은 가능한 출구가 단 하나, 에릭과 크리스틴 다에가 있는 루이-필립 풍의 방으로 통하는 문으로 나가는 것이었다. 한데 그 문이라는 것이 크리스틴이 있는 쪽에서 보자면 정상적인 문이지만, 이쪽에서는 전혀 보이지 않았던 것이다…… 그러니 어디 있는지도 모르는 문을 열려고 해야만 하는, 결코 쉽지 않은 숙제를 풀어야 하는 셈이다.

한데, 도저히 희망이 없다는 확신이 들려는 찰나, 문득 괴물이 우리를 고문하는 일에 방해가 되지 않도록 크리스틴을 끌고 나가는 소리가 들렸고, 나는 그 틈을 이용해 어떻게든 문의 흔적을 찾아내기로 마음먹었다.

하지만 문을 찾기에 앞서 우선 해야 할 일이 있었다. 이미 실성한 사람처럼 앞뒤가 맞지 않는 고함을 질러대며 이리저리 서성대기 시작한 샤니 자작부터 진정시켜야만 했던 것이다. 단편적으로나마 괴물과 크리스틴 사이의 대화를 엿들은 것이 애당초 그에게는 필요 이상으로 정신을 흥분시키는 결과를 낳은 데다가, 이제는 마력적인 숲의 환영과 끓어오르는 열기로 이루어진 고문 때문에 몸과 마음 모두가 혼미의 극을 향해 치닫고 있었다. 내가 옆에서 아무리 달래도 이미 천방지축으로 날뛰기 시작한 그의 심리상태를 진정시키기란 여간 어려운 게 아니었다.

그는 갈피를 못 잡고 서성댔으며, 존재하지도 않는 공간을 향해 돌진하는가 하면, 가상의 지평선으로 뻗은 오솔길로 걸어간다고 착각하다가 몇 걸음도 가지 못해 숲의 반영에 이마를 부딪치고 마는 것이었…….

그러면서도 그의 입에선 연신 연인의 이름이 튀어나오고 있었다. "크리스틴! 크리스틴!" 그는 권총을 휘두르며 마치 음악의 천사에게 결투를 신청하듯, 안간힘을 다해 괴물을 불러댔고, 그의 걸작품인 이 환상의 숲을 향해 저주를 퍼부었다. 바로 이런 광경이야말로, 전혀 준비가 안된 정신에 대해 이러한 고문이 초래하는 결과의 본보기라 할 수 있을 정도였다. 나는 더없이 차분한 태도로 가엾은 자작을 달래면서 어떻게든 그의 광기를 잠재워보려고 노력했다. 그로 하여금 손가락을 펴게 해서 거울과 강철 나무를 일일이 만져보게 했으며, 시각이론을 동원하면서까지 우리를 에워싸고 있는 허상의 실체를 규명함으로써 결코 무지한 자들처럼 그런 것에 현혹되어서는 안된다고 다그쳤다!

"우리는 지금 방에 있을 뿐이오! 그것도 아주 작은 방에! 쉬지 말고 그것을 속으로 되뇌어야만 합니다! 문만 발견하면 곧 이곳에서 걸어나갈 것이오! 자, 그러니 어서 함께 문을 찾읍시다!"

그리고는 내친김에, 만약 더 이상 고함을 지르지 않고 서성대지만 않아준다면, 한 시간 내에 내가 문을 찾아 보이겠노라고 장담했다.

그제서야 그는 마치 이곳이 숲속의 공터인 것마냥 바닥에 얌전히 누운 채, 자기로선 더 이상 어떻게 할 수가 없는 지경이니 내가 문을 찾기만을 바라며 가만히 있어보겠다고 힘없이 중얼대는 것이었다. 그러면서 마치 빠뜨린 말이 있었다는 듯, 얼른 이렇게 덧붙였다.

"이렇게 누워 있으니, 경치가 환상적이군요……."

(고문의 효과가 역시 만만치는 않은 모양이었다…….)

드디어 나는 숲 따위는 완전히 무시한 채, 거울면들을 하나하나 더듬으며 어디 미약한 듯 느껴지는 부분이 없나 살폈다. 에릭의 회전 함정과 문의 시스템으로 볼 때, 바로 그런 곳에 압박을 가해야 문제가 해결된다는 것을 알고 있었던 것이다. 이따금 그러한 약점은 별것 아닌 듯 보이는, 커봐야 완두콩만한 흠집이었는데, 그 속에 전체 시스템을 작동 가능케 하는 용수철 스위치가 있곤 했었다. 나는 쉬지 않고 찾고, 또 찾았다! 키가 닿는 한 손을 뻗어 높은 데까지 샅샅이 더듬었다. 에릭은 나와 키가 비슷하니 그 이상 높은 곳에 장치를 했을 리 없다는 생각이었다. 물론 그것은 하나의 가설일 뿐이지만, 지금으로선 나의 유일한 희망이기도 했다. 나는 조금도 흔들림 없이 그렇게 모두 여섯 개의 거울벽과 마지막으로 바닥을 차례차례 검사해 나가기로 마음먹고 있었다.

힘든 것은, 극도의 신중함을 가지고 세밀히 조사를 함과 동시에 되도록 속도를 빨리 해야만 한다는 점이었다. 왜냐하면 점점 상승하는 내부의 온도 때문에 거의 글자 그대로 두 사람 다 요리가 될 것만 같은 지경에 이르고 있었기 때문이다.

30분만에 겨우 세 개의 거울면에 대한 조사를 끝냈을 때, 안타깝게도 누워 있던 자작의 입에서 또다시 단말마적인 비명소리가 터져나오기 시작했다.

"숨, 숨이 막혀요…… 저 거울들에서 정말이지 지옥 같은 열기가 뿜어져 나오고 있어요…… 용수철 장치는 찾을 것 같습니까? 이 이상 늦으면 고기처럼 지글지글 타들어갈 거예요……."

하지만 그런 얘기를 듣고 있는 내 마음이 그리 힘들지만은 않았다. 적어도 '숲' 이야기가 나오지 않는 것만 해도 자작의 정신상태가 아직은 이 정교한 고문에 대한 저항을 포기하지 않고 있다는 것을 알 수 있었기 때문이다. 그는 계속해서 이렇게 중얼거렸다.

"그나마 다행인 건, 괴물이 내일밤 11시까지 크리스틴에게 여유를 주었다는 사실입니다…… 어쨌든 그 전까지 이곳을 빠져나가 그녀를 구해내든지, 그 전에 우리가 먼저 죽든지 할 것입니다…… 그러면 결국 에릭은 모든 이를 위한 죽음의 추도미사를 거행하겠지요……."

그리고는 더운 공기를 훅 들이마셨는데, 그 바람에 자작은 거의 기절할 뻔했다.

좌우간 나로서는 샤니 자작처럼 죽음을 선뜻 받아들일 절실한 이유가 없었기에, 몇 마디 용기를 북돋는 말을 내뱉고는 다시 나의 작업으로 돌아왔다. 한데, 아뿔싸! 그나마 몇 마디 얘기를 하면서 걸음을 옮긴 게 미처 생각하지 못한 실수였던 것이다! 워낙에 숲의 가짜 이미지로 어지럽게 뒤엉켜 있는 시야 때문에 방금 어느 거울을 더듬었는지 도무지 분간할 수가 없었다! 아무래도 처음부터 다시 시작해야만 하게 된 것이다…… 이젠 나로서도 울컥하는 소리를 내뱉지 않을 수가 없었으며, 그 바람에 사정을 짐작한 자작은 또다시 충격에 휩싸인 듯 이렇게 신음을 흘리고 있었다.

"이 숲에서…… 절대로…… 빠져나가지…… 못할 거야……."

그의 절망감은 이제 어디까지 치솟을지 모르는 상태가 되었다. 거울에 대한 생각을 잊어감에 따라, 진짜 열대숲 한가운데에 버려져 있다는 망상이 그의 정신 속에서 점점 더 현실성을 얻어갔다.

나로선 다시 모든 걸 시작하는 수밖에 도리가 없었다…… 더듬고 살피고…… 살피고 더듬고…… 그러는 동안에도 점점 상승하는 열기가 서서히 내 정신을 잠식하는 걸 느끼지 않을 수 없었다…… 무엇보다도 찾고 있는 목표가 나타날 기미를 보이지 않고 있었기 때문이다. 옆방은 여전히 답답한 침묵이 지배하고 있었다. 우리는 숲속에…… 출구도 없고…… 나침반도 없고…… 안내인도 없이…… 아무것도 없이…… 버려진 것이나 다름없었다…… 오, 이대로 아무도 우릴 도우러 오지 않는다면 무슨 일이 닥칠지는 불 보듯 뻔한 일이었다…… 용수철이 장치되어 있는 곳을 찾아야 하는데…… 보이는 거라곤 나뭇가지들뿐…… 내 앞에 곧게 뻗어 있거나 머리 위를 화려하게 휘감고 있는 저 수많은 가지들, 가지들…… 그런데도 왜 그늘 하나 없을까? 당연하지…… 우리는 적도의 열대림 한가운데에 있는 거고, 머리 꼭대기엔 정오의 작열하는 태양이 떠 있으니까…… 여기는 콩고의 정글이니까…….

샤니 자작과 나는 벌써 몇 번씩이나 옷을 벗었다가 걸쳤다가 했는지 몰랐다. 일견 그 옷들 때문에 더 더운 것 같기도 하다가, 또 달리 생각해 보면 그나마 그 옷들이 사방에서 밀려드는 열기를 막아주는 것 같기도 했기 때문이다.

그래도 나는 정신적인 투쟁을 포기하지는 않고 있었지만, 내가 보기에, 샤니 자작은 완전히 '맛이 간' 듯했다. 그는 벌써 3일 밤낮을 자기가 쉬지 않고 숲을 헤매며 크리스틴 다에를 찾아 헤맸노라고 떠벌리는 것이었다. 그러면서 이따금 나무줄기 뒤나 가지 사이에서 언뜻 지나치는 크리스틴을 보았다며, 내 눈에서까지 눈물을 찔끔거리게 만들만큼 애처로운 목소리로 그녀의 이름을 불러대는 것이었다.

"크리스틴! 크리스틴! 왜 자꾸만 도망치는 거요? 나를 사랑하지 않게 된 거요? 우린 결혼한 사이잖소? 크리스틴…… 거기 멈춰요! 보다시피 나는 지쳤소…… 이 숲에서 죽어가고 있단 말이오…… 당신과 이렇게 멀리 떨어져서……"

그리고는 결국 경련을 일으키며 소리치는 것이었다.

"목말라!"

나 역시 마찬가지였다…… 목구멍이 타들어가고 있었다…….

하지만 나는 바닥에 거꾸러지면서까지 조사를 멈추지 않았다…… 찾아야 해! 찾아내야만 한다구…… 숲속에 갇혀 있는 것은, 저녁이 다가오면서 더더욱 위험한 일이라는 것을 잘 알고 있었다…… 이미 어둠의 그림자가 우리 주변을 서서히 에워싸고 있었다…… 어둠이 깔리는 속도가 마치 진짜 적도 지방인 것처럼 그렇게 빠를 수 없었다! 황혼 무렵이라든가 저녁 어스름 따위는 아예 기대할 수가 없었다.

자고로 적도의 숲에서 지내는 밤이란, 특히 지금 우리처럼 불빛 한 점 켤 수 없는 처지에선, 위험하기 그지없는 법이다. 어디서 어떻게 달려들지 모르는 굶주린 맹수들을 퇴치할 방법이 없기 때문이다. 나는 나뭇가지라도 꺾어 불을 피울 요량으로 나무에 다가갔다. 하지만 단단한 거울에 이마를 부딪칠 따름이었고, 그제서야 우리가 단지 숲의 환영으로 가득 찬 거울 방에 있다는 사실을 깨닫곤 하는 것이었다…….

진짜 숲과 또 한 가지 다른 점은, 낮의 열기가 밤이 되었다고 식는 게 전혀 아니라는 사실이었다. 오히려 그 반대로, 달의 푸른빛은 왠지 더욱 높은 온도로 실내의 공기를 데우고 있었다. 나는 자작에게 권총을 곧추세운 채 절대로 야영지를 떠나지 말 것을 지시한 다음, 나는 나대로 용수철 장치를 찾는 수색작업을 계속해나갔다.

문득 사자의 포효소리가 몇 발짝 떨어지지 않은 곳으로부터 들려왔다. 그야말로 귀청이 찢겨나갈 듯한 큰 소리였다.

"오! 여기서 그리 멀지 않은 곳이에요! 보이지 않아요? 저 나무들 사이…… 저 덤불 속에…… 또 울부짖으면 그냥 발사할 거요……."

그러자 다시 또 포효소리가 더더욱 크게 울리는 것이었다. 그 즉시 자작의 권총이 불을 뿜었지만 물론 그것이 사자에게 명중할 리는 없었다. 단지…… 단지 거울을 깨뜨렸을 뿐이었다! 물론 그 사실을 정확히 확인한 건, 다음날 새벽이 되어서였지만…… 밤새도록 우리는 멀고 먼 길을 걸어가야 할 처지가 되었다…… 왜냐하면 갑자기 우리 앞에 모래와 돌과 바위만이 보이는 드넓고 황량한 사막이 끝없이 펼쳐져 있었던 것이다…… 고작 그렇게 황량한 사막에 떨어지려고 숲을 빠져나올 필요가 과연 있었을까 하는 후회가 들 정도였다. 나는 전쟁에 지친 병사처럼, 자작의 옆에 벌렁 드러누워 버렸다. 찾고 또 찾았던 장치는 끝내 오리무중 속에 파묻힌 상태로…….

사실 나는 밤새 사자 이외엔 별다른 난적을 만나지 않았다는 사실에 적잖이 놀라고 있었다(물론 그 점을 자작에게도 말했다). 보통은 사자 다음으로 표범과 체체파리의 응응거림이 등장하기 마련인데 말이다! 사실 그러한 효과를 내는 것은 알고 보면 무척 쉬웠다. 사막을 건너기 전에 나는 그렇게 벌렁 누운 채로 자작에게 설명을 늘어놓기 시작했다. 에릭은 분명 한쪽 끝에만 당나귀 가죽을 댄 긴 북으로 사자의 울음소리를 얻어냈을 것이라고…… 그 한쪽에만 댄 가죽 위로는 짐승의 창자로 만든 줄이 하나 팽팽하게 매어져 있을 텐데, 정확히 그 중간에 같은 종류의 또 다른 줄을 연결시켜 북을 세로로 가로지르게 묶는 것이었다. 그럼 에릭은 송진을 바른 장갑으로 그 줄을 그저 문지르기만 하면 되는 것이다. 그 문지르는 방법을 달리함으로써 사자와 표범과 체체파리의 응응거림이 제각각 연출되고 말이다.

에릭이 옆방에서 그 짓을 하고 있다는 생각을 하는 가운데, 나는 문득 이럴 바에는 차라리 그와 협상을 벌이려고 시도해보는 게 낫다는 결론에 도달했다. 어차피 그를 급습하기는 틀렸지 않은가! 나는 소리 높여 그의 이름을 부르기 시작했다.

"에릭! 에릭!"

사막 너머 목이 터져라 이름을 부르는데도 대답이 없었다. 주위엔 돌멩이만 드문드문 흩어진 채, 사막의 적막과 광대함만이 버티고 있었다…… 이 끔찍한 고독 속에서 과연 우리는 어떻게 될 것인가…….

글자 그대로 더위와 배고픔과 갈증…… 특히 갈증으로 우리는 죽어가고 있었다…… 문득 샤니 자작이 팔꿈치를 기대고 반쯤 몸을 일으키더니 저쪽 지평선의 한 지점을 가리켰다…… 오아시스를 발견한 것이었다!

그랬다, 저기 저만치…… 사막이 오아시스에게 자리를 내주고 있었던 것이다…… 물이 있는 오아시스…… 거울처럼 청명한 물…… 강철 나무의 그림자가 어른거리는 샘물…… 아…… 그것마저 환영이 만들어낸 신기루인가…… 나는 곧장 그 끔찍한 현실을 직시했다…… 하지만 나 자신을 포함해 누구라도 처음에는 혹했을 법했다…… 나는 정신을 잃지 않으려고, 그리고 *물을 탐하지 않으려고* 이를 악물었다…… 왜냐하면 계속 물을 원하다가는……, 강철나무의 그림자가 어른거리는 저 샘물을 바라다가는, 결국 단단한 거울에 머리를 부딪치게 될 뿐이며, 그러면 결국 남은 일은 그 강철 나무에 미리 준비된 올가미로 목을 매는 것뿐이라는 사실을 너무도 잘 알고 있었던 것이다!

나는 벽력같이 샤니 자작을 향해 소리질렀다.

"저건 신기루일 뿐이오! 신기루! 물이 있다고 믿지 마시오! 거울의 속임수일 뿐이란 말이오!"

그러자 오히려 그는 나더러, 그 잘난 거울 속임수와 용수철 장치, 회전문, 환영의 궁전 따위는 몽땅 싸서 꺼져버리라고 고래고래 소리를 지르는 것이었다. 그리고는 분을 삭이지 못한 듯 식식대면서, 저렇게 아름다운 나무들에 둘러싸인 진짜 맑은 샘물을 알아보지 못하는 걸 보니 진짜 바보이자 미친 사람은 바로 나라고 호통을 쳐댔다. 사막도 진짜요, 숲도 진짜라면서 말이다…… 자신은 세계 방방곡곡 안 다닌 나라가 없을 정도로 숱하게 여행을 한 몸이니, 섣부른 속임수는 통하지 않는다고 떵떵거리기까지 했다.

그리고는 이렇게 중얼거리면서 기어가는 것이었다.

"물…… 물……"

그는 마치 진짜 물을 마시듯이 입을 벌렸고, 나 역시 자신도 모르는 사이에 입을 헤벌리고 있었다.

한데 그건 반드시 물을 보았기 때문이라서가 아니라, *물소리가 들리고 있었기 때문이었다*…… 졸졸졸 흐르는 소리, 철썩철썩 튀기는 소리…… 한데 그 '철썩철썩' 물 튀기는 소리는 과연 어떻게 나는 것이던가! 사람의 혀로 자연스럽게 흉내낼 수 있는 소리 아니던가…… 혀를 입술 밖으로 좀 내밀어 보시라…… 잘 들리지 않는가…….

무엇보다도 견디기 어려운 고문은, 전혀 내리지 않는 빗소리가 들리는 것이었다! 이만하면 그야말로 악마적인 착상이라고 하기에 조금도 부족함 없었다. 오, 나는 에릭이 그런 소리를 어떻게 내고 있는지 역시 잘 알고 있었다. 먼저 폭이 아주 좁고 길이가 긴 상자를 중간중간 나무판과 금속판으로 나누고 그 안에 자갈을 잔뜩 쏟아 붓는다. 그러면 자갈들이 떨어지면서 칸막이를 건드림과 동시에 마구 튀어오르게 되고, 그 속에서 거세게 내리는 빗방울의 후두둑거리는 소리가 자연스럽게 쏟아져나오는 것이다.

아, *눈과 귓속은 시원한 물의 환영으로 가득 넘치면서도 혀는 바짝 타들어간 상태로*, 기진맥진한 두 남자가 허울뿐인 물가로 엉금엉금 기어가는 모습을 상상해보시라!

마침내 거울 앞에 당도한 샤니 자작과 나는 누가 먼저랄 것도 없이 거울면을 게걸스럽게 핥고 또 핥았다…… 그 뜨거운 거울면을…….

우리는 단말마의 숨을 헐떡이면서 바닥을 뒹굴었다. 샤니 자작은 권총을 관자놀이에 서서히 갖다대고 있었고, 나는 내 발치에 떨어져 있는

'편잡의 올가미'를 내려다보고 있었다.

순간, 나는 이 세번째 속임수와 더불어 왜 강철 나무가 눈에 띈 것인 지 깨달았다.

거기 그 자리에서 그 나무는 내가 오기만을 기다리고 있었던 것이리 라…….

나는 가만히 '편잡의 올가미'를 내려다보고 있었다…… 그런데 문득! 눈에 잡히는 무언가가 나를 소스라치게 만드는 것이었다! 내가 어찌나 크게 소리를 질렀는지, 방아쇠를 당기려던 자작이, 입으로는 여전히 "안녕, 크리스틴……"을 중얼거리면서도 내 쪽을 힐끔 돌아보았다.

나는 얼른 그의 팔부터 붙잡았다. 그리고는 냉큼 권총을 빼앗았다. 나 는 얼른 내가 본 그것을 향해 무릎으로 엉금엉금 기어갔다.

'편잡의 올가미' 바로 옆, 바닥에 난 가느다란 틈바구니 속에서 검은 대가리를 한 작은 못이 박혀 있는 걸 발견한 것이다!

이제야 용수철 장치를 발견한 것이었다! 문을 작동시킬 용수철 장 치…… 우리에게 자유를 주고, 에릭을 제거하게 해줄 바로 그 장치……

나는 샤니 자작에게 환한 웃음을 지어 보이며 얼른 못대가리를 더듬 었고, 그것은 어김없이 반응을 보였다…….

그런데……

그런데 다음 순간 덜커덩하고 열린 건 벽 쪽의 문이 아니라, 바닥으로 통하는 뚜껑문이었다.

시커먼 바닥의 구멍으로부터 시원한 공기가 안으로 밀려들었다. 우리 는 그 사각의 어둠 속으로 마치 샘물에 머리를 담그듯 고개를 내밀었다. 우리는 일단 서늘한 어둠 속에 턱을 담그고 그것을 실컷 *들이마셨다!*

우리는 점점 더 몸을 수그렸다. 갑작스럽게 활짝 열린 이 비밀스럽고 도 시커먼 구멍 속에는 과연 무엇이 있는 걸까?

혹시 물이 있는 건 아닐까?

오, 마실 물 말이다……

나는 있는 대로 팔을 뻗어 주위를 휘저었고, 이내 돌덩이 하나, 그 아래로 또 하나가 만져지는 걸 느낄 수 있었다. 계단이었다…… 지하로 내려가는 계단…….

자작은 벌써부터 구멍 속으로 들이닥칠 태세였다.

하긴, 물을 만나지 못한다 하더라도, 최소한 이 거울방의 지독히도 찬란한 고통으로부터 피신은 할 수 있을 게 아닌가!

나는 일단 자작을 제지한 다음, 내 램프에 불을 붙이고서 천천히 앞장서기 시작했다.

계단은 한치 앞도 분간하기 어려운 어둠 속을 빙글빙글 돌아가며 뻗어 있었다. 아, 이 서늘함, 이 어둠…….

아래로부터 올라오는 시원한 기운은 에릭이 설치했을지 모를 환풍장치로부터 생성된다기보다는, 우리가 위치한 깊이쯤에 이미 습기를 촉촉히 머금고 있을 진짜 흙 속에서 스며 나오는 것이 틀림없었다…… 그러고 보니…… 그리 멀리 떨어지지 않은 곳에 호수가 있을지도 모르는 일이었다…….

마침내 계단이 끝났다. 우리는 눈으로 사방을 더듬었고, 주위에서 희미하게 드러나는 둥근 형태들을 어렴풋이 감지했다. 나는 램프를 천천히 휘두르며 좀더 멀리까지 빛을 뿌려댔다…….

둥근 형태들은 다름 아닌 통들이었다!

그곳은 바로 에릭의 지하저장고였던 것이다!

각종 포도주는 물론 어쩌면 마실 물까지 저장해두었을지 모를 지하저장고……

에릭이 최고급 포도주의 애호가라는 사실은 나도 잘 알고 있었다.

아, 무엇보다도 마실 것을 찾았다는 게 너무도 감격스러웠다……

샤니 자작은 통을 어루만지면서 쉼없이 중얼거렸다.

"통이야! 통이라구! 이 얼마나 많은 통인가……."

가만히 둘러보니, 두 줄로 질서정연하게 늘어 세운 상당량의 통들 사이에 두 사람이 서 있는 것이었다.

크기는 좀 작은 것들이었는데, 아마도 이곳까지의 운반을 용이하게 하기 위해 에릭이 일부러 골랐을 것 같았다.

우리는 통들을 이리저리 둘러보면서 혹시나 에릭이 가끔 들러 사용했을지 모르는 깔때기라도 꽂혀 있지 않을까 찾아보았다.

하지만 모든 통들이 예외 없이 정교하게 봉인되어 있는 것이었다!

우리는 그 중 하나를 골라 살짝 들어 속이 꽉 차 있는지를 확인한 다음, 몸에 지니고 다니던 칼을 뽑아 무릎을 꿇은 채 마개를 열기 시작했다.

바로 그 순간, 멀리, 아주 멀리로부터 흘러오는 듯한 웬 노랫소리가 희미하게 들려오는 것이었다…… 꽤나 단조로운 그 노래는, 파리의 거리거리에서 자주 접할 수 있는 평범한 리듬에 실려오고 있었다…….

"통 삽니다~ 통이요~ 파실 통들 없습니까?~"

마개 위에서 문득 내 손은 멈춰 있었다…… 샤니 자작도 꼼짝 않고 가만히 귀를 기울이고 있었다…… 그가 이렇게 속삭였다.

"거 참 이상하다…… 꼭 통이 노래를 부르는 것 같죠?"

노래는 좀더 아련하게 다시 시작되고 있었다…….

"통 삽니다~ 통이요~ 파실 통들 없습니까~"

"어어, 틀림없이 노래가 통 속으로 멀어져가고 있어요!"

우리는 벌떡 일어서서 통을 이리저리 뒤집으며 살펴보기까지 했다.

"안이에요! 통 안에서 나는 소리라구요……."

샤니 자작의 말이었다.

한데 갑자기 더는 소리가 들리지 않는 것이었다…… 결국 우리는 우리 자신의 허약해진 감각과 이성을 탓하면서, 다시 마개에 매달렸다.

그리고 잠시 후…… 샤니 자작이 통의 밑부분을 부둥켜안고 나는 마지막 안간힘을 다한 끝에 결국 마개가 뽑히기에 이르렀다.

별안간 자작의 입에서 기분 나쁜 외마디 소리가 터져나왔다.

"어라, 이게 다 뭐야? 물이 아니잖아!"

자작은 두 손을 램프 가까이 갖다댔고, 나는 그 위로 상체를 수그리며 들여다보았다…… 그리고…… 거의 동시에…… 나는 들고 있던 램프를 가능한 한 멀리 던지지 않을 수 없었다…… 당연히 불은 꺼지고 사방은 막막한 어둠 속에 휩싸였다…….

샤니 자작의 손바닥에서 내가 본 것은…… 화약가루였던 것이다!

26
목숨을 건 선택
페르시아인의 마지막 이야기

지하저장고의 바닥까지 내려가서 비로소 나는 내가 우려했던 끔찍한 예상의 결말을 확인한 셈이었다…… 그 가증스런 존재가 그동안 인류 전반에 대해 은근히 내비쳤던 위협과 저주는 결코 그저 그런 허풍이 아니었던 것이다! 인간세계로부터 따돌림을 당해온 그는 땅 속의 캄캄한 세계에다 거창한 짐승의 피난처를 마련해두었으며, 언제라도 저 지상의 종족들이 그곳까지 쫓아와 서러운 자신의 운명을 괴롭힐 기미가 보일라 치면 주저 없이 자기 자신과 더불어 모든 인간을 단 한차례의 엄청난 재앙으로 깨끗이 날려버릴 작정이었던 것이다.

방금 발견한 것으로 인한 충격은 우리의 지난 고통과 현재의 괴로움을 일시에 잊어버리게 하기에 모자람이 없었다…… 우리가 처한 기가 막힌 상황, 심지어는 방금 전까지만 해도 자살 직전까지 갔었던 우리의 처지는 이제 곧 닥칠지도 모를 사태에 비하면 아무것도 아니라는 게 분명해진 셈이다. 여지껏 괴물이 크리스틴 다에에게 이야기한 모든 것, 그 속에 숨은 뜻 모두가 별안간 백일하에 드러나는 느낌이었다. *"네냐 아니오냐…… 만약 아니오라면 모두 죽어서 묻히게 될 게야!……"* 그렇다, 파리 오페라 극장의 산산조각난 파편더미 아래 모두 묻히게 된다…… 이 말이었던 것이다! 이 세상을 끔찍한 피날레로 장식하며 떠나기 위해 이보다 더 무시무시한 범죄행위를 과연 상상할 수 있을까? 하늘 아래 아직도 버젓이 살아 숨쉬고 있는 가장 끔찍한 괴물의 한 많은 사랑을 복수하기 위해 이런 엄청난 재앙이 준비되어 있었다니! "내일밤 11시…… 마지막 기회야……" 아, 시간까지 정확히 정해놓은 상태였다니…… 사람이 많이 몰릴 시간이었다…… '인류'가 몰려들 시간인 것이다…… 저 위…… 화려하기 이를 데 없는 저 음악의 전당 말이다…… 그 어떤 죽음의 행렬이 이보다 더 아름다울 수가 있을까?…… 온갖 반짝거리는 보석들로 잔뜩 치장하고, 말끔한 의상을 차려입은 지체 높은 행렬이 이제 얼마 안 있으면 죽음을 맞으러 꾸역꾸역 몰려들 것이다…… 내일밤 11시라…… 만약 그때 크리스틴 다에의 입에서, '싫어요!' 하는 한마디만 나오면 우리 모두는 엄청난 장관을 연출하며 한꺼번에 사라지고 말 것이다…… 내일밤 11시라…… 어찌 크리스틴 다에의 입에서 '싫어요!' 라는 말이 나오지 않겠는가! ……그처럼 살아 있는 시체와 결혼하느니 차라리 죽음 자체와 결합하는 것을 선택하지 않겠는가! ……게다가 자신의 대답 한 마디에 인류라는 종족 다수의 운명이 달려 있다는 엄청난 사실을 그녀가 알고 있을 리 없지 않은가! ……내일밤 11시라…….

나는 즉시 계단을 오르기 시작했다…… 그런데 첫 발을 내딛기가 무섭게, 문득 머리를 스치는 어떤 생각에 가슴이 덜컥 내려앉는 것이었다.

"지금이 몇시지?"

아, 지금이 몇시나 된 것일까? ……아, 내일밤 11시라면…… 이미 오늘일 텐데…… 아마 얼마 남지 않았을 텐데…… 하긴 이런 곳에 누가 있어 시간을 가르쳐 줄 것인가! ……그러고 보니 이 지옥 같은 소굴에 이미 몇날, 며칠을 갇혀 있었던 것 같은데…… 아니 몇 해, 아니 태초부터 갇혀 있었다고 한들, 놀랄 일도 아니다…… 이제라도 혹시 눈에 보이는 모든 게 단숨에 폭발해버리는 건 아닐까? ……단 한 번의 굉음과 더불어? ……쉿, 무슨 소리가 들리지 않았는가? ……저기…… 저 구석에…… 오 맙소사, 웬 기계소리인가? ……아, 저 빛은…… 아마도 무슨 기계장치에 의해 폭발이 이루어지겠지…… 단 한번의 굉음과 더불어…… 쾅!

샤니 자작과 나는 완전히 이성을 잃은 채 미친 사람처럼 고래고래 소리를 질렀다. 견딜 수 없는 공포가 몰아치고 있었다. 우리는 정신 없이 계단을 달려 올라갔다. 저 위 뚜껑문은 벌써 닫혔을지도 모른다! 그러니까 이렇게 사방이 캄캄하지…… 아 어둠에서 도망쳐야 해! 밝은 데로 나가야 한다구! 거울방의 치명적인 광채를 차라리 보고 싶구나…….

하지만 우리가 계단을 다 올라갔을 땐 의외로 뚜껑문이 열린 채 그대로였다! 다만 방안이 방금 도망쳐온 저 아래 지하저장고와 마찬가지로 온통 암흑 천지였다. 이것저것 따질 겨를도 없이 우리는 후닥닥 지하저장고를 벗어나 고문실로 들어섰다! 끔찍스럽게만 여겨졌던 고문실 바닥이 이제는 저 소름끼치는 화약저장고로부터 유일하게 우리 몸을 가려주는 방책이 되어버린 셈이다…… 아, 그나저나 지금이 몇시인가? ……우리는 사방에다 대고 소리를 지르고 이름을 불러댔다. 샤니 자작은 있는 힘을 다해 연인을 부르고 있었다. "크리스틴! 크리스틴!" 그리고 나는 에릭의 이름을 부르고 있었다. 내가 너의 생명을 구해주지 않았느냐고…… 하지만 묵묵부답이었다…… 오로지 되돌아오는 건 우리의 절망을 가득 담은 적막감과 공포뿐이었다…… 지금이 몇시인가? "내일 밤 11시라고 했겠다……" 우리는 둘이 머리를 맞대고 의논하기 시작했다. 무슨 수로든 이곳에서 보낸 시간을 되짚어보려고 애를 썼다. 하지만 도저히 종잡을 수가 없었다…… 아, 번호가 붙은 동그란 시계판 위에 바늘이 움직이는 광경을 죽기 전에 딱 한번만이라도 볼 수만 있다면…… 내가 지니고 다니는 시계는 원래 멈춰선 지 오래이니 그렇다 치고…… 샤니 자작이 지니고 있는 시계는? 오페라 극장으로 출발하기 전, 저녁 단장을 하면서 태엽을 감아주었었다고 하는데…… 우리는 그 사실로부터 아직은 치명적인 시각은 되지 않았으리라는 희망을 조심스럽게 가져보기로 했다…….

그러나, 아무리 도로 닫으려 해도 왠지 꿈쩍 않는 뚜껑문 저 아래로부터 조금만 이상한 소리가 들려도 우리는 또다시 걷잡을 수 없는 불안에 휩싸이고 마는 것이었다…… 도대체 몇시인가? ……이젠 불을 켤 성냥도 없다…… 하지만 이대로 멍청히 기다리고 있을 수만은 없는 노릇…… 자작은 시계의 유리를 깨서 손으로 바늘의 위치를 파악해보는 게 어떻겠느냐고 했다…… 그 아이디어는 곧 실행에 옮겨졌고, 그가 손끝으로 바늘의 위치를 더듬는 동안 답답한 침묵의 시간이 또 얼마간 흘러갔다…… 시계 꼭대기의 작은 고리가 일종의 기준점으로 작용하는 셈이었다…… 잠시 후 고리로부터 바늘이 벌어진 간격으로 봐서, 아마 11시쯤 되었을 거라는 결론이 내려졌다……

정확히 따져서 한 11시 10분쯤?…… 그러니까 아직은 밤 11시까지 약 12시간은 남은 셈이다…….

"조용!"

갑자기 내가 다급하게 소리를 죽이며 속삭였다.

옆방 쪽에서 문득 발소리가 들린 듯했던 것이다.

착각은 아니었다. 분명 문소리가 났고, 서두는 듯한 발소리가 들렸다. 그리고는 곧 벽을 두드리는 소리가 따랐다.

"라울! 라울!"

크리스틴 다에의 목소리였다.

아! 세 사람은 벽을 사이에 두고 동시에 소리를 질러댔다. 크리스틴은 생전에 다시 샤니 자작을 살아서 볼 수 있을지는 몰랐다며 마구 흐느껴 울었다. 괴물이 그동안 얼마나 지독하게 자신을 대해왔으며, 오로지 '네'라는 대답이 나오기만을 바라면서 온갖 헛소리를 지껄여댔지만 자신은 결단코 거부했노라며 울먹이는 것이었다…… 그러면서, 다만 자신을 고문실로 데려다 주면 그 '네'라는 대답을 해주기로 약속했다는 것이다! 그런데 그는 펄쩍 뛰더니 모든 인간을 싸잡아 저주를 퍼부으면서, 그것만은 절대로 용인할 수 없다며 길길이 날뛰었다고 했다…… 그렇게 몇 시간이고 지긋지긋한 실랑이를 벌이다가, 마침내 그는 문을 박차고 잠시 외출을 했다. 마지막으로 심사숙고해보라며 그녀 혼자만을 남겨둔 채 말이다…….

"그럼 지금이 몇시요, 크리스틴?"

"11시 5분 전이에요……."

"11시라니? 오전이오, 오후요?"

"생사를 결정해야 할 바로 그 11시 말이에요!"

크리스틴은 가쁜 숨을 몰아쉬며 말했다.

"나가기 전에 그가 다시 상기시켜 주었거든요…… 오, 얼마나 끔찍했다구요…… 그는 마구 헛소리를 늘어놓더니, 가면을 제 손으로 홱 벗어 던지는 거예요…… 그 황금빛 눈동자에서 번쩍하며 섬광이 이는 모습이란! ……그러더니 문득 웃기 시작하는 거였어요. 그저 술 취한 악마처럼 비실비실 웃으면서 이렇게 얘기했어요. '5분 남았어! 당신이 워낙에 순박한 여성이라, 혼자 있게 해주는 거야…… 소심하기 이를 데 없는 신부들이 그렇듯, 네—라고 대답하면서 얼굴이 붉어지는 걸 내가 빤히 보고 있기가 미안해서 그래…… 제기랄! 난 사람의 마음을 너무 잘 안다니까……' 오, 마치 술 취한 악마 같았어요…… 그리고는 그 '생사가 달린 가방'을 뒤지면서 이러는 거예요. '자, 여기 청동 열쇠가 있어! 루이—필립 방의 벽난로 위에 있는 흑단 상자들을 여는 열쇠지…… 그 중 하나에는 전갈이 들어 있고, 다른 하나에는 메뚜기가 들어 있어…… 모두 일본산 청동으로 만든 모사품이지…… 그 놈들이 네냐 아니오냐를 말해주는 거야…… 그러니까, 전갈을 원래 있던 자세와 반대 방향으로 돌려놓으면 그건 **네!**가 되는 것이고…… 메뚜기를 그런 식으로 돌려놓으면 그건 **아니오!**가 되는 셈이지…… 우리의 신방이 될지도, 시체실이 될지도 모를 그 방에 내가 들어서면 다 한눈에 들어오게 되어 있으니까……' 그리고는 또다시 술 취한 악마처럼 웃어대는 것이었어요! 나는 덮어놓고 그 앞에 무릎을 꿇고는 제발 고문실 열쇠만 준다면 영원히 그의 여자가 되겠노라고 사정사정했죠…… 한데, 그는 더 이상 그 열쇠는 필요 없게 되었으니, 호수에 던져버릴 참이라는 거예요…… 오…… 그는 술 취한 것처럼 정신 없이 웃어대면서, 멋진 남성이라면 당연히 수줍은 여성에게 배려를 해야 한다며, 5분 동안 자리를 비워주겠다고 큰소리를 치고는, 훌쩍 나가버렸어요! 아…… 맞아요…… 또 이랬어요! '메뚜기 말이야…… 녀석은 좀 조심해야 할 걸! 녀석은 그냥 얌전히 돌아가는 게 아니라, 아마 펄쩍 뛸지도 몰라…… 펄쩍 뛸지도 모른다구……*그 놈 펄쩍 뛰는 거 보면 참 귀엽지……*' 라고 말이에요……."

나는 이 대목을 옮기면서 되도록 크리스틴이 떠들어대던 말투와 비명 소리, 그 한숨 하나하나까지 제대로 포착하여 전달하려고 애를 쓰고 있다. 왜냐하면 그녀 역시 지난 24시간 동안 고통의 밑바닥까지 내려가 보았을 것이며, 아마도 우리 두 사람보다 어쩌면 더 그 고통의 정도가 심했으리라 생각하기 때문이다. 그러면서도 틈만 있으면 얘기하다 말고, 혹은 내 얘기를 끊어가면서까지, "라울, 괜찮으세요?"하며 연신 애인 걱정만 하는 것이었다. 그녀는 이제는 차갑게 식은 벽을 어루만지면서 대체 아까는 왜 벽이 그리도 뜨거웠는지 궁금해했다…… 그러는 동안 5분이라는 시간은 빠르게 흘러가고 있었고, 내 머리 속에는 전갈과 메뚜기가 시끄럽게 서로를 긁어대며 싸우는 것이었다…….

물론 내 머리 속은 아직까지는, 메뚜기가 펄쩍 뛰면, 메뚜기 녀석만 뛰는 게 아니라 수많은 인간들 역시 펄쩍 뛸 것이라는 사실을 짐작할 정도로는 명징함을 유지하고 있었다. 틀림없이 메뚜기는 지하저장고의 저

어마어마한 화약의 대폭발을 촉발시킬 일련의 전기장치와 연결되어 있을 것이었다. 크리스틴의 목소리를 다시금 듣게 되자 예전의 건강한 정신상태를 일거에 회복한 듯, 샤니 자작은 부랴부랴 우리 모두, 그러니까 우리 세 사람과 오페라 극장 전체가 얼마나 위험한 상황에 처해 있는지 또박또박 설명해주었다. 생각할 것 없이 무조건 가서 *전갈을 돌려놓아야 한다면서 말이다……*

에릭이 그토록 갈망해 마지않는 *네!*를 의미할 전갈만이 지금으로선 임박한 재앙을 돌려세울 유일한 열쇠나 마찬가지인 셈이다!

"자, 어서요! 크리스틴…… 내 사랑하는 여인이여……."

라울이 진지한 목소리로 말했다.

잠시 침묵이 흘렀다.

나는 불안한 생각이 들어 소리쳐 불렀다.

"크리스틴, 어디 있는 겁니까?"

"전갈 옆에요!"

"잠깐, 만지지 말아요!"

문득 뇌리를 스치는 생각 하나가 나로 하여금 그런 소리를 내지르게 만들었다!

두말하면 잔소리가 되겠지만, 나는 에릭을 잘 안다…… 그 괴물은 필시 젊은 아가씨를 또다시 기만했을 것이다. 아마 전갈이야말로 이 모든 것을 몽땅 들어 엎을 열쇠일지 모른다…… 아니라면, 이미 5분이 지나고도 남았을 텐데, 놈은 왜 나타나지 않는단 말인가…… 아마도 어딘가로 피해서 숨어 있을 것이다…… 어마어마한 폭발음이 천지를 뒤흔들기를 고대하면서 말이다…… 놈이 바라는 것은 오로지 그것일는지도 모른다…… 그로서는 크리스틴이 진실로 자신의 여자가 되기를 선택하리라고는 절대로 기대할 수 없었을 테니까 말이다…… 그렇지 않다면 왜 돌아오지 않는 것인가? ……전갈을 만지면 안된다…….

갑자기 크리스틴이 속삭였다.

"그예요…… 소리가 들려요…… 그가 오고 있어요……"

....

진짜였다. 그는 돌아왔다. 루이-필립 풍의 방 앞으로 그의 발소리가 다가오는 것이 분명히 들렸다. 크리스틴과 대면한 그의 입에서는 아무런 말도 나오지 않고 있었다.

나는 과감하게 소리쳐 불렀다.

"에릭! 나일세! 날 알아보겠나?"

그의 대답은 의외로 무척이나 평온한 어조에 실려왔다.

"*그 안에서 아직 안 죽었는가? 그런가 보군*…… 그럼 좀 조용히 하고 있게……"

나는 말을 가로막으려 했지만, 문득 다음과 같이 싸늘하게 대꾸하는 바람에 벽 뒤에 꼼짝 않고 서 있을 수밖에 없었다.

"한 마디만 더하면, 몽땅 날려버리겠어!"

그리고는 곧바로 이렇게 덧붙이는 것이었다.

"지금은 우리 마드모아젤과 얘기할 시간이야! ……마드모아젤께서는 전갈에 손을 대지 않으셨습니다(무척이나 침착하고 덤덤한 어조였다). 또한 마드모아젤께서는 메뚜기에게도 손을 대지 않으셨습니다(저렇게 냉정하게 말을 할 수가!). 하지만 아직은 제대로 해볼 시간이 남아 있지요. 자, 나는 열쇠도 없이 뚜껑을 열 수 있습니다. 원하는 건 무엇이든 열고 닫을 수가 있답니다. 자, 이 조그마한 흑단 상자곽들을 열어드리지요. 자 보십시오, 마드모아젤…… 아주 귀여운 짐승들이지요…… 정말 기막히게 모사되어 있습니다…… 얼마나 온순해 보입니까…… 하지만 겉으로 보이는 게 다가 아니랍니다(이런 모든 말들을 더없이 덤덤한 목소리에 담아 단조롭게 내뱉는 것이었다!) ……메뚜기를 돌려놓으면 우리 모두가 펄쩍 뛰게 될 겁니다, 마드모아젤…… 우리 발 바로 아래에 파리시의 어느 한 구역 전체를 펄쩍 튀어오르게 할 만한 화약이 마련되어 있으니까요. 하지만 전갈을 돌려놓으면 모든 화약은 물에 젖게 될 겁니다. 그러니, 마드모아젤, 우리의 결혼을 맞아서, 지금쯤 마이어베어의 보잘것없는 걸작에 환호를 보내고 있을 수많은 파리 시민에게 멋들어진 선물을 하시진 않으시렵니까? 그들 모두에게 생명을 선물로 주는 셈이지요…… 그 앙증맞은 손으로 전갈을 돌려놓으시기만 하면 되는 겁니다, 마드모아젤…… (아, 저 얼마나 나른하고도 그으윽한 음성인가!) 그리고 우리 둘은, 아, 신나라, 결혼을 하게 되는 겁니다!"

한동안 침묵이 뒤를 따랐다.

잠시 후, 또다시 그의 말이 이어졌다.

"자, 이제 앞으로 2분입니다, 마드모아젤. 그때까지 전갈을 돌려놓지 않으면…… 아참, 내게 시계가 있는데, 아주 귀엽게 바늘이 돌아가지요…… 내가 직접 메뚜기를 대신 돌려놓겠습니다…… 그러면 그 메뚜기는 말이죠, *아주 귀엽게 펄쩍 뛰겠죠!*"

그 어느 때보다도 무시무시한 침묵이 자리잡았다. 내가 알기로는, 에릭의 목소리가 저렇게 평온하고, 고요하며, 나른한 뉘앙스를 띠는 것은 그가 갈 데까지 다 간 상태이며, 이젠 천인공노할 대(大)만행을 저지르거나 아니면 미쳤다고밖에는 볼 수 없는 희생을 치를 만반의 태세가 되어 있다는 걸 의미했다. 그럴 때는 단 한 마디라도 그의 귀에 거슬리는 말이 들리면 곧장 걷잡을 수 없는 폭풍이 몰아닥치기 일쑤였다. 샤니 자작도 지금으로선 그저 기도하는 수밖에 달리 도리가 없음을 깨달은 모양이었다. 그는 무릎을 털썩 꿇고 기도하기 시작했다. 나는 어찌나 피가 들끓는지 심장이 터질까봐 한동안 가슴을 부여잡고 있어야 할 정도였다…… 그것은 우리 둘 다, 얼마 남지 않은 시간 동안 크리스틴의 생각 속에 출몰할 기가 막힌 여러 가지 상념들, 전갈을 돌려놓기에 앞서 한없이 떨고 있을 그녀의 가녀린 마음을 너무도 가슴 아프게 공감하고 있었기 때문이었다. 아, 하지만, 만약 전갈이 모든 걸 날려버리는 열쇠라면? 만약 에릭이 아예 작심을 하고 우리 모두를 자신과 함께 깡그리 묻어버리려고 저러는 거라면?

이윽고, 천사의 목소리처럼 그윽하고 부드러운 에릭의 음성이 들려왔다…….

"2분이 지나갔어요…… 안녕, 마드모아젤…… 잘 가거라, 메뚜기야……."

"에릭!"

크리스틴은 괴물의 손을 덥석 붙들며 소리쳤다.

"이 괴물 같은 사람! 내게 맹세하세요! 당신의 그 지독한 사랑에 걸고 맹세해주세요! 정말로 전갈을 돌려놓아야 하는 거라고……."

"물론이지…… 우리의 결혼으로 *펄쩍!* 뛰어들기 위해서는……."

"아! 당신은 애당초 알고 있었어…… 우리 모두 폭발하고 말 거라는 걸……."

"우리의 결혼으로 펄쩍 뛴다고 했어, 이 순진한 아이야…… 전갈은 무도회장의 문을 열도록 되어 있다구! 하지만 이젠 됐어…… 당신은 전갈을 원치 않지? 이제 저 메뚜기는 내게 맡겨!"

"에릭!"

"됐다니까……."

순간, 내 귀에는 크리스틴이 분명, 이렇게 버럭 소리를 지르는 게 무슨 폭발음처럼 들려왔다!

"에릭! 내가 전갈을 돌려놓았어요!!!"

아…… 그때 그 순간이 얼마나 끔찍하게 느껴지던지……

무조건 기다리면서……

엄청난 굉음과 파편 속, 우리 모두 형체를 알 수 없는 쓰레기조각들로 화할지 모르는 그 상황……

　……우리 발 밑에서, 저 활짝 열린 심연 속에서, 공포의 피날레를 알리는 전주곡일지도 모를 부시럭대는 낯선 소리를 들으며…… 심연을 향해 활짝 열린 뚜껑문 저 아래에서, 마치 퓨즈가 타들어가는 소리처럼, 무언가 쉭쉭대는 듯한 기분 나쁜 소음이 서서히 올라오는 걸 느끼면서 말이다…….

　처음에 그 소리는 무척 가느다랗게 들렸었다. 하지만 조금씩조금씩 굵어지더니…… 어느새 꽤 크게 들리는 것이었다!

　……하지만 귀를 기울이라! 아직은 귀를 기울이라! 수많은 인간들의 심장과 더불어 언제 터질지 모르는 그대의 심장을 두 손으로 감싸안고 귀를 기울이라…….

　그 소리는 분명 퓨즈가 타들어가는 소리는 아니었다…….

　위치는 분명 뚜껑문 쪽에서 나는 소리인데…….

　쉿!

　이제 그 소리는 콸콸거리는 소리로 들리고 있었다.

　뚜껑문 쪽이었다…… 뚜껑문 쪽…….

　그리고는 갑작스럽게 확 치밀어오르는 신선한 기운!

　난데없이 몰아닥치는 신선한 기운 속에서, 아까 엄청난 공포심 때문에 잊혀졌던 갈증이 다시 되살아나는 것이었다…… 점점 더 크게 들려오는 물소리와 더불어 말이다…….

　물, 물…… 그건 분명 물이었다!

　저 아래, 화약이 그득 그득 들어찬 통들 위로 올라오고 있는 저것…….

　우리는 허겁지겁 뚜껑문 아래로 내려갔다. 그리고는 턱에까지, 입에까지 차오르는 물을 정신 없이 벌컥벌컥 들이켰다…….

　그런데, 물소리를 찾아 내려갔던 계단을 다시금 올라올 때는, 물도 따라서 거센 기세로 차오르고 있었는데, 그 위로는 이미 상당량 유실된 화약가루들이 둥둥 떠다녔다.

엄청난 물이었다! 호수의 거처는 물을 무서워하지 않아도 된다더니, 이대로 가다가는 호수 물 전체가 지하저장고를 휩쓸 지경이었다…….

이제는 도무지 그걸 멈출 방법이 없어 보였다. 지하저장고를 완전히 벗어났는데도 물은 계속 따라 올라왔다.

물론 얼마 지나지 않아 고문실 바닥까지 물이 넘쳐흘렀다. 이제 호수의 거처 전체가 물에 잠기는 건 시간 문제였다. 이미 거울방의 바닥 전체가 하나의 작은 호수였고, 우리는 그 안에서 발을 저벅대고 있는 꼴이었다. 아, 이건 좀 지나쳤다…… 한시 바삐 에릭이 꼭지를 잠가야 하는데…… 에릭! 에릭! 화약은 이제 충분히 젖었다네! 제발 꼭지를 잠가! 전갈을 돌리라구!

하지만 에릭으로부터는 아무런 대답도 없었다. 이제는 자꾸만 차올라오는 물소리밖에는 들리지 않았다. 벌써 무릎까지 물이 찬 상태였다.

"크리스틴! 크리스틴! 물이 올라오고 있어요! 벌써 무릎까지 찼어요!"

샤니 자작이 기를 쓰고 소리를 질렀다.

하지만 대답이 없는 건 크리스틴도 마찬가지였다. 오로지 차오르는 물소리뿐…….

아니, 옆방에는 크리스틴도, 에릭도, 아무도 없었다! 꼭지를 잠글, 전갈을 돌려놓을 아무도 없었던 것이다!

이제 우리는 또다시 이 고문실의 어둠 속에서, 난데없이 기어오르며 팔다리를 죄고 사정없이 한기를 불어넣는 검은 물을 상대해야 할 판이었다.

에릭! 에릭! 크리스틴! 크리스틴!

갑자기 우리는 동시에 발을 헛디뎠고, 물 속에서 한바퀴 빙그르르 뒹굴었다. 가만히 보니 무언가 대단한 힘에 이끌려 방 안의 물 전체가 어지럽게 소용돌이치는 모양이었다. 우리는 거울벽에 정신 없이 부닥치면서 맴돌았고, 가끔 가다 머리만 겨우 요란스레 소용돌이치는 물 밖으로 내밀 수 있었다.

여기서 이대로 죽을 것인가? 타죽을 뻔했던 고문실에서 이제는 물에 빠져 죽다니…… 아닌게아니라, 이런 건 처음이었다. 저 마젠데란의 장밋빛 시절에서도 에릭이 보이지 않는 창문을 통해 이런 걸 보여준 적은 없었다. 에릭! 에릭! 자네 목숨을 구해준 건 나야! 그걸 잊지 말게! 자넨 사형수였어! 죽을 운명이었다구! 그런 걸 내가 살길을 열어주지 않았나! 에릭……

아, 대충 그렇게 소리지르며 나와 자작은 마치 무슨 하찮은 부유물처럼 물 위를 맴돌고 있었다.

그러다가 무심코 휘저은 내 손에 강철나무 줄기가 걸려들었던 것이다! 나는 얼른 샤니 자작을 불렀고, 우리 둘은 강철 나뭇가지에 악착같이 매달렸다……

물은 여전히 소용돌이치면서 차 오르고 있었다.

아참, 혹시 기억하시는가? 강철 나뭇가지로부터 이 거울방의 둥근 천장까지 어느 정도 공간이 있는지? 잘 기억해보시게…… 언젠 물은 멈출 것이다. 분명 한계가 있을 테니까…… 어라, 벌써 멈춘 것 같은데! 아냐, 아니라구…… 강철 나무도 완전히 물에 잠기면서 우리는 하는 수 없이 헤엄을 쳐야만 했다. 안간힘을 다해 헤엄을 쳐보았지만 팔다리가 엉키고, 숨이 막히고…… 우리는 거의 발버둥을 치는 수준이었다. 물 밖으로 고개를 내밀고 숨을 쉬어봐도 왠지 무척이나 호흡에 힘이 들었다. 그 어떤 통풍장치 때문인지는 몰라도, 공기가 자꾸만 빠져나가고 있었고, 그 때문에 숨을 쉬기가 여간 힘든 게 아니었다. 어딘가에 있을 통풍구를 찾을 때까지 소용돌이 물살에 몸을 맡긴 채 우리는 돌고 또 돌았다. 마침내 통풍구를 찾자, 우리는 서로 번갈아 입을 갖다대며 숨을 나눠 쉬었다. 그러나 서서히 힘이 빠지면서 나는 정신 없이 벽을 붙잡으려고 몸부림을 쳤다. 하지만 거울벽은 어쩌면 그렇게 매끄럽기만 하던지 ……우리는 정신 없이 돌고 또 돌았다. ……그리고는 얼마 안 있어 물 속으로 빠르게 가라앉기 시작했다. ……안간힘을 다해 마지막으로 비명인지, 외침인지 모를 소리를 냅다 지르고 나서 말이다…… 에릭! ……크리스틴! ……꼴록꼴록꼴록꼴록 ……귀에 남은 소리의 기억은 그것뿐이다. ……아니…… 또 하나 ……마지막으로 정신을 잃기 전에 언뜻 들은 것 같은데, 이런 소리도 아스라이 들려왔었다……

"통 삽니다~ 통이요~ 파실 통들 없습니까?~"〉

27
유령의 최후

여기까지가 페르시아인이 내게 글로 써서 남겨준 이야기의 전부이다.

틀림없이 두 사람 다 죽음으로 몰아넣었을 것 같은 끔찍한 상황에도 불구하고, 크리스틴 다에의 숭고한 헌신 덕택에 샤니 자작과 페르시아인은 목숨을 건지게 된다. 그 후일담 역시 이 전직 다로가의 입에서 죄다 들은 것임을 먼저 밝혀둔다.

내가 그를 만나러 갔을 때도, 그는 여전히 튈르리 공원 맞은편에 위치한 리볼리가의 한 작은 아파트에서 살고 있었다. 그는 병색이 완연했지만, 실화 전기작가로서 어디까지나 숨겨진 진실에 봉사하려는 나의 직업적 열정을 보고는, 마침내 이 믿을 수 없는 드라마를 끝까지 재현시켜보기로 마음을 먹었다. 여전히 충복 다리우스가 그의 곁에서 시중을 들었고, 나를 그에게로 안내해주었다. 다로가는 정원이 내려다보이는 창문가의 널찍한 안락의자에 앉은 채로 나를 맞이했다. 그는 나를 보더니, 왕년에 한 가닥은 충분히 했을 법한 상체를 약간 일으켰다. 페르시아인은 아직도 형형한 눈빛을 지니고 있었지만, 얼굴은 피로로 지친 안색이었다. 머리는 면도로 싹 밀은 상태였고, 늘 그렇듯, 아스트라칸 모직의 챙 없는 모자를 쓰고 있었다. 무척이나 담백하고 넉넉한 외투의 소맷부리를 무의식중에 엄지손가락으로 빙글빙글 돌리는 버릇이 있는 모양이 있는데, 정신은 상당히 맑아 보였다.

그는 지난날의 고통스런 경험을 떠올릴 때마다 엄청 열이 오르곤 했는데, 그 때문에 이 괴이한 이야기의 놀랄만한 결말도 주춤주춤 쉬어가며 겨우겨우 이끌어내야만 했다. 때로는 내가 던진 질문에 한참을 기다려야 답변이 나오는가 하면, 때로는 스스로의 기억에 고양된 채, 에릭의 무시무시한 이미지와 그의 지하 거처에서 샤니 자작과 함께 체험한 끔찍한 시간들을 매우 생생하게 되살려주는 것이었다.

아…… 그 물난리를 겪은 후, 루이-필립 풍의 방에서 불안스런 어스름 속에 눈을 떴을 때의 상황을 묘사하는 그의 부들부들 떠는 모습을 독자 여러분도 봤어야 한다! 그는 자신이 기록한 이야기를 완결하는 뜻에서, 이 끔찍한 모험담의 결말을 이렇게 전해주었다…….

눈을 뜨자 다로가는 웬 침대에 똑바로 누워 있었고, 샤니 자작은 거울이 달린 옷장 옆의 소파에 누워 있었다. 그리고 천사 하나와 악마 하나가 그들을 내려다보고 있었다…….

고문실의 환영과 신기루만큼은 못하겠지만, 이 조용한 방의 부르주아적인 세부장식들 역시 악몽이라면 언제든 혼비백산할 준비가 되어 있는 소심한 인간들을 곯려주려는 심사에서 일부러 고안된 듯이 보였다. 이 선박 모양의 침대, 왁스로 반들반들 윤을 낸 저기 저 마호가니 의자들, 이 서랍장과 저 구리그릇들, 뜨개질로 만든 앙증맞은 사각레이스를 안락의자 등받이에 고이 얹어놓은 그 정성하며, 벽난로 양쪽 귀퉁이에 올려놓은 평범해 보이는 작은 상자들과 추시계…… 그리고 또 저건 뭔가, 선반 위에 널려 있는 소라껍질들, 붉은 색 바늘꽂이들, 선박 모양의 자개장식들, 그리고 큼직한 타조알 하나…… 이 모든 것이 자그마한 원탁 위의 갓을 씌운 램프 불빛 속에 어슴푸레 싸여 있고…… 아무튼, '오페라 극장의 지하 밑바닥'이라고 보기에는 너무도 무난하고 너무도 평온

한, 싼티가 물씬 풍기는 볼품 없는 이 모든 가구들 속에는 케케묵은 망상은 저리 가라 할 정도로 보통 사람의 상상력을 당혹케 하는 무언가가 분명 있었다.

그리고 가면을 착용한 한 남자의 그림자…… 그것은 이 말끔하고 가지런히 정돈되어 있으면서도 진부하기 이를 데 없는 실내풍경 속에서 더더욱 섬뜩하게만 느껴질 뿐이었다. 그림자는 잔뜩 몸을 수그리고는 페르시아인의 귓가에다 대고 이렇게 나지막이 속삭였다.

"좀 나았소, 다로가? 내 가구들이 보이시나? 가련한 어머니가 물려준 전재산이지……."

그리고 또 몇 마디 말을 중얼거렸는데, 그건 기억이 나지 않는다고 했다. 하지만 페르시아인은 이것만은 왠지 똑똑히 기억난다고 했다. 즉, 그때 그 루이-필립 풍의 고리타분한 방 안에서 오로지 에릭만 말을 하고 있더라는 것이다. 반면 크리스틴 다에는 아무 말도 없이, 흡사 침묵 서언을 한 수녀처럼 조용히 서성이기만 하고 있었다…… 그녀가 작은 찻잔에다 강심제인지, 그저 김이 모락모락 피어오르는 차인지 모를 무언가를 내오자, 가면을 쓴 남자는 그것을 받아 페르시아인에게 건네주었다.

샤니 자작은 여전히 자고 있었다……

에릭은 럼주 약간을 다로가의 찻잔에다 부어준 다음, 누워 있는 자작을 가리키며 이렇게 말했다.

"그는 괜찮을 걸세…… 그저 자고 있는 거니까…… 지금은 깨우지 않는 게 좋아……."

잠시 에릭이 방을 비우자, 페르시아인은 팔꿈치에 기댄 채 몸을 반쯤 일으키고 주위를 둘러보았다. 벽난로 구석에 조용히 앉아 있는 크리스틴 다에의 새하얀 윤곽이 눈에 띄었다. 그는 이름을 부르며 몇 마디 말을 걸었지만, 아직은 기력이 한참 쇠진한 상태라, 그만 베개에 고개를 떨구지 않을 수 없었다. 크리스틴은 아무 말 없이 다가와 이마를 짚어보더니, 다시 멀어져갔다…… 페르시아인은 그때 그녀가 옆에 누워서 죽은 듯이 자고 있는 샤니 자작에게는 웬일인지 눈길 한번 주지 않았다고 말했다. 그녀는 그저 벽난로 구석에 있는 안락의자로 돌아가, 침묵서언을 마친 수녀처럼 가만히 앉더라는 것이었다…….

잠시 후, 에릭이 돌아와서 벽난로 위에 작은 플라스크 병을 놓아두었다. 그리고는 천천히 다가와 페르시아인의 머리맡에 앉더니 맥을 짚어보면서 한껏 목소리를 낮춰 이렇게 말했다. 여전히 샤니 자작은 깨우지 않으려는 듯…….

"이제 둘 다 살아난 걸세…… 조금 있다가, 내가 둘 다 지상으로 데려다주겠네. *그래야 내 아내가 기뻐할 테니까*……"

말을 마치자 그는 어떤 설명도 없이 자리에서 일어나 또다시 어디론가 사라졌다.

페르시아인은 이제 램프 불빛에 비친 크리스틴 다에의 옆모습을 가만히 바라보고 있었다. 그녀는 보통 종교서적이 그렇듯, 옆의 단면이 금박처리 되어 있는 어떤 소책자를 읽고 있었다. 방금 아까 에릭이 극히 덤덤한 어조로 속삭였던 말 한마디가 페르시아인의 귓가를 맴돌고 있었다. "그래야 내 아내가 기뻐할 테니까……"

다로가는 희미한 음성으로 다시 한번 크리스틴을 불러보았지만, 그녀는 책 속에 너무 깊이 빠져 있는지, 전혀 듣지 못하는 모양이었다……

에릭은 돌아오자마자 페르시아인에게 자기 '아내'는 물론 누구에게도 더 이상 말을 붙이지 말라고 충고했다. *그렇지 않으면 모두의 건강에 해가 된다고 하면서 말이다*…… 그리고는 조용히 약을 권하는 것이었다.

그때 이후 페르시아인의 뇌리에는 에릭의 검은 그림자와 크리스틴의 하얀 실루엣이 방안을 이리저리 소리 없이 배회하다가는 가끔 샤니 자작을 물끄러미 굽어보곤 하던 광경이 좀처럼 지워지지 않았다. 그 당시 페르시아인의 몸은 무척이나 허약한 상태였기에, 극히 미미한 소음, 가령 거울이 달린 옷장문을 살며시 여닫는 소리만으로도 머리가 견딜 수 없이 지끈거렸다고 한다. 결국 그는 샤니 자작과 마찬가지로 깊은 잠에 빠져들었다…….

그리고 다음으로 눈을 떴을 때는 자신의 집에 누워 충실한 다리우스의 간호를 받고 있었다. 다리우스 말로는, 간밤에 집 앞에 누워 있는 걸 발견했다는 것이었다. 아마 누군가 거기까지 데려다 놓은 것 같았는데, 누군지는 몰라도 사라지기 전에 초인종을 눌러준 걸 보면 꽤 세심한 사람인 것 같다고 했다.

다로가는 기력을 회복하자마자 필립 백작의 집으로 사람을 보내 자작의 안부를 물었다.

놀랍게도 대답은 젊은 자작은 행방불명된 상태이며, 필립 백작은 죽었다는 것이었다! 그의 시체는 스크리브가 바로 근처, 오페라 극장의 호수 기슭에서 발견되었다고 했다. 그 말을 듣는 순간, 페르시아인의 머리 속에는 거울방의 벽 너머에서 들려오던 추도미사곡이 불현듯 떠오르는 것이었다. 그에게는 범죄 자체나 그것을 저지른 범죄자 모두 너무도 뻔하게 다가올 수밖에 없었다. 워낙에 에릭에 대해 잘 아는 그로서는 사건 전체를 재구성하는 게 별로 어렵지 않았다. 동생이 크리스틴 다에를 납치했다고 생각한 필립은 미리 도주로로 짐작해두었던 브뤼셀가로 즉시 뒤쫓아갔을 것이다. 하지만 허탕만 치고 돌아온 그는 문득 황당무계한 연적에 대해 라울이 해준 이상한 이야기가 생각났고, 동생이 어떻게 해서든 극장 지하로 들어가보려 했었다는 것과, 결국 디바의 대기실에서 웬 권총상자 옆에 모자만 발견된 채 그의 행방이 묘연해졌다는 사실을 알게 된다. 이제는 동생의 광기가 의심할 여지없이 확실하다고 판단한 백작은 그 즉시 자신도 지하의 지옥 같은 미궁 속으로 뛰어들었을 것이다. 그 이후에 벌어졌을 상황은, 페르시아인의 눈에, 굳이 더 늘어놓을 필요가 없을 정도로 뻔하게만 보이는 것이었다. 죽음의 호수를 지키는 관리인…… 에릭의 사이렌…… 그 사이렌의 노랫소리…… 그리고 결국엔 호숫가에 떠밀려 온 백작의 시체…….

더 이상 망설일 수만은 없었다. 이 새로운 소식에 충격을 받은 페르시아인은 자작과 크리스틴의 결정적인 운명에 대해 여전히 오리무중인 이러한 상태를 더는 견딜 수가 없었던 것이다. 마침내 그는 모든 사실을 사법 당국에 알리기로 작정을 했다.

일단 결심이 서자 그는 지체 없이 이 사건의 조사를 정식으로 맡은 예심판사 포르 씨의 집을 찾아가 문을 두드렸다. (내 생각을 솔직히 말하자면) 극히 세속적이고 표피적이며 회의적일 뿐인 그 같은 인사가 다로가의 방문을 어떻게 받아들였을지는 독자 여러분도 충분히 짐작이 갈 것이다. 페르시아인은 한 마디로 미친 사람 취급을 받았다고 한다…….

자신의 얘기가 받아들여지지 않는 데 격분한 페르시아인은 대신 글로써 모든 것을 남기기로 하고 곧장 쓰기 시작했다. 사법 당국에서는 자신의 증언을 수용할 뜻이 없다고 하나, 언론 쪽에서는 혹시 다르게 나올지도 모른다는 생각을 하면서 말이다. 그러던 어느 날 저녁, 앞서 독자 여러분이 읽었던 그 글의 마지막 문장을 손질하던 그에게 이름을 밝히지 않는 웬 낯선 사람이 찾아왔다. 다리우스 얘기로는, 이름뿐만 아니라, 얼굴도 제대로 볼 수 없도록 하고 있었는데, 다로가를 직접 만나 뵙지 못하면 결코 그 자리를 뜨지 않겠다며 굳이 버티더라는 것이었다.

순간적으로 그 이상한 방문객이 누구라는 걸 직감한 페르시아인이 즉시 안으로 모시라고 지시했음은 물론이다.

역시 다로가의 예상은 맞아떨어졌다.

방문객은 다름 아닌 유령, 에릭이었던 것이다…….

그는 극도로 허약해 보였는데, 쓰러질까봐 벽에 기대어 서 있을 정도였다. 그는 모자를 벗어서 밀랍처럼 창백해진 이마를 드러냈다. 물론 얼굴의 나머지는 가면으로 철저히 가려진 상태로 말이다……

페르시아인은 그의 앞에 떡 버티고 선 채, 다짜고짜 날카롭게 쏘아붙였다.

"이 필립 백작의 살해범아, 그래 그의 동생과 크리스틴 다에는 어떻게 한 거냐?"

나의 험상궂은 질문에, 에릭은 일순 비틀하며 잠자코 한동안 서 있더니, 안락의자까지 간신히 걸어가 힘없이 쓰러지면서 긴 한숨을 내쉬는 것이었다. 그제서야 그는 짤막짤막한 표현을 써가면서 가쁜 숨을 몰아쉬듯 이렇게 내뱉었다.

"다로가…… 필립 백작에 관해서는 내게 얘기하지 말게나…… 그 사람…… 내가 집에서 나와봤을 땐…… 이미…… 죽어 있었어…… 벌써…… 죽은 다음이었다구…… 사이렌의 노랫소리가 들리자…… 어쨌든 유감스런 일이야…… 사고였다구…… 그냥 어이없게도, 너무도 간단히…… 호수에 빠져버렸으니까……"

"거짓말!"

페르시아인은 대번에 소리쳤다.

그러자 에릭은 고개를 푹 숙인 채 이렇게 말하는 것이었다.

"내가 여기 온 건…… 필립 백작 얘기를 하려는 것이 아니네…… 내가 말하려는 건…… 내가 곧 죽을 거라는 사실이야……"

"샤니 드 라울하고 크리스틴 다에는 어디 있나?"

"사랑 때문이야…… 다로가…… 사랑 때문에 죽는 거라구…… 결국 이렇게…… 난 그녀를 너무도 사랑했었어! ……그리고 지금도 그건 마찬가지야…… 다로가…… 그러니까 이렇게 죽어가는 거지…… 그 젊은 이를 구하기 위해 그녀가 키스를 허락했을 때…… 오, 그녀가 얼마나 아름다워 보이던지…… 다로가…… 그게 난생 처음이었네…… 난생 처음…… 알겠나?…… 난생 처음 여자에게, 그것도 살아 있는 여자에게 키스를 해본 거였다구…… 그래 산 채로 말이야…… 그녀는 마치 죽은 여자처럼 아름답더군…….”

페르시아인은 자리에서 벌떡 일어서더니 이젠 에릭에게 손까지 갖다 대는 것이었다. 그는 에릭의 팔을 붙잡고 흔들어대며 더욱 거세게 다그쳤다.

“자, 어서 그녀가 살았는지, 죽었는지 그거나 말해!”

에릭은 못내 힘겨운 듯 간신히 대꾸를 했다.

“대체 내게 왜 이러는 건가?…… 나는 죽을 거라고 하지 않았나!…… 그래, 내가 키스를 했을 때 그녀는 분명 살아 있었다네…….”

“그럼 지금은…… 죽었다는 말인가?”

“내가 그녀의 이마에 입을 맞출 때, 그녀는 내 입술이 다가오는데 조금도 물러서지 않았어…… 아, 정말이지 정숙한 여인이야…… 죽었느냐고? ……난 아무래도 상관없지만, 그렇다고는 생각 안해…… 아냐, 아냐, 그녀는 죽지 않았어! 어쨌든 누구라도 그녀의 머리카락 한 올도 건드려서는 안돼! 그녀는 자네의 목숨을 구해준 아주 용감하고 정결한 여자야…… 게다가, 다로가, 자네의 그 페르시아산(産) 피부에는 단돈 2수우도 아까워할 내 손아귀에서 구해준 거라구…… 생각해보게…… 아무도 자네가 어찌되든 관심이 없질 않은가…… 대체 그때 왜 그 애송이 청년이랑 그곳에 온 건가? ……자네는 그때 거기서 죽어야 할 몸이었어…… 내 분명히 말하지! ……그녀는 자신의 그 애송이 청년을 살려달라고 애걸하더군…… 하지만 나는, 그녀가 전갈을 돌려놓았으니 내가 곧 남편이 될 것이고, 그렇다면 한 여자에게 두 남편은 필요 없을 거라고 대답해주었지…… 그건 지극히 당연한 이치라고 말이야…… 자네? ……자네는 존재하지도 않았어…… 다시 말해주지, 자네는 애당초 존재하지도 않았단 말이네…… 그러니 그 폐기처분될 다른 남편과 함께 당연히 죽어버렸어야 한 거라구…… 내 말을 잘 듣게, 다로가…… 물난리 때문에 자네가 실성한 사람처럼 고래고래 소리를 지르니까, 크리스틴이 그 파란 눈을 크게 뜬 채로 내게 다가와서 그러더군…… 그 친구의 목숨을 구해만 준다면 *나의 살아 숨쉬는 신부*가 되기로 약속한다고 말이네! ……다로가…… 그 때까지만 해도 나는 그녀의 깊은 눈동자 속에서 늘 *죽어 있는 내 여자*를 보곤 했었다네…… 한데, 그때 난생 처음으로 *나의 살아 숨쉬는 여자*를 그 속에서 보게 된 거야! 그녀는 진심이었어…… 이제부턴 자살 시도도 하지 않겠다더군…… 거래가 이루어진 셈이지! 1분도 채 못돼서 물은 몽땅 다시 호수로 빠져나갔다네…… 그제서야 난 자네를 부랴부랴 구해냈지…… 하마터면 죽었을지도 모른다고 생각했거든…… 모든 게 잘 풀린 셈이지…… 이젠 자네를 지상의 집까지 데려다 놓는 게 문제였고, 결국 나 혼자 예까지 모셔온 거라네……"

페르시아인은 얼른 말을 막고 물었다.

"샤니 자작은 어떻게 한 건가?"

"아! 그 문제라면 말일세, 다로가…… 자네처럼 그 즉시 지상으로 돌려보낼 생각은 애초에 없었어…… 그 친구는 볼모인 셈이니까…… 그렇다고, 그 친구를 언제까지나 호수의 거처에 데리고 있을 수만도 없었지, 크리스틴 때문에 말이네…… 생각다 못해, 오페라 극장 지하실에서 가장 후미지고 인적이 없는 곳, 지하 5층보다 더 아래에 위치한 코뮌 병사들의 지하저장고 안에 더없이 잘 모셔두기로 했다네. 아주 안락하게 가두어두고 지극히 깔끔하게 결박시켰다고나 할까(마젠데란의 향수로 아주 곤죽이 되어 있었거든……)? 그 정도 장소라면 사람들이 여간해선 드나들지도 않을뿐더러, 아무리 소리를 쳐봐야 외부에서는 전혀 들리지가 않거든…… 그제서야 내 마음이 진정되더군…… 나는 서둘러 일을 처리하고 크리스틴 곁으로 돌아왔지…… 한데 그녀가 나를 기다리고 있었다네……"

이야기가 그쯤 흘러가자, 유령은 문득 지극히 경건한 태도로 자리에서 슬그머니 일어섰다. 한데, 그 태도가 어찌나 진지하고 엄숙했던지 자리에 앉아 있던 페르시아인은, 마치 그처럼 경건하고 엄숙한 순간에 가만히 앉아 있을 수는 없다는 듯, 자신도 따라서 슬그머니 일어서게 되었다. 심지어는 (페르시아인이 강조한 얘기인데) 삭발을 했음에도 불구하고 그 아스트라칸 모직의 모자까지 천천히 벗으면서 말이다.

"그래! 그녀가 나를 기다리고 있었어!"

에릭은 진정 깊은 곳에서 우러나오는 경건한 감정에 복받친 듯 사시나무처럼 전신을 떨면서 말을 이었다.

"……그녀는 살아 숨쉬는 한 여성으로서, 똑바로 선 채, 나를 맞이하고 있었어…… 진짜 나의 살아 있는 반려자로서 말이야…… 그리고 내가 수줍은 아이처럼 주춤 주춤 다가서는데도 뒤로 피하지를 않는 거야…… 아니, 아니 그 자리에 서 있었어…… 나를 기다렸던 거야…… 이보게, 다로가…… 게다가 말일세…… 그녀는 약간…… 그래 많이는 아니었어…… 그저 아주 조금…… 살아 숨쉬는 아내로서…… 자신의 이마를 내 쪽으로 살짝 숙이는 게 아닌가! ……오! 그곳에다가…… 바로 그 이마 위에다가 나는…… 나는 입을 맞추었지…… 오, 내가 말이네…… 이 내가! ……그녀는 분명 죽어 있지 않았어! ……내가 이마에 입을 맞춘 다음에도, 그녀는 내 곁에…… 지극히 자연스럽게…… 내 곁에 머물러 있었어…… 아! 얼마나 좋던지…… 다로가! ……누군가에게 키스를 하는 것 말이야…… 오, 자넨 아마 상상도 못할 것이네…… 하지만 나는…… 난 말이네…… 엄마조차…… 그 가련한 엄마조차 내가 키스를 하려고 하면 기겁을 하셨었지…… 훌쩍 뒤로 피하곤 하셨어…… 내게 가면을 던져주고는 말이야…… 그 어떤 여자도, 결코, 단 한번도!…… 내겐 기회가 없었어…… 아, 그러니, 이보게 다로가…… 그렇지 않은가? ……내게 그런 행복이 어디 있었겠느냔 말일세…… 안 그런가?

……너무도 행복해 난 눈물을 흘렸지…… 나는 그만 그녀 발 앞에 무릎을 꿇고 엉엉 울었다네…… 울면서, 그녀의 발등에, 그 앙증맞은 발등에 정신 없이 입을 맞추었지……"

그렇게 이야기하면서 그는 처절하게 흐느끼고 있었다. 사실 페르시아인으로서도, 어깨까지 들썩이며 가슴 위에 손을 포갠 채 고통과 감동으로 숨을 헐떡이는 이 가면 쓴 남자를 앞에 두고, 쏟아지려는 눈물을 언제까지나 참고 있을 수는 없었다.

"……오! 다로가…… 한데, 그녀의 눈물이 내 이마를 타고 떨어지는 게 느껴졌다네…… 내 이마를 타고 말일세…… 아, 눈물이 따스하더군…… 부드러웠어…… 나중에는 그녀의 눈물로 내 얼굴 전체가 축축하게 되었지…… 가면 뒤의 얼굴 말이네…… 그녀의 눈물이 내 눈물과 뒤범벅이 되었어…… 그녀의 눈물이 내 입술을 적셔주었지…… 아, 그녀가 흘리는 눈물이 말이네…… 다로가…… 내가 과연 어떻게 했겠나, 다로가…… 나는 가면을 홱 벗어 던졌다네!…… 떨어지는 그녀의 눈물을 단 한 방울도 놓치지 않으려고 말이네…… 그런데도 그녀는 전혀 피하지를 않는 거야…… 아, 그녀는 분명 죽어 있지 않았다구…… 그런데도 내 얼굴 앞에서 피하거나 도망치지를 않았어…… 거기 그렇게…… 살아서 눈물을 흘리고 있었어…… 나를 위해…… 나와 함께 말이네…… 우리는 함께 부둥켜안고 눈물을 흘렸지…… 오, 하느님…… 당신은 내게 이 세상 최고의 행복을 주셨습니다!"

에릭은 의자 위에 무너지듯이 쓰러지며 거친 숨을 몰아 쉬었다.

"아! 지금 당장 죽지는 않을 거야…… 지금 당장은…… 아…… 이대로 울게 내버려두게……."

그는 페르시아인에게 그렇게 말했다.

잠시 후, 가면 쓴 남자는 다소 정신을 차린 듯, 조용히 입을 열었다.

"이보게, 다로가…… 잘 들어두게…… 내가 그녀 발 앞에 웅크리고 있는데, 그녀가 이렇게 중얼대는 말이 들렸다네······ *가엾은 에릭!' 그리고는 내 손을 붙드는 거야*······ 오······ 그때 나는 말이네······ 이 나는 그녀를 위해 언제든 죽을 준비가 되어 있는 한 마리의 가련한 개나 다름없었어······ 이건 사실이네, 다로가······ 한번 상상해보게나, 다로가······ 그때 내 손 안엔 반지 하나가 쥐어져 있었지······ 내가 그녀에게 준 거였는데, 그녀가 잃어버린 후, 내가 다시 찾아낸 거였지······ 뭐, 결혼반지 같은 거였어······ 나는 그걸 그 앙증맞은 손을 펴서 손가락에 끼워주면서 말했다네······ 자, 이걸 가져요······ 당신을 위해 지니고 다녀요······ 그리고 그 사람을 위해서도······ 이건 내가 주는 결혼 선물입니다······ *가엾고, 불행한* 이 에릭이 주는 결혼 선물······ 당신이 그 젊은이를 사랑하는 거 다 알아요······ 아, 더는 울지 말아요······ 그녀는 부드러운 목소리로, 대체 무슨 뜻이냐고 묻더군······ 그래, 나는 설명해주었지······ 그녀도 금세 이해하더라구······ 내가 그녀에게는 죽을 준비가 된 가련한 한 마리 개에 불과하다는 것을······ 그리고 그녀는 언제든 원할 때 그 젊은이와 결혼할 수 있다는 것을······ 왜냐하면 그녀는 나와 더불어 울어주었으니까······ 아! 다로가······ 생각해봐······ 그녀에게 그렇게 설명을 해주면서 나는 마치 내 심장을 정확히 네 조각으로 가르는 듯한 느낌이었다네······ 하지만 그녀는 나와 더불어 울어주었지 않은가······ 그리고 이렇게 말해주었지······ '가엾은 에릭!' 이라고······."

에릭의 감정은 격해질 대로 격해진 상태였다. 그는 도저히 숨이 막혀 견딜 수가 없었는지, 페르시아인에게 잠시 자기를 바라보지 말아달라고 다급하게 부탁하는 것이었다, 가면을 좀 벗어야겠다면서 말이다······ 다로가는 천천히 창가로 다가가 연민의 정으로 터질 듯한 마음을 다독일 겸 창문을 열어젖혔다. 그리고는 튈르리 공원의 가장 높은 나뭇가지를 골라 시선을 고정시키고 있었다, 괴물의 얼굴과 마주치지 않으려고 조심스럽게······.

에릭의 말이 계속되었다.

"나는 그 길로 젊은이를 풀어주러 나섰지. 그에게는 나를 따라 크리스 틴에게 가자고 했다네…… 두 사람은 마주하자마자, 내가 보는 앞에서 부둥켜안더군…… 나는 크리스틴에게 맹세를 해달라고 부탁했어…… 언젠가 내가 죽거든, 어느 날 밤, 스크리브가의 호숫가에 들러 내가 준 반지와 함께 나를 묻어주겠노라고…… 아무도 모르게 말이야…… 그리 고 바로 그 순간이 올 때까지 내가 준 금반지를 끼고 있겠노라고…… 나 는 그녀에게 내 시체를 어떻게 하면 찾을 수 있고, 그걸 가지고 어떻게 하면 되는지 가르쳐주었지…… 그러자 크리스틴은…… 이번엔 자기 쪽 에서…… 처음으로…… 내 이마에 입을 맞춰주었어…… (안돼! 보지 말 게, 다로가!) 여기, 이 이마에 말이네…… 바로 내 이마에 말이야…… (보지 말라고 했잖은가, 다로가!) 둘은 그렇게 떠났어…… 이제 크리스 틴은 울지 않았어…… 나만 혼자 울고 있었지…… 다로가, 다로가…… 크리스틴이 약속을 지킬 거라면, 이제 조만간 돌아올 거야……"

거기서 에릭은 입을 다물었다. 페르시아인도 더는 아무런 질문도 하 지 않았다. 라울 드 샤니와 크리스틴, 두 사람의 운명에 대해 더 이상 걱 정할 필요가 없다는 확신이 들었던 것이다. 오늘밤 이 자리에 있었다면, 아마도 이 세상 그 어느 인간도 울먹이는 이 불행한 사나이의 말에 여하 한 의혹이나 토를 달 엄두를 내지 못했을 것이다.

마침내 다시 가면을 쓴 괴물은, 기운을 추스르며 다로가에게 작별을 고했다. 그는 자신의 종말이 가까워오는 게 느껴지면, 그 옛날 자신에게 선행을 베풀어준 옛 친구에게 보답하는 뜻에서, 가지고 있는 가장 소중 한 것들을 보내주겠다고 했다. 한참 사건이 진행되고 있을 당시 라울의 안위를 걱정해 크리스틴 다에가 에릭에게 쓴 이런저런 쪽지들, 편지들, 그밖에 그녀의 소유였던 몇 가지 물건들, 손수건 두 장, 장갑 한 켤레, 그리고 구두끈…… 에릭은 두 젊은이가 자기한테서 풀려나자마자 어느 한적한 곳의 신부(神父)를 찾아가 거기서 둘만의 행복을 가꾸기로 하고는, 〈가르 뒤 노르〉 역에서 기차를 잡아탔다고 귀띔해주었다. 마지막으로 에릭은 페르시아인에게, 자신이 보내주겠다고 약속한 유품들과 편지들을 받는 즉시 두 사람에게 자신의 죽음 소식을 꼭 알려달라고 신신당부하는 것이었다. 그러려면 《에포크》지의 부음란에 단 한 줄 광고만 내면 된다고 방법까지 일러주면서 말이다.

그렇게 모든 것이 끝났다……

페르시아인은 에릭을 집 현관까지 배웅했으며, 나머지는 다리우스가 보도 위까지 부축해주었다. 그곳에서 에릭은 대기하고 있던 합승마차에 올라탔다. 다시 창문가로 돌아온 페르시아인의 귓가에는 마차꾼에게 소리치는 그의 목소리가 또렷이 들렸다.

"오페라 극장 앞으로!"

잠시 후, 합승마차는 어둠 속으로 사라져갔다. 페르시아인은 한동안 그 가엾고도 불행한 사내가 사라진 방향을 바라보고 있었다.

그로부터 3주 후, 《에포크》지에는 다음과 같은 짤막한 부음이 실려 있었다.

〈에릭 사망.〉

에필로그

    이상은 오페라의 유령에 관한 실화이다. 서두에서도 이미 밝힌 바 있지만, 에릭이 실제로 살았었다는 데에는 이제 아무도 이의를 제기하지 못할 것이다. 오늘에 와서는 그의 존재에 관한 증거들이 모든 사람에게 개방되어 있어, 누구나 마음만 먹으면 샤니 형제 사건을 계기로 알려진 에릭의 모든 행적에 대해 차근차근 추적해 들어갈 수가 있게 된 것이다.

    이제 와서 이 사건이 수도의 시민들을 얼마나 발칵 뒤집어 놓았었는지는 새삼 강조할 필요가 없을 것이다. 갑자기 증발해버린 여가수하며, 기이한 상황에서 벌어진 샤니 백작의 의문의 죽음, 행방불명된 그의 동생, 그리고 오페라 극장의 조명 담당자 세 명의 원인 모를 혼절 등등…… 얼마나 숱한 드라마와 범죄행각이 라울과 아름다운 크리스틴의 연애를 둘러싸고 걷잡을 수 없이 벌어졌던가 말이다! 지금은 세상 그 누구도 그녀의 이름을 열광하며 연호하는 이가 없지만, 그토록 고결해 보이고 신비스러웠던 여가수는 대체 어떻게 된 거란 말인가? 사람들은 그저 두 형제의 점잖지 못한 등쌀에 그녀가 희생된 것으로만 알고 있을 뿐, 실제로 어떤 일이 일어났는지에 대해선 생각조차 제대로 하려들지 않았다. 그런 그들이, 라울과 크리스틴이 공교롭게도 둘 다 행방불명되었다 해서, 설마 그 둘이 이 세상을 멀리 떠나, 필립 백작의 의문의 죽음 이후 결코 공개하고 싶지 않을 자신들의 행복을 소박하게 꾸려나가고 있으리라고 어찌 감히 상상조차 할 수 있겠는가! 하지만 분명 그 두 사람은 서로 손을 꼭 잡고 〈가르 뒤 노르〉 역에서 기차를 잡아탔다…… 그리고 나 역시, 언젠가는 바로 그 역에서 기차를 잡아탈 것이다. 그리고는, 오, 고요한 스칸디나비아여! 오, 노르웨이여…… 그대들의 그 청명한 호숫가 어딘가에 아직도 살아 있을 라울과 크리스틴, 그리고 비슷한 시기에 또한 종적을 감춘 발레리우스 부인의 행적을 찾아 나설 것이다! 혹시 아는가, 그러다 보면 언젠가는 기차의 외로운 기적 소리가, 그 옛날 음악의 천사를 알았던 한 여인의 사연 많은 노래를 내 이 두 귓가에도 들려줄지…….

예심판사 포르 씨의 현명한 솜씨가 사건을 간단명료하게 정리한 다음에도 한참 동안이나 각종 언론에서는, 그저 잊을 만하면 다시 그때 그 사건을 들고 나와, 뜬금없이 비밀을 들쑤시곤 하였는데…… 특히나, 그토록 기상천외한 재앙들(범죄행각과 실종)을 주도면밀하게 준비하고 저질렀던 기괴한 장본인의 정체를 추궁하는 것이었다!

하지만 그 중에서도 무대 뒷사정에 대해 꽤 밝다고 정평이 나있는 시내의 한 일간지만이 이런 기사를 게재한 바 있다.

〈그 장본인은 다름 아닌 오페라의 유령이다.〉

물론 냉소적인 어조를 듬뿍 실어서이지만 말이다……

그러니 이제 모든 진실은, 세상사람들로부터 따돌림을 당하고, 에릭의 방문 이후, 그 자신, 사법당국에도 더는 기대하지 않기로 한 페르시아인만이 전적으로 소유하게 된 셈이다.

체험도 체험이지만, 실제로 그에게는 유령이 약속한 경건한 유품들과 함께 도착한 중요한 증거물들이 있었던 것이다……

이제 그 증거물들을 다로가 자신의 도움을 빌어 완전하게 보완해야 하는 일은 내 몫이었다. 그날그날 나는 내 조사활동을 그에게 알렸고, 그는 일일이 지도해주었다. 이미 지난 몇 해 동안 그는 오페라 극장 출

입을 중단해온 상태였지만, 아직도 여전히 그 건물에 대한 가장 정확한 기억의 소유자였고, 따라서 아무리 외진 구석까지도 얼마든지 척척 안내해줄 수 있는 최고의 안내인인 셈이었다. 어디서 어떻게 물어보면 될 것이며, 누구에게 질문을 하면 쉽사리 정보를 얻으리라는 것도 모두 그가 가르쳐준 것이었다. 가엾은 폴리니 씨의 임종이 임박했을 때, 그의 집을 찾아가라고 내게 강권한 이도 바로 페르시아인이었다. 나로선 폴리니라는 사람이 얼마나 저속한 사람인지 알 턱이 없었는데, 유령에 관련한 질문을 꺼내자마자 나를 마치 악마 보듯이 하면서 앞뒤가 전혀 안 맞는 횡설수설로 일관하는 것이었다. 하지만 그것만으로도 그가 현직에 있을 당시 오페라의 유령이 가뜩이나 난잡하던 그의 인생(폴리니 씨는 사람들이 흔히 탕아라고 부르는 그런 타입의 인간이었다)을 얼마나 혼란 속으로 처박아버렸는지 충분히 실감할 수가 있었다.

폴리니 씨를 방문한 보잘것없는 성과에 대해 내가 얘기하자, 다로가는 흐릿한 미소를 머금으며 이렇게 말해주었다.

"폴리니는 말일세, 에릭이라는 대단한 불한당이(페르시아인은 에릭을 때론 무슨 신처럼 얘기하는가 하면 어떨 때는 하찮은 깡패 정도로 비하시키곤 했다) 자신을 얼마나 가지고 놀았는지 단 한번도 눈치챈 적이 없다네. 폴리니는 미신에 사로잡힌 친구였고, 에릭은 그걸 잘 알고 있었지. 게다가 에릭은 공적이건 사적이건 오페라 극장과 관련한 사업들은 속속들이 꿰고 있었거든…… 한번은 5번 박스석에서 웬 정체불명의 목소리가 폴리니 씨의 귀에다 대고, 하루 시간을 어떻게 때우고 있으며, 동업자의 신뢰를 어떻게 활용하고 있는지 줄줄이 얘기하자, 그는 뒤도 안 돌아보고 내빼더라는 거야. 일단은 하늘의 진노한 목소리로 알고 천벌을 받았다 생각했었다는군. 하지만 목소리가 이내 돈을 요구하자, 결국에는 합창단장이 꾸민 짓이라 생각하게 되었지. 그 바람에 드비엔느의 호주머니만 고초를 치렀지만 말일세. 하긴 그러지 않아도 이런저런 이유로 극장 경영에 흥미를 잃어가던 참인지라, 두 사람은 자신들에게 괴이한 계약 규정서를 보낸 수수께끼 같은 인물의 정체를 좀더 파고들 생각은 아예 접어둔 채 서둘러 자리를 박차고 나가버렸던 것이라네. 결국 그렇게 해서 모든 숙제는 후임 지배인 체제로 넘어가게 된 것이고……."

페르시아인은 그렇게 폴리니 씨와 드비엔느 씨에 관한 소견을 정리해주었다. 그쯤에서 나는 두 후임자에 관한 얘기를 꺼냈고, 몽샤르맹 씨의 『어느 극장 지배인의 회고록』에 오페라의 유령에 관한 행적과 사실들이 그토록 상세하게 기록되어 있는 건 어쩐지 의외라고 말했다. 그러자 페르시아인은 마치 자기가 쓴 것처럼 그 『회고록』의 내용을 훤히 알고 있다면서, 내가 그 책 후반부의 몇몇 대목을 꼼꼼히 정독한다면 아마도 사건 전반을 해명할 수 있는 실마리를 발견할지도 모를 거라고 귀띔해주는 것이었다. 다음은 바로 그 대목을 옮긴 것인데, 무엇보다도 그 유명한 2만 프랑의 사건이 얼마나 간단히 해결됐는지 기술되어 있다는 점에서 흥미를 끈다.

〈이 『회고록』 초반에서 이미 몇 차례 그 엉뚱한 망상을 언급한 바 있는 오페라의 유령에 관해서는 이제 딱 한 가지만을 더 짚고 넘어가기로 한다. 그가 누군지는 모르지만, 어쨌든 그로 인해 내 친애하는 동업자가 치러야 했던 모든 물의를 웬일인지 훌륭한 태도로 죄다 보상해주었다는 사실이다. 아마도 모든 장난에는, 특히 그 대가가 엄청나고 경찰서장까지 발끈하는 마당에는, 엄연한 한계가 있어야겠다는 판단에서였겠지만, 크리스틴 다에가 실종된 지 며칠이 지난 다음 미프르와 씨에게 모든 걸 털어놓으려고 우리 모두 집무실에 모이기로 한 바로 그 날, 글쎄 리샤르의 책상 위에 붉은 잉크로 오페라의 유령이라는 서명이 적힌 꽤 두둑한 봉투 하나가 얌전히 놓여져 있었던 것이다. 그 안에는 물론 그 동안 지배인 금고에서 잠깐이나마 장난삼아 빼내갔던 상당한 액수의 현찰이 다소곳이 들어 있고 말이다. 그걸 본 리샤르는 단박에 더 이상 사건을 확대하지 않기로 했고, 나 역시 그에 동의 못할 이유가 없었다. 결국 좋은 게 좋은 거 아니겠는가! 안 그렇소, 친애하는 오페라의 유령 선생?〉

허나, 그렇게 일이 정리된 뒤에도 사실, 몽샤르맹은 자신이 분명 리샤르의 방정맞은 상상력의 노리갯감이 되었었다는 생각을 버리지 못했고, 리샤르 쪽에서도, 그 동안의 하찮은 농담에 기분이 상했기로서니, 이렇게 오페라의 유령이라는 엉뚱한 발상까지 해가며 자기를 골탕먹인 몽샤르맹을 괘씸하게 생각했다고 한다……

나는 지금이야말로, 안전핀으로 고정까지 시켰음에도 불구하고 무슨 수로 유령이 리샤르의 호주머니에서 봉투를 사라지게 했는지 페르시아인에게 물어야 할 때라 생각했다. 그러자, 자기도 그런 세세한 부분까지는 파고들지 못했지만, 나 스스로 직접 사건 현장을 샅샅이 뒤져볼 생각이 있다면, 아마도 지배인 집무실 그 자체에서 수수께끼의 열쇠를 찾을 수도 있지 않겠느냐며 말꼬리를 흐리는 것이었다. 그러면서 에릭에게 공연히 '함정애호가'라는 별명이 붙었겠느냐는 거였다. 나는 페르시아인에게 시간이 닿는 대로 그 조사를 반드시 해보겠다고 장담했다. 물론 독자 여러분께는 잠시 후, 만족스러웠던 그 조사 결과에 대해 상세히 보고할 것이다. 사실 나로서도 유령 현상에 관한 그처럼 명백한 증거를 발견하리라고는 미처 생각하지 못하고 있었다.

요컨대, 한 가지 짚고 넘어가고 싶은 것은, 페르시아인의 서류들과 크리스틴 다에의 편지들, 리샤르 씨와 몽샤르맹 씨, 어린 지리(그녀의 훌륭한 어머니 지리 부인은 애석하게도 세상을 떴다), 그리고 이젠 루브시엔느(역자주 : 베르사이유 근방의 작은 마을)로 은퇴한 소렐리 양이 제각각 내게 해준 진술 내용들…… 여지껏 유령의 실존을 뒷받침해주었고, 이제 곧 오페라 극장의 서고에 기증하게 될 그 모든 자료들은, 내가 개인적으로 자부심을 내세워도 될 만한 추후의 몇 가지 중요한 발견들로 인해 결정적으로 힘을 얻었다는 사실이다!

에릭이 모든 비밀입구를 완전히 파괴해 버렸기 때문에(그러나 아직도 나는 호숫물을 전부 빼내면 의외로 쉽게 그곳을 찾을 수 있으리라고 믿고 있으며, 실제로 보자르 행정당국에 수차 그 점을 건의한 바도 있다),9) 비록 호수의 거처 자체는 발굴하지 못했지만, 여기저기 벽체가 뜯겨져나간 코뮌 병사들의 숨겨진 통로를 발굴하는 데에는 성공했다. 마찬가지로 라울과 페르시아인이 극장 지하로 내려갔던 뚜껑문도 발견해냈다. 또한 코뮌의 지하감옥 속에서, 아마도 최초 이곳에 감금당했던 희생자들이 벽에 새겼을 법한 숱한 이니셜들도 찾아냈는데, 그 중 유독 눈길을 끄는 건 R 자와 C 자가 나란히 있는 거였다. 이렇게 말이다, RC— 뭔가 감이 오는 게 있지 않은가? 그렇다, 라울 드 샤니(Raoul de Chagny)! 그 글자들은 오늘날에도 왠지 뚜렷하다. 내 발견은 거기서 끝나지 않았다. 지하 1층과 3층에서 균형추 작동 원리에 의한 두 개의 회전 뚜껑문을 각각 발견했는데, 이것들은 무대장치 기술자들도 전혀

---

9) 이 책이 출간되기 이틀 전에도 나는 비교적 말이 통하는 보자르 사무차장인 뒤샤르댕-보메츠 씨를 상대로 그 얘기를 하고 있었다. 그는 내게 희망 있는 답변을 주었으며, 나는 이 참에 유령에 관한 전설을 깨끗이 정리하여 보다 확고한 기반 위에 에릭이라는 인물의 흥미로운 이야기를 공론화하는 것도 국가의 엄연한 의무일 거라고 강변했다. 호수의 거처를 발굴하는 것이야말로 그 모든 전설의 정점에 도달하는 지름길이며, 아마도 그 안에는 아직까지 어둠에 잠겨 있을 음악의 온갖 비법들이 발굴자의 손길만을 기다리고 있을 거라는 말도 빼먹지 않았다. 에릭이 타의 추종을 불허하는 음악가라는 데에는 추호의 의심의 여지도 없으니 말이다. 다른 건 몰라도, 호수의 거처에 그 유명한 「위풍당당한 동쥐앙」의 악보가 있으리라는 점을 부인할 사람은 없지 않겠는가!

모르고 있었다는 것이다. 그들은 오로지 수평으로 미끄러지게 여닫는 뚜껑문만을 알고 있었다.

결국 내가 독자 여러분께 하고 싶은 말은 이렇다.

일단 오페라 극장에 가보시라! 그리고 멍청한 안내원을 마다한 후, 혼자 조용히 거닐어 보시라. 물론 2층 5번 박스석에 들어간 다음, 무대 바로 측면에 위치한 칸막이 좌석에 접한 거대한 기둥을 지팡이나 주먹으로 두드려 보시라. 그리고 나서 가만히 귀를 기울이시라…… *기둥 속이 텅 비어 있다는 걸 알 수 있을 것이다!* 그러니 그 안에 유령의 목소리가 맴돌고 있었다 해도 그리 놀랄 일은 아니다. 기둥 안에는 어른 남자 두 명은 너끈히 드나들만한 공간이 있으니까 말이다. 5번 박스석의 괴이한 현상이 일어날 때 사람들이 기둥 쪽은 전혀 신경을 안 썼던 것은, 워낙에 외견상 단단한 대리석의 위용을 자랑하는 기둥이라, 그 안에 숨은 목소리가 오히려 그 반대편에서 들려오는 것 같은 느낌을 주었기 때문이다(복화술을 통한 유령의 발성법은 목소리 자체를 원하는 어디에서건 나오는 것처럼 들리게 할 수가 있는 것이다). 그 기둥은 예술가의 공구가 끝도 없을 것처럼 지지고, 볶고, 파내고, 새겨 넣은 화려한 작품이다. 바로 그 기둥의 복잡한 표면 어딘가에서, 나는 마음대로 열리고 닫히는 조각의 일부분을 발견하게 되리라는 희망을 아직도 버리지 않고 있다. 지리 부인과 내통하고, 그녀에게 자신의 관대함을 과시하게 해주었던 비밀스런 통로 말이다…… 어쨌든 이런 식으로 내가 보고, 만지고, 냄새 맡은 모든 자질구레한 증거들은 실제로 에릭이라는 엄청난 인물이 오페라 극장 같은 거창한 건물의 비밀스런 내부에 창조해놓은 세계에 비하면 아무것도 아닐 것이다. 그런 뜻에서 나는 지배인 집무실 안, 안락의자로부터 몇 센티도 떨어지지 않은 곳에서, 그것도 부지배인이 보는 앞에서 발견될 운명이었던 단 하나의 증거를 위해 그 모든 것을 포기할 용의가 있다.

그것은 다름 아닌 하나의 뚜껑문이었다…… 바닥에 까는 널빤지 하나, 혹은 보통 어른의 팔꿈치에서 손목까지 정도의 길이에, 상자 뚜껑처럼 여닫히는 뚜껑문…… 그 문을 통해 나는 축 늘어진 연미복의 꼬리 밑으로 잽싸게 드나드는 어떤 괴이한 손 하나가 눈 깜짝할 사이에 들락날락하는 것을 보는 듯했다……

바로 그 구멍을 통해 4만 프랑이 흔적도 없이 사라졌던 것이며, 또한 누군가의 중개에 힘입어 역시 그 구멍으로 돌아왔던 것이다……

이 모든 사실을 차분하게 보고하면서 나는 페르시아인에게 이렇게 물었다.

"4만 프랑을 고스란히 돌려준 걸 보면, 에릭은 계약 규정서를 가지고 그저 장난삼아 익살을 부려본 게 아니었을까요?"

그러자 페르시아인은 이렇게 대답하는 것이었다.

"그건 아닐 걸세…… 에릭은 돈이 필요했었으니까. 스스로 인간에게 따돌림을 당하고 있다 생각함으로써, 그는 그 어떤 짓을 하면서도 전혀 양심에 거리낌을 갖지 않았지. 선천적인 기형에 대한 보상으로 자연이 베푼 온갖 재주와 상상력을 그는 인간을 착취하고 괴롭히는 데 마음껏 사용해왔지. 때로는 그런 행태가 기막히게 예술적인 기교를 통해 이루어졌는데, 좀더 화려한 재주를 발휘하면 할수록 돌아오는 금자루도 무거워진다는 논리에서였을 거야…… 그가 리샤르 씨와 몽샤르맹 씨에게 자진해서 4만 프랑을 돌려준 건, 아마도 그 때쯤 더는 돈이 필요가 없어서였을 것이고…… 즉, 크리스틴 다에와의 결합을 단념한 그 자체가, 그에게는 지상의 모든 것을 단념한 거와 같았을 테니까……."

페르시아인에 의하면 에릭은 루앙 근처의 어느 작은 마을에서 태어났다고 한다. 아버지는 벽돌 기술자였는데, 가정에서부터도 그의 기형적인 외모가 골칫거리였고 배척의 대상이었기 때문에, 어린 나이에 집을 뛰쳐나오게 된다. 그 후 한동안 저자거리의 구경거리로 나섬으로써 호구를 연명하는 처지였으며, 그의 흥행주에 의해서 일종의 '좀비'로서 소개되곤 했다. 집시들을 따라 장터에서 장터로 전유럽을 떠도는 가운데, 그는 집시 특유의 예술과 마술이 뒤섞인 기기묘묘한 기예와 지혜를 터득하게 된다. 사실 에릭의 인생 여정 전체가 베일에 싸여 있는 셈이지만, 그 중에서도 그 즈음의 기간은 완전한 암흑이나 마찬가지이다.

그러다가 니즈니-노브고로드의 장터에서 그의 모습을 다시 볼 수 있는데, 그곳에서는 일약 대단한 명성을 거머쥐게 된다. 워낙에 그의 노래 솜씨는 타의 추종을 불허하는 것이었다. 그는 복화술의 달인이었고, 온갖 곡예에 발군의 실력을 보유하고 있었는데, 그의 기예에 일단 매료된 대상(隊商)들이 아시아로 돌아가는 길에서도 어딜 가나 그에 대한 찬사를 아끼지 않았다고 한다.

그렇게 해서 결국 그의 명성은 마젠데란의 궁전 벽을 넘게 되었고, 샤(역자주 : 페르시아 왕의 존칭)의 총애를 받는 어린 왕비의 지루해 하는 귀를 번쩍 뜨이게 만들었다. 그러던 중 마침, 사마르칸트에 들른 어떤 모피상 하나가 니즈니-노브고로드의 에릭의 천막 속에서 직접 목격한 갖은 기적들을 실컷 떠벌리고 다녔다. 궁전에서는 당장 그 상인을 불러들였고, 마젠데란의 다로가가 그를 직접 심문했다. 결국 다로가에게 에릭을 찾아오라는 임무가 내려지고, 마침내 그를 따라 페르시아에 온 에릭은 처음 몇 달 동안 나는 새도 떨어뜨린다는 막강한 권력의 맛을 누리게 된다. 당연히 이런저런 악행을 도맡아 저질렀는데, 그건 아예 그가 선과 악을 구분하는 방법을 몰랐기 때문이었다. 어쨌든 에릭은 몇몇 정치적인 암살에도 은밀히 관여를 했으며, 제국에 저항하는 아프가니스탄의 우두머리도 극악무도한 발명품을 사용해 손쉽게 제거했다. 당연히 샤의 총애를 받게 되고, 친구처럼 지내기까지 한다.

그 시점에서, 다로가의 이야기가 우리에게 이미 선보인 바 있는, 마젠데란의 장밋빛 시절이 착공된다.

에릭은 건축에 있어서도 무척이나 독창적이면서 남다른 자질을 가졌었다. 그는 마치 마술사가 여러 가지로 조합할 수 있는 요술상자를 다루듯이 그렇게 다룰 수 있는 궁전을 늘 꿈꿔왔는데, 마침 샤의 새로운 궁전 건축 명령을 받고서, 이참에 꿈을 실현해보기로 마음을 먹는다. 결국, 그가 완성한 궁전은 샤가 그 누구의 눈에도 띄지 않게 마음대로 돌아다니다가 쥐도 새도 모르게 어디론가 사라질 수 있도록 신묘한 통로와 문들로 복잡하게 얽혀 있는 건물이었다. 하지만 막상 그런 놀라운 장난감의 주인이 된 샤는, 옛날 어느 짜르(역자주 : 러시아 황제)가 모스크바 광장의 성당을 건축한 천재적인 건축가에게 그랬던 것처럼, 에릭의 황금빛 눈동자를 빼내버리라는 명령을 내리고 만다. 허나 좀더 심사숙고하던 샤는, 에릭 같은 인물이라면 설사 눈이 멀더라도 또 다른 군주를 위해 이보다 더 나은 궁전을 얼마든지 만들어낼 수 있으리라는 결론에 부딪친다.

마침내 눈알을 빼라는 명령 대신 죽음의 지시가 새로이 떨어졌고, 그 바람에 에릭의 지휘하에 궁전 건축에 동원된 다른 모든 일꾼들도 같은 운명에 처하게 된다.

그리고 하필 그 끔찍한 지시를 수행할 적임자로 그를 페르시아에 데리고 온 다로가가 지목된다. 에릭은 다로가에게 몇 가지 도움을 준 바 있고, 서로 웃으며 지내는 사이였다. 결국, 다로가는 에릭의 목숨을 구해주기로 작정했고, 이 나라로부터 도망갈 수단까지 마련해준다. 물론 임무를 방기한 것에 대한 대가는 자신이 몸소 치러야 함에도 불구하고 말이다.

한데 다행히도 때마침 카스피해 연안에 어떤 익사자의 시체가 밀려왔는데, 바닷새에게 반쯤은 뜯어 먹힌 데다, 다로가의 사정을 딱하게 여긴 친구들이 에릭의 것으로 추정될 만한 단서들을 그 시체에 조작해 넣은

지라, 단번에 에릭의 죽음은 기정사실화하게 된다. 그로써 다로가는 최소한 귀양은 가야만 했을 위기에서 벗어나, 샤의 신임은 물론 기존의 특혜와 재산을 그대로 보존하게 된다.

한데 페르시아의 국고에서는 왕족 출신인 다로가에게 계속해서 다달이 수백 프랑의 보잘 것 없는 연금만을 지급했고, 그 즈음 그는 파리로 은둔하고 만다.

한편 에릭은 소아시아를 거쳐 콘스탄티노플로 가, 거기서 술탄의 휘하에 들어간다. 아마도 여기서 독자 여러분께 지난 터키 혁명 이후, 일디즈-키오스크에서 발견된 온갖 비밀금고들과 비밀 방들, 수많은 함정들이 모두 에릭의 작품이었다는 사실을 공개하는 것만으로도, 갖은 위협에 시달리기 마련인 술탄에게 그가 얼마나 충실히 봉사를 했었는지 짐작이 갈 것이다. 뿐만 아니라, 남들이 보면 군주 자신으로 착각할 정도로 똑같은 용모의 자동인형을 만들어서, 언제 닥칠지 모르는 모든 위협에 효과적으로 대처하는 기발한 방안을 착안한 것도 다름 아닌 에릭이었다.(원주 : 군대의 콘스탄티노플 입성 바로 다음날, 모하메드-알리와 가진 《마탱》지 특파원의 인터뷰 내용 참조.)

따지고 보면 당연한 귀결이지만, 어쨌든 에릭은 페르시아에서 도망쳤던 것과 똑같은 이유로 술탄의 곁을 떠난다. 너무 많은 것을 알고 있었던 것이다. 마침내 기괴하게 꼬일대로 꼬인 인생역정에 지친 나머지, 비로소 에릭은 *보통 사람들과 다름없는* 평범한 인생을 꿈꾸게 된다. 이를테면, 보통 벽돌로 보통 사람들이 사는 보통 집을 짓는 보통 기술자로서 살아가는 것!

그는 프랑스로 건너와 오페라 극장의 기반 공사 중 몇 개의 일을 맡아 공사에 투입된다. 그런데 막상 이처럼 엄청난 건물의 지하 공사를 진행하다보니, 그의 예술적이고 환상적인, 나아가 마술적인 기질이 슬슬 발동하는 것이었다. 게다가 자신의 몰골을 부끄러워하며 언제까지나 세상 눈치만 보며 살 수는 없는 일 아닌가? 결국, 그는 세상과 동떨어진 자신만의 거처를 만들어서, 사람들의 시선을 피해 그 속에 틀어박힐 생각을 품게 된다.

그 다음은 독자 여러분도 다 아는 사실이다…….

가엾고, 불행한 에릭! 그를 동정해야 할까, 증오해야 할까? 그가 원한 건 오로지 다른 보통 사람들처럼 살고 싶다는 것, 그 하나였다! 하지만 그러기엔 너무 흉측한 몰골…… 때문에, 자신의 재능을 아예 감추거나, 그것을 가지고 못된 장난을 칠 수밖에 없었다. 정상적인 평범한 얼굴이었다면 가장 고귀한 인간 중 하나로서 추앙받았을지도 모르는 일인데…… 이 세상 전부로 채워도 남을 마음을 가지고 있었지만, 결국엔 지하의 어두컴컴한 밀실에 만족해야만 했던 그…… 그렇다, 우리는 오페라의 유령에게 증오나 저주가 아닌 동정과 사랑을 돌려주어야 하는 게 아닐까?

나는 그 모든 범죄행각에도 불구하고 그의 주검 앞에서 기도를 올린다. 신이여, 그를 불쌍히 여기소서! 당신은 어쩌자고 그처럼 흉측한 인간을 만드셨나이까!

그렇다, 일전에 산 자들의 육성 녹음을 묻으려던 바로 그 장소에서 사람들이 무언가를 꺼냈을 때, 나는 분명 그의 시체 앞에서 기도를 올렸다고 확신한다. 그건 다름 아닌 그의 유골이었을 테니까…… 내가 그의 유골이라고 단정을 지은 건 흉측해서가 아니다. 자고로 인간의 죽은 모습이란 모두가 흉측한 법이다.

내가 그를 알아본 건 손가락 마디에 걸려 있던 금반지 때문이었다. 틀림없이 크리스틴 다에가 약속한 대로 그가 묻히기 전에 직접 손가락에 끼워주었을 바로 그 금반지 말이다……

유골은 작은 샘터 바로 옆에서 발견되었다. 그곳은 음악의 천사가 크리스틴 다에를 처음 극장의 지하세계로 끌고 들어갔을 때, 부르르 떠는 자신의 두 팔로 혼절한 그녀를 받아 안았던, 바로 그곳이다.

자, 이제 이 유골은 어떻게 될 것인가? 혹시 쓰레기더미나 처넣는 구멍 속에 처박아버리는 건 아닐까? 이 자리를 빌어 나는 주장하는 바이다. 오페라의 유령의 유골이 있어야 할 장소는 국립음악원의 정식 사료관(史料館)이어야만 한다고.

그건 보통 유골이 아니니까…….

너희가 오페라의 유령을 아느냐?

지금으로부터 정확히 12년 전……, 살을 에는 듯한 겨울의 밤거리를 지팡이에 의지한 채 절망과 광기를 곱씹으며 혼자 이 술집 저 술집을 전전하다가 우연히 들어선 레코드점에서 그는 악마적인 위트와 낭만적인 암시가 무척이나 돋보이는 한 레코드 자켓 앞에 눈길을 멈추었다. 왠지 을씨년스러우면서도 서글픈 우수가 느껴지는 하얀 가면이 꿈을 꾸듯 공중에 둥실 떠 있는 붉은 장미 한 송이를 바라보고 있는 그 검은 색 자켓에는 이런 제목이 씌어져 있었다.

The PHANTOM of the OPERA……

당시, 6개월 간의 병원 생활을 마치고 망가질 대로 망가진 한 사내에게 그 제목은 묘한 흥분과 호기심을 불러일으켰고, 그것을 겨드랑이에 끼자마자 외투깃을 추켜세운 채 자신의 어둠침침한 골방으로 걸음을 재촉하게 했다. 그리고, 그날 밤을 그는 오페라의 유령과 함께 하얗게 지새면서 이유를 알 수 없는 뜨거운 눈물을 흘리고, 또 흘리고 있었다…….

오페라의 유령과 옮긴이의 인연은 그렇게 시작되었다.

내가 들은 음악을 작곡한 사람이 앤드류 로이드 웨버라는 걸 안 후,

그의 뮤지컬 작품을 빠짐없이 구해 듣는가 하면 만나는 사람에게 침을 튀겨가며 예찬론을 펴거나 아예 사서 선물로 떠안기기를 몇 수십 번이나 했는지 모른다. 그리고 이제 그 인연이 그 작품의 원작을 번역하는 데까지 이르렀으니, 가슴 벅차기가 말로 다 할 수 없을 정도이다. '유령'이 나를 따라다녔던 것일까?

너무나도 유명한 뮤지컬 「오페라의 유령」은 알아도, 그것이 20세기초 (1910년) 프랑스에서 나온 공포추리소설을 원작으로 하고 있다는 사실을 제대로 아는 사람은 그리 많지 않은 것 같다. 「오페라의 유령」의 정확한 번역은 아마도 「오페라 극장의 유령」이나 「오페라좌의 유령」, 「오페라 하우스의 유령」 정도가 되어야 할 것이다. 파리에 실재하는 2,300여 석 규모의 오페라 극장에 출몰하는 '유령'에 관한 이야기이기 때문이다. 저자인 가스통 르루(Gaston Leroux, 1868-1927)는, 명탐정 셜록 홈스로 유명한 영국의 코넌 도일(A. Conan Doyle, 1859-1930)이나 괴도(怪盜) 아르센 루팡으로 유명한 프랑스의 모리스 르블랑(Maurice Leblanc, 1864-1941)과 동시대에 활약한 추리작가로서, 오늘날에는 유명도가 그 둘에 비해 좀 떨어지지만, 당대의 인기는 결코 뒤지지 않는 작가였다.

그리고 홈스나 루팡과 마찬가지로 그의 숱한 작품들에서도 소년탐정 룰르타비유(Rouletabille)라는 전형적인 히어로가 등장, 눈부신 활약을 보여주며, 대표작 중 하나인 「노란 방의 수수께끼 Le Mystére de la Chambre jaune, 1908)」는 6,70년대에 이미 우리나라에서도 널리 소개된 걸작이다.

하지만, 「오페라의 유령」은 그의 다른 추리소설과는 다소 그 격(格)을 달리 한다. 베일에 가려진 범죄의 실타래를 논리적인 지력(智力)으로 하나하나 풀어나가는 묘미가 추리소설의 정수라 한다면, 이 소설은 거기에 더해 인간의 원형(archetype)적인 갈등의 문제를 심도 깊게 다루고 있기 때문이다. 선천적인 기형을 타고난 에릭이라는 악인(惡人)이 오페라 극장 프리마돈나인 크리스틴을 짝사랑함으로써 벌어지는 온갖 황당무계하고 기상천외한 사건들은 미(美)와 추(醜), 선(善)과 악(惡), 생(生)과 사(死)라는 요인들의 얽히고 설킨 문제를 우리 앞에 더없이 박진감 넘치는 드라마로서 제시한다. '유령'으로 알려지면서 공포의 대상이 되어온 한 수수께끼 같은 인물을 통해 우리는 그 모든 이원론적인 요소들이 결국에는 하나일 수 있다는 신화적 진리에 도달한다.

인간의 저 근원적 집단무의식으로부터 끊임없이 송신(送信)되어오는 이 같은 보편적 메시지는 「드라큘라」, 「프랑켄슈타인」, 「미녀와 야수」, 「노틀담의 꼽추」 그리고 「지킬박사와 하이드씨」를 오늘날까지 우리 곁에 있게 해주는 추동력(推動力)인 셈이며, 이는 21세기를 넘어선 미래의 우리에게도 아마 똑같이 작용할 것이다. 우리의 정서, 우리의 상상력이 인간적 진실을 추구하는 걸 포기하지 않는 한 말이다.

그렇다고 이 소설이 어떤 철학적인 사변이나 요설로 독자를 질리게 만들거나 하는 건 물론 아니다(아마도 옛날 소설이라 혹시 그렇지 않을까 걱정하는 독자도 분명 있을 것이다). 처음 프롤로그로부터 마지막 에필로그에 이르기까지 저자는 역시 추리·스릴러 작가로서의 실력을 유감 없이 보여준다. 수수께끼처럼 던져진 온갖 잡다한 요소들이 이야기가 진행되면서 마치 하나의 실에 색색가지 구슬이 꿰이듯 정교하게 조립되어가는 과정이 혀를 내두르게 한다. 조금이라도 방심하며 읽는 독자들은 뒤로 갈수록 자꾸만 책장을 앞으로 뒤져가야만 하는 이상한 독서를 체험하게 될 것이다. 여기에다가, 실화를 바탕으로 했다는 저자의 주장이 여러 가지 각주나 그럴듯한 소설적 기법을 통해 끈질기게 제기되고 있다. 이러한 저자의 능청은 분명 독자들의 눈에 애교로 비쳐지겠으나, 책을 덮은 뒤엔 자기도 모르게, 샤를 가르니에(Charles Garnier,

1825-1898)가 설계한 이 네오-바로크 풍의 화려한 오페라 극장을 찾아가 문제의 2층 5번 박스석에 한번 앉아보고 싶다는 유혹을 떨치기 어렵게 할 것이다.

이제 우리나라도 뒤늦게나마 뮤지컬 「오페라의 유령」이 제대로 된 무대 위에서 공연될 예정이라고 한다. 프리마돈나와 유령의 이루어질 수 없는 사랑에만 초점을 맞춘 이 영국산(産) 뮤지컬을 보고 열광하는 것도 좋겠지만, 앤드류 로이드 웨버의 창작욕을 촉발시켰던 그 원작을 우선 감상하고 나서 마음의 준비를 갖추는 것도 권장할 만한 일이라 생각한다. 사람은 자고로 아는 것만큼 보이는 것이 아니겠는가!

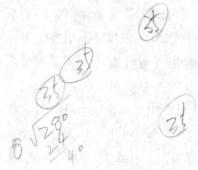